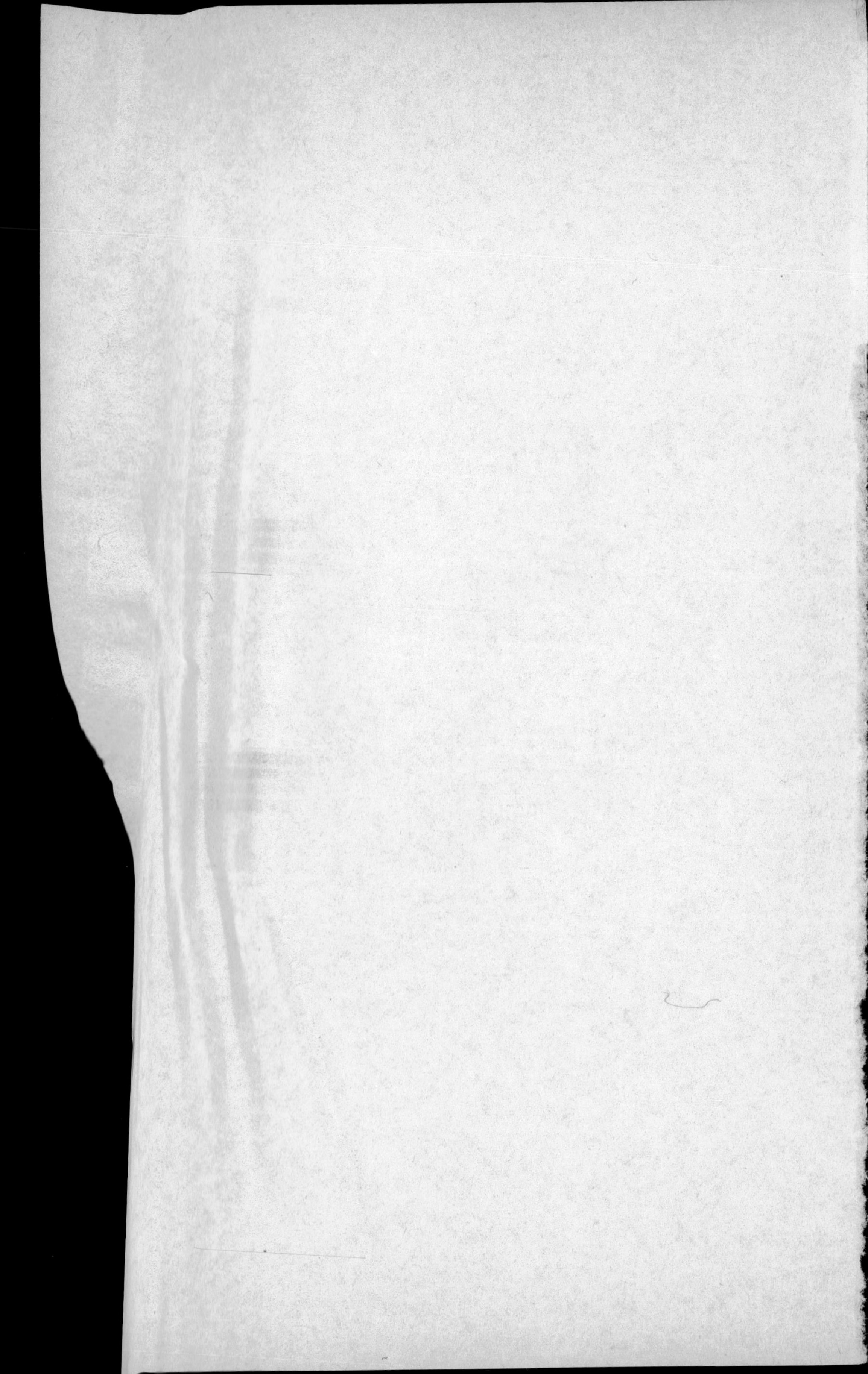

Tous les fleuves vont à la mer

Belva Plain

Tous les fleuves vont à la mer

Roman

FRANCE LOISIRS
123, boulevard de Grenelle, Paris

Édition du Club France Loisirs, Paris,
avec l'autorisation des Presses de la Renaissance.

Traduit de l'américain par Eléonore Francart.
Titre original : *Evergreen*, publié par Delacorte Press, New York.

ISBN 2-7242-1404-8

A mon mari,
compagnon d'une vie.

« Une génération passe,
puis une nouvelle génération vient :
seule la terre demeure à jamais. »

L'Ecclésiaste

I

Les hasards de l'histoire

1

Tout commença dans une pièce chaleureuse dont les murs étaient couverts d'un vieux papier peint à fleurs rouges. On y voyait une simple table et un fourneau de fonte noire. Sur un lit, une fillette se reposait paisiblement, bercée par la douce chaleur, tandis que la mère vaquait à sa besogne, de la table au fourneau. La mère se mit à fredonner d'une petite voix chevrotante une chanson aux rimes puériles qui se voulait gaie, mais l'enfant, surtout sensible à ses accents mélancoliques, en ressentit quelque tristesse.

— Arrête ! ordonna-t-elle et, amusée par le ton déterminé de sa fille, la mère obéit.

— Sais-tu, dit-elle plus tard à son mari, qu'Anna n'aime pas ma voix. Aujourd'hui, elle m'a demandé de me taire.

Le père rit et prit Anna dans son petit lit. Ses yeux bleu pâle s'animèrent dans son visage qu'encadrait une barbe blonde aux reflets roux. Ses gestes lents témoignaient de sa douceur naturelle. Il prit sa femme dans ses bras et cette marque de tendresse rassura l'enfant.

— Embrasse Maman ! dit-elle.

Ils rirent à nouveau. L'enfant comprit qu'ils se moquaient gentiment d'elle et qu'ils l'aimaient.

Longtemps, les jours et les années s'écoulèrent sans que rien ne vienne troubler leur paisible monotonie. La mère continua à s'affairer entre table et fourneau. Dans la pièce de devant, qui servait de boutique, le père fabriquait des bottes et taillait le cuir pour les harnais. Sur le grand lit de la pièce du fond, attenante à la cuisine, la mère donna naissance à des jumeaux qui avaient les mêmes cheveux roux qu'Anna et son père.

Le vendredi soir, la table se parait d'une nappe de lin et du pain blanc accompagnait le thé sucré. Père ramenait de la synagogue des mendiants qui ne se lavaient jamais. Ils empestaient. Les mets les plus savoureux — la confiture de prunes et le blanc de poulet — leur étaient réservés. Dans la pénombre de la pièce, la flamme claire des bougies jetait des reflets rougeoyants sur les mains jointes de Mère qui priait : les perles de ses pendants d'oreilles scintillaient. Son visage, les paroles qu'elle prononçait s'auréolaient d'une noblesse et d'un charme mystérieux.

Anna avait le sentiment que le monde dans lequel elle vivait était unique et immuable. Elle ne pouvait concevoir l'existence d'un monde différent. Une route — poussiéreuse l'été, boueuse et glacée l'hiver — parcourait le village avant d'arriver à la rivière. Là, elle traversait un pont et déployait son long ruban sur des kilomètres encore, rencontrant d'autres villages, identiques, disait-on, à celui qu'habitait Anna. Les maisons s'étendaient le long de la route ou se blottissaient autour de la synagogue, du marché et de l'école. Tous les gens qui vivaient là se connaissaient et s'appelaient par leur nom.

« Les autres », ceux d'ailleurs, on les trouvait dès la rive opposée. Leurs maisons se groupaient aussi autour d'une église qui dressait son clocher au-dessus des arbres. Au-delà des habitations, les troupeaux paissaient et, plus loin encore, les blés encore verts ondoyaient sous le souffle du vent. Chaque matin, le laitier traversait le pont, portant deux lourds seaux de bois qui se balançaient au bout d'une planche. Mais, excepté le laitier et les colporteurs, les villageois se rendaient rarement de l'autre côté de la rivière. La mère d'Anna y allait parfois pour acheter des légumes et des œufs lorsqu'ils venaient à manquer sur place.

Les prières du matin, de l'après-midi et du soir que récitait le père, les allées et venues des frères, partant ou revenant de l'école avec leur manteau noir et leur casquette à visière, rythmaient les journées. Le vendredi soir constituait le tournant de la semaine. L'hiver, la neige tombait silencieusement, les voix résonnaient comme des carillons dans la blancheur feutrée, d'année en année. La pluie succédait à la neige et les lilas de la cour, détrempés par les averses, laissaient choir un tapis de pétales sur le sol boueux. Un été chaud et court survenait ensuite, puis le froid s'abattait à nouveau.

Assise sur le seuil, entourée de l'immobilité du soir, Anna contemple les étoiles. « De quoi sont-elles faites ? » s'interroge-t-elle. On lui a dit que c'étaient des boules de feu et qu'il en était de même pour la terre ; si on pouvait la regarder de très loin, on la verrait briller comme les étoiles. Mais Anna ne peut y croire.

Père est incapable de lui expliquer le phénomène, mais à vrai dire il se soucie peu de ce genre de questions. Seul l'intéresse l'enseignement de la Bible. Mère soupire car elle n'en sait pas davantage. Quelle merveille si les femmes pouvaient un jour étudier et être instruites de ces mystères de l'univers ! Il paraît même que dans une contrée lointaine du pays, la femme d'un rabbin dirige une école de filles. Là, on apprend très certainement la vérité sur les étoiles et aussi à parler d'autres langues et bien d'autres choses encore. Mais une telle école est réservée aux gens fortunés. Et, de toute façon, à quoi servirait un tel savoir ici, au village !

— Tout n'a pas besoin d'être utile, dit Mère, on peut s'attacher à certains détails de la vie pour leur seule beauté. Peut-être que ça changera, qui sait ?

Anna est bien loin de tout cela. Les étoiles brillent, la brise déploie sa caresse soyeuse. Des nuages s'élèvent au-dessus de l'horizon et le fond de l'air fraîchit imperceptiblement. De l'autre côté de la rue, des volets claquent, fermés pour la nuit. Anna se lève et rentre dans la maison.

Des bribes de conversations parviennent à ses oreilles : ses parents parlent de l'Amérique. Anna a vu ce pays sur une carte : elle sait qu'après plusieurs jours de voyage, on arrive au bout d'une terre appelée l'Europe — c'est là qu'elle vit — puis s'étend un océan plus vaste que le continent qu'on vient de parcourir.

Au village, de nombreux voisins ont des parents qui ont émigré aux Etats-Unis. La cousine Ruth est partie habiter New York avant la naissance d'Anna. Les lettres racontent ce pays lointain, ce pays merveilleux qui vous accueille à bras ouverts, que vous soyez riche ou pauvre. Une terre où règnent l'égalité et la justice ! En Amérique, on peut faire fortune, acheter des bracelets en or ou de la vaisselle d'argent !

Depuis des années Père et Mère parlent de partir aussi, mais ils ont sans cesse différé ce départ. D'abord, Grand-Mère a eu une attaque d'apoplexie ; en Amérique, on refuse les émigrants malades et jamais la famille ne serait partie sans elle. Grand-Mère est morte quelque temps après, mais les jumeaux, Eli et Dan, venaient de naître. Ensuite, Rachel est venue au monde et puis encore Celia. Père devait économiser davantage. Il fallait encore attendre un an ou deux.

Anna se disait qu'ils ne partiraient jamais. L'Amérique, ses parents se contentaient d'en parler le soir dans leur lit, tout comme ils parlaient des problèmes domestiques, des voisins, de l'argent et des enfants, mais jamais ils ne quitteraient le village. Un jour, qui lui semblait bien lointain, Anna serait grande. Elle se marierait comme Pretty Leah, dont le père possédait un élevage de volailles juste après le pont, et serait conduite sous le dais au son des violons, le visage caché derrière un voile. Elle deviendrait mère à son tour et resterait couchée sur un grand lit avec un nouveau-né à ses côtés — « comme Maman ». Mais rien ne changerait vraiment ; Père et Mère seraient là, immuables, à l'image de leur maison et de leur foyer tendrement uni.

Rachel s'agite dans son lit et le rideau de la fenêtre se gonfle un peu. Le vieux chien, dans la cour, tire sur sa chaîne qui cliquette. D'enivrantes odeurs de pins et de foin embaument la nuit d'été. Les grenouilles coassent et les oiseaux de nuit s'envolent dans un froufrou d'ailes. Rassurée par ces bruits familiers, Anna s'endort, emplie du bonheur de vivre.

2

Lorsque survint l'histoire de Pretty Leah, Anna avait douze ans. Chaque fois qu'elle revivrait cette scène, sa voix enfantine et les mots d'alors viendraient résonner à ses oreilles.

« Maman m'avait envoyée à la ferme pour acheter des œufs et nous étions dans la cour avec Pretty Leah en train de les compter. J'ai voulu aller dans l'étable pour voir le veau nouveau-né et j'étais là quand les trois hommes sont arrivés au petit galop dans la cour, montés sur des chevaux de labour.

« Pretty Leah a dû penser qu'ils venaient acheter des œufs parce qu'elle a levé les yeux vers eux et leur a souri. Ils ont sauté à bas de leur monture et l'un d'eux l'a prise par les épaules. Ils riaient mais en même temps ils semblaient en colère ; du moins je crois. Je ne comprenais pas très bien ce qu'ils voulaient, mais Pretty Leah s'est mise à crier et j'ai vite grimpé à l'échelle du grenier où je me suis cachée.

« Ils ont entraîné Pretty Leah dans l'étable dont ils ont refermé la porte. Elle criait ; je l'entends encore. Ils étaient soûls et disaient des tas de gros mots en polonais. Ils lui ont soulevé la jupe qu'ils ont rabattue sur son visage. Oh, ils vont l'étouffer ! Non, je ne devrais pas regarder. En réalité, je ne pus détourner mon regard tout le temps que dura la scène.

« Juste comme le taureau et la vache, que j'avais vus une fois en me promenant avec Maman. Elle m'avait dit de ne pas regarder et comme je lui demandais pourquoi, elle avait répondu : "Parce que tu es trop jeune pour comprendre. Tu pourrais avoir peur."

« Mais le taureau et la vache ne m'avaient pas du tout effrayée. Ce qu'ils faisaient m'avait semblé une chose naturelle. Rien à voir avec cette scène horrible. Pretty Leah se débattait et donnait des coups de pied ; les cris à peine étouffés par la jupe devinrent bientôt des pleurs et des supplications. Elle gémissait comme un petit animal. Deux des hommes immobilisèrent ses bras au sol et le troisième se coucha sur elle. Puis les deux autres, tour à tour. Au bout d'un moment, elle cessa de se débattre et de sangloter. Mon Dieu ! Ils l'ont tuée ! me dis-je.

« Les hommes partirent en laissant la porte de l'étable grande ouverte derrière eux. J'entendis à nouveau les poules qui caquetaient. Un rayon de lumière tomba sur Pretty Leah : sa jupe était toujours rabattue sur son visage. Ses jambes étaient écartées et ses cuisses ensanglantées. J'ai attendu un long moment avant de descendre. J'avais peur de la toucher, mais je suis quand même parvenue à rabaisser sa jupe. Elle respirait ; elle n'était qu'évanouie. Une écorchure lui zébrait le menton et ses cheveux noirs étaient complètement défaits. Je me dis alors que si elle parvenait à se réveiller, ce serait pour souhaiter être morte.

« Alors, je suis sortie et j'ai vomi sur l'herbe. M'emparant de mon panier d'œufs, je suis retournée à la maison. »

Voilà la scène telle qu'Anna devait se la rappeler toute sa vie durant. Chaque fois qu'il serait question de la relation homme-femme, elle ne pourrait s'empêcher d'y repenser même si elle désirait en avoir une autre image.

Le soir, une fois la vaisselle rangée, sa mère la prit à part.

— Viens Anna, allons nous asseoir dehors sur les marches pour parler un moment.

L'obscurité du crépuscule semblait menaçante. Des ombres étranges se profilaient derrière les arbres.

— Je ne veux pas aller dehors, dit Anna.

— Bon. Papa et les enfants vont sortir et on sera seules.

La mère s'allongea sur le lit à côté de sa fille et posa sa main chaude et calleuse sur la sienne.

— Ecoute-moi, dit-elle doucement, je donnerais tout pour que tu n'aies jamais vu une horreur pareille. C'est abominable !

Un long frisson secoua son corps et fit tressaillir sa voix.

— Parfois les êtres humains sont pires que des bêtes. Mais n'oublie jamais, Anna, que la plupart des gens sont bons. Essaie de chasser cette scène de ton esprit.

— Ces hommes seront punis, j'espère.

— Personne ne les a vus. Quelles preuves retenir contre eux ?

— Moi, je les ai vus. Je les reconnaîtrais parfaitement. Surtout l'homme trapu. Il portait une chemise rouge. C'est celui qui va se soûler chez Krohn.

La mère s'assit.

— Ecoute-moi, Anna, écoute-moi bien. Jamais, au grand jamais, tu ne parleras de ça à qui que ce soit. Qui que ce soit, comprends-tu ? Il t'arriverait des choses terribles. A Papa, à moi, à nous tous ! Il faut se taire, Anna !

— Je comprends. Alors, on ne peut rien faire contre ces gens-là ?

— Rien.

— Ils pourraient recommencer. Cela pourrait t'arriver à toi aussi, Maman.

La mère ne répondit rien, mais Anna insista.

— Impossible de rien faire, vraiment ?

— Je suppose que non.

— Ainsi, tout leur est permis. Ils peuvent même nous tuer.

— Oui, ça aussi. Maintenant tu es assez grande pour savoir.

La fillette éclata en sanglots. Sa mère la prit dans ses bras. Peu après, le père fit son apparition. Il resta sur le pas de la porte, le visage défait.

— Je suis décidé. Nous n'avons cessé de remettre la chose à plus tard. Mais cette année, au printemps, nous partirons coûte que coûte. Nous vendrons les meubles, tes pendants d'oreilles, les chandeliers en argent de ta mère et nous partirons pour l'Amérique.

— Nous sommes sept à présent.

— Même si nous étions plus nombreux, nous y arriverions quand même. La vie n'est plus possible ici. Je voudrais qu'avant de mourir, il me soit permis d'oublier la peur.

Ils n'avaient donc jamais cessé de trembler, pourchassés par la peur jusque dans leur propre maison. Mère toujours si calme et si adroite dans tout ce qu'elle entreprenait, Père qui taillait le cuir et tapait sur ses clous en fredonnant, le sourire aux lèvres. « Jamais je n'aurais imaginé une chose pareille », se disait Anna.

L'hiver de 1906 fut exceptionnellement doux. Le peu de neige qui tomba fondit rapidement pour céder la place à de grandes flaques d'eau boueuse. Un vent humide soufflait : les gens transpiraient sous leurs épais manteaux, mais jamais on ne compta autant de rhumes et de poussées de fièvre. A la fin février, les pluies arrivèrent, longs rideaux uniformes accrochés à un ciel sombre. La rue du village se liquéfia, la petite rivière sinueuse sortit de son lit et inonda tous les jardins qui la bordaient.

Survint la maladie. Elle venait de la rivière. Début mars, dans une même famille, moururent le grand-père et un bébé. De l'autre côté de la rivière, chez les paysans, une famille entière fut décimée. Chaque jour, la maladie s'étendait et faisait de nouveaux ravages, de nouvelles victimes. Le fléau sévissait dans un rayon sans cesse plus large. Des fermiers parcouraient plus de dix kilomètres pour venir enterrer leurs morts au cimetière du village. La maladie se répandait comme le mildiou, attaquant, rangée après rangée, les champs de pommes de terre. Où fuir ? les gens ne savaient que faire, sinon attendre.

Certains avancèrent que l'eau avait été contaminée à la suite des inondations. Le prêtre disait que la maladie était un châtiment de Dieu, pour punir les hommes de leurs péchés. Chaque heure, sonnaient les cloches de funérailles ou de messes pour les morts, implorant la miséricorde divine. Dès que la pluie cessait, des processions se formaient : le prêtre, les enfants de chœur portaient des cierges, des bannières et des reliques dans une châsse vitrée, les hommes hissaient sur leurs épaules l'estrade qui supportait la statue de la Sainte Vierge, les femmes marchaient derrière, en pleurs.

Les volets de la maison d'Anna étaient clos,

— Si cette maladie ne s'arrête pas, dit le père, ils vont faire retomber la faute sur nous.

— Je ne sais pas ce que je redoute le plus : le choléra ou eux, avoua la mère d'une voix triste.

— En Amérique, il n'y a pas de choléra et les gens n'ont pas peur, dit Anna.

— Et cet été, nous serons là-bas, promit son père.

Ils seraient peut-être finalement partis cette année-là, qui sait ? Mais les parents d'Anna moururent à la fin mars après deux jours de maladie. Celia et Rachel succombèrent aussi, seuls Anna et les jumeaux furent épargnés.

La fillette frêle aux cheveux roux et les deux garçons de dix ans suivirent les cercueils de pin jusqu'au cimetière, frissonnant de tout leur corps. Emportés par un vent cinglant, se perdaient les chants et les prières. Puis, la première motte de terre tomba sur le bois avec un bruit mat. « Vite, vite, il fait si froid », pensa Anna. Elle ferma les yeux, cherchant l'image de ses parents. Elle aurait voulu se souvenir du son de leur voix.

Les enfants rentrèrent à la maison. On l'avait aérée et désinfectée, on avait apporté de la soupe. Tous les voisins, emmitouflés dans leurs manteaux ou des châles noirs, s'étaient rassemblés dans la petite cuisine.

— Que va-t-on faire de ces enfants ?

— Ils n'ont pas de famille ! Les gens qui n'ont pas de parents ne devraient pas se marier !

— Je suis bien d'accord.

— Eh bien, la communauté pourvoira à leurs besoins.

« La communauté ? » Le mot semblait désigner l'homme le plus fortuné, celui qui était respecté de tous, et de qui on attendait qu'il vienne à leur secours. Cet homme-là s'avança. Meyer Krohn était patron d'auberge, marchand d'étoffes et usurier. Il était grand, et son visage grêlé était mangé par une barbe grise et mal taillée. Il portait des bottes de paysan. D'une voix rauque et autoritaire, il dit :

— Alors qui va les prendre ? Toi, Avrom ? Ou toi, Yossel ? Vous avez assez de place !

— Meyer, tu sais que je fais tout mon possible. Je pourrais en prendre un, mais pas les trois.

Meyer Krohn fronça les sourcils.

— Pas question de séparer les membres d'une famille, ce n'est pas dans nos habitudes ! rugit-il. Quelqu'un doit se charger de ces trois orphelins. Alors qui ?

Un grand silence plana dans la cuisine. Anna sentait ses jambes se dérober sous elle.

— Ah, s'exclama Meyer en brandissant son énorme bras, je sais ce que vous pensez. Vous vous dites : « Meyer est riche, pourquoi pas lui ? » Pour qui me prenez-vous, pour Rothschild ? « Meyer, l'école a besoin d'un nouveau poêle ; Meyer, untel s'est cassé la jambe et sa famille meurt de faim... » Et puis quoi... ?

Quelqu'un toussa.

On avait dit à Eli qu'il devait se conduire comme un homme à présent et il essayait de contenir ses larmes.

— Très bien, dit Meyer dans un soupir, très bien. Mes enfants sont grands et ils sont partis. Ma maison est assez vaste. Il y a une chambre pour les deux garçons et Anna partagera le lit de la servante... Qu'en dis-tu, Anna ? Et toi, Eli ? Lequel d'entre vous s'appelle Eli et comment s'appelle l'autre ? J'oublie toujours.

Il entoura de ses bras les épaules frêles des garçons.

— Venez à la maison, dit-il.

Les Krohn vivent dans l'aisance : une maison à deux étages, des sols parquetés, des tapis... et Tante Rosa a une belle cape de fourrure. Une servante s'occupe des tâches domestiques pendant que Tante Rosa travaille au magasin. Elle aide parfois son mari à l'auberge et Oncle Meyer s'occupe parfois du commerce.

Anna participe du mieux qu'elle peut aux tâches domestiques, tant à la boutique qu'à la maison ou à l'auberge. Souvent, le soir venu, elle éprouve une grande fatigue. Elle a grandi. Une magnifique chevelure tombe sur ses épaules. Les Krohn l'ont bien nourrie.

— Quel âge as-tu ? lui demande un jour Oncle Meyer tandis qu'ils enroulent des étoffes autour de lourds cylindres qu'il faut ensuite soulever et ranger sur des étagères.

— Seize ans.

— Comme le temps passe ! Sais-tu que je ne suis pas mécontent de toi ? Tu es une jolie fille ainsi qu'une bonne travailleuse. Il serait temps de te trouver un mari.

Anna ne répond rien, mais cela ne gêne pas Oncle Meyer. Il a la curieuse habitude de monologuer.

— J'aurais peut-être pu faire d'autres choses pour toi, mais je n'en ai jamais trouvé le temps. Les gens pensent : « Ce Meyer Krohn, il est riche. De quoi se soucie-t-il ? » Mon Dieu, ils ne savent pas que le soir, dans mon lit, j'ai souvent du mal à trouver le sommeil. Je pense à mille choses et tout se bouscule dans ma tête...

Oncle Meyer ne cesse de se plaindre. Même lorsqu'il semble d'excellente humeur, on sent en lui comme une rancœur cachée. Anna sait pourquoi : il a peur. Quand on grandit sous le toit d'un étranger, on apprend à observer ; on finit par comprendre les caractères, prévoir les réactions, et connaître ce que cachent les apparences. Oui, Oncle Meyer a peur — sa peur est même plus grande que ne l'était celle de Papa — car c'est un homme important et en vue dans le village. Quand un nouveau préfet de police arrive dans la région, c'est Meyer qui est chargé d'acheter sa bienveillance à l'égard de la communauté. Il soudoie aussi un peu pour son propre compte, donne des cadeaux aux paysans pour éviter que son magasin ne soit pillé et saccagé pendant les déchaînements collectifs de la morte-saison. L'aimable individu qui est venu vous demander crédit avec un sourire enjôleur — et qui, bien entendu, l'a obtenu — peut tout aussi bien revenir pour vous bourrer de coups de pied ou lancer ses chiens sur vous.

— Il faut aussi que je pense à tes frères. Que va-t-on en faire ? Comment vont-ils gagner leur vie ? Rosa a un oncle à Vienne, se mit-il à penser tout haut. Il est parti s'installer là-bas il y a des années. Peut-être t'ai-je déjà parlé de lui ? Il vend des fourrures. D'ailleurs, son fils doit venir ici au printemps pour acheter des peaux de renard. Je pourrais lui en parler. C'est une idée.

Anna trouva que ledit cousin de Vienne ressemblait lui-même à un renard. C'était un jeune homme svelte et plein d'allant, vêtu d'un costume de ville très seyant. Dans son visage chafouin, ses yeux rougeâtres semblaient toujours sur le qui-vive. Il parlait avec abondance et très vite, si bien que l'Oncle Meyer fut contraint de se taire. Dan et Eli étaient totalement fascinés.

— ... Et les escaliers de l'Opéra sont en marbre et les murs sont décorés de bas-reliefs dorés. L'édifice est tellement immense qu'il contiendrait bien une trentaine de maisons, presque tout votre village.

— Bah, dit l'Oncle Meyer, n'y tenant plus, vous ne m'apprenez rien. Je suis allé à Varsovie. Moi aussi, de mon temps, j'ai vu ces monuments grandioses.

— Varsovie ! Vous osez comparer Varsovie à Vienne ? Moi, je parle d'un pays civilisé ! Où les Juifs écrivent des pièces de théâtre et enseignent dans les universités, où il n'y a pas de pogroms dès que les paysans éméchés ont envie de s'amuser un peu !

— Vous voulez dire, demande Dan, qu'à Vienne les Juifs sont considérés à l'égal des autres gens ?

— Eh bien, naturellement, ils ne sont pas invités aux bals donnés au palais de François-Joseph, pas plus que les goys, d'ailleurs. Mais les Juifs ont des maisons spacieuses et se promènent en calèche. Ils possèdent de grandes boutiques avec des porcelaines, des tapis d'Orient et les dernières choses à la mode... Vous devriez voir l'endroit où je travaille ! Nous venons juste de nous agrandir.

Le jeune homme de Vienne avait semé dans les esprits des idées qui feraient leur chemin.

— Je vais peut-être aller à Paris au printemps, dit-il sur un ton désinvolte. Je ne vous l'avais pas dit ?

— Non, pas encore, répond Dan.

— Eh bien, nous vendons parfois des fourrures là-bas et mon patron veut aller traiter certaines affaires sur place. De plus, ça permet de s'informer sur les styles nouveaux et les idées en vogue. Le patron m'a promis de m'emmener avec lui.

Le chat se gratte vigoureusement ; dans la bouilloire, chantonne l'eau pour le thé et mille questions semblent rester en suspens.

— Je ne reviendrai pas ici, dit finalement le cousin de Vienne. Nous sommes en train d'établir de nouveaux contacts avec la Lituanie pour les fourrures.

— Ainsi, en d'autres termes, dit l'Oncle Meyer, si vous prenez ces enfants avec vous, c'est maintenant ou jamais.

— C'est cela même.

Dan se tourne vers Anna. Son regard suppliant trahit son impatience, son désir de partir. C'est vrai, il n'y a rien à faire dans ce village. Oncle Meyer n'y peut rien changer. Que vont-ils devenir ? Porteurs dans les rues de Lublin, tirant de lourds fardeaux avec des cordes attachées autour de la taille ? A Vienne, ils apprendraient un bon métier.

Au revoir, Eli. Au revoir, Dan. Petits nez retroussés. Petits visages souvent barbouillés. Je suis la seule personne capable de vous distinguer : Eli avec son grain de beauté sur l'aile du nez et Dan avec sa dent de devant ébréchée.

— Vous me rejoindrez en Amérique, leur dit Anna. Je vais aller là-bas et je gagnerai assez d'argent pour vous faire venir.

— Non, c'est nous qui gagnerons assez d'argent pour que tu puisses venir nous rejoindre. Nous sommes deux et nous sommes des hommes. Tu pourras revenir des Etats-Unis, si tu y es.

... Mais peut-on quitter l'Amérique ?...

— Anna, j'ai quelque chose à te dire, annonça Tante Rosa quelques semaines plus tard. Oncle Meyer voudrait te présenter un charmant jeune homme.

— Mais... je pars en Amérique.

— Ne dis pas de bêtises ! Tu ne vas quand même pas partir toute seule à seize ans et si loin !

— Je n'ai pas peur, mentit Anna.

Et après tout, pourquoi partir ?... Le village était devenu son véritable foyer. Elle s'était même familiarisée avec les dangers qui s'y dissimulaient. Cependant, il y avait l'Amérique... Anna imaginait ce pays comme une île luxuriante, un mariage vert-argent surgissant des flots, qui s'offrait soudain à la vue du voyageur après une longue traversée. Elle savait que cette vision était erronée, mais elle aimait se représenter les choses ainsi.

— Tu me manqueras, dit timidement Tante Rosa. Je te considère comme ma fille. Je n'ai pas vu mes propres filles depuis qu'elles se sont mariées et qu'elles ont quitté le village. Tu devrais quand même rencontrer ce jeune homme, ajouta-t-elle d'une voix enjôleuse, tu changeras peut-être d'avis.

Le jeune homme vint dîner un vendredi soir : il s'agissait d'un gentil garçon qui gagnait sa vie comme colporteur de tabac et d'articles de mercerie. Son visage était couvert de boutons et son haleine empestait l'ail. Il avait un sourire triste. Anna le trouvait tout à fait repoussant, mais en même temps, elle avait honte de ressentir du dégoût pour un être humain aussi brave, aussi honnête.

Elle ne put s'empêcher de penser à Pretty Leah et à ce qui lui était arrivé. Mais ce jeune homme n'avait rien d'un ivrogne ni d'une brute ; il ne la traiterait jamais ainsi. Tout de même, elle le trouvait répugnant.

— Voyons, Anna, il faut vraiment que tu regardes les choses en face. Tu n'as ni argent ni famille. Qu'espères-tu donc ? Rencontrer un homme lettré ou un riche commerçant ? Ah, soupira Tante Rosa, quand je pense à ces insensés qui se marient sur un coup de foudre ! C'est la génération suivante qui souffre et paie pour eux. Ton père était un bel homme, avec un bon métier ; s'il avait épousé une fille de famille dotée d'un peu de fortune, il aurait pu faire prospérer ses affaires et laisser quelque chose à ses enfants.

— Mes parents s'aimaient. Vous ne pouvez pas savoir combien ils étaient heureux ensemble.

— Oui, bien sûr, je ne veux pas en dire du mal. Ta mère était une femme charmante et très croyante. Je l'ai bien connue. C'est seulement parce que... je vois où tu en es maintenant... comprends-tu ? Remarque, les choses auraient pu être pires. Remercie le ciel de t'avoir faite jolie, sinon tu aurais été obligée d'épouser quelque veuf et d'élever ses enfants. Au moins, ce garçon est jeune et il sera gentil avec toi. Tu peux nous faire confiance, nous nous sommes renseignés sur son compte. Jamais nous ne laisserions une fille entre les mains d'un homme qui risque de la maltraiter.

— Tante Rosa, je ne peux pas...

Tante Rosa se tritura nerveusement les mains ; son visage plissé de rides trahissait sa contrariété.

— Oh, mais Oncle Meyer va être terriblement fâché ! Après tout ce qu'il a fait pour toi ! Mais que veux-tu, Anna ? Que veux-tu donc ?

Ce qu'elle voulait ? Connaître autre chose que ce village, se sentir libre ; entendre de la musique, porter de jolies robes. Habiter dans un lieu qui serait le sien, où elle ne serait pas obligée de dire sans cesse merci pour tout. Merci pour ce coin sous votre toit qui me protège du froid, merci pour cette nourriture que vous me donnez ; je voudrais bien reprendre de ce plat, mais j'ai honte de le demander. Merci pour cet affreux châle marron que vous m'avez offert parce que vous n'en vouliez plus. Merci, et encore merci.

Anna possédait quatre chandeliers hérités par paire de ses grand-mères. Je vais en garder deux — ceux qui appartenaient à Maman — pensa-t-elle, et vendre les deux autres pour payer le voyage en Amérique. Je pars !

Arrivé au sommet de la colline, le chariot s'arrêta pour laisser aux chevaux le temps de se reposer. Plus loin, en contrebas, le village se blottissait à l'intérieur d'un méandre de la rivière et le petit dôme de bois de la synagogue émergeait au-dessus des toits des habitations. Le marché grouillait de monde et les gens se bousculaient autour des éventaires, foule braillarde et gesticulante. Pour tous ceux-là, la vie suivait immuablement son cours.

— Allons, en route ! dit le conducteur. Nous avons encore un long chemin à parcourir.

Tandis que le chariot bringuebalait en gémissant sur la route qui surplombait la rivière, Anna aperçut les dernières maisons avec leurs lilas en fleur. Dans un mois, le rosier que sa mère avait planté s'épanouirait en mille fleurs jaunes.

Puis, après un virage, le chemin descendit l'autre flanc de la colline en direction des champs qui s'étendaient à perte de vue.

La terre sombre fumait sous le soleil printanier et les jeunes pousses vertes, encore humides, chatoyaient. Anna ne voyait plus le village, et tout le passé qu'il représentait. Ils avaient disparu derrière la colline ; devant, c'était l'inconnu...

Il fallait à présent affronter les routes poussiéreuses, les mouches agaçantes et les auberges sales, les gardes des frontières réclamant les papiers et posant des questions acerbes. Empêchaient-ils les voyageurs de passer ? Puis, ce fut l'Allemagne avec ses gares coquettes où l'on vendait des bonbons et des fruits. Mais Anna prit garde de ne pas dilapider le petit trésor soigneusement empaqueté avec les chandeliers dans un balluchon.

A Hambourg, les gens du service d'aide aux émigrants — des Juifs allemands vêtus de costumes élégants, portant cravate et chemise blanche — firent diligence. Ils apportèrent de la nourriture, signèrent les documents, firent embarquer caisses, sacs et matelas de plumes. Certes, ils étaient bons et généreux, mais on sentait qu'ils voulaient se débarrasser de tous ces étrangers au plus vite.

Il faut dix jours pour traverser l'Atlantique, cette barrière séparant deux mondes. Les cornes de brume font entendre leur complainte lugubre et solitaire. Quand le vent se lève, le bateau craque et grince sur la mer houleuse. L'estomac vide se soulève et on ne se sent même plus la force de se raccrocher au rebord de la couchette pour éviter de tomber. Des voix se mêlent dans un brouhaha incessant : des rires éclatent, des discussions ou des plaintes s'élèvent en yiddish, en allemand, en polonais, en lituanien, en hongrois. Les voleurs s'affairent — le pauvre volant le pauvre. Une femme a perdu son crucifix en or et Anna ne quitte plus des yeux le balluchon contenant les précieux chandeliers. Un enfant est né, un vieillard a rendu l'âme. Les gémissements de la jeune mère se mêlent aux pleurs de la veuve.

Et soudain, tout s'arrête. Le bateau glisse sur les eaux calmes d'un large fleuve. Du pont, on aperçoit des habitations et des arbres. Qui se rapprochent. Le vent joue dans les branches. L'air est vif, âcre. Les mouettes viennent à la rencontre du navire et font la ronde autour de lui.

L'Amérique !

3

Avec son mari, ses quatre enfants et six autres locataires, Cousine Ruth habitait dans Hester Street, au cinquième et dernier étage d'une maison.

— Tu n'as vraiment pas de place pour moi, dit Anna, consternée. Tu es vraiment très gentille, mais je ne peux pas accepter ton offre...

Ruth repoussa une mèche de son front où perlait une goutte de sueur.

— Si tu t'imagines que tu vas trouver une place dans un endroit qui ne sera pas déjà surpeuplé ? Tu ferais mieux de rester ici, au moins tu es en famille. Et pour te dire la vérité, ma proposition n'est pas désintéressée. Nous payons un loyer de douze dollars par mois, sans compter le gaz pour les lampes et le charbon pour le poêle pendant l'hiver. Nous te demanderons un peu d'argent : cinquante cents par semaine. Qu'en dis-tu ? Cela te convient-il ?

A tous les étages, des odeurs fétides emplissaient la maison : relents de graillon et d'oignon, odeurs de cuisines, effluves des toilettes bouchées dans le couloir, vapeurs écœurantes du repassage, relent délétère de tabac humide provenant de l'appartement du devant où vivaient ceux qui fabriquaient des cigares. Anna sentit son estomac se soulever. Mais si elle refusait l'offre, où irait-elle ?

Ruth lui dit d'une voix douce :

— Le soir, quand Solly et moi avons fini de coudre, nous nous installons un lit dans la cuisine. Nous poussons les machines dans un coin et sortons les matelas. Nous avons attribué aux femmes la meilleure chambre, celle avec les fenêtres. Les hommes dorment dans la pièce de derrière, près du conduit d'aération. Vraiment, ce n'est pas si terrible. Tu verras. Tu sais coudre ?

— Je sais seulement raccommoder ou confectionner une jupe simple. Je n'ai jamais eu le temps d'apprendre, parce que je travaillais dans la boutique.

— Ça ne fait rien. Demain, tu pourras accompagner Solly à l'usine. Il doit livrer le travail terminé.

Des sacs noirs, remplis de manteaux et de pantalons, s'entassaient dans un coin. Deux enfants au teint cireux et aux cheveux bouclés dormaient sur le haut de la pile.

— Tu aideras Solly à porter les sacs. Tu feras la connaissance du patron et on te montrera là-bas comment coudre les pantalons en un rien de temps. Une bonne finisseuse arrive à gagner trente cents par jour.

Anna posa son balluchon par terre et dénoua son châle. Ses tresses auburn tombèrent sur ses épaules.

— Comme tu es jolie ! On m'avait caché ça. Petite fille...

Ruth avança ses mains vers Anna. L'étoffe des pantalons avait déteint sur ses bras et les avait noircis jusqu'au coude.

— Anna, je prendrai soin de toi, tu ne seras pas seule. Tout ça ne correspond peut-être pas à ce dont tu rêvais, mais c'est un début. Tu verras, on s'y fait très vite.

Le bruit était pire que tout. Anna arrivait à supporter les odeurs et la promiscuité, mais son ouïe extrêmement fine lui rendait le bruit intolérable. Le vacarme lui martelait la tête. Dans la rue, les fripiers criaient d'une voix nasillarde : « Cinquante cents le manteau. Qui veut mon manteau ? Cinquante cents ! Cinquante cents ! » Les charrettes grondaient sur le pavé et les trains s'arrêtaient sur la voie ferrée aérienne dans un terrible crissement métallique. Les machines à coudre faisaient entendre leur plainte lancinante jusqu'au milieu de la nuit. Ces gens-là ne dormaient donc jamais !

Parfois, quand les nuits étaient étouffantes, Anna et Ruth allaient s'asseoir sur la terrasse. Il était impossible de dormir à l'intérieur et elles avaient peur de rejoindre les autres sur les escaliers de secours, car une femme, qui habitait de l'autre côté de la rue, avait roulé hors de l'escalier pendant son sommeil et s'était écrasée sur le trottoir. Les usines crachaient des panaches de fumée durant toute la nuit, jetant des ombres tournoyantes sur un ciel d'un rose surprenant. On apercevait à peine les étoiles. Anna se souvenait des nuits d'été de son pays natal : les astres lointains y brillaient de tous leurs feux au-dessus des arbres, parmi l'immensité de la voûte céleste que rien ne venait troubler.

— Tu es si réservée, dit Ruth, qu'est-ce qui te préoccupe ? Tes frères, peut-être ?

— Ils me manquent, mais je ne me fais pas de souci pour eux. Ils ont une jolie chambre dans la maison de leur patron et ils disent que Vienne est une très belle ville.

— C'est pas comme ici !

— En effet.

— Mais ici, l'avenir est devant nous. J'ai confiance.

— Moi aussi. Sinon je ne serais pas venue.

— Tu sais, dit Ruth, je me suis dit que tu ne devrais pas travailler autant. A ton âge, il faut profiter un peu de l'existence, rencontrer des jeunes gens. Mais tout ça, c'est de ma faute. Je n'ai encore rien fait pour toi depuis quatre mois que tu es ici. Je vais demander à Solly de se renseigner sur les écoles de danse. Il y en a des tas.

— Je préférerais utiliser mes loisirs pour aller au cours du soir. Sinon je n'ai aucune chance d'apprendre l'anglais.

— Bonne idée. Ainsi, tu pourrais devenir dactylo et trouver un mari plus facilement. Les dactylos ne gagnent pas beaucoup, seulement trois dollars par semaine, mais c'est un travail qui a un certain prestige. Le hic, ajouta Ruth d'une voix hésitante, c'est que pour faire ce travail il faut être née en Amérique... ça vaut quand même le coup d'essayer.

— Cela ne m'intéresse pas tellement de trouver un mari. J'ai soif d'apprendre, voilà tout.

— Tu me fais penser à ta mère. Je me souviens très bien d'elle. Moi aussi, j'aimerais apprendre, dit Ruth en soupirant. Mais avec tous ces enfants à nourrir... et cet autre qui va venir...

Elle posa ses mains sur son ventre rond qui gonflait son tablier et laissa échapper un nouveau soupir.

Ruth avait à peine dix ans de plus qu'Anna. Etait-ce le mariage qui la rendait si lasse et résignée ? Mais Maman n'était pas comme ça, se disait Anna qui avait conservé une image très différente de sa mère. Qu'en savait-elle au juste ? A la mort de ses parents, elle n'avait que douze ans.

— Je n'aime pas me plaindre, dit Ruth en baissant la voix, mais c'est dur de faire son chemin. Certains y arrivent très bien. Je ne sais pas comment ils s'y prennent. Il y en a qui ont vraiment le don de faire fortune. C'est pas le cas de mon pauvre Solly !

Une lumière vacilla dans l'encadrement d'une fenêtre. A l'intérieur de la maison, quelqu'un s'était levé pour allumer une lampe à pétrole et une lueur se projeta sur les marches.

— Une fille, Hannah Vogel, que ta mère connaissait, et avec qui j'ai fait la traversée, a épousé un gars qu'elle a rencontré sur le bateau. Il est arrivé sans un sou en poche mais il n'était pas bête du tout. Il a noué des relations d'affaires, je ne sais pas comment, et il est parti habiter Chicago. Là, il a ouvert une chemiserie. Et maintenant, il est propriétaire d'une chaîne de magasins... Mon Solly est devenu très ami avec le gérant de l'usine, poursuivit Ruth sur un ton plus enjoué, on ne sait jamais, les choses peuvent changer très rapidement ; il pourrait un jour ouvrir sa propre usine et prendre Solly avec lui.

Anna imagina Solly penché sur sa machine à coudre, dans un coin, avec son visage de souris, son air timide et sa maigreur. Pauvre Ruth ! Pauvre Solly ! S'en sortiraient-ils un jour ?

Des émigrants qui avaient quitté l'Europe vingt ans avant eux habitaient toujours dans ce même quartier. Des vieillards au beau regard sombre y promenaient leur corps desséché. Pour Anna, ils étaient encore plus fragiles que les vieux de son pays natal qui — elle les voyait encore — tiraient des charrettes chargées de vêtements usagés, de poulets, de chapeaux, de poissons et de lorgnons.

C'était donc ça la liberté ?

Et pourtant, on trouvait dans ces rues de quoi s'émerveiller. Tout d'abord, elles étaient presque aussi claires la nuit que le jour ; ce n'était pas comme au village où on trébuchait sur la route, une lanterne à la main. Et dans une boutique inoccupée on projetait des images qui bougeaient sur un écran : des Indiens attaquaient un train ; une belle femme, une certaine Irene Castle, se pâmait dans les bras d'un homme élégant, sur une piste de danse.

Anna marchait ou plutôt flânait sans but précis, regardant tout autour d'elle. Sous la partie surélevée de la Seconde Avenue, des femmes découpaient des raiforts et essuvaient les larmes qui coulaient de leurs yeux irrités. Anna évitait soigneusement les clochards qui dormaient près des fours du boulanger, et passait devant les synagogues de Bayard Street. Elle longeait cinq ou dix pâtés de maisons, ou peut-être plus, puis rencontrait des rues où les gens avaient l'air différents et parlaient un langage qu'elle ne comprenait pas. Encore plus qu'Hester Street, les rues italiennes grouillaient d'enfants. Sur une voiturette, un homme vendait d'appétissantes glaces roses ou jaunes. Un joueur d'orgue de Barbarie, foulard à pois autour du cou et oreilles percées d'anneaux, déversait des airs mélancoliques dans le matin clair. Un minuscule singe, habillé d'un gilet rouge, s'agitait sur son épaule.

Puis venaient les rues irlandaises. Des enseignes arborant harpes et trèfles surmontaient l'entrée des pubs. Les femmes étaient jolies, leur visage doux, et leurs robes loqueteuses.

Dans Mott Street, des colporteurs au regard étrange vendaient des tranches de pastèques et du sucre de canne. Par les portes entrouvertes des sous-sols, on apercevait des Chinois qui jouaient au mah-jong. Leur natte descendait jusqu'au genou. Mais on ne voyait jamais de femmes ou d'enfants chinois. Anna se demandait pourquoi.

Il suffisait de traverser quelques rues et on découvrait un autre monde. De quels lieux étranges venaient tous ces gens si différents les uns des autres ? La Pologne était bien loin. Ces étranges personnages ressentaient-ils les mêmes peurs, les mêmes angoisses que celles que nous ressentions là-bas ? Anna finissait par se convaincre qu'il ne pouvait en être autrement...

4

Elle s'appelait Mlle Mary Thorne. C'était une jeune femme mince qui s'habillait de manière stricte : jupe de serge sombre et chemisier empesé. Elle se tenait chaque soir dans la salle de classe où d'un côté, était accrochée une carte des Etats-Unis et de l'autre, les portraits de Washington et de Lincoln. Anna pensait que ce jeune professeur ressemblait à ces personnages. Elle avait ce visage allongé et cette silhouette élancée qui n'appartient qu'aux Américains.

Les cours du soir avaient lieu dans une classe qui, pendant la journée, accueillait des enfants de dix ans. Les adultes devaient ranger leurs jambes sur le côté, car leurs genoux arrivaient à hauteur des pupitres. Les ampoules du plafond jetaient une lumière crue et les radiateurs brûlants dispensaient une chaleur soporifique. Les gens tenaient difficilement en place sur leur banc. Anna, elle, ne bougeait pas d'un millimètre. Elle regardait de tous ses yeux et écoutait de toutes ses oreilles. Elle avait soif de savoir, d'apprendre tout ce que Mlle Mary Thorne leur enseignait.

Vers la fin de l'hiver, le professeur l'appela à son bureau après la classe.

— Vous progressez si vite, Anna, que j'ai du mal à croire que vous n'avez jamais appris l'anglais auparavant. Je vais vous faire passer dans un groupe de niveau supérieur.

— Merci, mademoiselle, dit Anna.

Figée de bonheur et embarrassée tout à la fois, Anna ne se décidait pas à prendre congé.

Mlle Thorne avait troqué son habituelle expression de sévérité pour un regard attendri et plein de sollicitude.

— Savez-vous ce que vous voulez faire plus tard, Anna ? Je vous pose cette question parce que vous me semblez différente des autres. Il y a tant d'élèves... Il est rare que l'un d'entre eux se distingue vraiment.

— Je ne sais rien et je voudrais tout savoir, dit lentement Anna.

Mlle Thorne sourit.

— Tout ? C'est peut-être beaucoup !

— Bien sûr. Ce n'est pas cela que je veux dire. Mais, voyez-vous, j'ai souvent l'impression qu'il y a un écran entre moi et le monde. Je voudrais l'écarter afin d'y voir plus clair. Je ne connais rien du passé ou du monde présent, excepté ces quelques rues où je me promène et ce village d'où je viens.

— Avez-vous un peu étudié dans votre village ?

— Oui, une institutrice venait à domicile pour les filles. Elle nous apprenait à compter, à lire et à écrire. En yiddish.

— Pas en hébreu ? Oh non, l'hébreu est réservé aux garçons, n'est-ce pas ? C'est la langue sacrée.

— Oui.

— Eh bien, ici, les filles peuvent étudier les mêmes choses que les garçons.

— Je sais. C'est une bonne chose.

Mlle Thorne se leva et se dirigea précipitamment derrière son bureau vers une étagère couverte de livres.

— Le secret, c'est la lecture, Anna. Rien d'autre. Je vais vous dire quelque chose : lisez, lisez le plus possible, vous n'avez même pas besoin d'aller vous asseoir sur des bancs d'école, vous pouvez vous instruire toute seule. Mais ne dites à personne ce que je viens de vous confier ! Tout d'abord, vous devriez lire le journal chaque jour, le *Times* ou le *Herald.* Ne lisez pas le *Journal*, c'est un quotidien à sensation qui ne vaut pas grand-chose. Puis je vous établirai une liste de livres, assez longue pour durer quelques années. Vous les lirez encore lorsque nous nous serons perdues de vue depuis longtemps. Ce soir je vais vous prêter un livre sur les Indiens, *Hiawatha*, un très beau poème écrit par l'un de nos plus grands poètes, Henry Wadsworth Longfellow. Rendez-le-moi quand vous aurez fini et dites-moi ce que vous en pensez. Nous verrons ensuite.

Un miroir circulaire au cadre doré surmontait le dessus de la cheminée. Tout ce qui l'entourait s'y réfléchissait d'une manière étrange. Anna pouvait s'y voir, tenant à la main une tasse de thé et une serviette brodée, assise face à Mlle Thorne. Une petite table, où reposaient une théière et un plat à gâteaux, les séparait. La glace renvoyait une image bizarre où Mlle Thorne apparaissait beaucoup plus grosse qu'elle n'était.

— C'est un miroir déformant, dit Mlle Thorne qui avait suivi le regard d'Anna. Je ne vois pas, personnellement, l'intérêt d'un tel miroir. Mais je ne suis pas chez moi.

— Ah ?

— Non, c'est chez mon neveu. Il vit dans cette grande maison avec sa femme et son fils. Quand je suis arrivée de Boston, ils m'ont proposé de vivre sous leur toit et j'ai accepté avec plaisir.

— Et vous étiez professeur quand vous habitiez à Boston ? demanda timidement Anna.

— Oui, je suis devenue professeur dès que j'ai cessé d'être

élève. On m'a proposé à New York un poste de sous-directrice dans une école privée de jeunes filles. C'est là que je travaille dans la journée. Et le soir, j'enseigne l'anglais à de nouveaux arrivants tels que vous.

— Et qu'enseignez-vous à vos élèves pendant la journée, étant donné qu'elles parlent déjà anglais ?

— Je leur enseigne le latin et le grec ancien.

— Oh, mais pourquoi ?... Excusez-moi. Je pose trop de questions ?

— Pas du tout. C'est ainsi qu'on apprend. Dites-moi ce que vous voulez savoir.

— Eh bien, je voudrais savoir ce que sont le latin et le grec ancien.

— Il y a très longtemps, deux mille ans et plus, on parlait ces langues dans de puissants pays d'Europe. Actuellement, ces langues ne sont plus utilisées ; on dit qu'elles sont « mortes». Mais les lois et les idées que ces peuples nous ont léguées sont encore très vivantes. Et de plus, ces langues sont, d'une certaine façon, les « ancêtres » de notre langue. Comprenez-vous ce que je veux dire ?

— Oui, répondit Anna en hochant la tête. Ces filles, dans votre école, ont bien de la chance d'apprendre tout ça.

— J'aimerais bien qu'elles pensent comme vous, ou qu'elles possèdent votre soif d'apprendre, Anna. C'est pourquoi j'enseigne le soir. Vous et vos pareils, vous avez un réel désir d'apprendre... et j'ai le sentiment que ce que je fais a vraiment un sens.

Anna se sentait plus à l'aise pour parler dans cette pièce où elle avait été invitée à prendre le thé que dans la salle de classe, où le professeur, du haut de son estrade surélevée, dominait tout le monde.

— Est-ce que les gens parlent différemment... Est-ce que vous parlez différemment parce que vous venez de Boston ?

— Qu'entendez-vous par « différemment » ?

— J'ai remarqué que certains mots étaient différents. La façon dont vous prononcez « parc », par exemple. D'autres Américains ne le disent pas de la même manière.

— Vous avez vraiment une oreille extraordinaire ! Oui, c'est exact, nous avons plusieurs accents. Celui du Sud, du Centre... Il y a toutes sortes d'accents.

— Je vois. Et puis-je vous poser encore une question, s'il vous plaît ?

— Bien sûr...

— Je n'ai jamais bu de thé dans une tasse comme celle-ci. Que dois-je faire de ma cuiller après avoir remué mon thé, s'il vous plaît ?

— Vous la reposez simplement sur la soucoupe, Anna.

— C'était probablement une question stupide. J'aurais pu le deviner toute seule. Mais j'aimerais faire les choses correctement, à la manière des Américains.

— Ce n'était pas une question stupide. Seulement, quelle que soit votre destinée — et j'espère que vous irez loin —, ne vous tourmentez pas trop au sujet des convenances. Il suffit de faire preuve de bon sens, se montrer soigneux à l'égard des objets et respectueux envers les autres gens. Pas de problème en ce qui vous concerne, j'en suis sûre.

— Alors, puis-je avoir une autre part de gâteau, s'il vous plaît ? Il est délicieux.

— Bien sûr. Et quand vous aurez fini, je vous donnerai la liste des ouvrages à lire que j'ai établie pour vous.

Sur plusieurs pages, courait l'écriture soignée de Mlle Thorne. Anna parcourut la liste des yeux :

Hawthorne
Thackeray
Henry James : *Les Bostoniens, Washington Square.*

— Washington Square ? N'est-ce pas l'endroit où nous nous trouvons en ce moment ? s'écria Anna.

— Exactement. Henry James habitait près d'ici avant de partir pour l'Angleterre. Ma famille, du côté de mon père, le connaissait bien. Ma famille maternelle est originaire de Boston.

— De vrais Américains, murmura Anna.

— Pas plus que vous. Nous sommes seulement arrivés plus tôt. Vous pouvez être aussi américaine que quiconque, soyez-en convaincue. C'est le destin même de ce pays, Anna.

— J'aimerais seulement avoir plus de temps pour lire tous ces livres, dit Anna troublée. Cela me prend tant de temps.

— Vous finirez par le trouver, le temps. Le dimanche...

— Je travaille, le dimanche.

Et comme Mlle Thorne semblait surprise, elle expliqua :

— Aujourd'hui, j'ai pris un après-midi de repos, parce que vous m'aviez invitée et que cela me faisait très plaisir. Je voulais absolument venir. Mais je suis vraiment censée travailler le dimanche.

— Je vois. Vous cousez quand vous êtes chez vous.

Anna acquiesça d'un signe de tête.

— Dites-moi, alors, avez-vous un endroit où vous pouvez lire tranquillement ? Je suppose que non.

— Tranquillement ? Oh, non ! Il y a seulement la terrasse de devant quand il fait beau, mais c'est encore assez bruyant. Quand il fait froid, il n'y a aucun endroit où je puisse être un peu seule. J'ai même du mal à écrire à mes frères. Comme tout le monde parle autour de moi, je n'arrive pas à me concentrer.

— Quel dommage ! Quand je pense à toutes les pièces vides de cette maison. Si seulement les gens arrivaient à faire ce qu'ils ont envie de faire ! Je pense à une chose : ma nièce a à peu près la même taille que vous et je vais lui demander si elle n'a pas un bon et chaud manteau à vous donner. Cela serait mieux... comment dire... plus américain que votre châle. J'ai aussi quelques livres de la liste en double exemplaire et je vais vous les donner pour que vous commenciez à monter votre propre bibliothèque. Je vous apporterai tout ça, ça vous évitera de venir jusqu'ici et de perdre du temps.

Anna enroula le châle autour de ses épaules et sortit dans le couloir. De l'autre côté, une porte était entrebâillée ; on apercevait une pièce garnie de livres depuis le sol jusqu'au plafond ; un petit garçon faisait des gammes sur un grand piano sombre.

— Vous ne m'en voulez pas pour le manteau, Anna ?

— Vous en vouloir ? Oh, non ! Au contraire, je suis très contente, j'avais envie d'un manteau.

— Un jour, vous ferez partie de ceux qui peuvent donner, j'en suis sûre.

— Ce jour-là, je ne me ferai pas prier, vous pouvez me croire, mademoiselle Thorne.

— J'en suis sûre. Et j'espère que nous nous reverrons alors pour nous rappeler cette conversation.

Je crois — ou plutôt je suis sûre — que cela n'arrivera jamais, pensait Anna, mais il n'empêche que je ne vous oublierai jamais, mademoiselle Mary Thorne.

5

— Vous devez être Anna, dit le jeune homme.

Il se pencha au-dessus d'elle. Assise sur les marches, elle lisait : *Voici la forêt primitive. Le vent murmure dans les pins et la ciguë...*

Elle quitta à regret sa lecture et leva les yeux vers la rue, tranquille en cet après-midi de sabbat. Les vieillards, dans leur long manteau noir, marchaient dans la rue à pas feutrés, et maintenant, une voix douce jusqu'alors inconnue se hasardait à lui parler.

— Vous permettez ?

— Bien sûr. Asseyez-vous.

Anna se poussa et l'observa discrètement. Il n'y avait rien d'outrancier en lui. Il était d'âge moyen et de taille moyenne. Vêtu d'un complet marron assorti à la couleur de ses yeux et à ses cheveux bruns, le jeune homme avait une allure soignée.

— Je suis Joseph, Joseph Friedman, le cousin de Solly.

« L'Américain », on l'appelait ainsi parce qu'il était né à New York. Il était peintre en bâtiment dans les quartiers bourgeois de la ville. Et bien sûr, Ruth avait arrangé leur rencontre. Bien la même que Tante Rosa ! Il fallait absolument qu'elles s'ingénient à vous trouver un homme. Il pouvait être affreux, stupide, n'importe quoi, du moment que c'était un homme. Celui-ci n'était pas affreux, mais Anna avait envie de lire et, de toute façon, les hommes représentaient pour le moment le cadet de ses soucis.

— Ruth m'a demandé de venir ici pour vous rencontrer. A la vérité, j'ai failli ne pas venir. A chaque fois qu'une fille arrive du bateau, ils essayent de me la faire épouser. Je commençais à en avoir assez. Mais je dois avouer franchement que cette fois, je ne regrette pas d'être venu.

Anna le fixa, étonnée de ces propos inattendus. Aucune suffisance, chez ce garçon, mais un regard franc et direct, comme elle les aime.

— Je suis très gênée, dit-elle. Je ne savais rien de tout cela. Ruth aurait dû...

— Je vous en prie ! Je me doute que vous n'y êtes pour rien. Que diriez-vous d'une promenade ?

— D'accord.

Il lui offrit son bras. Il avait des mains propres, des ongles soignés, un col net. Une allure respectable, en somme, car contrairement à ce que prétendent beaucoup de gens, il n'est pas facile de rester propre et soigné quand on est pauvre.

Ils se virent bientôt tous les samedis. Les après-midi de grande chaleur, ils marchaient longtemps sans parler sur le trottoir situé à l'ombre. Anna découvrit en Joseph un homme tranquille ; pourtant, il lui arrivait parfois d'être pris d'une soudaine humeur bavarde. On ne pouvait plus l'arrêter. Il est vrai qu'il racontait des choses intéressantes et, de plus, d'une manière très vivante.

— Voici Ludlow Street et voilà la maison où je suis né. Nous avons habité là tant que mon père avait sa boutique de tailleur. Puis sa vue a baissé — il ne pouvait même plus voir son aiguille — et nous avons déménagé pour habiter là où nous sommes maintenant, ma mère et moi. Deux pièces derrière l'épicerie. Quelle vie ! La boutique reste ouverte jusqu'à minuit, six jours par semaine. On y trouve du pain, des condiments, des biscuits et des boissons, ainsi que des salades préparées dans l'arrière-boutique par ma mère. Un petit bout de femme avec un sourire patient. Quand je me souviens de moi étant gosse, je revois immédiatement ce sourire. Je me demande vraiment ce qui pouvait la faire sourire. Ça me dépasse !

— Ses enfants la rendaient peut-être heureuse, en dépit de tout le reste.

— *Son* enfant. Je suis fils unique. Mes parents avaient tous les deux quarante ans quand je suis né.

— Et votre père ? Quel genre d'homme était-ce ?

— Mon père souffrait d'hypertension. Tout le contrariait. A mon avis, c'était un homme déjà usé quand il est arrivé ici. Mais pourquoi ne m'interrompez-vous pas ? Je suis à nouveau en train de vous abrutir de paroles.

— J'aime entendre parler les gens. Racontez-moi encore.

— Il n'y a rien à ajouter. Vous habitez ici, maintenant. Vous savez ce que c'est de vivre dans ces rues, de se promener sur les trottoirs environnants parce qu'il n'y a pas d'autre endroit où aller. Nous étions pauvres : voilà toute l'histoire.

— Peut-être même plus pauvres qu'en Pologne ?

— Je ne sais pas comment vous viviez là-bas, mais pour ma part je me souviens d'avoir souvent dîné de pain et de cornichons, avant que nous ayons la boutique. Pas tout le temps bien sûr, mais cela arrivait assez souvent.

— Pourtant, vous ne donnez pas l'impression d'avoir souffert, dit Anna avec un air songeur. En fin de compte, vous êtes si optimiste.

— C'est exact. Parce que j'ai la foi, voyez-vous.

— Foi en vous-même ?
— Oui, celle-là aussi. Mais je voulais parler de la foi en Dieu.
— Etes-vous très croyant ?
Il hocha gravement la tête.
— Oui. Je crois en effet que tout ce qui arrive a une raison, même si nous ne la voyons pas toujours. Je crois aussi qu il faut accepter notre destinée, bonne ou mauvaise, avec confiance. Et, en tant qu'individus, nous devons faire de notre mieux, suivre la voie que Dieu a montrée. Je n'ai vraiment que faire de ce bla-bla qu'on entend dans les cafés, débité par des tire-au-flanc qui restent assis toute la journée et pensent ainsi résoudre tous les malheurs de la terre. Moi, je crois que cela a déjà été fait, il y a bien longtemps, sur le mont Sinaï.
— Comment expliquez-vous qu'il y ait encore autant de problèmes dans le monde ?
— C'est très simple : parce que les gens ne font pas ce qu'il serait juste de faire. Très simple. Vous n'êtes pas athée, Anna, j'espère ?
— Oh, non, bien sûr. Mais à vrai dire, je ne connais pas grand-chose en matière de religion.
— C'est normal, les femmes n'ont pas à comprendre ces choses-là. Suffit que vous soyez honnête, gentille et bonne. Mais vous, vous êtes intelligente, aussi. C'est bien que vous cherchiez à vous instruire.
— Vous ne lisez jamais ?
— Pas le temps. Je me lève avant cinq heures, et quand on est resté toute la journée le cou tordu sur un échafaudage, un pinceau à la main, on se sent trop fatigué le soir pour avoir envie d'apprendre. De plus, faut dire que j'ai jamais été un très bon élève. Excepté en arithmétique. Doué pour les chiffres. A un moment, j'ai même pensé à devenir comptable.
— Et pourquoi ne l'avez-vous pas fait ?
— Obligé d'aller travailler, dit-il d'un ton sec. Je vais vous dire, je connais un bon endroit dans West Broadway : nous pourrions dîner là. Soupe, ragoût et tarte pour trente cents. C'est raisonnable, avec en prime un demi de bière. Vous voulez venir avec moi ?
— Oui, mais je ne bois pas de bière. Je vous donnerai la mienne.

— Ce qu'il y a de bien dans ce pays, c'est qu'il n'est pas nécessaire d'avoir de l'argent pour se marier, disait Ruth. Bien sûr, certaines personnes se préoccupent encore de dots et de contrats, mais pas les jeunes gens modernes. Vous vous plaisez, vous vous mariez. Vous travaillez tous les deux, non ?
Comme Anna ne disait rien, elle ajouta :
— Parle-moi de toi et Joe.
— Joseph. Personne ne l'appelle Joe.
— Et pourquoi ?
— Je ne sais pas, mais Joseph, ça lui va mieux. Ça fait plus sérieux.

— Bon, Joseph, alors. Parle-moi de vous deux.
— Mais il n'y a rien à dire.
— Rien ?
— Eh bien, je l'aime bien. Mais il n'y a pas de... Anna cherchait ses mots. De flamme. Il n'y a pas de flamme, de passion.
Ruth leva les yeux au ciel et haussa les épaules.
— Alors, pourquoi sors-tu avec lui ?
— C'est un ami. La vie est triste sans amis.
Ruth la regarda. Anna se dit qu'elle aurait pu tout aussi bien lui parler chinois.

— Savez-vous le nombre de gens qui habitent par ici et qui ne sont jamais allés au nord de la 14e Rue ? demanda Joseph à Anna.
— La seule chose que je sais, c'est que j'en fais partie.
— Alors, il faut absolument que je vous montre quelque chose.
Le tramway filait dans Lexington Avenue. Des coups de sonnette impératifs ponctuaient sa marche.
— Nous descendrons à Murray Hill et nous irons vers la 5e Avenue, dit Joseph.
Ils traversèrent des rues calmes, marchant tantôt au soleil, tantôt à l'ombre. De temps à autre, un fiacre tiré par des chevaux à la robe luisante les dépassait.
— Ils vont se promener à Central Park, expliqua Joseph.
Anna était étonnée qu'il connût si bien cette partie de la ville.
Une automobile s'arrêta devant l'une des maisons. Une femme était assise sur le siège arrière, coiffée d'un grand chapeau retenu par un voile de mousseline. Le chauffeur, serré dans un uniforme et des bottes de cuir, fit le tour du véhicule pour ouvrir la portière. Sa maîtresse abritait sous chacun de ses bras un petit chien au poil fauve. La porte de la maison s'ouvrit alors de l'intérieur et une jeune femme descendit les marches. Elle portait une robe à fines rayures blanches et bleues et, sur sa tête, un bonnet qui s'assortissait au petit tablier bordé de dentelle attaché autour de sa taille. Elle prit les deux chiens et monta les marches à la suite de la personne qui était sortie de la voiture.
— Alors, que pensez-vous de ça ? demanda Joseph.
— Oh, c'est si joli ici ! répondit Anna. Je n'aurais jamais imaginé que ça puisse exister.
— Ce n'est rien. Attendez de voir la 5e Avenue. Alors là, vous pourrez vous extasier !
Le soleil brillait intensément et de l'autre côté de l'avenue, à l'angle de la 59e Rue, les arbres du parc se teintaient de reflets dorés.
— Voici le Plaza Hotel, dit Joseph, et de ce côté c'est le fameux Hotel Netherland.
Un jeune homme coiffé d'un chapeau de paille (qu'on appelle « un canotier » expliqua Joseph) apparut sous la marquise de l'hôtel. La jeune fille qui l'accompagnait portait un magnifique manteau clair avec un bouquet de violettes épinglé sur le revers.

Ils traversèrent rapidement l'avenue, ils semblaient savoir où ils allaient. Anna et Joseph prirent la même direction, mais sans hâte, flânant au hasard des rues. Un agent de police lança un coup de sifflet et les véhicules repartirent ; Anna et Joseph s'arrêtèrent sur un îlot de ciment où se dressait, plus grand que nature, le général Sherman serrant la bride à son cheval.

— Quelle statue, n'est-ce pas ? dit Joseph.

Anna lut l'inscription.

— C'est le général de l'Union qui a tout incendié sur son passage quand il a traversé la Georgie à la tête de ses troupes durant la guerre civile.

Joseph ne put cacher son étonnement.

— Je n'avais jamais entendu parler de lui. Je sais qu'il y a eu une guerre civile, bien sûr, mais comment connaissez-vous tant de choses ?

— J'ai un livre d'histoire américaine, lui apprit Anna avec fierté.

— Vous êtes quelqu'un, Anna, vous êtes vraiment quelqu'un, dit-il en hochant la tête.

Un peu plus loin s'élevait un imposant immeuble de brique rouge et de pierre de taille.

— C'est la demeure des riches Vanderbilt, ou plutôt l'une de leurs demeures.

— Ce n'est pas un hôtel ?

— Non, c'est une maison particulière, pour une seule famille !

Elle se dit qu'il plaisantait.

— Une seule famille ? Pas possible ! Il y a au moins une centaine de pièces.

— C'est la stricte vérité.

— Mais comment peuvent-ils être aussi riches ?

— Les chemins de fer ont fait leur fortune. Mais, tout au long de l'avenue, je peux vous montrer des demeures identiques à celle-ci. Elles appartiennent à des gens qui ont fait fortune grâce au pétrole, à l'acier, au cuivre ou tout simplement à la terre. Savez-vous que dans le quartier où vous habitez, la plupart des logements sont la propriété de ceux qui habitent ici. C'est dans leurs poches que vont les loyers que nous payons.

Anna pensa aux maisons délabrées de Hester Street.

— Vous trouvez ça juste ?

— Probablement pas. Enfin oui, peut-être, je ne sais pas. S'ils sont assez intelligents pour y arriver... De toute façon, c'est ainsi pour le moment, et en attendant l'existence d'un monde meilleur, faut s'adapter.

Anna resta silencieuse. Joseph poursuivit. Se laissant emporter par son discours, il haussa le ton.

— Moi aussi, Anna, je vivrai ainsi, un de ces jours. Oh, bien sûr, pas dans un palais comme celui-ci, mais dans le quartier bourgeois, dans une de ces jolies petites maisons des rues latérales. Je vais le faire, Anna, retenez bien ce que je vous dis.

— Oui, mais comment ferez-vous ?

— En travaillant. En achetant de la terre. La terre est la clé de la fortune, savez-vous, tant que vous en avez la complète et libre propriété. Sa valeur peut baisser à un moment, mais elle remonte toujours ensuite. Ce pays est en pleine croissance, et si vous parvenez à vous accrocher à la terre, la fortune est à vous !

— Et comment trouverez-vous l'argent au départ ?

— Ah, voilà la question ! J'essaie d'économiser suffisamment pour acheter une petite maison de rapport, mais c'est dur. J'y arriverai quand même, ajouta-t-il aussitôt d'un ton opiniâtre, même si je dois me tuer à la tâche.

La violence qu'elle perçut en lui inquiéta Anna. Elle ne l'avait jamais vu dans cet état. Tout à coup, il lui parut trop acharné, sa silhouette trop massive — bien qu'il n'eût pourtant rien d'un homme corpulent. Il parlait trop fort. Il allait ameuter les gens, les fenêtres au-dessus d'eux allaient s'ouvrir. Mais il n'en fut rien.

— Vous semblez trop préoccupé par l'argent, dit-elle doucement.

— Vous croyez ? Je vais vous dire quelque chose, Anna : les gens sans argent, on leur crache dessus ; ils sont moins que rien. Ils meurent comme mon père dans une sale petite boutique, ou ils croupissent dans un coin comme Ruth et Solly. C'est ce que vous voulez ?

— Non, bien sûr, répondit Anna en tremblant rien qu'à cette idée. Mais elle n'était pas d'accord pour autant avec sa vision du monde. Il y a des gens qui, même sans argent, sont parfaitement respectables et respectés, les grands écrivains, les artistes, par exemple. Vous décrivez les choses de manière trop cruelle, trop affreuse.

Il se tourna vers elle et son regard se fit soudain affectueux.

— On dirait que vous avez quinze ans, Anna, dit-il, ému.

L'idée lui vint lors d'une nuit étouffante. Ses cheveux collaient à sa nuque trempée de sueur et elle mourait d'envie de prendre un bain rafraîchissant. Mais la maison n'offrait ni confort ni intimité. Des femmes rentraient toujours dans la pièce pendant qu'Anna était en train de se laver avec une éponge. Certaines ne se lavaient même pas, Anna en était dégoûtée. L'une de ces pauvres créatures geignait et sanglotait dans son oreiller — la petite fille de Ruth, âgée de cinq ans, était malade et très agitée — alors, impossible de dormir.

Anna se souvint de la servante qu'elle avait vue sur le perron décoré de plantes vertes. Pendant la traversée, des paysannes avaient évoqué les emplois qui les attendaient en Amérique. Des emplois dans les maisons propres et soignées des quartiers bourgeois. Là, se disait Anna, je pourrais peut-être dormir un peu, posséder même un endroit où ranger les livres que Mlle Thorne m'a donnés. Je pourrais économiser un peu d'argent et acheter d'autres livres d'occasion. Après tout, il n'y aurait plus de loyer ni de nourriture à payer. Là, on pouvait vivre décemment. Toute la nuit, Anna tourna ces idées dans sa tête. Au petit matin, sa déci sion était prise.

— Ruth dit que je suis folle de m'engager comme femme de chambre, dit-elle à Joseph quelques jours plus tard.

— Et pourquoi ? C'est un travail honnête. Faites ce qui vous convient, Anna, et non pas ce qui convient aux autres.

6

C'est ainsi qu'Anna découvrit ce qui se cachait derrière ces murs, derrière les stores baissés devant de hautes fenêtres : tapis de velours assourdissant le bruit des pas, tableaux aux cadres dorés sur les murs et, dans un vase, des roses éclatantes bien que l'on fût déjà en septembre. Anna suivit Mme Werner dans l'escalier qui montait majestueusement vers les étages.

— Nous sommes une famille peu nombreuse. Ma fille est mariée et habite Cleveland. Seuls M. Werner, moi-même et notre fils, M. Paul, habitons sous ce toit. Voici sa chambre.

Elle ouvrit une porte et Anna aperçut des rangées de livres sur des étagères, des bottes d'équitation rangées dans un coin et, au-dessus du manteau de la cheminée, une bannière portant ces mots : *Pour Dieu, pour la Patrie et pour Yale.*

— Tous les hommes de notre famille sont allés à l'université de Yale. M. Paul ne sera pas de retour d'Europe avant la semaine prochaine, mais j'aimerais quand même que vous fassiez la poussière dans sa chambre chaque jour. A présent, je vais vous montrer le dernier étage, où se trouve votre chambre.

Elles gravirent un nouvel escalier dépourvu de tapis cette fois et bordé d'une rampe plus sombre.

— Cette chambre de devant est réservée à la couturière. Elle reste ici deux ou trois semaines au printemps et à l'automne, le temps de confectionner ma garde-robe. Au fond se trouve la chambre de la cuisinière, et, à côté, la vôtre.

Les deux pièces étaient identiques, avec un lit soigné, une commode et une chaise de bois pour tout mobilier. Dans la chambre de la cuisinière, un énorme crucifix en bois surmontait le lit. Anna avait du mal à croire qu'une telle pièce fût destinée à une personne seule. Il y avait l'électricité et même une baignoire pour les domestiques, une grande baignoire blanche avec des pieds de griffon.

— Pensez-vous que votre emploi vous plaira ?

— Oh, oui, oui.

— Très bien. Vos gages sont de quinze dollars par mois. Normalement, je paie vingt dollars. Mais vous n'avez pas d'expérience et il faudra presque tout vous apprendre. Avez-vous des questions à poser ?

— Non.

— Anna, il serait plus correct de dire : « Non, madame Werner. »

— Non, madame Werner.

— Voulez-vous commencer dès aujourd'hui ?

— Oh, oui ! Oui, madame Werner.

— Alors, vous pouvez rentrer chez vous pour prendre vos affaires. Il est maintenant onze heures... Laissez-moi réfléchir... Je n'aurai pas besoin de la voiture avant deux heures. Quinn pourra vous conduire.

— En automobile ?

— Oui. C'est très désagréable de voyager en tramway avec des paquets.

— Je n'ai pas grand-chose à emporter. Seulement mes vêtements et mes chandeliers.

— Oh ?

— Ils me viennent de ma mère, ils ont beaucoup de valeur.

Une moue amusée, mais nullement méprisante, se dessina sur les lèvres de Mme Werner.

Après un bain, un bain bien chaud dans la haute baignoire où elle manqua presque de s'endormir, Anna se glissa sous les draps qui sentaient bon le propre, dans un lit pour elle toute seule où elle pouvait à loisir étendre bras et jambes, et remuer sans risque de gêner personne.

Elle repensa à la journée qui venait de s'écouler. Tout d'abord la promenade en voiture, bien à l'abri dans une sorte de petite pièce tapissée de tissu couleur sable, doux comme de la soie. Quinn, le chauffeur, était assis à l'extérieur et aucun toit ne le protégeait. Il n'avait pas adressé la parole à Anna. Il n'aimait certainement pas une rue comme Hester Street où tout le monde dévorait l'automobile des yeux. De plus, des tas de charrettes encombraient la chaussée. Des enfants s'étaient précipités sur la voiture et Quinn s'était mis en colère. Mais il avait aidé Anna à porter ses affaires.

Elle aurait bien voulu que Joseph vît l'automobile. Ruth lui avait redit qu'elle était folle d'abandonner sa liberté pour devenir domestique, mais Anna se demandait vraiment quelle liberté sa cousine pouvait bien avoir. Si je reste là, je vais devenir comme elle, s'était-elle dit. Pourtant, Ruth allait lui manquer.

— Pourquoi vous appelle-t-on madame, et moi par mon prénom ? demanda Anna le lendemain matin à la cuisinière.

— On appelle toujours la cuisinière « madame », répondit Mme Monagham. Vous êtes la première femme de chambre juive à travailler ici, savez-vous ? Et cependant, il s'agit d'une famille juive.

— Les Werner sont juifs ? répéta Anna, l'air surpris.

— Bien sûr et ce sont aussi des gens très bien. Je suis dans cette maison depuis maintenant sept ans. Ma belle-sœur m'a dit que j'avais tort d'aller travailler chez des Juifs, mais je ne l'ai jamais regretté. Vraiment des gens très bien.

— Je suis heureuse de l'entendre dire, répliqua sèchement Anna.

— J'espère que vous avez bien dormi ? C'est souvent dur de dormir la première nuit dans un nouvel endroit.

Le feu, qui avait été couvert durant toute la nuit, repartait en lançant des flammes vives. Une agréable odeur s'échappa de la poêle où quelque chose était en train de frire.

— Qu'est-ce que c'est ?

— Eh quoi, du bacon, bien sûr ! Pourquoi cette question ?

— Mais ne m'avez-vous pas dit qu'ils sont juifs ? Comment peuvent-ils manger du bacon ?

— Ma foi, je n'en sais rien. Monsieur mange des œufs au bacon chaque matin. Madame prend seulement une tasse de thé accompagnée de toasts et de marmelade d'orange. Je vais vous montrer comment préparer son plateau et vous le monterez à huit heures et quart. Il ne faut pas traîner car les matinées sont bien remplies.

— Je ne peux pas manger de bacon, dit Anna en sentant un goût écœurant et amer dans sa bouche rien que d'y penser.

— Eh bien, n'en mangez pas ! Ah... mais je comprends ! ajouta-t-elle quelques instants plus tard. C'est à cause de votre religion, n'est-ce pas ? C'est interdit.

— Oui.

— Et pourquoi ? demanda Mme Monagham en remuant les tranches de bacon.

— Je ne sais pas. Mais ce n'est pas permis. C'est mal.

Mme Monagham agita la tête en signe de compréhension.

— Le garçon boucher va bientôt sonner dans la courette pour prendre les commandes pour le déjeuner. La famille mangera du canard, et, étant donné que nous sommes vendredi, je prendrai du poisson.

— Et pourquoi devez-vous manger du poisson le vendredi ?

— Eh bien, voyez-vous, Notre-Seigneur est mort un vendredi.

Anna voulait demander quel était le lien entre le poisson et la mort du Seigneur, mais un coup de sonnette retentit dans l'office et Mme Monagham s'activa à nouveau.

— Bonté divine, elle est en avance, ce matin ! Vite, passez-moi une tasse et une soucoupe en porcelaine bleue et blanche. Et posez le *New York Times* sur le plateau. Oh, Dieu du ciel, c'est le livreur de glace qui sonne ! Voulez-vous bien aller ouvrir ? Soyez gentille, commandez-lui cinquante livres...

Anna s'habitua facilement à la vie et aux usages de la maison. Elle allait ouvrir la porte, prenait les manteaux des dames et les chapeaux et les cannes des messieurs. A table, elle servait à gauche et débarrassait à droite en prenant garde de ne pas ébrécher la porcelaine et le cristal. Elle arrosait les plantes sans renverser la moindre goutte d'eau sur le bois des meubles. A cinq heures, quand Mme Werner et ses amis rentraient de faire des courses dans les magasins, Anna les débarrassait de leur manteau de fourrure qui exhalait la fraîcheur du dehors et des parfums sucrés, puis servait le thé (non sans quelques pensées pour Mlle Thorne). Le téléphone n'avait plus de secret pour elle, et elle prenait soin de noter correctement les messages sur un petit bloc de papier.

Et le soir, quand le travail était terminé, elle montait dans sa chambre, sa propre chambre où une rangée de livres était alignée sur la commode. Elle s'allongeait sur le lit et lisait tout en savourant des quartiers d'orange ou des grains de raisin...

— Autant les manger avant qu'ils ne pourrissent, avait dit Mme Monagham.

— Eh oui, dit Mme Monagham en posant ses coudes sur la table de la cuisine, les gens riches sont parfois étranges. La famille de Monsieur possède une maison dans les Adirondacks, une grande mais simple maison de rondins, comme la cabane de Lincoln que vous avez certainement dû voir sur des gravures. Par les fenêtres, on aperçoit des arbres et le lac, mais pas âme qui vive à des kilomètres à la ronde. Ça me donne froid dans le dos rien que d'y penser et, pour rien au monde, je ne voudrais habiter là-bas. Il faut une nuit de voyage en wagon-lit pour s'y rendre... C'est presque toute une aventure...

Ils ont été incroyablement bons pour mon neveu Jimmy : quand il s'est cassé la jambe, ils l'ont accueilli, lui et sa sœur Agnès, dans leur maison, pendant tout l'été. Jimmy et M. Paul sont du même âge, savez-vous, et ils s'amusaient beaucoup ensemble. Je parle bien sûr du temps où ils étaient enfants. Maintenant, Jimmy travaille dans un garage et M. Paul à la banque familiale. Vous saviez qu'ils possédaient une banque ? Une grosse banque, d'après ce que dit Quinn. Dans Wall Street ou quelque part dans les environs.

M. Paul vous plaira certainement, il est vraiment charmant et attire facilement la sympathie. On dit que c'est un garçon très brillant mais il ne le montre pas et reste très simple. Toutefois, il ne cesse d'acheter plein de livres. Et je crois qu'il n'y aura bientôt plus de place dans sa chambre pour les ranger tous.

En effet, les étagères regorgent de livres ! Anna prend toujours le temps de les regarder quand elle s'occupe de sa chambre. Des livres anciens, au papier jauni et aux caractères minuscules, côtoient des livres d'art fascinants.

Quelle sorte d'homme est donc celui qui possède tous ces livres ?

Il arriva de bonne heure un matin de septembre, montant deux à deux les marches du perron, suivi de Quinn et d'une pile de bagages étiquetés : *Lusitania - Première Classe.*

Anna, debout dans le hall d'entrée avec la famille, se rendit compte qu'inconsciemment, elle l'avait imaginé identique à ses parents, avec les mêmes gestes compassés, le même langage circonspect.

Au lieu de cela, il avait la démarche dégagée de quelqu'un qui flâne dans les champs et des gestes exubérants qui cadraient mal avec les couloirs étroits de la maison. Ses yeux rieurs étaient d'un bleu qui tranchait étonnamment sur son visage brun. Il avait rapporté des cadeaux à chacun et insista pour les distribuer tout de suite.

— Du parfum ? s'exclama Mme Monagham. Et dans quelle occasion puis-je mettre du parfum, surtout une vieille femme comme moi ?

— A l'église, madame Monagham, répondit Paul avec assurance. (Ses yeux pétillants semblaient dire : quelle drôle de petite bonne femme, n'est-ce pas ?) Ce n'est pas un péché de joindre la senteur des fleurs à vos prières. La Vierge Marie elle-même ne portait-elle pas des fleurs ?

— Oh, là, là, quel beau parleur !

— Et voilà une bouteille pour Agnès. Elle n'est pas encore rentrée au couvent, n'est-ce pas ?

— Pas encore, et je crois qu'elle n'en a pas envie, mais elle va briser le cœur de ses parents si elle ne le fait pas.

— J'espère bien que non, madame Monagham.

Son visage devint soudain grave et il ajouta sur un ton sérieux :

— Agnès doit faire ce qu'elle veut de sa propre vie. C'est son droit et elle n'a pas à se sentir coupable.

Cette nuit-là, Anna ne parvint pas à s'endormir. Elle avait l'impression que son cœur battait à tout rompre. Elle avait beau se tourner dans tous les sens, rien n'y faisait. Le monde lui apparut soudain plein d'émotions intenses et merveilleuses... Et elle allait passer à côté... Elle allait travailler toute sa vie durant...

— Et alors, que pensez-vous de M. Paul ? lui avait demandé Mme Monagham.

7

La plante grimpante croît imperceptiblement pendant la nuit et, au matin, nul ne remarque la différence. Et soudain, un beau jour, on s'aperçoit qu'elle couvre la moitié du tronc de l'arbre ; comment est-ce arrivé ? Elle n'a pas dû cesser de grandir parce qu'à présent elle est là, robuste et luxuriante, s'accrochant obstinément au tronc, au point qu'on a peine à la détacher.

Quelle chose ridicule et honteuse de penser tout le temps à Paul Werner ! Comment est-ce possible ? Elle ne sait rien de lui et, de toute façon, n'a rien à savoir. Il est entré un beau jour, sachant à peine qu'elle existait, et voilà qu'il occupe tout son esprit. C'est absurde !

Le matin, quand son père et lui sont partis travailler, vêtus de leur complet sombre et coiffés de leur chapeau melon, elle met de l'ordre dans sa chambre, suspend la robe de chambre dans la penderie et arrange les brosses sur la commode. Ses mains tremblent. Anna ne peut toucher ses affaires, sentir les odeurs de crème à raser ou de tabac pour la pipe qui s'en dégagent sans être profondément troublée. Elle entend souvent sa voix qui résonne à l'étage en dessous. Il frappe à la porte du bureau et appelle : « Père ? Père ? » Et une fois qu'il est parti, la voix chante toujours à l'oreille d'Anna, sur le même ton et avec le même timbre : « Père ? Père ? » Et cela dure toute la journée, tandis qu'elle essuie la vaisselle de porcelaine ou qu'elle bavarde avec Mme Monagham durant le déjeuner.

Mme Monagham parle volontiers de la famille. Il est vrai que les Werner constituent son unique univers depuis longtemps. Elle parle des cousins de Paris qui sont venus leur rendre visite. Elle est intarissable sur le mariage de la fille au Plaza.

— Ah, si vous aviez vu tous ces cadeaux ! Il a fallu un camion pour les transporter à Cleveland. On a servi ici un dîner pour les demoiselles d'honneur ; elles étaient douze et la mariée leur a offert à chacune un bracelet en or. La crème glacée avait été commandée chez Sherry... entièrement décorée avec des cœurs, oh, c'était vraiment ravissant !

Mme Monagham n'aurait été que trop contente de parler de Paul, et Anna aurait pu très facilement l'entraîner sur ce sujet. Or elle avait honte — non qu'elle craignît que la vieille femme découvrît son secret — mais honte d'elle-même.

Elle ne pouvait pas se regarder dans un miroir sans rougir. La maison était remplie de miroirs. Dix fois par jour au moins, elle se voyait dans son tablier et coiffée de son bonnet ; un petit bonnet très seyant ou plus exactement une couronne de dentelle qui tranchait sur ses cheveux auburn qu'elle portait à présent relevés en un chignon haut parce qu'elle n'avait presque plus l'âge des tresses. Parfois, elle se trouvait très jolie, et à d'autres moments, elle pensait qu'elle avait un air stupide avec cette coiffe et ce tablier. Stupide et même pitoyable comme le petit singe du joueur d'orgue de Barbarie dans son déguisement. Alors la colère montait en elle. Pourquoi s'intéresserait-il à une fille comme elle ? Il la regardait à peine, excepté à l'heure du petit déjeuner et du dîner, et de plus, il dînait souvent à l'extérieur. Quel genre d'endroit pouvait-il fréquenter et quel genre de filles l'accompagnaient ? Certainement des jeunes filles vêtues de taffetas et coiffées d'un chapeau à plumes, comme celles qui venaient ici avec leur mère lorsque Mme Werner recevait l'après-midi. Au petit déjeuner, il accompagnait son « Bonjour Anna » d'un bref sourire qu'il aurait tout aussi bien adressé à Mme Monagham. Eh bien, qu'espères-tu, Anna, stupide Anna ? se disait-elle au plus secret de sa conscience. M. Werner lui adressait toujours en plus quelques mots gentils ou plaisantait un peu à propos du temps hivernal qui s'obstinait à être gris et neigeux : « Vous feriez mieux de mettre vos oreillettes si vous sortez aujourd'hui, Anna, sinon vos oreilles vont complètement geler. »

Mais le fils ne disait jamais rien.

Chaque fois qu'elle devait lui adresser la parole, elle redoutait qu'il pût lire dans ses yeux ce qu'elle pensait. Les quelques mots qu'elle disait ou les messages qu'elle transmettait (M. Untel a appelé et rappellera à neuf heures) prenaient une importance insensée. Et longtemps après, sa réponse à lui résonnait dans sa tête (M. Untel, dites-vous ? Il rappellera à neuf heures ?).

— Vous n'êtes pas vous-même, fit observer Joseph après quelques minutes de silence.

C'était un dimanche, le jour de sortie de Mme Monagham, et ils dînaient ensemble dans la cuisine. Mme Werner, qui avait un jour croisé Joseph dans l'entrée du sous-sol, avait autorisé Anna à recevoir « ce très charmant jeune homme », elle pourrait même l'inviter à dîner si elle le désirait.

— Qu'est-ce qui vous préoccupe ? Vous n'êtes pas heureuse, ici ?

— Pour dire la vérité, pas tellement.

— Mais vous m'avez dit que le travail était facile.

— Oh, oui, c'est vrai.

— Qu'est-ce qui vous chagrine alors ?
— Je ne sais pas exactement.
— Vous êtes terriblement secrète, Anna, dit Joseph, et son regard trahissait son inquiétude.
Mais Joseph ne devinait rien du sentiment de culpabilité qui envahissait Anna :
— Vous êtes gentil, dit-elle. Mais ne vous inquiétez pas pour moi. Je vais bien.
— Je crois savoir ce que c'est, annonça-t-il et son visage s'éclaira. Vous vous faites du souci pour vos frères. Ils vous manquent, n'est-ce pas ?
— Ils me manquent, bien sûr. Mais tout va très bien pour eux. Dan m'écrit qu'Eli et lui iront bientôt avec leur patron à Paris.
— C'est bien, dit Joseph avec un haussement d'épaules. Mais je ne comprends pas pourquoi ils veulent rester en Europe, alors qu'ils pourraient venir ici.
— J'ai entendu M. Paul raconter à quelqu'un au téléphone que s'il pouvait recommencer sa vie, il choisirait de naître en France ou dans le nord de l'Italie. Il dit que le lac de Côme est l'endroit le plus beau du monde.
— Peuh ! Et pourquoi ne va-t-il pas s'installer là-bas, alors ? Je suis sûr que les Etats-Unis se passeraient très bien de lui.
— Pourquoi devenez-vous désagréable ?
— Excusez-moi, je ne voulais pas. Mais ce genre de discours a le don de me mettre en colère. Les gens devraient être fiers d'appartenir à ce pays. Surtout quelqu'un comme lui qui a toujours eu la vie facile.
— Je suis sûre que vous avez mal interprété ma pensée, répliqua-t-elle avec véhémence. Quand on a toujours connu ce genre de vie, on considère que la chose est normale. On ne se rend plus compte à quel point c'est merveilleux.
— Oui, quand votre famille a déposé une fortune sur vos genoux, on peut se payer le luxe de trouver ça naturel.
— Joseph, vous êtes envieux, voilà tout.
— Oui, je le suis. Je vais vous dire quelque chose, dit-il en se penchant vers elle, l'air tendu, j'espère qu'un jour viendra où mes enfants pourront considérer ces choses comme normales J'espère toutefois qu'ils n'en feront rien. J'espère qu'ils auront quelque égard pour la famille et la patrie qui les a comblés.
Il soupira.
— Ah, quand on a de l'argent, on peut tout faire. L'argent détermine la classe sociale et vice versa, même en Amérique. Parce que, en fait, les êtres humains sont partout les mêmes.
— Oui, peut-être, répondit-elle évasivement, comme pour mettre un terme à la discussion.
— Anna, êtes-vous sûre que vous vous sentez bien ?
— Oui, je vous l'ai déjà dit, dit-elle avec impatience.
— Si quelque chose n'allait pas, vous me le diriez, n'est-ce pas ? Si vous étiez malade ou quoi que ce soit d'autre.
— Je vous le dirais, je vous le promets.

Elle se leva, alla vers le fourneau et retira la bouilloire du feu pour remplir la théière.

La nuit dernière, alors qu'elle lisait dans sa chambre, elle était tombée sur un mot qu'elle ignorait. Elle en avait cherché la définition dans le dictionnaire. Obsession : idée fixe à laquelle on ne peut se soustraire. Et Anna pensait, tout en versant le thé de Joseph, en lui tendant une assiette de gâteaux, en débarrassant la table et en se déplaçant dans la cuisine comme dans un rêve : obsession. Je suis en proie à une obsession.

Un samedi, Anna était encore en train de faire le ménage dans la chambre de Paul Werner quand celui-ci rentra à la maison avant midi.

— Je suis désolée, dit-elle. Je fais vite, je ne savais pas.

— Ça ne fait rien. Vous ne pouviez pas savoir que je rentrerais plus tôt, dit-il avec prévenance. Oh, vous vous intéressez à la peinture ?

Elle avait laissé l'un des grands livres ouverts sur le bureau.

— Excusez-moi. Je ne faisais que...

— Non, ne le fermez pas. Que regardiez-vous ? Monet ?

— Celui-ci, bredouilla-t-elle.

Une femme en robe estivale dans un verger... la douce lumière suggérait la fraîcheur d'une fin de journée embaumée de multiples senteurs.

— Oh, oui, c'est vraiment une merveille ! Pour moi aussi, l'un de mes préférés. Dites-moi, regardez-vous souvent ces livres ?

Autant lui dire la vérité. Il était jeune et n'avait pas l'air sévère de sa mère ; il ne serait certainement pas fâché.

— Je regarde surtout celui-là. Tous les jours.

— Oui ? Et pourquoi celui-là en particulier ?

— Quand je le regarde, rien que de songer qu'il existe des lieux d'une telle beauté, cela me rend heureuse.

— Cette raison en vaut bien une autre. Voulez-vous emprunter ce livre, Anna ? Le garder dans votre chambre pour quelque temps ? N'hésitez pas à le prendre si vous voulez, et les autres aussi, d'ailleurs.

— Oh, merci, dit-elle, merci beaucoup.

Ses mains s'étaient mises à trembler. Elle se hâta de les serrer derrière son dos pour qu'il ne les vît pas.

— Ne me remerciez pas. Les bibliothèques sont faites pour ça. Allez, prenez.

— Je n'ai pas terminé de balayer. Voulez-vous que je finisse ?

— Oui, allez-y, vous ne me gênez pas. J'ai une lettre à écrire.

Il s'assit à son bureau tandis qu'elle poursuivait son travail. En bas, dans la cour voisine, des hommes battaient des tapis pendus à des cordes à linge, effrayant les moineaux et soulevant d'épais nuages de poussière dans l'air frais et ensoleillé.

— Comment est votre amoureux ?

Elle leva les yeux, interloquée.

— J'ai dit : comment est votre amoureux ?

— Mon quoi ?

— Votre amoureux. Ma mère m'a dit que vous en avez un. C'est peut-être un secret ? Ai-je dit quelque chose que je n'aurais pas dû dire ?

— Oh, non ! Mais... c'est seulement un ami. La vie est triste quand on n'a pas du tout d'amis.

— Oui, j'imagine, dit-il en posant son stylo. Le voyez-vous souvent ?

— Seulement le dimanche. Mon jour de congé, il doit travailler.

— Et quel est votre jour de congé ?

Il n'a même pas remarqué quand je m'absente, pensa douloureusement Anna.

— Je sors le mercredi.

— Et où allez-vous, alors ?

— Je vais voir ma cousine ou me promener dans le parc ou encore visiter les musées.

— Les musées ! Quels musées ?

— Les musées d'histoire naturelle, ou le musée d'art ; c'est celui que je préfère.

— Et vous y cherchez quoi ?

— C'est si grand que je n'ai pu encore tout voir. Mais j'aime bien les antiquités égyptiennes... et la semaine dernière, j'ai découvert l'obélisque de Cléopâtre à l'extérieur d'un des bâtiments. Je ne l'avais jamais aperçu auparavant.

— Vous savez à quoi je pense, Anna ? dit-il en hochant la tête. C'est étrange que nous nous parlions seulement aujourd'hui, alors que nous vivons sous le même toit depuis plusieurs mois.

— Ce n'est pas si étrange, si on y réfléchit.

— Vous voulez dire qu'il s'agit de la maison de mes parents et que vous y travaillez ?

Elle acquiesça d'un signe de tête.

— N'est-ce pas complètement artificiel et stupide ? Heureusement, les choses évoluent. De nos jours, les gens se font partout des amis et non plus seulement dans le cercle étroit qui gravite autour de leur famille. C'est mieux ainsi, n'est-ce pas ?

— Oh, oui, beaucoup mieux !

— Parlez-moi de vous, Anna.

— Que voulez-vous savoir ?

— Ce que faisaient vos parents, comment était votre maison et pourquoi vous avez quitté votre pays.

— Mais je ne peux pas maintenant. Je dois descendre. J'ai du travail à faire.

— Bon, alors vous me la raconterez samedi prochain. Ou dès que vous aurez un peu de temps. Voulez-vous ?

De temps en temps, ils trouvaient quelques minutes pour se parler : le samedi matin ou, après le dîner, dans le couloir, lorsqu'elle montait ou descendait pour son service, lui restant dans l'encadrement de la porte de sa chambre, elle près de l'escalier. Il lui parla des monts Adirondacks et de l'université de Yale, elle lui parla de son père. Elle avait l'impression que leur conversation ressemblait à un jeu, qu'ils se renvoyaient des paroles comme on joue à se renvoyer des balles. En tout cas, quand ils se quittaient, elle se sentait aussi essoufflée qu'après une partie de ballon. Elle traversait les couloirs de la maison en chantonnant jusqu'au moment où elle comprenait qu'elle devait se ressaisir. Elle se surprenait aussi à rire beaucoup et facilement.

Un jour, vers le milieu du printemps, il lui dit :

— Dites à votre ami de ne pas venir dimanche prochain. Je voudrais vous emmener prendre un thé.

— Mais je ne vois pas comment cela serait possible ! Je ne pense pas que...

— Je voudrais vous parler, pouvoir m'asseoir quelque part avec vous et avoir une vraie conversation.

Elle hésita et sentit une terreur panique monter en elle.

— Personne ne le saura, si c'est cela qui vous inquiète. Bien qu'il n'y ait rien à cacher ! Je ne vous propose rien dont vous ayez à rougir.

Ils prirent place sur des chaises dorées et attendirent que le serveur vînt leur proposer des gâteaux sur une petite table roulante tandis que des violons égrenaient des airs de valse.

— Vous êtes vraiment très belle, Anna, surtout avec ce chapeau.

Passant outre à toutes ses protestations, il avait tenu à lui acheter ce chapeau, un magnifique chapeau de paille garni de coquelicots aux pétales de soie rouge et d'épis de blé.

— Je ne peux pas accepter, avait-elle dit. Ce ne serait pas bien.

— Oh, au diable ces stupides convenances. Moi, j'ai plein d'argent à dépenser et vous, vous avez besoin d'un chapeau. Pourquoi devrais-je me priver de la joie de vous l'offrir ?

— Dans votre bouche, les choses paraissent si simples.

— Mais elles le sont. Prenez ce chapeau et portez-le quand nous irons prendre le thé.

Voilà comment Anna qui, il y a peu, arrivait en Amérique complètement démunie, se retrouva dans un agréable salon de thé fréquenté par des gens élégants qui se mouvaient avec grâce autour d'elle. Ces gens-là étaient nés en Amérique.

— J'ai beaucoup songé à vous, Anna. Vous êtes si jeune et vous avez déjà vécu tant de choses.

— J'ai l'impression de n'avoir rien fait.

— Mais si ! Vous avez pris votre vie en main, vous êtes venue seule ici, vous avez appris une nouvelle langue... Tandis que moi, je n'ai fait que suivre une voie toute tracée. Vous comprenez ce que je veux dire ? Depuis ma naissance, j'ai toujours habité la même maison ; on m'a envoyé à l'école, puis je suis entré dans les affaires de mon père, ou plus exactement de mon grand-père. Il ne m'a fallu prendre aucune décision. Je ne connais rien de la vie.

— C'est aussi ce que je pense de moi-même, dit Anna en riant.

— Vous êtes absolument ravissante quand vous riez. Je me promène partout dans la ville et savez-vous que je ne vois jamais des filles aussi ravissantes que vous ?

— Comment ? Regardez toutes les jolies filles qui se trouvent autour de nous. Avez-vous vu celle-là, là-bas, avec la robe jaune et celle-ci qui vient juste d'entrer... ?

— Elles ne sont pas aussi jolies que vous. Vous êtes vraiment différente, pleine de vie. La plupart de ces personnes portent un masque, comme si elles étaient lasses de tout, blasées.

Comment était-ce possible ? Anna avait l'impression qu'il lui faudrait vivre cent ans pour voir tout ce qu'elle avait envie de voir et que cela n'y suffirait pas encore...

L'orchestre se mit à jouer un air de danse.

— Oh, comme j'aime le son des violons ! s'écria-t-elle.

— Vous n'êtes jamais allée à l'Opéra, n'est-ce pas, Anna ?

— Non, jamais.

— Ma mère a une place pour la matinée de demain, mais nous allons tous à l'enterrement de ma grand-tante Julia. Je vais demander à ma mère qu'elle vous donne le billet.

Des séries d'accords s'élèvent telles des questions insistantes — Où ? Quand ? — et des phrases mélodiques semblent leur apporter la réponse — Ici ! Maintenant !

Anna se penche en avant. Devant elle, deux femmes imposantes osent chuchoter. Elle tape doucement l'une des épaules.

— Voulez-vous vous taire, madame ?

Surprises, les deux femmes cessent de parler et Anna se renfonce dans son siège. La voix angélique d'Iseult s'élève au-dessus de la musique qui va crescendo. C'est un chant radieux et triste à la fois. Tristan lui répond : les voix chatoyantes s'entremêlent pour ne faire plus qu'une.

Anna se laisse envahir par ces voix qui l'émeuvent profondément — l'enfant rêvant d'amour sans savoir... la passion de la femme... Tout est présent : les fleurs, le soleil, les étoiles, l'extase précédant la mort... Puis la tempête s'apaise, la tension décroît. Les derniers accords résonnent doucement avant de s'éteindre. Le rideau tombe.

Ses yeux sont humides, mais elle ne trouve plus son mouchoir. Les larmes coulent sur son col. Les êtres merveilleux qui incarnaient Tristan et Iseult apparaissent devant le rideau, et, souriants, saluent le public. Les applaudissements fusent et les gens se lèvent pour applaudir. Dans le fond, des jeunes gens crient : « Bravo ! Bravo ! » Des spectateurs se contorsionnent déjà pour enfiler leur manteau. Et Anna reste assise, ne pouvant s'arracher à l'image de la côte battue par les flots, de Tristan en train de mourir, des bras enlacés...

Dans la soirée, M. et Mme Werner furent retenus par les visites de condoléances. Mme Monagham était descendue au sous-sol pour repasser son chemisier du dimanche. Anna monta dans sa chambre. Arrivée sur le palier du premier étage, il lui sembla tout naturel qu'il fût là à l'attendre.

Elle se jeta dans ses bras et sentit ses jambes se dérober sous elle... mais son dos rencontra le ferme appui du mur. L'étreinte de l'homme était ferme aussi, ferme et en même temps chaleureuse et douce. Sa bouche erra avec douceur sur son cou et son visage avant de rencontrer ses lèvres et de s'y abandonner dans un long, long soupir.

Les yeux d'Anna se fermèrent ; derrière ses paupières, l'obscurité se métamorphosa en un tourbillon scintillant.

Il desserra son étreinte.

— Vous êtes ravissante, Anna. Je ne saurais vous dire combien vous êtes belle.

La lumière l'éblouit. Il la guida doucement jusqu'au bas des marches. Elle pensa, à la fois heureuse et effrayée, qu'il allait monter avec elle.

— Nous devons... vous devez aller dans votre chambre, dit-il d'une voix douce avant de regagner la sienne.

Elle resta un long moment devant la glace à contempler son image. Elle souleva sa chemise de nuit. Les statues des musées avaient des seins semblables aux siens. Elle avait souvent vu des femmes nues chez Cousine Ruth ; certaines avaient une poitrine énorme et informe, d'autres des seins qui pendaient, d'autres encore presque rien du tout. Elle retira les épingles de son chignon et laissa tomber ses cheveux sur ses épaules, goûtant leur chaude caresse. La chanson d'Iseult résonnait à ses oreilles. Il ne l'aurait pas embrassée ainsi s'il ne l'aimait pas. Un grand changement s'était produit dans sa vie. Un autre, plus important encore, allait bientôt se produire.

La plainte solitaire d'un enfant égaré monta des cours situées en contrebas, à l'endroit où les cordes à linge s'alignent, tendues d'une clôture à l'autre. Anna sursauta. Mais elle pensa : « Ce ne sont que des chats », éteignit la lumière et s'endormit, le sourire aux lèvres.

8

— Il y a du monde à dîner, ce soir, annonça un matin Mme Monagham. Ma nièce Agnès va venir vous aider. Madame a dit qu'il s'agissait seulement d'un repas de famille, mais à cause du menu, je ne sais trop quoi penser. Soupe de tortue, mousse de homard, gigot d'agneau. Elle désire que vous alliez la rejoindre pour dresser la table.

Dans la salle à manger, le cristal et l'argent étincelaient sur la nappe de dentelle.

— Certaines de ces pièces ont plus de deux cents ans, expliqua Mme Werner. Cette cafetière appartenait à mon arrière-arrière-grand-mère Mendoza. Vous voyez le « M » ?

— Ils ont apporté toutes ces choses d'Europe ?

— Non, c'est de l'argent américain. Ma famille a quitté le Portugal pour venir ici environ cent ans avant que ces pièces ne soient fabriquées.

— Une destinée bien différente de la mienne.

— Pas vraiment, Anna. Il s'agit seulement des hasards de l'histoire.

Un sourire adoucit son visage sévère.

Anna pensa qu'il y avait quelque chose en cette femme qui lui rappelait sa mère, quelque chose de fort qui inspirait confiance. Anna eut soudain envie de se blottir dans les bras de Mme Werner.

Mme Werner portait avec beaucoup d'élégance une robe de soie rouge foncé qui mettait en valeur ses épaules blanches (de très belles épaules pour une femme de plus de quarante ans). Les invités assis autour de la table semblaient appartenir à une même famille : les parents, la grand-mère et deux sœurs, environ du même âge qu'Anna. Elles avaient une peau claire parsemée de taches de rousseur et leur nez proéminent et arqué leur donnait un air hautain.

— Je préférerais aller en Europe, dit l'une des sœurs.

Elle portait une robe en batiste bleue et ses longs pendants d'oreilles en perle s'agitaient comme des pompons.

— Un séjour dans les White Mountains peut être tout aussi charmant, fit remarquer la grand-mère. Je suis toujours revenue d'un voyage en Europe absolument exténuée.

Anna s'affairait autour de la table, passant et repassant les plats en argent, servant l'eau du pichet d'argent. (... Le col de la grand-mère est en dentelle de Valenciennes. Mme Monagham m'a parlé de Valenciennes. Je suis heureuse qu'il ne me regarde pas. Le verrai-je plus tard...)

Les conversations allaient bon train et Anna, en passant, en saisissait des bribes.

— Cet empereur est fou. Je me moque de ce qu'ils disent...

— J'ai entendu dire qu'ils avaient vendu leur maison de Rumson...

— Cet impôt sur le revenu est absolument honteux. Wilson est un radical...

— ... acheté un brocart absolument magnifique chez Milgrim...

— Voulez-vous demander à Mme Monagham et à Agnès de venir avec vous, s'il vous plaît, Anna ?

Anna qui n'était pas sûre d'avoir bien compris se fit répéter la phrase.

— Puis apportez le champagne, ajouta M. Werner.

Il remplit trois verres supplémentaires et les tendit à Agnès, Mme Monagham et Anna. Puis il leva son propre verre et tout le monde attendit.

— Je ne sais comment vous dire à quel point je suis heureux. Aussi vous demanderai-je seulement de boire à la joie que nous procure ce jour merveilleux et à l'avenir de notre fils Paul et de Marian, qui sera bientôt notre fille.

Les coupes s'entrechoquèrent dans un tintement cristallin. M. Werner se leva et embrassa sur les joues la jeune fille habillée de bleu. Elle prononça quelques mots très gentiment, très calmement et fit rire ceux qui l'entouraient.

— Je peux à présent vous avouer que j'espérais ce jour depuis que vous étiez tous deux des enfants.

— Quelle chose merveilleuse pour nos deux familles ! ajouta quelqu'un d'autre.

— Bonté divine, s'exclama Mme Monagham, un autre mariage dans cette maison !

Lui seul ne dit rien. Pourtant, il avait dû dire quelque chose, quelque chose qu'elle n'avait pas entendu.

Mais tout lui semblait brouillé, confus et éloigné...

— Anna ! Allez donc repasser le gâteau ! chuchota Mme Monagham quand elle fut de retour à l'office.

— Le gâteau ? répéta Anna qui s'était appuyée contre le placard.

— Oui, le gâteau aux noix qui se trouve sur le buffet ! Mais qu'est-ce qui vous arrive ?

— Je ne sais pas. Je ne me sens pas bien.

— Seigneur Dieu, mais vous êtes toute verte ! Ne vomissez pas dans ma cuisine ! Agnès, prends son tablier et retourne dans la salle à manger. Et vous, Anna, montez dans votre chambre. Je viendrai vous voir plus tard. Qu'est-ce qui se passe ? Et un soir comme celui-ci !

— Vous sentez-vous mieux ce matin, Anna ? demanda Mme Werner avec sollicitude. Mme Monagham m'a dit que vous vouliez partir. Mais je ne parviens pas à le croire.

Anna fit un effort pour se soulever de son lit.

— Je sais que ce n'est pas très correct de vous quitter aussi soudainement, mais je ne me sens pas bien.

— Mais laissez-moi appeler un docteur !

— Non, non, je peux très bien aller chez ma cousine. Ils appelleront un docteur.

Mme Werner toussota. Ce toussotement voulait-il dire : Tout cela est absurde, car nous savons toutes deux de quoi il est ques tion ; ou encore : Je ne sais pas ce qui a pu se produire. mais je finirai bien par le découvrir ?

— Il n'y a rien que vous vouliez me dire, Anna ?

— Rien. Je vais aller mieux. Ce n'est rien.

Pas de larmes. Surtout pas de larmes. Il a embrassé mes lèvres. Il m'a dit que j'étais très belle. Et c'est vrai, je suis bien plus belle qu'elle.

— Vraiment, je ne comprends pas, dit Mme Werner en serrant ses mains autour des montants du lit. Ses bagues tintèrent contre le fer. Pourquoi ne voulez-vous pas me parler ? Me faire confiance ? Après tout, étant donné mon âge je pourrais être votre mère.

— Mais vous n'êtes pas ma mère, dit Anna.

... Les hasards de l'histoire, n'est-ce pas ?

— Bien, je ne peux m'opposer à ce que vous avez décidé. Quand vous serez prête, je demanderai à Quinn de vous conduire en voiture.

Mme Werner s'arrêta sur le seuil et ajouta :

— Si jamais vous voulez revenir, Anna, vous serez toujours la bienvenue. Ou s'il y a quelque chose que nous puissions faire pour vous, n'hésitez pas à faire appel à nous, n'est-ce pas ?

— Merci, madame Werner, mais je ne reviendrai pas.

Quelques semaines plus tard, Anna et Joseph parlaient, assis sur la terrasse. Le soleil s'était couché, mais la soirée restait étouffante. Des garçons terminaient une dernière partie de ballon dans la rue avant que l'obscurité ne vienne. Une à une, leur mère les appelait, criant leur nom d'une voix perçante : Benn-ie, Loo-ey ! Les colporteurs rentraient leurs chevaux fatigués dans les étables de Delancey Street ; les sabots traînaient péniblement sur la chaussée. Une journée s'achevait.

Ils parlèrent de choses et d'autres, restèrent silencieux puis reprirent leur conversation. Au bout d'un moment, Joseph dit à Anna qu'il l'aimait. Il lui demanda si elle voulait bien l'épouser. Elle lui répondit oui.

9

Il l'adorait. Ses yeux et ses mains caressaient son corps avec émerveillement. Dans le grand lit aux montants de cuivre qu'il venait d'acheter, il se souleva et s'appuya sur un coude pour l'observer.

— Rose et blanche, dit-il.

Il joua avec une mèche des cheveux d'Anna qui s'enroula autour de son poignet, tel un bracelet souple et soyeux.

— Tout en toi est parfait, même ta voix, et ton accent. Parfait.

— Tu exagères. Je parlerai toujours anglais avec un accent étranger. Je suis une immigrée.

— Tu es intelligente et tu as lu bien plus que tous les gens que je connais.

— Une immigrée, Joseph, insista-t-elle.

— Si tu avais pu faire des études, tu serais certainement devenue professeur, ou peut-être médecin ou avocate.

Elle soupira et étira la main, celle qui portait le large anneau d'or sur lequel il avait fait graver : « J. à A., 16 mai 1913. »

— Je suis une femme, dit-elle à voix haute.

— Et comment te sens-tu ?

Elle ne répondit pas tout de suite. Il suivit son regard qui contemplait à travers la porte ouverte la cuisine peinte en jaune et le linoléum neuf et rutilant du petit salon. Dans la maison qu'il avait préparée pour elle, tout était très propre. Malheureusement, les pièces se trouvaient au niveau de la rue et les stores devaient rester baissés toute la journée, sinon on avait juste sous les yeux les pieds des passants qui défilaient sur le trottoir. En tendant le cou, on apercevait l'Hudson et la ligne de falaises qui le borde ; on sentait aussi la brise fraîche du fleuve. La nuit, la chambre ressemblait à un petit monde clos, et le lit à un navire voguant sur une mer obscure et tranquille.

— Comment te sens-tu ? répéta-t-il.

Cette fois, elle se tourna vers lui et posa doucement ses mains sur les siennes.

— Sereine, dit-elle.

Elle s'étira et bâilla en mettant la main devant sa bouche. Une pendule posée sur la commode de Joseph sonna délicatement dix coups.

— Quel objet ridicule et pompeux ! s'écria Anna.

— Quoi, la pendule ? Je ne sais pas ce que tu as contre cette ravissante pendule. Tu n'aimes pas les gens qui nous l'ont offerte, voilà tout.

Un jour, quelques mois après leur mariage, un livreur de la fameuse bijouterie Tiffany avait apporté un paquet.

— Il avait l'air perplexe, rappela Anna. Je suppose que c'était la première fois qu'il livrait quelque chose dans le quartier.

C'était une pendule française de dessus de cheminée, toute dorée. Joseph l'avait posée avec d'infinies précautions sur la table de la cuisine pour la remonter. Ils avaient regardé tourner les délicats rouages.

— Je savais que les Werner allaient nous faire un cadeau, avait dit Joseph. Je ne voulais pas te le dire, mais ils ont envoyé leur chauffeur chez Ruth pour demander des nouvelles de ta santé et Ruth a parlé de notre mariage. Tu n'es pas contente ? Tu sembles contrariée.

— Oui, avait-elle répondu.

— Je n'arrive pas à comprendre pourquoi tu en veux autant à ces gens, faisait-il remarquer à présent. Cela ne te ressemble pas, toi qui es si bonne.

— Je suis désolée. C'était très gentil de nous faire un cadeau. Mais cette pendule est trop luxueuse pour cette maison. Nous n'avons même pas un endroit où la mettre.

— D'accord. Mais un jour nous vivrons dans une maison beaucoup mieux. Une maison dans laquelle cette pendule et tes chandeliers en argent seront à leur place.

— Joseph, tu ne devrais pas travailler autant. La manière dont nous vivons actuellement me convient parfaitement.

— Alors, tu te contentes d'un appartement en sous-sol ?

— C'est l'endroit le plus agréable où j'aie jamais vécu.

— Et la maison des Werner ?

— Je n'ai pas vraiment *vécu* là-bas. Cette maison n'était pas la mienne.

— Je voudrais pourtant qu'elle le devienne. Un jour, tu auras une belle maison, tu verras, Anna.

— Il est dix heures passées, lui dit-elle sur un ton de doux reproche, et demain tu dois te lever à cinq heures.

Dans l'obscurité, il entendait le murmure de la douce respiration d'Anna et le bruissement des draps lorsqu'elle bougeait les jambes. A quelques mètres de lui, des pas précipités résonnaient sur le trottoir. La petite pendule sonna onze coups. Il ne parvenait pas à trouver le sommeil.

Il était inquiet. Du plus loin qu'il s'en souvenait, il avait toujours connu l'inquiétude. Ses parents étaient inquiets. Tous les gens qui vivaient dans Ludlow Street et dans le quartier qui s'étendait jusqu'à East River étaient inquiets. Le présent comme l'avenir les inquiétait. Et même le passé — ce passé qu'ils ne parvenaient pas à oublier — les tourmentait.

Bien sûr, il n'avait jamais vu le Vieux Monde, et pourtant il le connaissait bien. L'Europe lui était aussi familière que Ludlow Street, avec ses immeubles de cinq étages, sa foule bigarrée et ses charrettes à bras. Il connaissait le village polonais, le cheval de son grand-père, les murs glacés de neige, la boue glissante, l'établissement de bains, le chantre qui venait de Lublin, le hareng et les pommes de terre sur la table, la petite sœur de sa mère qui était morte en couches, le cousin de sa grand-mère qui était parti à Johannesburg et avait fait fortune dans les diamants. Il n'ignorait rien de tout cela pas plus que la terreur que pouvaient inspirer le martèlement des sabots sur la route et le sifflement des fouets, le crépitement des flammes allumées par une torche jetée sur un toit et le soupir des cendres au petit matin.

L'incendie de la maison d'Oncle Simon avait décidé les parents de Joseph à partir. Ils formaient un couple étrange, toujours sans enfant, et donc sans raison de vivre. Quel autre but pouvait-on donner à son existence sinon celui d'élever des enfants et faire en sorte que, bien portants et instruits, ils puissent accéder à une condition supérieure à celle de leurs parents ? La mère de Joseph avait vieilli prématurément, non pas comme les autres femmes accablées de grossesses, mais on eût dit que sa stérilité avait desséché son corps. Elle possédait un étal au marché ; sa générosité était connue de tous. Le père de Joseph, un homme au dos voûté et aux paupières rouges, était tailleur. Pendant qu'il travaillait, il ne cessait de soupirer sans même s'en rendre compte. Son travail terminé, il se rendait à la synagogue et, ses prières dites, il rentrait à la maison. Sa vie, tel un triangle, se dessinait entre trois points : la boutique de tailleur, la synagogue, la maison. Pourquoi un tel couple se serait-il donné la peine de partir en Amérique ? Pour quoi faire ?

Puis vint l'incendie de la maison de l'oncle.

— Ton père est rentré, racontait la mère de Joseph. Le village était silencieux. Ils avaient brûlé cinq maisons, pas la nôtre, mais c'était affreux de voir nos voisins ; les hommes restaient là sans rien dire et les femmes pleuraient. Alors ton père est rentré et a dit : « Nous partons en Amérique, Katie. » Il a juste dit ça, pas un mot de plus.

— Tu voulais y aller ? Tu avais peur ? lui demandait Joseph.

— Tout s'est passé si vite que je n'ai même pas eu le temps d'y penser. Nous avons eu nos billets, j'ai dit au revoir à mes sœurs et nous sommes arrivés à Castle Gardens.

— Et que s'est-il passé ensuite, maman ?

— Ce qui s'est passé ? répétait-elle en levant ses sourcils qui dessinaient deux demi-cercles sombres sous sa perruque rêche et défraîchie. Nous avons ouvert cette boutique de tailleur que tu connais. Nous parvenions à manger, à vivre. La seule différence, c'est qu'ici tous les gens sont les uns sur les autres, qu'il n'y a pas d'herbe et pas d'arbres. (On sentait à ces évocations comme une légère nostalgie dans le ton de sa voix.) Par contre, il n'y a pas de pogroms, pas de meurtres, pas de maisons brûlées.

— Il ne s'est rien passé d'autre ? demandait Joseph avec insistance, attendant la suite, le moment le plus important.

Sa mère le tenait en haleine.

— Rien d'autre ! Qu'aurait-il pu arriver ?

— Je veux dire : il ne t'est rien arrivé à toi, après ta venue ici ?

Sa mère fronçait les sourcils, faisant mine d'être perplexe.

— Oh, oui, bien sûr, une autre chose encore. Nous étions ici depuis deux ans, en fait un peu plus, quand tu es né.

Joseph réprimait un sourire de satisfaction. Quand il avait environ sept ou huit ans, il raffolait de cette partie de l'histoire. Plus tard, chaque fois qu'on aborderait le sujet de sa naissance, il froncerait les sourcils, grimaçant intérieurement ; il s'empressait alors de dévier le sujet de la conversation ou quittait la pièce. Pour lui, que des gens aussi âgés aient un premier enfant de manière totalement inattendue constituait un événement presque ridicule. Parmi tous ses amis, il était le seul à avoir des parents qui ressemblaient bien davantage à des grands-parents. Les pères et les mères de ses camarades avaient une silhouette élancée et une démarche alerte et dégagée ; souvent ils criaient et couraient après leurs enfants. Le père de Joseph se déplaçait difficilement et passait toute la journée derrière sa machine à coudre. Quand il se levait, son corps lourd et ankylosé avait une démarche gauche ; il se dirigeait, grommelant et traînant les pieds, vers la cuisine, la chambre ou les toilettes situées dans la cour. Le samedi, il se rendait à la synagogue, puis il rentrait à la maison et mangeait, s'allongeait sur le petit lit de la cuisine et dormait pendant tout l'après-midi.

— Chut ! faisait la mère en posant sur ses lèvres un doigt impératif quand Joseph claquait la porte, ton père dort !

Le soir, le père quittait le divan de la cuisine pour s'allonger sur le lit où il dormait avec la mère. Est-ce qu'ils... non, de telles pensées étaient indécentes. On ne pouvait pas l'imaginer en train de faire cela... Il était si calme... éteint. Excepté quand il se mettait de temps à autre dans des rages terribles, toujours pour des vétilles. Son visage s'empourprait et les veines de son cou et de ses tempes saillaient ; la mère disait qu'il finirait par se tuer à se mettre dans des états pareils... et elle ne se trompait pas.

Tout dans la maison exhalait l'engourdissement, l'ennui et la pauvreté. Tout semblait figé : la vie serait ce qu'elle avait toujours été. Joseph passait dans la maison le moins de temps possible.

— Quoi ! Tu sors encore ? demandait le père en secouant la tête. Tu es toujours dehors.

— Un garçon de son âge a besoin d'être avec ses camarades, plaidait sa mère. Et de plus, nous savons qu'il est en bonne compagnie... Il va seulement jouer chez les Baumgarten ou avec Solly ton propre cousin.

Solly Levinson était un cousin issu de germain du père, mais il avait seulement cinq ans de plus que Joseph. Joseph l'avait connu dès sa première année à New York, Solly n'avait alors que douze ans. Ce cousin quitta l'école peu après pour travailler dans la confection. Il avait appris l'anglais étonnamment vite ; il était brillant et timide ou, peut-être, seulement indécis. Incroyable comme il avait changé depuis : il y avait eu cinq enfants et surtout quinze années à confectionner des pantalons ! Joseph le trouvait étrange et triste, maintenant. Il se rappelait Solly lui apprenant à plonger dans l'East River, Solly jouant au base-ball, armé d'un manche à balai en guise de batte. Solly venait d'un village d'Europe perdu en pleine campagne ; il avait appris à nager dans les rivières et à courir à en perdre haleine dans les champs. A présent, cette vivacité extraordinaire avait disparu.

Enfant, Joseph aimait beaucoup aller chez son cousin. Quand il n'était pas chez lui, c'est qu'il était dans la rue.

Son père s'en plaignait.

— De mauvaises influences, répétait-il sur un ton sinistre et plein d'appréhension.

Joseph savait qu'il parlait des garçons qui avaient de la sympathie pour le socialisme, des garçons qui se retrouvaient en groupe sur le trottoir et se prélassaient parfois sur les marches de la synagogue pour narguer les fidèles, fumant même le jour du sabbat tandis que les vieux avec leur barbe et leur chapeau noir détournaient le regard.

— Joseph est un bon garçon, disait la mère. Tu n'as pas à te faire de souci à son sujet, Max.

— Les mères défendent toujours leurs enfants.

— Max ! Il n'a rien fait de mal ? Réfléchis.

— C'est vrai, c'est vrai.

Après un moment de silence, il ajoutait (combien de fois avait-il dit cette phrase !) :

— J'aimerais seulement que nous puissions faire davantage pour lui.

Aujourd'hui, Joseph comprenait ce que son père avait voulu dire. Pouvait-on sans honte, faire moins pour sa famille en Amérique qu'en Europe ? Quel affront de ne pas parler la langue et d'être obligé de demander à son fils de huit ans de servir d'interprète quand l'homme du gaz venait ! Honte aussi de la maigre nourriture servie à table quand, vers la fin du mois, on économisait jusqu'au dernier sou pour payer le loyer. Honte du bruit, de la foule, de la promiscuité qui ne permettait pas d'ignorer la vie scandaleuse des autres, les terribles querelles et les hurlements des Mandel qui habitaient l'étage au-dessus. M. Mandel claquait la porte et disparaissait « en ville », Mme Mandel faisait entendre des lamentations amères.

Il y avait aussi la saleté. Le père la haïssait. Joseph avait hérité de lui son amour extrême de la propreté et de l'ordre.

Le père et le fils se rendaient ensemble, une fois par semaine, à l'établissement de bains. D'un côté, l'enfant redoutait ce lieu où s'exhalait une vapeur malodorante, où se pressaient des hommes nus, des corps souvent vieux et hideux. D'un autre côté, c'était l'unique occasion de parler — parler *vraiment* — avec son père, soit au milieu de la vapeur des bains, soit en chemin.

Quelquefois, Joseph avait droit à de véritables homélies : « Fais le bien, Joseph. Chaque homme sait où se situe le bien et il sait aussi lorsqu'il a agi malhonnêtement ou injustement. Il ne peut prétendre l'ignorer. Si tu es honnête, la vie te récompensera. »

— Mais il arrive que des gens malhonnêtes soient récompensés, n'est-ce pas, Papa ?

— Pas vraiment. Ce n'est qu'une impression superficielle, au fond, il n'en est rien.

— Et que dire du tsar ? Il est terriblement cruel et cependant il vit dans un palais.

— Ah, mais il n'est pas encore arrivé au terme de sa vie !

Joseph demeurait sceptique et son père ajoutait avec fermeté :

— Quand on a mal agi, on paie. Peut-être pas tout de suite, mais on paie toujours un jour ou l'autre.

Il lui demandait ensuite :

— Veux-tu une banane ? J'ai dans ma poche un penny et tu peux en acheter deux au coin de la rue. Tu en garderas une pour ta mère.

— Et toi, Papa ?

— Je n'aime pas les bananes, mentait-il.

Joseph avait dix ans quand son père commença à avoir des problèmes avec sa vue. Il ne pouvait plus lire son journal qu'en le tenant très loin de ses yeux, jusqu'au jour où il ne put pas le lire du tout. La mère de Joseph n'avait jamais appris à lire. Dans le Vieux Monde, on ne croyait pas que la lecture fût indispensable pour une fille. Le soir, Joseph devait donc lire le journal à haute voix, car son père désirait être informé de ce qui se passait dans le monde. Mais Joseph ne lisait pas très bien le yiddish et son père l'écoutait en grommelant.

Pendant quelque temps, ce dernier s'acharna tant bien que mal dans sa boutique de tailleur, de plus en plus voûté au-dessus de la flamme jaune de la lampe à gaz. Il fallut bien se rendre à l'évidence : il ne pouvait plus travailler, et il ferma la boutique. La mère dut gagner l'argent du ménage.

Ils déménagèrent pour un nouveau magasin dont les pièces contiguës ne différaient en rien de celles qu'ils avaient précédemment occupées, à deux pâtés de maisons de là. Une toile cirée grisâtre, mais qui avait dû être bleue, recouvrait la table de la cuisine. C'était là qu'ils mangeaient et que la mère préparait les salades de pommes de terre ou de chou cru qu'elle rangeait ensuite dans la glacière marron à côté des bouteilles de soda et de lait. Le pain était empilé sur le comptoir et les paquets de café, de sucre et d'épices alignés sur les étagères. On avait posé à même le sol les grandes boîtes de gâteaux et de bonbons et les tonneaux remplis de saumure écumeuse où baignaient des condiments. Une clochette tintait chaque fois qu'on ouvrait la porte, mais l'été elle restait silencieuse car le ressort de la double porte était cassé et comme le père n'avait jamais rien su réparer, les deux portes restaient ouvertes. Des bandes tire-bouchonnées de papier tue-mouches jaunâtre pendaient du plafond et de grosses mouches noires et dégoûtantes, repues de crottin, venaient s'y coller en grappes suintantes... Joseph se demandait comment son père, si pointilleux sur la propreté, pouvait les supporter, jusqu'au jour où il se rendit compte que le vieil homme ne les voyait même pas.

Depuis six heures du matin jusqu'à dix heures du soir, sa mère se tenait derrière le comptoir, non pas tant à cause des nombreux clients mais plutôt parce qu'il fallait être là au cas où il en viendrait un. Parfois la clochette tintait même après dix heures.

— Oh, madame Friedman, j'espère qu'il n'est pas trop tard... mais j'ai vu la lumière et nous n'avons plus de café.

Pour les gens du voisinage, ce magasin offrait la commodité d'être ouvert à des heures insolites, ce qui permettait de réparer un oubli, après la fermeture du marché. A petite commodité, petits bénéfices.

On pouvait lire sur la pancarte qui surmontait la porte : « Max Friedman » alors qu'on aurait dû y voir « Katie Friedman ». A l'âge de dix ans, Joseph comprenait déjà ce que ce décalage avait de tragique.

Joseph possédait une photographie de lui assis devant le magasin. C'était la première depuis celle prise lorsqu'il était bébé, allongé nu sur le tapis de fourrure du photographe. Il avait alors douze ans, portait une culotte courte et une casquette, des chaussettes noires et des galoches.

— Comme tu as l'air grave ! avait dit Anna en voyant la photo. On a l'impression que tu es accablé de tous les soucis du monde. Cette année-là, en effet, sa vision du monde se transforma soudain. Il ne lui fallut pas plus de deux ou trois jours pour que son regard d'enfant devienne celui d'un adulte.

Wolf Harris, un parent éloigné de Solly, vint un jour au magasin à l'heure où Joseph y aidait sa mère, après l'école. Wolf, âgé de dix-huit ans, était parfaitement prénommé [1] : son nez saillait tel un museau pointu et sa bouche se retroussait toujours sur une grimace dédaigneuse.

— Est-ce que tu veux gagner un peu d'argent, petit gars ? M. Doyle a besoin d'un gamin qui ferait des courses pour lui.

— Doyle ? répéta le père de Joseph qui s'était levé de sa chaise installée à côté du poêle. Et pourquoi M. Doyle aurait-il besoin de mon fils ?

— Parce que... parce qu'il a besoin d'un garçon à qui il peut faire confiance pour porter des trucs en temps voulu, sans rien égarer en chemin. Il lui donnera un dollar et demi par semaine s'il vient tous les soirs à la sortie de l'école.

Un dollar et demi ! Mais Doyle était riche. Il appartenait à l'organisation centrale du parti démocrate de New York qui sié-

1. *Wolf* veut dire « loup » en allemand.

geait à Tammany Hall. Il représentait le pouvoir, le gouvernement, l'administration. Personne ne savait ce qu'il faisait exactement, mais on savait qu'on pouvait s'adresser à lui pour n'importe quoi. Cet homme était sans préjugés. Etonnante Amérique où le gouvernement ne se préoccupait pas de savoir si vous étiez chinois, hongrois ou juif ! Si vous aviez besoin d'argent pour des funérailles, pour une tonne de charbon, ou pour un membre de votre famille, vous vous adressiez à Doyle et il s'occupait de vous en donner. En échange, il vous demandait seulement de mettre une croix dans la case de son choix, le jour des élections.

Le père alla dans l'autre pièce et parla avec la mère pendant quelques minutes. Puis il revint.

— Dites à M. Doyle que mon fils sera très heureux de travailler pour lui, annonça-t-il à Wolf, et que sa mère et moi nous le remercions beaucoup.

Le bureau de Doyle se trouvait dans la 14e Rue, près de Tammany Hall. Chaque jour, après l'école, Joseph traversait une pièce où une rangée de filles tapaient sur des machines à écrire, puis allait jusqu'au bout d'un couloir, frappait à une porte et entrait dans le bureau de M. Doyle. Doyle était un homme rougeaud et chauve qui portait une épingle de cravate et une bague ornée d'un saphir véritable qui, selon Wolf, valaient « une petite fortune ». Il aimait plaisanter. Il faisait semblant d'offrir à Joseph un cigare ou de lui tendre une pièce en disant : « Va boire une petite bière au bar du coin ! » et ne manquait jamais de lui donner une petite gâterie, une pomme ou un morceau de chocolat, avant de l'envoyer faire des courses.

Doyle avait de nombreuses propriétés. Il possédait deux maisons dans la rue où vivait Joseph. Le garçon devait apporter des papiers concernant ces maisons à des plombiers, des zingueurs ou d'autres ouvriers du bâtiment. Il allait aussi dans des bars pour y prendre des enveloppes dont l'épaisseur laissait penser qu'elles contenaient des billets de banque. Il avait appris à frapper directement à la bonne porte et à demander le propriétaire qui se trouvait généralement derrière le bar, au milieu de bouteilles scintillantes et de portraits de femmes nues. La première fois que Joseph aperçut ce genre d'images, les yeux manquèrent lui sortir de la tête. Des hommes accoudés au comptoir virent son regard et cela les fit beaucoup rire. Ils débitèrent quelques plaisanteries que Joseph ne comprit pas mais qui le mirent très mal à l'aise. Ce travail valait le coup quand même. Un dollar et demi ! Seulement pour se promener dans la ville et porter des enveloppes !

Un jour, M. Doyle voulut voir son écriture. Il lui donna une feuille blanche et dit :

— Ecris quelque chose, ce que tu veux, peu importe.

Quand Joseph eut écrit très soigneusement : « Joseph Friedman, Ludlow Street, New York, Etats-Unis d'Amérique, hémisphère nord, monde, univers », Doyle s'empara de la feuille.

— Très bien... très bien, commenta-t-il. Et que donnes-tu en arithmétique ?

— C'est là que je suis le meilleur.

— Oui ? Parfait ! Que dirais-tu de faire un peu d'écriture et d'arithmétique pour moi ? Est-ce que ça te plairait ?

Comme Joseph restait perplexe, il ajouta :

— Bon, je vais te montrer. Tu vois ces deux grands livres ? Ils sont tout neufs, ils n'ont jamais servi. Et je voudrais bien que tu recopies dessus des listes que je vais te donner. Regarde : voilà une liste. Tu vois, il y a des noms et des som... des chiffres, tu n'as pas besoin d'en savoir plus... Je voudrais seulement que tu recopies ces noms dans un des grands livres avec ces chiffres, tu comprends ? Et ensuite que tu recopies les mêmes noms dans l'autre livre mais avec d'autres chiffres, ceux-là, tu vois ? Tu crois que tu peux faire ça ?

— Oh, bien sûr, monsieur, je peux. C'est facile.

— Sache qu'il est très important de recopier avec exactitude ! Prends ton temps. Je ne veux aucune erreur.

— Oh, non, monsieur, je ne me tromperai pas !

— Bien. Dorénavant, voilà le travail que tu feras pour moi. Tu travailleras tout seul sur une table, dans la petite pièce à côté de mon bureau et personne ne viendra te déranger. Quand tu auras fini, tu viendras me remettre les livres. Autre chose, Joseph : tu es un garçon croyant, n'est-ce pas ? Je veux dire que tu vas régulièrement à la synagogue et que tu ne dis pas de mensonges ?

— Non, monsieur, euh... je voulais dire oui, et je ne dis pas de mensonges.

— Tu sais que Dieu nous punit quand nous agissons mal.

— C'est ce que dit Papa.

— Bien sûr. Alors je peux être certain que tu tiendras parole. Ne dis jamais à personne ce que tu écris dans les livres. Ne mentionne jamais devant qui que ce soit l'existence de ces livres. C'est un secret entre toi et moi. Ce sont des affaires du gouvernement, tu comprends ?

Joseph donnait entière satisfaction à Doyle. Wolf le lui dit. Et un jour que Doyle passait dans le quartier, il se rendit au magasin pour parler à ses parents.

— Votre fils est un garçon très intelligent. De plus, tout à fait digne de confiance. Généralement, on ne peut pas compter sur les gosses. Ils disent qu'ils vont venir travailler puis ils vont jouer à la balle ou traîner dans les rues, et ils oublient de venir.

— Joseph est un bon garçon, dit le père.

— Quels projets avez-vous pour lui ? Que va-t-il devenir ?

Son père haussa les épaules.

— Je ne sais pas. Il est encore jeune. Ce serait bien qu'il continue l'école et peut-être même ensuite qu'il aille au collège, mais nous n'avons pas d'argent.

— Il ferait un excellent comptable. Et on arrive toujours à trouver de l'argent pour un garçon intelligent comme lui. Je vais m'en occuper. Il pourrait aller à l'université de New York. Dites-lui seulement de ne pas me laisser tomber.

— Ce ne sont peut-être que de belles paroles, fit remarquer sa mère le soir. Il nous dit que nous avons un bon garçon pour nous faire plaisir.

Mais Wolf voyait les choses autrement.

— Il pense vraiment ce qu'il dit. Il voudrait que tu études la comptabilité. De plus, il a les moyens de s'occuper de toi. Il peut obtenir tout ce qu'il désire et avoir tout l'argent qu'il veut quand il en a besoin.

Joseph se demandait quel genre de travail Wolf effectuait pour Doyle. Il n'était pas facile de se figurer ce que faisaient tous ces gens qui gravitaient autour de Doyle. Certains avaient des liens avec la police ou les sapeurs-pompiers, d'autres avaient affaire avec les inspections du travail ou les tribunaux, d'autres encore s'occupaient des propriétés de Doyle ou des élections ; il s'agissait finalement de tout un imbroglio d'affaires et d'intérêts. Wolf vivait avec l'un de ses grands frères ; il était toujours élégamment habillé et ne sortait jamais sans argent liquide dans ses poches. Mais il paraissait impossible de poser à Wolf la moindre question personnelle. Il tenait les autres à distance sans qu'on sache exactement comment il faisait.

Benjie Baumgarten était le meilleur ami de Joseph. Ils allaient ensemble à l'école ou à la synagogue le jour du sabbat et se confiaient mutuellement presque tout. Benjie était curieux à propos de Wolf et de Doyle.

— Que fais-tu pour lui ? demandait-il avec insistance.

— Des courses, et puis j'écris dans des registres.

— Oui, mais encore ?

— C'est confidentiel, les affaires, vois-tu, dit Joseph d'un air important.

— Oh, espèce d'imbécile ! Je parie que tu traites directement avec le gouverneur... et pourquoi pas avec le président !

Bien sûr, Benjie était jaloux. Joseph pouvait se permettre d'être tolérant, voire magnanime.

— Si je pouvais, je te le dirais, mais j'ai promis. Tu ne voudrais quand même pas que je manque à ma parole, n'est-ce pas ?

— Non...

Ils se tenaient tapis sous les marches de l'escalier de la cave du numéro onze, une maison abandonnée dans la rue où habitait Joseph. L'endroit avait été condamné et tous les locataires étaient partis, à l'exception de quelques clochards qui — tous les gens du quartier le savaient — dormaient là pour se protéger du froid.

Benjie avait amené une carotte de tabac et, pour la première fois de leur vie, ils chiquaient à l'abri des regards indiscrets.

— La pancarte disait : « Défense d'entrer — toute infraction sera punie par la loi », rappela Benjie. Que va-t-il se passer si le propriétaire nous trouve là ?

— Rien. C'est M. Doyle le propriétaire, si tu veux savoir, ou, en tout cas, l'un des copropriétaires. Il ne dira rien, répondit Joseph avec une certaine fierté.

Ils étaient donc en train de chiquer dans leur cachette, pris d'une légère nausée sans qu'aucun ne voulût l'avouer à l'autre, quand la porte donnant sur la cour s'ouvrit. Wolf Harris entra, un bidon à la main.

Benjie et Joseph se reculèrent sans faire de bruit. Wolf versa le contenu du bidon sur les caisses vides, des piles de journaux et des landaus cassés qui gisaient çà et là. Une fois tout le bidon vidé, il sortit en catimini et referma la porte. Des effluves de pétrole arrivèrent jusqu'aux narines des garçons.

— Et pourquoi il a fait ça ? chuchota Benjie. Je vais aller lui demander.

— Non ! Tu vas te taire !

— Et pourquoi donc ?

— Parce que. Parce que Wolf m'a dit de ne jamais lui parler à moins qu'il ne m'ait adressé la parole en premier. Et de ne jamais lui parler dans la rue, surtout lorsqu'il était accompagné.

— C'est drôle. Je me demande bien pourquoi.

— Je ne lui ai jamais posé de questions.

— Tu as peur de lui ?

— Ouais, un peu.

— C'est vrai qu'il a un tempérament plutôt violent. Un jour, je l'ai vu cogner sur un gars et il lui a cassé le nez. Il saignait comme un bœuf.

— Tu ne me l'as jamais dit !

— Pourtant c'est arrivé !

— Je te crois.

— Pourquoi travailles-tu pour Doyle ?

— Qu'est-ce que Doyle a à voir avec tout ça ?

— Rien. Je posais seulement la question.

— Parce que nous avons besoin d'argent, imbécile !

Il n'allait rien dire au sujet des cours de comptabilité. Il n'avait pas envie que Benjie vienne mettre son grain de sel dans cette histoire, ami ou pas ami.

— Wolf me fait peur, dit tout à coup Benjie.

— Oh, ferme-la, veux-tu !

Joseph se sentit soudain mal à l'aise. Le goût âpre du jus de tabac...

— Je rentre chez moi, dit-il.

Les sirènes des pompiers et les voix des gens descendus dans la rue le réveillèrent au milieu de la nuit. Joseph et ses parents sortirent à leur tour. Un peu plus loin dans la rue, le numéro onze brûlait. La fumée, emportée par la brise qui soufflait de l'East River, montait dans le ciel en longs rubans. A l'intérieur de la maison, le feu crépitait avec un bruit d'explosion et les flammes, qui embrasaient les étages les uns après les autres, jetaient une lueur de plus en plus vive. On vit soudain apparaître aux fenêtres du troisième étage des visages terrifiés, des bras qui s'agitaient désespérément.

— Des clochards ! s'écria la mère de Joseph. La maison est pleine de clochards et ils ne peuvent pas sortir !

Bien sûr ! Pendant l'hiver, la plupart des gens obturaient le pourtour des fenêtres avec du mastic pour empêcher le froid d'entrer.

— Oh, mon Dieu ! s'exclama le père.
L'incendie dura toute la nuit. Les chevaux des pompiers hennissaient et piaffaient à la vue des flammes qui éclairaient presque toute la rue, frappant les pavés de leurs énormes pieds. L'eau des tuyaux d'incendie gela sur les trottoirs. Vers le matin, le feu s'éteignit. Il avait évidé l'intérieur de la maison et noirci et déchiqueté la façade qui, à présent, menaçait de s'écrouler. On dénombra sept morts. La foule assemblée contemplait le désastre sans dire un mot.
Joseph ne perdit pas son sang-froid. A l'école, pendant toute la journée, il remua des tas d'idées dans sa tête : fallait-il d'abord parler à Papa et ensuite à M. Doyle ? Ou aller voir directement M. Doyle ? Il aurait bien voulu discuter de ça avec Benjie, mais son camarade était justement absent ce matin.
Quand Joseph retourna chez lui à trois heures, Benjie le héla.
— Je suis allé voir ton patron ce matin, Joseph.
— Tu es allé voir M. Doyle ?
— Je lui ai dit que je savais qui avait mis le feu à la maison. Je lui ai parlé de Wolf et du bidon de pétrole.
— Est-ce que tu lui as dit que j'étais avec toi ? demanda Joseph.
— Oh, dit Benjie, je suis désolé. Je ne l'ai pas dit. Je suppose que je voulais garder tout le mérite pour moi seul.
Joseph ne pouvait finalement s'en prendre qu'à lui-même. Pourquoi n'avait-il pas eu l'idée de manquer l'école pour courir prévenir M. Doyle ? Alors Wolf aurait été arrêté, et c'est lui qui aurait été le héros à la place de Benjie. Mais il était lent et vieux comme son père. Je manque d'esprit d'initiative, pensa-t-il, et je me laisse toujours distancer par les autres.
— Je n'arrive pas à comprendre cette histoire, dit Benjie. Je pensais que Wolf et M. Doyle étaient très liés. Alors pourquoi Wolf a-t-il voulu mettre le feu à la maison de Doyle ? Qu'est-ce que tu crois ?
— Oh, la barbe ! s'exclama Joseph en s'éloignant de Benjie.
Il se posait encore toutes sortes de questions le lendemain matin et se sentait taciturne et irrité — plus furieux contre lui-même que contre Benjie — quand Mme Baumgarten apparut derrière le rideau de la cuisine où ils prenaient le petit déjeuner.
— Je suis désolée de vous déranger mais j'ai pensé que vous sauriez peut-être où se trouve Benjie ; il n'est pas rentré à la maison la nuit dernière.
— Je l'ai vu hier après l'école, dit Joseph.
Mme Baumgarten se mit à pleurer.
— Qu'a-t-il pu lui arriver ?
— Il est probablement resté chez un ami, voilà tout, et il ne vous a pas prévenue, dit la mère de Joseph pour la réconforter.
— Mais où ? Quel ami ? Pourquoi aurait-il fait une chose pareille ?
— Ne vous inquiétez pas. Il ne lui est rien arrivé, j'en suis sûre.
Maman se trompait. Le corps de Benjie fut retiré du fleuve le samedi suivant, dans l'après-midi. La police vint à la synagogue, à

la recherche de quelqu'un qui pourrait identifier le corps. Le père de Joseph lui cria de ne pas y aller, mais Joseph fit la sourde oreille et suivit la foule. Il regretta son entêtement quand il découvrit que Benjie avait été tué avec un pic à glace et que les poissons avaient dévoré une partie de son visage.

Joseph rentra à pied à la maison. Les gens chuchotaient autour de lui, le harcelant de questions. Mais il était incapable de parler et passa devant la maison brûlée sans même détourner la tête. On disait que le propriétaire avait déjà touché l'argent de l'assurance. Soudain, Joseph, qui à l'époque n'avait pas plus de douze ans, comprit tout. Il alla dans le magasin de ses parents, ouvrit le rideau et s'assit sur le petit lit près du poêle. Tout à coup, il se sentit vieux ; il eut l'impression qu'il venait d'apprendre tout ce qu'il y avait à connaître de la vie : pour l'argent, les gens étaient prêts à faire n'importe quoi, même tuer.

Il se mit à pleurer. Son père et sa mère vinrent s'asseoir à ses côtés et posèrent chacun un bras sur ses épaules. Ils restèrent là, sans rien dire. Ils pensaient que leur fils pleurait à cause de la mort de son ami — il y avait cela, bien sûr — mais son affliction s'expliquait par d'autres raisons, plus profondes encore. Il pleurait sur l'innocence de son père, sur sa propre innocence qu'il venait de perdre et sur tout ce qui était souillé et irrémédiablement déchu en ce monde...

Jamais il n'adressait la parole à Wolf désormais. Il évita donc soigneusement de le rencontrer, ce qui était chose facile car Wolf fréquentait très rarement Ludlow Street. On disait qu'il allait dîner dans des restaurants somptueux en compagnie de millionnaires. Un autre univers...

Il ne revit pas Doyle non plus, sinon pour aller lui annoncer que sa mère avait besoin d'aide au magasin et qu'il ne pourrait plus travailler pour lui. Longtemps, il se demanda (et d'une certaine manière il se le demandait encore maintenant) comment la gentillesse de Doyle, son incontestable gentillesse, était conciliable avec toutes ces choses... S'agissait-il seulement de gagner des voix ? D'obtenir du pouvoir ?... Joseph, qui avait une vision du monde très manichéenne, se sentait dépassé par cette zone d'ombre qui enveloppait Doyle. On ne pouvait être à la fois bon et mauvais. Un homme, un Russe lettré qui écrivait dans un journal, lui avait dit plusieurs années après cette histoire, tandis qu'ils discutaient autour d'une bière, qu'il simplifiait trop les choses, que le monde était bien plus complexe qu'il ne voulait l'admettre. Cet homme avait peut-être raison, mais Joseph préférait la simplicité. Le monde était blanc ou noir, bon ou mauvais. Voilà pourquoi la religion lui était d'un grand secours : elle précisait la règle du jeu, les limites à ne pas dépasser. Ainsi on ne pouvait se fourvoyer.

Pendant deux ans, son père lui demanda à maintes reprises pourquoi il ne voulait plus travailler pour Doyle alors qu'il s'agissait pour lui d'une chance inespérée. Joseph ne pouvait pas, ne voulait pas lui expliquer. Peut-être qu'à la longue, son père aurait fini par lui arracher la vérité. Mais il n'en eut guère le temps puisqu'il mourut quelques mois plus tard à la suite d'une querelle stupide avec le laitier qui avait laissé le lait tourner au soleil. « Se mettre dans un tel état pour quelques bouteilles de lait ! » se lamenta sa mère. Mais Joseph savait que la cause véritable de la mort de son père n'était pas là : le monde n'était pas et n'avait jamais été tel qu'ils l'avaient espéré tous les deux.

— Ton père voulait que tu ailles au collège, t'en souviens-tu ?

Joseph se trouvait sur le toit de la maison où il aidait sa mère à étendre du linge. Tout autour, les autres toits s'étendaient comme une prairie grise parsemée d'un lacis de cordes à linge, de tuyaux de cheminées et de corniches en fer. Plus loin, vers l'est, on apercevait le fleuve, les cheminées d'usines et l'arche imposante de Brooklyn Bridge. La 5e Avenue se trouvait plus au nord et échappait au regard de Joseph. Il était déjà allé se promener de ce côté de la ville ; jamais il n'oublierait les hôtels particuliers, les banques et les églises qu'il y avait vus. New York, c'était aussi cela. Le vrai New York.

— Je ne suis pas fait pour étudier, Maman.

Sans se décourager, elle le pressait de poursuivre des études. Elle le harcelait doucement, mais continuellement. « Inscris-toi au club des débats ; ils organisent des concours et récompensent le meilleur orateur, tu pourrais gagner... Le fils de Mme Siegel suit des cours de droit à l'école du soir... Tu es un garçon intelligent, que comptes-tu faire ? Tenir une épicerie toute ta vie ? Est-ce pour cela que nous sommes venus en Amérique ? »

Il avait envie de lui répondre : *Vous n'êtes certainement pas venus pour moi, vous ne saviez pas que vous alliez m'avoir...* Mais il disait :

— Même si je voulais étudier, nous n'avons pas d'argent. Nous avons besoin de ce que je gagne.

Tout de suite après le lycée, il avait trouvé du travail dans une entreprise de peinture. A présent, il avait deux années de travail derrière lui et du métier ; il avait aussi appris à se débrouiller en plomberie et en menuiserie au contact des autres ouvriers du bâtiment.

— Tu pourrais suivre des cours du soir. Et je saurais me débrouiller avec le magasin. En nous arrangeant, nous y arriverions.

— Maman, je n'ai pas envie de devenir un homme de loi.

— Mais le fils de Mme Siegel...

— Oui, et les deux fils Riesner sont médecins et Moe Myerson enseigne dans un lycée... Mais je ne suis pas Siegel, ni Myerson, ni Reisner. Je suis Joseph Friedman.

— Alors, dis-moi, que veut devenir Joseph Friedman ?

— Joseph Friedman veut gagner de l'argent, assez d'argent pour que sa mère n'ait plus à tenir une épicerie.

Elle sourit ou plutôt esquissa un sourire empreint d'une légère tristesse.

— C'est difficile d'avoir de l'argent quand on n'a pas une bonne profession.

— C'est là que tu te trompes, répliqua-t-il vivement. Mon patron, M. Block, a commencé comme simple ouvrier, et regarde où il en est maintenant ! Presque toutes les banques qui possèdent des propriétés dans le Lower East Side font appel à ses services. Sa famille vit dans Riverside Drive. Il en est arrivé là uniquement à force de travail et d'organisation, et il est encore jeune.

— Alors c'est ça que tu veux devenir : entrepreneur ?

— Maman, je sais que tu serais terriblement fière si je devenais médecin ou avocat, et j'ai effectivement beaucoup de respect pour ces gens-là. Mais cela n'est pas pour moi, voilà tout. Et je vais te dire : je gagnerai beaucoup d'argent et ce sont mes fils qui deviendront médecins ; alors tu pourras être fière d'eux.

— Je ne vivrai pas assez longtemps pour voir tes fils.

— Maman, je t'en prie !

— Je suis désolée. Mais il n'y a pas que l'argent qui compte dans la vie. Un homme a besoin d'être fier de ce qu'il fait. Si ensuite il gagne beaucoup d'argent, tant mieux.

— On m'offre la possibilité de travailler en haut de Manhattan, dit-il avec ménagement.

Depuis une semaine, il n'avait pas encore trouvé le courage d'annoncer la nouvelle à sa mère.

— Avec un certain Malone, M. Block voudrait former dans ce quartier une nouvelle équipe. Il faudrait que j'aille vivre là-bas, sur Washington Heights.

Elle évita son regard. Il savait qu'elle avait prévu depuis toujours que cette séparation viendrait un jour et sans doute s'y était-elle préparée. Elle lui demanda calmement :

— Tu veux partir ?

— Oui..., ou plutôt je ne *veux* pas te quitter mais il s'agit pour moi d'une chance à saisir. Il m'offre quinze dollars par semaine, que tu le croies ou non... Eh bien, le patron me connaît et sait quelle somme de travail je peux abattre en une journée...

Je reviendrai te voir chaque semaine et je t'enverrai la moitié de ce que je gagne. Je voudrais que tu laisses tomber ce magasin.

— Tu sais bien que ce magasin n'est pas un problème pour moi. Que pourrais-je faire d'autre de mon temps ?

— Cela ne t'ennuie pas que je parte, alors ?

— Non, non, pars et prends soin de toi. Juste une chose... Joseph ?...

— Oui, Maman ?

— Tu ne vas pas perdre la foi en vivant dans ce quartier, au milieu de gentils ?

— Il y a aussi beaucoup de Juifs et je louerai une chambre à une famille juive, bien sûr. Mais de toute façon, la foi d'un homme est en lui, il la garde où qu'il aille. Ne te fais pas de souci à ce sujet.

— Non, je sais que je n'ai pas à m'en faire, dit-elle en lui prenant les mains.

Elle restait toujours dans le magasin. Il lui envoyait de l'argent chaque semaine et, en plus, lui en apportait chaque fois qu'il venait lui rendre visite, mais il constata qu'elle ne le dépensait pas. Elle portait des robes de coton bon marché que vendaient les marchands ambulants et elle se rendait à la synagogue dans son éternelle robe noire qu'elle avait déjà quand il était enfant. Il la soupçonnait de tout épargner afin de pouvoir lui rendre, à sa mort, cet argent intact. Un sentiment d'impuissance et une grande tristesse l'envahissaient lorsqu'il pensait à elle. Elle avait soixante-trois ans mais paraissait beaucoup plus vieille. Il lui avait demandé plus d'une fois de vendre le magasin et de venir habiter sur Washington Heights. Mais elle s'y refusait. Une fois dans sa vie déjà, elle avait tout changé en traversant l'Atlantique, et dès lors elle avait essayé de retrouver un semblant de racines dans Ludlow Street. Elle n'en bougerait pas.

La seule chose à laquelle elle semblait tenir était qu'il se marie. Un jour qu'il lui rendait visite, environ un an après son départ, il avait trouvé chez elle un visiteur, un homme barbu entre deux âges vêtu d'un costume noir mal repassé, assis à la table de la cuisine avec devant lui un porte-documents.

Sa mère fit les présentations :

— Mon fils Joseph, Reb Jeselson.

Un marieur, certainement ! Joseph se sentit soudain furieux et se raidit.

— Votre mère m'a dit que vous désiriez vous marier.

— Tiens ?

— Reb Jeselson est passé une fois par ici, nous nous sommes rencontrés par hasard et nous avons parlé, intervint sa mère, dont le regard était devenu anxieux. Au cours de la conversation, j'en suis venue à lui dire que j'avais un fils et il m'a demandé si tu connaissais des filles bien, si tu avais envie d'en rencontrer ? Alors je lui ai répondu que tu devais certainement connaître des filles mais je pensais que tu ne t'opposerais pas à faire de nouvelles connaissances et que si, par hasard, il connaissait des filles bien... Après tout, un homme n'en rencontre jamais assez ! dit-elle sur un ton enjoué comme s'ils étaient tous les trois en train de deviser gaiement.

Reb Jeselson sortit un classeur de son porte-documents et étala sur la table une demi-douzaine de photographies.

— Bien sûr, nous devrons parler tous deux en tête à tête. Il faudra que vous me fassiez part de vos souhaits. Par exemple, si vous préférez une fille née en Amérique ou une fille venue d'Europe ? Je suis sûr que vous recherchez quelqu'un de croyant, car je connais votre milieu, murmura-t-il. Non, pas celle-ci, c'est une très jolie jeune femme, dit-il en retirant l'une des photographies, mais seulement elle est très grande, beaucoup plus grande que la plupart des jeunes gens. Vous ne voudriez pas être obligé de lever les yeux pour regarder une femme, n'est-ce pas ? Laissez-moi voir... voici une fille qui appartient à une très bonne famille...

— Je ne suis vraiment pas intéressé, dit Joseph avec fermeté.

Puis il se radoucit en voyant l'air consterné de sa mère et ajouta :

— Une autre fois peut-être. Je ne m'attendais pas à vous rencontrer aujourd'hui. Je n'étais pas préparé...

Reb Jeselson lui fit signe qu'il voulait lui parler en particulier.

— Il n'y a pas d'obligation, pas du tout. Je voulais seulement avoir une idée de ce que vous souhaitiez. Nous prendrons ensuite un autre rendez-vous quand cela vous conviendra, rien ne presse...

— Mais... voyez-vous, dit Joseph sur un ton découragé, j'ai déjà trouvé. Alors je ne suis vraiment pas du tout intéressé. Je vous remercie quand même.

Reb Jeselson se tourna vers sa mère et lui jeta un regard lourd de reproches.

— Vous ne me l'aviez pas dit ! Et moi qui me suis donné tout ce mal... !

— Je ne le savais pas, cria-t-elle. Joseph, tu ne me l'avais pas dit. Pourquoi ne me l'as-tu pas dit ?

— Je n'en savais moi-même rien jusqu'à présent, dit-il.

Ils le dévisagèrent comme s'il avait soudain perdu la raison et qu'ils se trouvaient face au pire des fous.

Anna. Rose et blanche Anna. La plus belle des fleurs d'un jardin. Joseph n'avait jamais vu un vrai jardin, mais il se l'imaginait frais et plein de senteurs. Jusqu'à une époque récente, il ne croyait pas être disposé à se marier ; il avait pensé attendre d'être plus vieux, trente ans peut-être, et d'avoir fait son chemin avant de se charger d'une famille. Mais à présent, il avait le sentiment d'être prêt. Peut-être l'avait-il été dès le moment où il l'avait vue, assise sur les marches en train de lire.

Sa voix, ses petits pieds dans ses bottines de chevreau, ses cheveux sentant si bon, son joli rire. Elle avait vécu dans un petit village de Pologne et elle parlait de peintres parisiens, d'écrivains anglais et de musiciens allemands ! Comment connaissait-elle et retenait-elle tout ça ? Oh, comme Papa l'aurait aimée ! Il n'aurait pas eu la moindre idée de ce dont elle parlait — car il en savait encore bien moins que moi — mais ses qualités ne lui auraient pas échappé.

Elle remua à nouveau dans le lit à côté de lui et murmura quelque chose dans son sommeil. Il se demandait à quoi elle rêvait et espérait que ce n'était rien de douloureux ni de triste. Il savait si peu de chose d'elle. Allongé dans la chambre obscure, il pensait qu'une grande distance les séparait encore. En serait-il toujours ainsi ? Oh, sûrement pas. Si elle avait autant besoin de lui que lui avait besoin d'elle, ils se rapprocheraient certainement... Mais ils n'étaient mariés que depuis peu de temps, seulement quelques mois. Il fallait être patient. Un enfant viendrait sans doute les lier plus étroitement. Oui, ils auraient un enfant : peut-être était-il déjà en route ? Quand ils s'unissaient, une même vague puissante et apaisante les emportait vers ce désir commun.

10

Dans la cabine de bain réservée aux femmes, elles se changèrent en se tournant pudiquement le dos. Quand elles se regardèrent, chacune portait un maillot de bain, une jupe de taffetas noir, des bas noirs, des chaussons et un chapeau de paille noué sous le menton, à cause du vent. C'était la première fois qu'Anna revêtait une telle tenue et elle avait honte de se montrer en public avec une jupe qui lui couvrait seulement les genoux. Mais elle ne voulait pas avouer ses réticences à Ruth qui était déjà souvent venue à la plage et semblait très sûre d'elle.

— Tu vois, je t'avais bien dit que ce costume de bain t'irait à ravir ! dit Ruth. On ne voit même pas que tu attends un bébé pour bientôt ! Moi, je suis toujours grosse comme un éléphant quand je suis enceinte. Viens, nous allons choisir un bon endroit avant l'arrivée de la foule ; voilà l'avantage d'arriver de bonne heure, poursuivit-elle tandis qu'elles foulaient le sable.

Solly et Joseph avaient déjà étalé les couvertures. Harry et Irving, deux grands garçons de neuf et dix ans, maigres comme leur père, au point qu'ils semblaient disparaître dans des maillots de bain à rayures rouge foncé, pataugeaient déjà dans l'eau. Les petites filles jouaient dans le sable avec des seaux et des pelles.

— Ah, te voilà ! s'écria Joseph.

Anna sut lire dans son regard qu'il la trouvait très belle dans son costume de bain. En quelques mois, une sorte de langage secret s'était établi entre eux... le regard entendu des gens mariés ?... Anna n'avait jamais pensé auparavant qu'une telle complicité pût s'établir aussi rapidement entre un homme et une femme.

— A présent, je peux vraiment voir l'océan, dit-elle. Il m'avait paru bien différent quand je suis arrivée ; il semblait si sombre et furieux.

La mer s'étendait devant elle, belle et calme, et des vagues gansées d'écume blanche déferlaient doucement sur le bord comme dans un soupir.

— Allons donc faire un petit tour dans l'eau, proposa Solly.
— Laissez-moi vous accompagner ! cria Anna.
— Non, non ! répliqua Joseph en fronçant les sourcils. Pas d'imprudence, Dieu l'interdit. Nous reviendrons l'année prochaine, je te le promets.

Les couvertures avaient été étendues sur le sable, près d'une digue. Ruth s'appuya contre un rocher dans l'ombre duquel elle avait posé le panier contenant le déjeuner.

— Attends ce soir, tu verras les feux d'artifice ! dit-elle. Quel dommage qu'il n'y ait pas davantage de jours fériés ! Nous venons aussi pour Decoration Day [1], mais il fait généralement trop froid pour se baigner. Regarde un peu mes garçons, ils s'éclaboussent comme des fous ! Ils vont encore avoir de l'eau dans les oreilles. Je crois bien que je vais aller barboter un peu, moi aussi.

Anna s'allongea. Le bébé bougea en elle et, les mains posées à plat sur le ventre, elle sentit les petits coups de pied qu'il donnait. Ce chaud fardeau et le soleil alanguissaient son corps. A quoi ressemblerait cet enfant ? Comment serait son visage ? Elle avait hâte de le voir ! Serait-il heureux avec eux ? Les aimerait-il ? Parfois les enfants n'aiment pas leurs parents, quoi que ces derniers fassent pour eux. Ressemblerait-il à l'une des personnes qu'ils avaient connues ou, peut-être, à quelqu'un dont ils n'avaient pas même entendu parler, parce qu'il était mort depuis trop longtemps ?

Oh, mais c'était un enfant désiré, autant par le père que par la mère ! Joseph était tellement fier de son ventre gonflé, de sa peau laiteuse — blanche comme celle d'une poupée de porcelaine — fortement tendue ! Il se faisait du souci pour elle. « Ne fais pas le ménage et ne passe pas ta journée en cuisine. Deux œufs me suffiront largement pour le dîner. Tu ne te reposes pas suffisamment. Tu n'arrêtes pas de courir et de t'activer. » Quelques instants plus tard, il ajoutait des recommandations : « Prends le temps de sortir demain et de faire une longue promenade. C'est très important de faire de l'exercice. Le docteur Arndt dit que ça rend l'accouchement moins difficile. » Etonnée, elle lui avait demandé s'il avait parlé avec le docteur. « Eh bien, je voulais entendre moi-même que tout allait bien pour toi, alors je suis passé le voir. »

Oui, Joseph prenait soin de tout. Aux yeux d'Anna, il avait un tempérament de bâtisseur ; c'était un homme pondéré et attentif qui avait toute confiance en leur mariage. Il construirait leur union, pierre après pierre, pour qu'elle se fortifie et dure. Tout en lui était loyauté : il pensait ce qu'il disait et disait ce qu'il pensait. Allongée la nuit à ses côtés, elle ressentait cette solidité, la sécurité qui émanait de lui, sa tendresse.

Et la tendresse était tout ce qu'elle désirait. Elle n'avait pas besoin de cette force qui l'entraînait dans le désir d'unir leurs

1. Decoration Day est un jour férié aux Etats-Unis qui se situe généralement le dernier lundi de mai. Ce jour-là, on fleurit les tombes de ceux qui tombèrent sur les champs de batailles de la guerre civile.

deux corps. Elle savait qu'il ressentait alors quelque chose de très fort qu'elle-même ne ressentait pas. Pour elle, seule comptait la chaleureuse affection qu'il lui prodiguait. Elle supposait qu'il en était ainsi pour la plupart des femmes ; le reste avait pour seul but de satisfaire le mari et de faire des enfants. Bien sûr, c'est un sujet dont elle n'avait jamais parlé avec personne. Peut-être l'aurait-elle fait si elle avait eu une sœur ? Mais comment sa sœur en aurait-elle su davantage ?

Une fois, tandis qu'elle cousait des pantalons chez Ruth, Anna avait entendu malgré elle deux femmes en train de se raconter en chuchotant combien elles se sentaient fatiguées le soir, et que les hommes eux, même lorsqu'ils travaillaient dur, n'étaient jamais trop fatigués... mais qu'il était tout de même bon d'être désirée par son mari. Et Joseph... elle ne pouvait se souvenir sans une certaine gêne de ce qu'il lui murmurait la nuit à l'oreille. Les hommes étaient faits ainsi ; il n'y avait certainement rien de mal à cela.

— Tu ressembles à ta mère, Anna, dit Ruth.

Anna ouvrit les yeux et les leva vers Ruth qui se séchait avec une serviette.

— Vraiment ?

— Je ne l'ai pas vue très souvent, mais certains détails la concernant me reviennent en mémoire. Elle était différente des autres gens.

— Différente ? Comment ?

— Elle ne parlait pas de ces choses dont les femmes parlent dans les villages. J'ai toujours pensé qu'elle aurait dû vivre à Varsovie ou à Vilna, là où il y a des écoles. Elle aurait été davantage dans son élément. Toutefois, autant que je m'en souvienne, elle ne s'est jamais plainte.

— Tu n'as pas d'autres souvenirs ?

— Non. Après tout, j'étais moi-même une enfant quand j'ai quitté le village.

« Et moi, pensait Anna, je me rappelle ce cimetière balayé par le vent, où j'essayais de revoir leur visage et d'entendre leur voix avant qu'ils ne s'enfuient de ma mémoire. Et maintenant ces souvenirs m'ont échappé. Il n'est pas un seul être humain qui connaisse quoi que ce soit de ce que fut ma vie avant ces quatre dernières années. Quelle rupture ! La majeure partie de ma vie se trouve comme effacée, sauf dans l'intimité de ma conscience. »

— C'est vraiment dommage qu'une famille se trouve ainsi séparée. Tes enfants n'auront pas de proches ici, excepté la mère de Joseph, bien sûr.

— Elle a soixante-quatre ans, rappela Anna.

— Soixante-quatre ? Je lui en donnais davantage encore ; elle semble si vieille, fit remarquer Ruth.

— Elle n'a pas eu la vie facile. Nous voulions l'emmener avec nous aujourd'hui car elle n'est jamais allée à la plage. A son âge, tu imagines ? Mais elle n'a pas voulu venir.

— Qu'allez-vous faire quand elle sera malade ou trop vieille pour continuer à s'occuper du magasin ? demanda Ruth. Penses-tu que Joseph voudra qu'elle vive avec vous ?

— Je ne sais pas. Nous n'en avons jamais parlé, répondit Anna, soudain préoccupée.

Cette vieille femme triste et qui sentait mauvais dans leur maison ! Anna eut honte d'avoir de telles pensées et s'apitoya. Pauvre femme ! Terminer ses jours dans la maison d'une autre femme, une jeune inconnue qui ne voulait même pas d'elle !

— Si cela arrive et si Joseph veut prendre sa mère avec lui, eh bien, nous le ferons, c'est tout, dit-elle calmement.

— Tu es une chic fille, Anna. Je suis heureuse pour vous deux d'avoir poussé Joseph à venir te parler un jour.

— Je ne t'ai jamais remerciée, dit Anna, gênée.

— Bah ! Je ne disais pas cela pour que tu me remercies. Mais je dois t'avouer que lui m'a remerciée. Il a été complètement fou de toi dès votre première rencontre. Il pensait qu'il ne te plaisait pas, voilà pourquoi il n'osait pas te parler de mariage. Tu sais, expliqua-t-elle, il croyait que tu étais amoureuse de quelqu'un d'autre. Mais je lui ai dit que ce n'était pas vrai. S'il s'était agi de quelqu'un d'autre que Joseph, je le lui aurais laissé croire, parce que ce n'est pas une mauvaise idée de laisser les hommes dans l'incertitude. Mais Joseph est différent, il est tellement... (Ruth cherchait le mot) honnête. Oui, c'est cela, honnête.

— C'est vrai, acquiesça Anna.

Et elle resta assise, presque sans bouger, écoutant d'une oreille distraite le bavardage de Ruth, goûtant la chaude caresse du soleil ; elle se sentait bien. Joseph jouait à la balle avec les garçons, près du bord de l'eau. Il sautait et courait comme un gamin. Elle ignorait qu'il connaissait ces jeux d'enfants. C'était ainsi que l'homme devait vivre. Dieu ne l'avait-il pas créé pour être libre et courir dans l'air radieux aux côtés des autres créatures vivantes ?

Mais rien ne s'obtenait sans efforts. On en revenait toujours là. Ils avaient dû payer pour cette sortie d'aujourd'hui, payer pour le trajet en tramway et pour la nourriture. Joseph aimait à citer la Bible et il répétait souvent cette phrase : « Tu gagneras ton pain à la sueur de ton front. » On avait l'impression qu'il trouvait dans la Bible une réponse à toutes ses interrogations.

Au bout d'un moment, les hommes revinrent s'asseoir.

— Ça va bien, Anna ? demanda Joseph.

— Tout à fait bien.

— Dis-moi si tu te sens fatiguée.

— Fatiguée ? Fatiguée de ne rien faire !

Elle sortit de son panier un ouvrage au crochet, un long rectangle de dentelle blanche.

— Oh, regarde, Solly ! s'écria Ruth. C'est vraiment ravissant ! Que fais-tu ?

— Une couverture pour la voiture d'enfant, répondit Anna, soudain intimidée. Je la doublerai plus tard de satin bleu ou rose.

Ruth hocha la tête en signe d'admiration.

— Tu sais faire des tas de choses, Anna. Tu es vraiment très adroite...

— Raconte-lui, l'interrompit Joseph, à propos du landau.
Mais il poursuivit et raconta lui-même :
— Nous l'avons acheté la semaine dernière dans Broadway. Il est en osier blanc, avec une petite capote qu'on peut abaisser ou relever suivant qu'on désire de l'ombre ou du soleil.
— Oh, dit Ruth, c'est toujours merveilleux d'avoir un premier enfant. On peut lui consacrer tout son temps... Vera et June, arrêtez de jeter du sable sur Cécile ! Vous devriez avoir honte !
— Je parie que vous ne savez même pas ce qu'est le sable, dit Harry avec un air important.
— Le sable ? Eh bien, c'est ce qu'il y a sur la plage, répondit sa mère.
— Ah ! je savais bien que vous ne sauriez pas. Ce sont des roches qui, au cours de millions d'années, ont été broyées en tout petits grains.
Anna prit une poignée de sable qui coula entre ses doigts et laissa sur sa peau quelques fines particules scintillantes.
— Alors, vous vous instruisez auprès de mon garçon, fit observer Solly. On m'a dit qu'il était le premier de sa classe, confia-t-il à Anna et Joseph en baissant la voix. Il veut tout savoir et retient tout. On lui dit quelque chose une fois et il ne l'oublie plus jamais, insista-t-il avec fierté. J'aimerais m'en sortir, ajouta-t-il gravement après un long silence. Je veux dire, arriver à rassembler assez d'argent pour monter ma propre affaire.
Il se tourna pour ne plus s'adresser qu'à Joseph :
— Certaines personnes y parviennent, je ne sais pas comment elles font. Mon patron a commencé comme moi, mais moi j'ai l'impression que je ne m'en sortirai jamais.
— Tu sais, ce n'est pas facile avec cinq enfants, dit gentiment Joseph.
— Oui, oui, Dieu les bénisse. Je voudrais tant faire pour eux tous.
Il fixa un moment la mer comme s'il allait y découvrir une réponse, puis il se leva d'un bond.
— Le grand air creuse l'appétit ! Que dirais-tu de nourrir un régiment d'affamés, Ruth ?
— Un peu de patience, j'arrive ! dit-elle en ouvrant des sacs en papier et en fouillant dans le panier.
Elle en retira du corned-beef, un salami, des condiments, des tomates vertes, de la salade de chou cru, des œufs durs et deux longs pains bis.
— Il y a aussi une pastèque pour le dessert. Mais pour le moment, je la laisse à l'ombre.
— Et des petits gâteaux, ajouta Anna en présentant une jolie boîte entourée d'un ruban. Je les ai faits hier.
— Et voici des oranges pour vous, les enfants, dit Ruth. Ne vous jetez pas dessus comme ça, les garçons. Vera, retire tes pieds de la couverture, tu vas mettre du sable sur la nourriture.
Anna se souvint avec amusement que Joseph disait toujours que Ruth parlait trop.

— Eh, Solly, ne mange pas si vite ! Oh, là, là ! Un jour, cet homme va s'étouffer, et les garçons sont exactement pareils. En revanche, il faut que j'ouvre la bouche de Cécile et que j'y enfourne la nourriture pour qu'elle mange... Elle a moins d'appétit qu'un oiseau. Joseph, ressers-toi, il y en a plus qu'il n'en faut, et sers ta femme. Il ne faut pas qu'elle oublie de manger pour deux !

Anna rencontra le regard de Joseph et réprima un sourire. Il s'agissait de leur langage secret : « Comprends-moi bien, j'aime beaucoup Ruth, elle est le sel de la terre. Mais si je devais vivre avec elle, je deviendrais fou. Elle parle tout le temps. Elle ne se tait pas une minute ! »

— Un vrai festin ! soupira Solly en se frottant l'estomac.

Puis il se rappela ses devoirs d'hôte et demanda à Anna :

— Tu te plais ici, Anna ?

— Oh, oui, beaucoup ! Pensez donc, se trouver là, tout à fait au bord du continent. Si on regarde droit devant soi, de l'autre côté de cet océan, on voit...

— La Pologne ! lança Ruth. Et j'aimerais autant ne pas revoir la Pologne, si cela ne vous fait rien.

— Pas la Pologne, corrigea Anna. Le Portugal et, derrière, il y a l'Espagne. J'aimerais bien y aller un jour. Mlle Thorne a vécu en Espagne où son père était consul. Elle m'a dit que c'était très beau.

— Pas moi ! Je ne veux jamais revoir aucun pays d'Europe. Surtout avec ce qui se passe en ce moment, dit Solly en hochant la tête. Si vous voulez mon avis, les choses s'annoncent mal.

— Que veux-tu dire ? demanda Joseph.

— Il va y avoir la guerre, annonça Solly sur un ton grave.

— Il faut toujours que tu penses au pire, s'écria Ruth. Pourquoi éprouves-tu le besoin de dire de telles choses ?

— Parce qu'elles sont vraies. J'ai lu la semaine dernière qu'un Serbe avait assassiné l'archiduc Ferdinand à Sarajevo et j'ai pensé aussitôt qu'il y aurait une guerre. Notez bien ce que je dis dans votre mémoire.

— Qui était-il, cet archiduc ? demanda Anna.

— L'archiduc autrichien, héritier du trône. Ce qui signifie que l'Autriche va déclarer la guerre à la Serbie, et alors la Russie s'alliera à la Serbie. L'Allemagne aidera l'Autriche et la France la Russie. Et le tour sera joué.

Joseph reprit une tranche de pastèque.

— Eh bien, dit-il en voyant l'aspect pratique des choses, ça se passe de l'autre côté de l'Océan, on ne viendra pas nous déranger ici.

Anna tremblait et gardait la tête baissée.

— Anna pense à ses frères, dit Ruth qui savait être perspicace. Ils devront combattre pour l'Autriche.

— Au fait, pourquoi cette conversation sinistre au sujet de choses que nous ne connaissons même pas ? s'enquit Joseph. Qui pourrait dire ce qui va se passer ? Je parie que, de toute façon, tout va rentrer dans l'ordre. Personne ne veut la guerre. Inutile de gâcher une belle journée en se tracassant pour des malheurs qui n'arriveront peut-être jamais.

— Tu as raison, s'excusa Solly. Absolument raison, Joseph. Profitons de cette journée. Allons nager.

Le soleil déclinant rougissait.

— Demain, il fera chaud, prédit Joseph en s'avançant vers Ruth et Anna.

— Je supporte la chaleur pendant la journée, mais la nuit, c'est vraiment épouvantable. Quel supplice de dormir sur les escaliers de secours ! dit Solly.

Ils replièrent la couverture et rassemblèrent les paniers.

— Les filles vont venir avec moi, ordonna Ruth. Harry et Irving, vous irez vous changer avec votre père. Nous nous retrouverons tous devant l'entrée.

De l'autre côté de la promenade en planches, s'étendait Surf Avenue, très animée en cette fin de journée. Une foule de badauds y déambulait. Le ciel gris était strié de bandes plus sombres où s'attardaient encore quelques traînées roses. Les illuminations des montagnes russes dessinaient de larges arabesques avant de s'élancer vers le ciel ; la grande roue s'étalait comme une toile d'araignée ; les lumières des baraques foraines clignotaient gaiement. Du lointain, montait le flot musical d'un orchestre, amplifié ou assourdi au gré du vent ; plus près, un manège de chevaux de bois tournait dans un cliquetis joyeux. Anna était fascinée.

— Je ne sais où aller en premier ! s'écria-t-elle. Par où commencer ? Aurons-nous le temps de tout voir ?

— Nous ferons tout notre possible, dit Joseph. Veux-tu commencer par les « rues du Caire » ? Je les ai vues l'an dernier : on a l'impression de marcher dans de vraies rues égyptiennes. Tu te promènes au milieu des ânes et tu peux même monter sur un chameau — oh, non, j'oubliais, pas toi — mais tu peux regarder et quand nous reviendrons l'an prochain tu feras un tour à dos de chameau.

Anna se sentait transportée par une joie qu'elle savait enfantine — elle était même plus enthousiaste que les enfants de Ruth qui commençaient à être fatigués. Il y avait tant à voir et à entendre ! Tant d'illuminations éclatantes et de mélodies chatoyantes ! Musique et lumières semblaient fuser et tournoyer dans une débauche de couleurs, à la façon d'un kaléidoscope. Le soir tombé, arriva l'heure des feux d'artifice. Trop tard, donc, pour voir les attractions foraines — dommage ! mais Anna ne regrettait pas vraiment le veau à deux têtes ou l'affreuse femme à barbe qu'elle avait aperçus sur des photographies.

Ils eurent la chance de trouver des places pour admirer le feu d'artifice qui était absolument splendide : des fusées rouges, blanches et bleues, des étoiles qui s'élançaient de plus en plus haut dans le ciel sombre avant de retomber en une pluie d'or. Puis ce fut le bouquet final dont les pétarades firent sursauter toute l'assistance. Un grand silence s'installa ensuite avant que l'orchestre ne commence à jouer l'hymne national américain que tout le monde écouta debout. Avec fierté, Anna se dit qu'elle était de ceux qui connaissaient toutes les paroles.

C'était la fin de cette extraordinaire journée. La foule se dirigea lentement vers les tramways de la ligne de Coney Island Avenue. Solly connaissait un raccourci pour arriver avant la cohue. Heureusement, sinon ils n'auraient jamais trouvé de places assises. Les garçons s'appuyaient contre Joseph et Solly qui, chacun, tenaient dans leurs bras une fillette endormie. Ruth portait la plus jeune et Anna avait les paniers. Des tas de gens se tenaient debout dans l'allée et d'autres voyageaient même sur le marchepied. Les contrôleurs avaient toutes les peines du monde à se frayer un chemin parmi les voyageurs et suaient à grosses gouttes. On ne pouvait même pas leur en vouloir d'être de mauvaise humeur ; ils avaient passé leur journée dans des tramways pendant que les autres se prélassaient sur la plage. Plus on s'enfonçait dans Brooklyn et plus il faisait chaud. La brise marine cédait la place à l'air moite de la ville. Rires et bavardages disparurent peu à peu. Anna se dit que les gens pensaient sans doute au lendemain. Cette idée devait presque leur faire oublier le plaisir de cette journée. Presque, mais pas tout à fait.

Anna et Joseph quittèrent les Levinson et prirent un autre tramway, celui de la ligne de Broadway, qui n'était pas aussi bondé.

— Nous avons eu de la chance d'attraper le dernier tramway, dit Joseph. Nous n'arriverons pas à la maison avant minuit. As-tu passé une bonne journée ?

— Oh, oui, merveilleuse ! dit-elle.

— Mets ta tête sur mon épaule. Je te réveillerai quand nous serons arrivés.

Elle ne dormit pas. La cloche tintait vigoureusement à chaque arrêt et la voiture tanguait quand le tram prenait de la vitesse. Elle pouvait sentir la chaleur qui se dégageait du corps de Joseph. « Il a attrapé un coup de soleil », pensa-t-elle. Ils avaient oublié le beurre de cacao qui avait dû rester sur la commode. Il ne serait peut-être pas trop tard pour lui en mettre quand ils seraient à la maison. Il avait une peau si claire.

« Mon ami. Mon unique ami au monde. Maintenant je sais ce qu'est le mariage. Il ne s'agit pas d'un conte de fées, pensa-t-elle avec dédain. Quand j'aurai une fille, j'espère qu'elle en saura plus que moi sur la vie. Il n'est pas possible d'être stupide et naïve au point de croire aux contes de fées, à Tristan et Iseult... Et cependant... le scintillement, l'envol, les chants, le désir, la douceur, la douleur... n'étaient-ils qu'un mirage ? J'ai dix-neuf ans à présent. Je devrais connaître la réponse à cette question. A quoi bon s'interroger encore ? »

Joseph se pencha vers elle et embrassa ses cheveux.

— Nous sommes arrivés, murmura-t-il.

Il l'aida à descendre les hautes marches du tramway. Au coin de l'avenue, ils retrouvèrent la brise qui soufflait de l'Hudson. Le bruit de leurs pas résonna gaiement dans la rue endormie.

11

Maurice naquit dans le lit aux montants de cuivre de ses parents le 29 juillet 1914. Il pesait sept livres et avait déjà une épaisse tignasse de cheveux blonds.

— Trois heures de travail pour un premier enfant ! s'exclama le docteur Arndt. Savez-vous quelle chance vous avez ? A ce compte, vous devriez encore en avoir six !

Dehors, un vendeur de journaux criait d'une voix alarmée : « Edition spéciale ! Edition spéciale ! »

— Que se passe-t-il ? demanda Anna.

Joseph sortit et revint avec le *New York Tribune.*

— « L'Autriche déclare la guerre, lut-il, et lance d'immenses armées sur la Serbie ; la Russie masse quatre-vingt mille hommes à la frontière. » Solly avait donc eu raison. La guerre était là.

— Encore des tueries insensées et tout ça pour quoi ? grommela le docteur.

— Eli et Dan vont devoir combattre, dit Anna.

Et soudain un vieux, vieux souvenir lui revint à la mémoire : sa mère allongée dans son lit avec les jumeaux nouveau-nés et, debout à côté d'elle une femme, une voisine ou une sage-femme. Anna prit le bébé.

— Il n'arrivera jamais rien à ce petit garçon. Je ne permettrai pas qu'il arrive quoi que ce soit à ce petit garçon !

— Non, bien sûr, dit doucement le docteur.

Dans l'esprit d'Anna, ces années de guerre se déroulèrent au rythme des progrès de son fils. Elle se rappelait que le *Lusitania* avait coulé le jour où il avait fait ses premiers pas en se tenant seulement à ses deux doigts ; il n'avait alors que dix mois ! Quand l'armée russe fit reculer les Autrichiens jusqu'aux montagnes glacées des Carpates, elle trembla et versa des larmes pour Dan et Eli ; mais ce fut aussi l'époque où Maury dit ses premiers mots. Au moment où les Etats-Unis entrèrent en guerre et où apparut l'affiche représentant une main couverte de sang dont le texte disait : « Le Boche, voici sa marque. Effaçons-la en souscrivant à l'emprunt de la liberté », Maury était un petit garçon de presque trois ans, gracieux, vif et charmant.

Ce visage qu'elle avait été tellement impatiente de voir, elle l'étudiait sans cesse : nez droit, yeux d'un bleu sombre taillés en amandes, joues rebondies. Une fossette creusait le menton. A qui ressembles-tu, mon fils ? Seulement à toi-même, tu es unique.

Anna savait que cet enfant l'avait profondément transformée. Elle ne se sentait plus du tout une gamine. L'époque où il n'était pas encore là lui semblait très lointaine. Sa vision du monde s'était élargie : un aveugle dans la rue l'émouvait, les jeunes gens qui mouraient en Europe la troublaient. Mais elle ne pouvait s'empêcher de penser que son fils était la chose la plus importante au monde.

La nuit, elle entendait souvent Joseph qui se levait pour aller jusqu'au berceau et elle savait qu'il écoutait la respiration du bébé.

— Il sera peut-être docteur, dit Joseph.

— Ou avocat, ce serait bien aussi.

Ils se moquaient de leur folle vanité. Et en même temps, ils pensaient sérieusement ce qu'ils disaient.

Anna fit la lecture à Maury bien avant qu'il ne fût capable de comprendre ce qu'elle lisait. Elle avait entendu dire que les jeunes enfants étaient très sensibles aux sons des mots, même s'ils ne les comprenaient pas. Elle lui lisait des pages sereines, des poèmes de Stevenson et d'Eugene Field.

« Dors, petit pigeon, et replie tes ailes — petit pigeon bleu aux yeux de velours. »

Devant les maisons, les mères s'asseyaient avec leur landau ou leur poussette, s'observant, se critiquant, se conseillant mutuellement.

— Vous devriez avoir un autre enfant, disaient-elles à Anna. Vous gâtez trop celui-là. Ce n'est bon ni pour lui ni pour vous.

Bien sûr qu'elle désirait avoir d'autres enfants, et Joseph avait envie d'une famille nombreuse. Pourtant, aucun bébé ne s'annonçait. Anna n'était pas pressée. Pour l'instant, Maury lui suffisait. N'occupait-il pas toute sa journée, après le départ de Joseph, dès le lever du jour et jusqu'à la tombée de la nuit ?

Les ténèbres recouvraient encore la terre et, près de la fenêtre de leur chambre, les réverbères étaient toujours allumés. Cinq heures allaient bientôt sonner. Dans quelques instants, Anna se lèverait pour préparer le petit déjeuner de Joseph. Il était dur de s'arracher à son lit par ces petits matins d'hiver. Dans la salle de bains, l'eau cessa de couler ; Joseph avait fini de prendre sa douche. A présent, il rangeait certainement les serviettes sur le porte serviettes et nettoyait la baignoire afin de la laisser aussi propre qu'il l'avait trouvée.

Ses vêtements étaient prêts sur la chaise. Il était si soigneux et méthodique. Ses carnets de rendez-vous, ses comptes — factures à payer et sommes à percevoir — étaient parfaitement tenus. Ainsi, il n'y avait jamais de perte de temps inutile.

Il se tenait maintenant devant le miroir d'Anna, peignant ses cheveux qu'il séparait par une raie médiane impeccable. Sa combinaison de peintre toute propre qu'elle avait lavée la veille se trouvait près de la porte, enveloppée dans un sac en papier. Joseph portait toujours un costume pour se rendre à son travail. Non qu'il eût honte de son métier, car il était fier de son travail et de sa compétence. Mais pour lui, il ne pouvait s'agir que d'une étape vers un autre genre de vie : celui d'un homme qui va travailler en costume et cravate.

Dès le début, Anna avait eu le sentiment que Joseph était un homme franc et pas compliqué. Cependant, ces derniers temps, elle s'inquiétait à son sujet. Il restait terriblement silencieux. Certes, il n'était pas d'un naturel bavard, mais à présent il donnait l'impression de n'avoir presque plus rien à dire. Il s'endormait souvent sur sa chaise après le dîner et elle devait le réveiller pour qu'il aille au lit. Bien sûr la journée avait été dure...

Ce n'était pas le silence lui-même qui la dérangeait ; le soir était le seul moment où elle pouvait lire tranquillement. Mais la raison de ce silence — s'il y en avait une —, voilà ce qui la préoccupait.

— J'ai lu les lettres de tes frères la nuit dernière, dit-il au petit déjeuner. Je me suis réveillé à une heure. Je n'arrivais plus à dormir.

— Je suis vraiment heureuse d'avoir à nouveau de leurs nouvelles.

Les lettres reçues depuis la fin de la guerre contenaient plutôt de bonnes nouvelles. Dan était sorti de quatre années de combat sans blessures. Eli avait reçu dans le bras des éclats de shrapnel et ne pourrait plus jamais plier le coude, mais son courage lui avait valu une médaille. De plus, son entreprise lui avait donné de l'avancement car trois de ses supérieurs étaient morts à la guerre.

— Regarde donc ce qui est arrivé à Solly, lui dit Joseph d'un ton amer.

Qui aurait pu imaginer que la situation de Solly s'améliorerait à ce point ? Son patron avait fait fortune en fabriquant des pantalons de treillis pour l'armée et Solly était devenu directeur adjoint de la nouvelle usine. Solly et Ruth avaient déménagé pour habiter un appartement de cinq pièces à l'angle de Broadway et de la 98e Rue — un appartement beaucoup plus joli que celui de Joseph et Anna.

— Je suis heureuse pour eux, dit Anna ; et elle le pensait vraiment. Avec tous leurs enfants, ils avaient besoin que la chance leur sourie un peu. Ruth m'a fait une confidence : Solly et l'un de ses collègues ont l'intention de s'établir à leur propre compte. Sais-tu que Solly a mis de côté quelques milliers de dollars ?

— De la chance, c'est tout.

— Tu n'es pas jaloux de Solly, dis ?

— Eh si, bien sûr ! C'est un chic type — tu sais ce que j'ai toujours pensé de lui — mais ce n'est pas une lumière. Il travaille beaucoup mais il est terriblement routinier et, à présent, sa situation est nettement supérieure à la mienne. Est-ce que je n'ai pas le droit d'être jaloux ?

— Nous nous débrouillons bien, dit Anna d'une voix réconfortante.

— Bien ! répéta-t-il en écho en tapant sur la table. J'ai vingt-huit ans, bientôt trente, et je n'ai encore rien fait ! On vit toujours dans un taudis.

— Ce n'est pas un taudis. Il y a des tas de gens bien et sérieux qui habitent ici !

— Bien sûr ! Des vendeurs de grands magasins, des conducteurs d'autobus, des postiers ! Pauvres esclaves salariés, vivant au jour le jour. Comme moi.

Il se leva et se mit à arpenter la cuisine.

— Et quand je serai plus vieux et que je ne pourrai plus travailler dix ou douze heures par jour, que va-t-il se passer ? On va rester à contempler les prix qui ne cessent de monter et on aura encore moins d'argent que maintenant. Voilà !

Tout avait augmenté depuis la guerre et leur situation ne s'était pas améliorée, il est vrai.

— Anna, j'ai peur. Je pense à l'avenir et j'ai peur.

Une des petites veines qui marbraient ses tempes tressaillit comme il disait ces mots. C'était la première fois qu'Anna le remarquait. Les mains de son mari, tachées de peinture, ressemblaient à celles d'un vieillard. Il paraissait plus que son âge. Et soudain, Anna fut elle aussi envahie d'un sentiment de crainte.

Un jour, rentrant à la maison, Joseph se mit à parler d'une voix claire et exaltée.

— Sais-tu ce que m'a dit Malone, le plombier ? Il connaît près d'ici une maison de rapport qui se vend pour presque rien. Le propriétaire a perdu beaucoup d'argent dans je ne sais trop quelle affaire et, de plus, ses deux enfants ont de l'asthme. L'un d'eux a failli en mourir l'hiver dernier. Alors, il lui faut partir habiter dans l'Ouest et il veut vendre rapidement sa maison.

Il marchait de long en large dans la pièce, comme il le faisait toujours quand il s'énervait.

— Malone et un autre gars voudraient que je m'associe avec eux. J'aurais besoin de deux mille dollars cash. Où est-ce que je pourrais bien trouver une somme pareille ?

Il ne toucha pas au contenu de son assiette. Il prit le journal et le laissa tomber par terre.

— Ton magazine est sur la table, dit Anna.

A l'exception du journal du soir, c'était son unique lecture car il n'avait pas le temps de lire le journal du matin.

Il feuilleta le magazine et le mit de côté. Elle voyait bien qu'il était complètement absorbé par son idée. Mais il n'en sortira rien, pensa-t-elle avec commisération tandis qu'elle raccommodait les tabliers de Maury. Il fallait rompre ce terrible silence, mais elle ne savait quoi dire.

Ce fut Joseph qui prit la parole :

— Anna, j'ai pensé à quelque chose.

— Oui ?

— Tu sais, les Werner ont toujours été très bons pour toi quand tu étais chez eux. Peut-être que, si tu leur demandais, peut-être qu'ils nous prêteraient de l'argent.

— Oh, non, je suis sûre que non !

— Pourquoi ? Je paierai des intérêts. Des gens riches comme eux, ça ne devrait pas les gêner. Sont habitués à ce genre de choses, non ?

Elle se sentit terrassée par la peur. Que lui demandait-il là ?

— Quel mal y a-t-il à tenter notre chance ?

— Joseph, je t'en prie, je ferai n'importe quoi pour toi, excepté cela.

— Mais je ne te demande pas de faire quelque chose de mal ! Tu es trop fière pour demander un prêt, c'est ça ?

— Joseph, tu cries, tu vas faire peur à Maury.

Lorsqu'ils se couchèrent, la colère de Joseph n'avait pas cessé. Anna tremblait intérieurement. Il était très rarement en colère...

— Joseph, ne me force pas, murmura-t-elle en faisant un geste vers lui.

Mais il s'éloigna d'elle et fit semblant de dormir.

Le lendemain matin, il reprit de plus belle :

— Sacré nom d'un chien, je pourrais faire tellement de choses avec cet argent ! Pour sûr ! Malone et moi pourrions remettre la maison en état, augmenter les loyers, puis la revendre. Ne te rends-tu pas compte qu'il s'agit de l'occasion que j'attendais et qu'elle ne se représentera jamais !

Il va finir par avoir raison de moi, pensait Anna.

— J'irais bien moi-même, mais je ne connais pas ces gens. Mais toi, ils t'écouteront.

Le troisième jour, elle céda.

— Ça suffit, pour l'amour de Dieu ! Demain je téléphonerai à Mme Werner.

Le samedi matin, elle gravit les marches du perron de la maison située sur la 71e Rue. La journée s'annonçait chaude pour un mois de mars, mais pas au point que la sueur coulât le long de la nuque d'Anna. Cette femme... pensait Anna, je suis sûre qu'elle va dire : « Comme vous semblez en forme, Anna ! Ainsi, vous avez un petit garçon, je suis vraiment ravie pour vous. » Ensuite, elle rédigera le chèque (le fera-t-elle, vraiment ?) et me le tendra avec un petit sourire et son air le plus digne.

Le tintement de la sonnette d'entrée résonna dans la maison. Quelques instants plus tard, Paul Werner ouvrait la porte. Il portait un pardessus et tenait un paquet à la main.

— Anna, c'est donc vous ! dit-il.
— J'ai un rendez-vous avec votre mère, dit-elle.
— Mais Mère est partie à Long Branch pour la semaine. Toute la famille est là-bas.
— Elle m'a dit de venir à dix heures.
— Oui ? Allons donc voir sur son bureau. Elle a probablement laissé un message. Venez, Anna, ajouta-t-il en voyant qu'elle restait sur le seuil.
Rien n'avait changé dans le petit salon. Une nouvelle photographie ornait le bureau, un grand portrait de bébé. Son enfant ?
Il fourragea dans des papiers.
— Je ne vois rien. Attendez, voici son calendrier. C'est samedi prochain, Anna. Vous vous êtes trompée d'une semaine.
Mon Dieu, pensa-t-elle, je dois vraiment avoir l'air d'une idiote. Et Joseph qui a besoin de cet argent mercredi.
— Je suis désolé. Ils passent tous la semaine dans la ferme de cousine Blanche. Il y aura une grande partie de campagne et Mme Monagham et Daisy sont aussi là-bas. C'est Daisy qui occupe votre ancien emploi, Anna.
Elle avait oublié le son grave et chaud de sa voix.
— Puis-je faire quelque chose pour vous, Anna ? Pour quelle raison vouliez-vous voir mère ?
— Je voulais lui demander si elle voulait bien nous prêter de l'argent.
— Oh ? Avez-vous des difficultés ? Asseyez-vous, racontez-moi.
— Mais je ne veux pas vous retenir. Vous avez votre manteau sur vous.
— Dans ce cas, je vais l'enlever. Je suis seulement passé chercher un paquet et cet après-midi je prends le train pour la côte.
Elle raconta la courte histoire de Joseph presque en chuchotant. La maison était très silencieuse, telle une forteresse solide et sûre à l'abri des agressions du monde extérieur, avec ses rideaux de soie, ses tapis, et ses coussins moelleux.
Elle n'osait pas le regarder en face, fixant son regard sur ses longues jambes qu'il avait croisées l'une par-dessus l'autre ou sur le cuir fin et luisant de ses chaussures. Ces jambes fines et robustes montaient à cheval, jouaient au tennis, et n'étaient pas près de porter les stigmates de la vieillesse. Joseph, lui, avait déjà des varices, — « à force de rester debout », avait expliqué le docteur.
— Personnellement, je ne voulais rien vous demander, dit-elle soudainement, d'un ton emporté. Je ne vois vraiment pas pourquoi vous prêteriez deux mille dollars à un homme que vous ne connaissez même pas.
Il sourit. Comment des yeux pouvaient-ils avoir un tel éclat ?
— Il n'y a effectivement aucune raison. Excepté que je vais le faire.
— Ah... ?
— Oui. J'admire votre volonté et votre courage. Et c'est pour vous que je le fais.

Il sortit un carnet de chèques de sa poche et prit un stylo. D'un simple trait de plume, il pouvait donc décider du sort des gens !

— Quel est le nom de votre mari ?

— Joseph. Joseph Friedman.

— Deux mille dollars. Quand vous rentrerez, demandez-lui de signer ce papier. C'est une reconnaissance de dette. Vous pouvez me la renvoyer par la poste. Non, envoyez-la plutôt ici, au nom de ma mère. Je suis sûre qu'elle aurait fait la même chose pour vous.

— Je ne sais que dire !

— Ne dites rien.

— Mon mari vous sera infiniment reconnaissant. Je ne crois pas qu'il y comptait vraiment... un dernier espoir. Parce que, voyez-vous, nous ne connaissons personne d'autre.

— Je comprends.

— C'est un homme si bon. Très bon et très honnête, croyez-moi, dit Anna (qui se demanda pourquoi elle se mettait tout à coup à bavarder ainsi). Mais je suis ridicule, n'est-ce pas ?

— Allons donc ! répondit-il en riant. J'espère simplement que vous pourrez ainsi réaliser tous vos désirs.

Anna avait déboutonné la veste de son ensemble. Elle remarqua à cet instant que Paul Werner observait son corsage, les yeux rivés au ruché de dentelle qui courait entre ses seins. Elle aurait dû se lever, renouveler ses remerciements puis se diriger vers la porte. Mais elle n'en fit rien.

— Parlez-moi, Anna, parlez-moi de votre petit garçon.

— Il a quatre ans.

— Vous ressemble-t-il ?

— Je ne sais pas.

— Les cheveux roux ?

— Non, il est blond. Mais ses cheveux fonceront certainement quand il sera plus grand.

— Savez-vous que vous êtes encore plus jolie qu'avant ?

— Vraiment ?

Elle se sentit défaillir, devenir aussi molle qu'une poupée de chiffon. Quand il vint s'agenouiller à côté d'elle et qu'il posa ses lèvres sur les siennes, Anna ne résista pas. Toutes ses forces l'abandonnaient.

Neuf boutons de perle fermaient le corsage. Sous la jupe de taffetas, se cachait un jupon en mousseline garnie d'entretoile bleue, et sous le corsage le cache-corset et une chemise de toile fine.

La voix de Paul venait de très loin, comme s'il était dans une autre pièce. Anna ferma les yeux. Ses bras de plomb étaient incapables du moindre geste. Elle se laissa emporter jusqu'au canapé à fleurs.

— Vous avez froid, chère Anna, dit-il tendrement et il tendit la main vers un dessus-de-lit ouaté qu'il jeta sur eux deux.

Une voluptueuse chaleur les enveloppa. Les lèvres de Paul caressaient le cou d'Anna et elle sentait et entendait le rythme rapide de sa respiration. Un rêve ! pensa-t-elle.

Elle ouvrit les yeux. La pièce baignait dans une faible lumière rosée, lumière si pâle qu'on aurait pu se croire à la fin de la journée, une fin de journée merveilleusement tranquille.

Elle referma les yeux. Les doigts de Paul couraient dans sa chevelure, détachant peignes et épingles. D'un geste, il dégagea les longs rouleaux qui tombèrent sur les épaules, dégageant le visage.

— Comme vous êtes ravissante !

Il se mouvait lentement. Il était tout le contraire de l'homme pressé et avide qui ne songe qu'à assouvir rapidement son désir avant de s'endormir. Ses mains erraient sur sa peau, sa bouche murmurait à ses oreilles.

Une vague de volupté l'envahit, puis s'apaisa quelques instants, avant de la submerger à nouveau. Des mots résonnaient dans sa tête, comme si elle avait murmuré — peut-être l'avait-elle vraiment fait — « je vous en prie ». Mais sa bouche vint se poser sur la sienne et les mots moururent sur ses lèvres. Rien au monde ne pourrait endiguer le flot du plaisir qui déferlait irrésistiblement en elle.

Elle se réveilla en sursaut. En bas, dans la rue, un orgue de Barbarie jouait une mélodie grinçante. Quand la musique s'arrêta et que le silence s'installa, Anna entendit son cœur qui battait à tout rompre. Combien de temps était-elle restée allongée là ?

A l'étage, des pas retentirent. Il s'était donc levé pour la laisser dormir. Ses vêtements ne traînaient plus sur le sol : il les avait soigneusement pliés sur une chaise.

Lentement, elle entreprit de se rhabiller. La pièce était glacée et tout son corps frissonnait. Elle ramassa les épingles à cheveux et les peignes éparpillés et se recoiffa d'une main tremblante.

« Je n'étais pas digne du mariage, juste bonne à ça », se dit-elle.

Et pourtant, elle ne lui reprochait rien, à lui. Il a épousé une autre fille ? Et alors ? Cela n'a aucun rapport avec ce qui s'est passé aujourd'hui.

Toutes ces pensées s'embrouillaient misérablement dans sa tête.

Paul se trouvait en bas de l'escalier quand elle descendit. Elle passa rapidement devant lui et se précipita vers la porte.

— Attendez, cria-t-il. Anna, vous n'êtes pas en colère contre moi ?

— En colère ? Non. Seulement terrifiée.

— Anna, je voulais vous dire... je voulais vous dire que vous êtes la femme la plus ravissante que j'ai jamais connue. Je voulais aussi vous dire au cas où vous penseriez que... eh bien, je voulais vous dire que vous êtes la femme que je respecte le plus au monde.

— Me respecter ? A présent ?

— Oui, bien sûr. Vous pensez que, à cause de cela... ? C'était merveilleux et vous le savez, merveilleux et naturel. Ne l'oubliez pas.

— Naturel ! cria-t-elle d'une voix cassée. J'ai un enfant, un mari...

Il essaya de prendre ses mains mais elle se dégagea. Sa bouche tressaillait et les larmes qu'elle refoulait brûlaient ses yeux.

— Mais vous ne leur avez fait aucun mal, dit Paul doucement.

— Oh, mon Dieu ! s'écria-t-elle.

— Je vous en prie, ne considérez pas les choses ainsi. Il n'y a aucune raison d'être triste. Ecoutez-moi, Anna, je n'ai cessé de penser à vous depuis que vous avez quitté cette maison. Je vous désirais tant. Mais quand vous viviez ici, vous étiez encore une enfant et jamais je ne vous aurais touchée.

« Je dois rêver, pensa Anna. Il ne s'est jamais rien passé dans le petit salon tout à l'heure. C'est impossible. »

— Et vous me désiriez aussi, ajouta Paul tout bas. Je le sais. Croyez-vous que ce soit une chose dont on doit avoir honte, Anna chérie ?

Oui, honte. Honte sur moi, Anna Friedman, femme de Joseph et mère de Maury. J'ai fait ça. Le quatorze mars, à midi, j'ai fait une chose pareille.

Elle en avait la nausée ; sa gorge se serrait pour réprimer les haut-le-cœur.

— Il faut que je parte ! Il faut que je sorte ! cria-t-elle en maniant maladroitement le loquet de la porte.

— Je ne peux pas vous laisser partir dans cet état ! Asseyez-vous ici une minute et parlons. Je vous en prie. Je suis désolé, je vous en prie...

— Non ! non ! Laissez-moi sortir.

Le loquet céda et la porte s'ouvrit toute grande. Repoussant Paul une dernière fois, elle s'enfuit en courant.

La rue offrait le visage ordinaire d'une rue de New York au printemps. Un groupe de gamins jouaient aux billes sur le trottoir. Un marchand ambulant poussait sa voiture à bras, criant le prix de ses marchandises : asperges ! rhubarbe ! tulipes en pot ! Mais Anna ne songeait qu'à courir devant elle, comme si elle traversait l'immense couloir sombre d'une demeure abandonnée.

Curieusement, cette course panique la conduisit, sans qu'elle le voulût, jusqu'à chez elle.

Joseph était sorti avec Maury. Ils étaient sans aucun doute allés jusqu'au fleuve pour voir les navires de guerre qui y étaient ancrés. De petits bateaux faisaient la navette entre les navires et la rive. On pouvait visiter.

Anna se précipita dans la salle de bains et enleva à la hâte tous ses vêtements. Elle fit couler de l'eau bouillante dans la vieille baignoire ébréchée. Honte sur moi ! J'ai désiré son étreinte, son corps. C'est moi la coupable. Il ne m'aurait pas touchée s'il n'avait pas su que je ne l'en empêcherais pas.

Sa peau la brûlait. Je suis impure, se répétait-elle. Elle saisit une brosse et se frotta vigoureusement, jusqu'à faire saigner ses avant-bras. Et si je me noyais ? La tête sous l'eau. On penserait que je me suis évanouie.

C'est à ce moment-là que Joseph rentra avec Maury.

— Anna ? appela-t-il devant la porte de la salle de bains.

Ayant enfilé un peignoir, elle sortit.

— J'ai le chèque. Il est sur la commode. Tu peux appeler Malone.

— Ils te l'ont donné ! dit-il incrédule.

Puis, débordant de joie, presque en larmes, il s'écria :

— Tu as le chèque ! Vraiment ! Oh, Anna, tout va changer ! Tu verras ! Tu verras !

Et survolté, il se mit à la presser de questions :

— Comment lui as-tu demandé ? Qu'a-t-elle dit ? A-t-elle parlé de moi ?

— Elle n'était pas là. C'est son fils qui m'a donné ce chèque.

— J'imagine que cela a dû être dur pour toi d'avoir à demander quelque chose. Sais-tu — maintenant je peux te dire la vérité — que je n'ai jamais pensé qu'ils voudraient nous aider. Quelle bonté !

— Oui, ils sont très gentils.

— Qu'est-ce qui ne va pas ? demanda-t-il en la regardant. Tu n'as pas l'air...

— C'est mon estomac. J'ai acheté un sandwich en ville. Je pense que le beurre était mauvais.

— Pauvre petite ! Va donc t'allonger. Je vais faire manger Maury et veiller à ce qu'il ne te dérange pas.

Quand il eut refermé la porte de la chambre, elle retourna dans la salle de bains et prit un autre bain. Impure. Je suis impure. Est-ce que je vais perdre la tête ?

Quelques jours plus tard, comme ils prenaient le petit déjeuner, Joseph ne put s'empêcher d'observer Anna. Il semblait perplexe.

— Je croyais que tu serais très contente maintenant que la maison est achetée.

— Mais je suis contente. Vraiment.

Sous la table, il chercha à prendre sa main.

— J'ai pensé que c'était peut-être parce que... comment dire... parce que la nuit je te délaisse un peu ? Ça fait deux semaines maintenant, mais tu sais, quand un homme est préoccupé il ne se sent pas d'humeur. Je veux dire que ce n'est pas du tout à cause de toi.

Elle sentit le rouge lui monter aux joues. Ses mains étaient moites. *Oh, mon Dieu !*

— Ne sois pas gênée. Nous ne devrions éprouver aucune gêne l'un envers l'autre. Ces choses sont naturelles. N'est-ce pas ?

— Vous ne semblez pas aussi heureuse cette fois-ci, fit remarquer le docteur Arndt.

— Je ne me sens pas aussi bien.

— Chaque grossesse est différente. Ayez toujours sur vous des petits biscuits et n'attendez pas trop longtemps entre les repas. Dans deux mois, ce sera fini.

Sage et paternel docteur Arndt !
Joseph acheta une Ford modèle T toute neuve pour trois cent soixante dollars.

— J'ai besoin de beaucoup circuler, expliqua-t-il. Malone et moi allons faire des travaux dans cette maison et la transformer rapidement. Nous nous lançons vraiment dans les affaires immobilières, je te le dis ! J'ai une grande confiance en Malone. Il est honnête et intelligent. A tous les deux, nous en ferons, du chemin.

— Je suis contente.

— As-tu remarqué que tout arrive en même temps ? Qu'il s'agisse de bonnes ou de mauvaises choses. Nous avons la maison et nous allons avoir un autre bébé. Tout va pour le mieux.

— Je sais.

— Je pourrai rembourser à partir de septembre prochain. Je pense que je pourrai donner mille dollars à M. Werner. Ne crois-tu pas que je devrais aller le remercier personnellement ? Quand je pense à ce qu'il a fait pour moi !

— Ce sont des gens très occupés, dit Anna d'une voix éteinte. Il serait préférable d'envoyer un mot.

— Tu crois ? Eh bien, tu as peut-être raison. Tu ne te sens pas bien aujourd'hui, Anna ?

— Non. Cette nausée... c'est affreux.

— Nous devrions peut-être aller voir un autre docteur ?

— Non, cela va bientôt passer.

Si seulement j'avais quelqu'un à qui parler, pensait Anna. Si j'avais encore une mère. Mais pourrais-je raconter une telle chose à ma mère ? Parler au rabbin dont l'épouse descend la rue en compagnie d'autres femmes, poussant leur voiture d'enfant, pour aller jusqu'à la crémerie ou la boucherie ? Au docteur Arndt qui viendra mettre au monde mon enfant pendant que Joseph attendra dans la pièce à côté ? Impossible.

Ruth vint un jour lui rendre visite. Elles marchèrent vers le fleuve derrière Maury qui pédalait sur son petit tricycle. Ruth ne tarissait pas à propos de ses enfants. Harry avait sauté une classe, mais restait toujours premier. Irving était fait pour les affaires ; il travaillerait sans doute plus tard avec son père. Et les filles lui donnaient tant de joie ! Quelle différence de vivre et d'aller à l'école au nord de Manhattan ! Mais malheureusement, Cécile était trop forte ; à force de manger des sucreries...

L'air était lourd. Anna pouvait à peine respirer.

— Oh, mais tu marches difficilement ! s'écria Ruth qui lui prêtait enfin attention.

— Ça va. Ruth, toi qui as vu beaucoup de choses, je veux te raconter une histoire terriblement triste. Je connais une fille qui a eu une aventure, tu comprends, et toutes les femmes parlent d'elle dans le quartier. Je suis vraiment désolée pour elle ; vois-tu, elle est mariée et elle pense... elle sait que son mari n'est pas le père de l'enfant. Peux-tu imaginer quelque chose d'aussi épouvantable ?

— Tu es désolée pour elle ? Mais c'est une putain, voilà tout.

— Oui, bien sûr, c'est affreux ! Mais, vois-tu, on peut quand même plaindre ces gens-là... la pauvre fille, elle a mal agi, elle a mal agi une fois, et maintenant... je ne sais quoi lui dire.

— Quoi lui dire ! Moi, je te conseille seulement de ne plus la fréquenter. On se passe très bien de ce genre d'amie.

— Bien sûr. Mais que va-t-elle devenir ?

— Mais pourquoi te fais-tu tant de souci à son sujet ? Elle récolte ce qu'elle a semé, n'est-ce pas ?

— Tu as raison, dit Anna.

Anna sentait la nouvelle vie croître et palpiter en elle. Il faut que je l'aime, se disait-elle, il faut que j'aie hâte de voir son visage. Mais un tel amour lui était interdit. Pauvre créature qui vivait en son sein et qu'elle ne désirait pas. La nuit, elle restait éveillée. L'étreinte de la main de Joseph se relâchait ; il aimait prendre la main d'Anna dans la sienne quand ils s'endormaient. Si seulement elle pouvait se tourner vers lui et implorer son aide.

Si seulement elle pouvait tout lui avouer ! La vérité lui brûlait parfois les lèvres et elle les mordait très fort pour s'empêcher de tout raconter. Les mots avaient un goût, ils avaient même une forme, et une couleur : rouge sang.

— Je me demande comment Maury va prendre la chose ? dit un jour Joseph. Maury, aimerais-tu avoir un petit frère ou une petite sœur ?

Il dressait des plans à haute voix.

— J'ai entendu dire qu'un appartement allait être à louer au coin de la rue : un cinq-pièces situé au deuxième étage. Il est temps de quitter ce taudis ! Et d'ici deux ans, nous déménagerons peut-être pour habiter West End Avenue ! Autant viser haut, n'est-ce pas ? Que dirais-tu de vivre dans West End Avenue, fiston ? ajouta-t-il en faisant basculer Maury par-dessus son épaule. Est-ce que ça te plairait ?

Mon Dieu, il ne voit même pas que j'étouffe.

Elle prit un livre de poésie qui comportait des chapitres intitulés : « Consolation. Courage. Souffrance. » Elle lut du Kipling et du Shakespeare. Mais les mots ne la consolèrent nullement. C'est en elle-même qu'elle devrait trouver le courage.

— Je voudrais aller voir un chapeau, dit-elle un samedi après-midi. Peux-tu t'occuper de Maury un moment ?

— Bien sûr. Mais il va pleuvoir.

— Je vais prendre un parapluie.

Il fallait absolument qu'elle sorte. La nuit dernière, elle avait rêvé d'un long couteau menaçant. Quelqu'un le brandissait dans sa direction. Mais qui pourrait en vouloir à sa vie, sinon elle-même ?

Un flot ininterrompu de véhicules descendait Broadway sous la pluie. Et si elle se précipitait soudain au-devant du tramway au moment où il dévalait une pente... Tout serait fini. Mais... Maury. Mon petit garçon. Oh, mon petit garçon !

Elle marcha contre le vent. Son cœur se mit à battre très fort. Le fardeau de sept mois pesait lourd et appuyait vers le bas de son ventre énorme. Si je tombe, je vais crier, hurler tout ce que je tais et tout le monde saura. Je deviens folle !

La pluie grasse, poussée par le vent, frappait son visage et dégouttait sous son col ; la laine humide collait à son cou. Le vent redoubla de violence et une pluie torrentielle tomba d'un ciel noir d'encre. Les gens criaient et se bousculaient à la recherche d'un abri sous un porche. Anna aperçut des marches : un bureau de poste, une école peut-être ? Des passants s'y précipitaient. Comme Anna leur emboîtait le pas, elle se retrouva à l'intérieur d'un bâtiment où régnait un calme surprenant.

Des statues et des tableaux ornaient les murs. Un jeune homme aux cheveux clairs, le corps tordu sur une croix. Une statue de plâtre : une femme vêtue de bleu pâle. Ce doit être Marie, celle qu'ils appellent la mère de Dieu. Anna ferma les yeux. Je n'ai pas acheté de chapeau et Joseph va se demander pourquoi j'ai passé tout un après-midi à marcher sous la pluie.

Quelqu'un jouait de l'orgue. Anna s'assit et se mit à pleurer.

Mon Dieu, écoutez-moi, j'aurais été à la synagogue si elle avait été ouverte. Non, j'aurais eu trop peur que quelqu'un me voie. Mon Dieu, je ne sais même pas si je crois en Vous. J'aimerais être comme Joseph qui croit réellement en Vous. Dites-moi ce que je dois faire. J'ai vingt-quatre ans. J'ai encore de nombreuses années à vivre, comment y parviendrai-je ?

— Avez-vous des ennuis, ma fille ? dit une voix.

Elle leva les yeux vers le jeune prêtre qui lui parlait. Il était vêtu d'une longue robe noire. C'était la première fois de sa vie qu'elle en voyait un d'aussi près. Au village, quand on en apercevait un, on s'écartait de son chemin.

— Je ne suis pas catholique, dit-elle. Je suis seulement venue m'abriter de la pluie.

— Cela ne fait rien. Vous êtes la bienvenue. Mais peut-être désirez-vous me parler, aussi ?

Un être humain. Un visage bienveillant. Et elle ne le reverrait jamais.

— Ma situation est si désespérée que je préférerais mourir, dit Anna.

— C'est un sentiment que nous éprouvons tous à un moment ou à un autre de notre vie, dit le prêtre en s'asseyant.

Par où commencer ?

— Mon mari a confiance en moi, chuchota-t-elle (quelle stupide façon de commencer, se dit-elle). Pour lui, je suis la seule personne au monde en qui il a une confiance absolue.

Le prêtre l'écoutait patiemment.

— Il dit qu'il sait que je ne lui mentirai jamais. Jamais...

— Et vous lui avez menti ?

— Pire que cela. Oh, bien pire.

De manière à éviter le regard du prêtre, elle baissait les yeux vers le sol, au-delà de ses mains qu'elle tenait posées sur les genoux.

— Comment vous dire ? Vous allez penser que je suis... vous n'allez pas vouloir m'entendre, vous n'avez jamais entendu...

— J'ai tout entendu.

« Pas ça, pensa-t-elle. Je ne peux pas le dire. Non, je ne peux pas. Et pourtant comment me taire plus longtemps ? »

— Est-ce à cause de cet enfant que vous attendez ?

Elle ne répondit rien.

— Il n'est pas son enfant, à lui, n'est-ce pas ?

— Non, murmura-t-elle. Oh, mon Dieu, il vaudrait mieux que je sois morte !

— Vous ne pouvez parler ainsi. Dieu seul décide de la vie ou de la mort et Il en décidera un jour, vous pouvez en être sûre.

— Mais est-ce que je mérite de vivre ?

— Tout être qui a reçu la vie a le droit de vivre et cet enfant, plus que tout autre.

— Si au moins je pouvais payer, être punie.

— Et ne pensez-vous pas que vous allez expier, chaque jour de votre vie ?

L'orgue qui s'était tu un moment se fit à nouveau entendre. Sa musique se déversait comme un baume apaisant.

— J'ai cherché le courage de dire la vérité à Joseph. J'ai prié, mais je n'ai pas pu.

— Pourquoi voulez-vous le lui dire ?

— Par honnêteté, pour me sentir pure à nouveau.

— Au prix de la paix de son âme ?

— Vous croyez... ?

— Réfléchissez... Peut-être aimez-vous l'autre homme ?

— Non. Non, c'est mon mari que j'aime.

C'était si facile à dire... et pourtant. Joseph, sa confiance, sa bonté, Maury, l'enfant de mon cœur... Tout cela compromis par un simple moment de désir.

— Alors, il va falloir que je continue ainsi ? s'écria-t-elle.

— Si vous étiez aveugle ou infirme, vous seriez obligée de vivre avec. L'être humain est courageux, ajouta-t-il en soupirant. Très courageux.

— Je n'ai plus aucun courage.

— Il vous reviendra, vous verrez. Et ce jour-là, vous remercierez Dieu.

Nul reproche, nulle pitié dans sa voix.

— Je l'espère.

— Ensuite, tout deviendra plus facile.

— Je l'espère.

Il parlait avec tellement de conviction. Sa certitude devait tenir au fait qu'il avait écouté la confession de nombreuses personnes.

— Vous sentez-vous un peu mieux ? demanda le prêtre en se levant.

— Oui, un peu.

C'était vrai. Le poids qui l'accablait semblait s'être atténué.

— Pouvez-vous rentrer chez vous à présent ?

— Je pense que oui. Je vais essayer, chuchota-t-elle.

Il la bénit de la main et, balayant le sol de sa lourde robe, disparut dans la travée.

La naissance fut difficile. Une voisine prit Maury avec elle et Ruth vint aider Anna.

— Etrange que cela ait été si long pour ce bébé, dit-elle. On dit que le second vient toujours plus facilement.

Joseph examina la minuscule chose posée sur le lit au côté d'Anna.

— Pauvre petite ! Elle a l'air épuisée, elle aussi.

Anna, affolée, se redressa sur son séant.

— Quoi, qu'est-ce qui ne va pas ?

— Rien ! Le docteur Arndt dit qu'elle est parfaite. Je voulais seulement dire qu'elle est bien menue.

Ce n'était pas un joli bébé comme Maury l'avait été. Elle avait des cheveux noirs épars et un visage un peu simiesque. Elle avait l'air anxieux. Mais ce n'était peut-être qu'une impression.

— Quand je pense que vous n'avez choisi aucun prénom pour elle ! dit Ruth.

— C'est à Anna de choisir, expliqua Joseph. J'ai donné à Maury le prénom de mon père, alors c'est maintenant au tour d'Anna.

— Ma mère s'appelait Ida, dit Anna.

— Un prénom commençant par « I » alors, dit Ruth. Mais pas Ida. C'est si démodé !

Je me sens si fatiguée, pensa Anna. Qu'importe le prénom !

— Isabel, suggéra Ruth. Oh, non, je sais, Iris ! C'est un prénom ravissant. Il y a eu un feuilleton dans le journal avec une héroïne, une comtesse anglaise du nom de Lady Iris Ashburton.

— Iris, dit Anna. Et maintenant si vous vouliez bien la mettre dans le berceau, peut-être pourrais-je dormir un peu.

Peu de temps après le jour de l'an, elle revenait de chez l'épicier en poussant la voiture d'enfant. Maury trottinait à ses côtés suspendu à la main qui restait libre. A mi-chemin, un homme vêtu d'un sombre habit sacerdotal s'arrêta à leur hauteur.

— C'est une fille ou un garçon ? demanda-t-il.

Anna sentit le rouge lui monter au visage. Il se souvenait d'elle. Elle avait espéré que l'obscurité de l'église...

— Une fille, Iris.

— Bien. Dieu te bénisse, Iris, dit-il et il poursuivit tranquillement son chemin.

Que Dieu nous bénisse tous ! Les lèvres du bébé réclamèrent leur nourriture, et Maury dit qu'il voulait manger.

— Nous sommes bientôt à la maison.

Oui, je prendrai soin de vous deux de toutes mes forces ! Que Dieu nous bénisse !

12

La ville tentaculaire se déployait jusqu'aux lisières de Brooklyn et du Queens et enjambait des ponts pour s'étendre au-delà du Bronx, jusqu'à Westchester. Elle semblait aussi partir à la conquête du ciel. Tout le long de la 5e Avenue, les lourdes masses des démolisseurs faisaient place nette pour de nouveaux gratte-ciel en jetant à bas les demeures Renaissance des millionnaires. Celles qui étaient épargnées étaient transformées en musées ou en locaux pour les œuvres de bienfaisance.

Les marteaux résonnaient dans un fracas métallique. D'immenses grues étiraient leur long cou de dinosaure au-dessus des rues. Chaque jour, plus de dix mille rivets étaient enfoncés tandis qu'autant de pic-verts métalliques cognaient dans une forêt d'acier. Les ouvriers escaladaient de gigantesques charpentes qui s'élevaient à quarante, soixante, voire quatre-vingts étages au-dessus du sol. Toujours plus haut. Tout grimpait, les gratte-ciel, les cours de la Bourse et les fortunes.

Harding était alors président des Etats-Unis qui vivaient alors l'ère du « retour à la normale ». Sauf que rien n'était normal : cette époque était sans précédent et de telles circonstances ne devaient pas se reproduire avant la fin de la seconde guerre mondiale, c'est-à-dire un quart de siècle plus tard.

Ceux qui, en 1918, comptaient leur fortune en centaines de dollars se trouvaient, quelques années plus tard et moyennant un minimum d'astuce, de travail et de chance, à la tête d'un capital de plusieurs dizaines de milliers de dollars quand ce n'était pas davantage. Les affaires immobilières montaient en flèche. Les valeurs foncières doublaient, triplaient, quadruplaient. Celui qui était assez malin pour prendre de l'avance sur ce mouvement, pouvait transformer un vaste terrain vague de Long Island en quartier résidentiel composé de coquettes maisons particulières ou d'immeubles de six étages, et surtout se constituer ainsi une rente à vie ou un bénéfice somptueux.

Néanmoins, cette mutation n'allait pas sans effort. La parole est aisée, l'art est difficile. Partant de rien, il fallait travailler dix-huit heures par jour pour mettre le pied à l'étrier. Et pour ne pas perdre l'acquis, il fallait continuer à travailler au même rythme, sous peine de tout perdre. Un jour, un peintre et un plombier s'associèrent pour acquérir un petit immeuble, lourdement hypothéqué, situé sur Washington Heights. Ils investirent dans l'opération tout ce qu'ils possédaient : leurs espoirs, leurs forces, les dollars qui restaient une fois leur famille nourrie. Ils achetèrent des fourneaux neufs et des installations sanitaires. Ils décapèrent les planchers, réparèrent, rénovèrent tout de la cave au grenier. Puis ils repeignirent chaque appartement, chaque couloir. Ils polirent les cuivres et calfeutrèrent les fenêtres. Ils achetèrent même des plantes vertes en pot pour placer de chaque côté de la porte.

Dans aucune rue alentour, on ne trouvait une construction capable de rivaliser avec la leur.

Les locataires ne manquèrent pas d'être étonnés : l'endroit n'avait jamais été aussi propre depuis de nombreuses années. Un écriteau placardé à l'extérieur annonçait : « Plus de locations disponibles ».

Et ensuite ils augmentèrent les loyers.

Un matin, un courtier appela : un de ses clients désirait investir dans un immeuble remis à neuf et entièrement loué. Ainsi, vendirent-ils la maison — dont ils étaient propriétaires depuis moins d'un an — avec un bénéfice de vingt pour cent.

Ils se rendirent alors à la banque qui leur avait accordé un prêt. On leur dit : « Donnez-nous une hypothèque sur une autre maison et nous vous prêterons à nouveau. »

A la fin de l'année 1920, ils étaient propriétaires de deux maisons sur Washington Heights. Entre-temps, ni l'un ni l'autre ne s'était acheté une paire de chaussures neuves, ni n'était sorti un seul soir, car ils réinvestissaient jusqu'au dernier sou dans des biens immobiliers. Ils achetèrent ainsi trois lotissements non bâtis dans Brooklyn. Une chance incroyable s'offrit alors à eux : en effet, le syndicat qui possédait la propriété attenante eut besoin de leurs lotissements pour construire un hôtel. Ils fixèrent leur prix et le syndicat, n'ayant pas le choix, dut payer.

Ils firent ensuite la connaissance d'un entrepreneur en électricité et de plusieurs entrepreneurs en maçonnerie ; le père et les fils. Pourquoi ne pas élargir à eux leur association afin de se lancer dans la construction ? Le maçon connaissait un homme de loi dont certains clients étaient prêts à placer leur argent dans l'immobilier. Ils achetèrent d'autres lotissements et construisirent une série de maisons individuelles. Mieux valait faire les choses progressivement. Ils se levaient à quatre heures le matin afin de terminer à temps les travaux.

Les maisons étaient vendues avant même l'achèvement des travaux. Un jour, un dentiste leur proposa d'acheter un terrain sur Long Island, lui-même souhaitant prendre une participation dans l'affaire. Le terrain était à vendre pour une bouchée de pain. Pas exactement une bouchée de pain, mais à un prix intéressant. Ayant acquis de l'assurance, ils construisirent cette fois soixante-quinze petites maisons et une série de boutiques.

Prudence, patience, ténacité et travail acharné, autant de qualités qui permettaient de poser brique après brique, pierre après pierre, d'acheter, de construire, de vendre, de réinvestir, de posséder et de s'agrandir. Après des débuts timides, ils s'enhardirent : aux petits pavillons succédèrent un entrepôt dans le quartier de la confection et un garage dans la 2e Avenue. Grands syndicats et hypothèques importantes. Les bénéfices augmentaient et leur réputation s'étendait.

Bien sûr, l'époque leur était favorable.

Elle l'était aussi pour les hommes de loi et les courtiers, pour les négociants du textile et les artisans fourreurs ou les joailliers. Immigrants et fils d'immigrants quittèrent les quartiers sordides et allèrent s'installer plus au nord, dans le Bronx ou Washington Heights. La plupart se contentèrent de cette accession à une respectabilité de bon aloi. D'autres, plus avisés et plus chanceux, s'enrichirent davantage et déménagèrent encore. Ils partirent habiter ces grands immeubles gardés par des portiers en uniforme et équipés d'ascenseurs, qui, telles des forteresses, s'élevaient le long de West End Avenue. Les familles du Bronx ou de Washington Heights venaient s'installer là avec leurs tapis d'Orient et leur argenterie, récemment acquis grâce à une prospérité aussi rapide qu'étonnante. Ils apportaient également leur énergie et leur ambition aiguisée.

Situé sur West End Avenue, l'immeuble s'élevait sur seize étages et comprenait deux appartements par étage. Joseph et Anna portèrent leur choix sur celui du onzième qui donnait sur le fleuve et se composait de neuf pièces spacieuses en plus d'une vaste entrée carrée. Du vestibule, on apercevait un salon où le ciel se montrait derrière deux immenses fenêtres, une bibliothèque garnie de boiseries (mais les livres d'Anna se trouvaient toujours dans les caisses du déménagement), une salle à manger superbe où trônaient une longue table entourée de dix chaises tapissées et un paravent chinois qui dissimulait la porte donnant dans la cuisine.

— C'est magnifique ! s'exclama Ruth admirative. Quand je pense que vous avez installé tout cela si rapidement ! Comment avez-vous fait ?

— J'aurais voulu disposer de plus de temps pour m'en occuper, dit Anna. Je ne suis pas sûre d'aimer tout ce qui se trouve là autant que je le devrais. Enfin, c'est fait !

— Comment cela, pas sûre ? Mais, Anna, c'est splendide !

— Joseph tenait à ce que tout soit fini au plus vite. Tu connais sa manie de l'ordre et de la propreté. Il ne supporte pas de vivre dans la pagaille. Il dit qu'il a vécu suffisamment de temps dans un taudis ! Aussi a-t-il demandé à Mme Marks — la femme de son homme de loi — de m'indiquer les meilleures boutiques d'ameublement, et voilà comment les choses se sont faites.

— Eh bien, c'est absolument splendide, répéta Ruth non sans autorité. Il y a même un piano demi-queue !

— C'est une surprise de Joseph.
— Il est vrai qu'une maison se doit d'avoir un piano, même si personne ne joue. Cela fait toujours très bien, n'est-ce pas ?
— Iris va apprendre à jouer. Maury aussi, s'il en a envie. Tu le connais : il ne fait que ce qu'il veut. Mais Iris apprendra, ne serait-ce que pour faire plaisir à son père.
— Sacré petit bout de femme de quatre ans ! dit Ruth.
— Laisse-moi te montrer sa chambre.
La chambre d'Iris était rose et blanche. Des étagères pour ses livres garnissaient un mur et un baldaquin surmontait le lit. Une maison de poupée était posée sur une table, dans un coin.
— Oh, la jolie maison de poupée ! s'écria Ruth.
— Oui, un cadeau de Joseph pour son anniversaire. En fait, elle est trop jeune pour s'en amuser, mais il lui achète tout ce qu'il voit.
— Les hommes sont toujours très faibles avec leurs filles. June est en train de devenir une véritable enfant gâtée. J'essaie d'intervenir, mais Solly est incapable de dire non.
— Et voici la chambre de Maury. Je lui ai permis de m'aider à l'arranger. C'est un grand garçon, après tout, et il était tellement content de venir habiter ici, dit Anna d'une voix tendre, tout en inspectant à nouveau les couvertures écossaises, les trains éparpillés sur le sol et, au mur, entre les deux fenêtres, la bannière accrochée sur laquelle était inscrit : « Pour Dieu, pour la Patrie et pour Yale. »
— Pourquoi cette bannière ?
— Oh, j'ai trouvé que c'était joli. De plus, j'aimerais qu'il aille à Yale.
— Mes fils sont à l'université de New York et nous pensons que ce n'est déjà pas mal.
— Bien sûr, bien sûr, s'empressa de répondre Anna. Il n'y a pas grande différence.
Et d'ajouter timidement, de peur d'avoir l'air de faire étalage de leur réussite :
— M. Marks, le conseiller juridique de Joseph, nous a conseillé une bonne école pour Maury. Celle que fréquentent ses propres enfants, du reste.
— Une école privée ?
— Eh bien, vois-tu, je ne l'aurais jamais envisagé moi-même, mais à force de fréquenter tous ces gens, entrepreneurs, architectes, etc., Joseph a maintenant certaines exigences... Que faire ? C'est son argent, après tout, et il peut le dépenser comme bon lui semble.
— Une école privée, répéta Ruth.
— Oui, et Iris y entrera, au jardin d'enfants, dès l'automne prochain. Il est plus pratique qu'ils soient tous deux dans la même école, bien sûr.
Anna s'en voulait de chercher ainsi à se justifier. De quoi devait-elle s'excuser, après tout ? Que Ruth soit un peu envieuse n'avait finalement rien d'étonnant

— Et vous avez une radio ! Nous n'en avons pas encore. Qu'en penses-tu ?

— Je n'ai pas souvent l'occasion d'en profiter entre Joseph et Maury. Ils prennent les écouteurs à tour de rôle. Mais cette radio est vraiment un miracle.

— J'ai lu que l'année prochaine existera un nouveau modèle sans écouteurs qui permettra à toute la famille d'écouter en même temps. Je suis sûre que vous en aurez un, puisque Joseph semble acheter toutes les dernières nouveautés.

— Ruth, t'arrive-t-il parfois de penser à l'époque où nous vivions dans Hester Street et de te demander comment tout cela est arrivé ? Je me dis souvent que je ne mérite pas tant.

— Me demander comment cela est arrivé ? Solly et moi avons travaillé comme des esclaves et nous méritons tous les deux ce que nous avons. Bien sûr, nous n'avons pas atteint le même niveau que vous, ajouta-t-elle, mais nous nous débrouillons bien. Solly a un associé intelligent et leur entreprise a de l'avenir.

— J'ai parfois des doutes sur la réalité de tout cela, dit lentement Anna.

— C'est pourtant bien réel. Tu t'en apercevras d'ailleurs lorsque tu devras entretenir cet immense appartement, crois-moi ! Je pense que tu auras besoin d'une femme de ménage au moins une fois par semaine.

— J'ai déjà deux employées. Joseph a appelé une agence de placement. Elles arrivent demain.

— Deux bonnes ? Pendant combien de jours ?

— Eh bien, il y a deux chambres de l'autre côté de la cuisine. Elles logeront là. Des filles très gentilles, s'empressa d'ajouter Anna pour meubler le long silence de Ruth. Deux Irlandaises, deux sœurs, Ellen et Margaret.

— Dire que tu étais toi-même femme de chambre ! dit Ruth.

— Oui, quand je pense que j'ai débarqué dans ce pays avec un balluchon et deux chandeliers, renchérit calmement Anna, bien décidée à ne pas se mettre en colère en dépit des piques que lui lançait Ruth. A propos, cela me rappelle que je ferais bien de les déballer avant que quelqu'un ne marche dessus.

D'une caisse posée près de la porte de la salle à manger, elle sortit les chandeliers en argent, richement ouvragés et très anciens. Après avoir soufflé dessus pour chasser la poussière, elle les posa avec amour sur la table.

Comme elle, ces chandeliers avaient vu bien des endroits avant d'atterrir dans cette salle à manger, parmi la porcelaine anglaise et le cristal français.

Tous ces objets fragiles, scintillants et précieux m'appartiennent maintenant, pensait Anna. Toutefois, derrière la joie et l'émerveillement, subsistait un sentiment de culpabilité et de peur, ainsi que la certitude qu'une telle prospérité ne saurait durer.

13

Ses parents ignorent qu'elle ne dort pas. Ils pensent qu'elle a terminé ses devoirs — elle est encore à l'école primaire et n'a pas beaucoup de travail à faire à la maison — et qu'elle est allée se coucher. Ils ne soupçonnent pas combien de mal elle a à trouver le sommeil. Parfois, elle se lève et passe de longs moments à regarder par la fenêtre. Sa chambre étant située à l'angle de l'immeuble, elle aperçoit à la fois les lumières de la rive haute de l'Hudson vers l'ouest et, vers l'est, West End Avenue où les voitures se font de plus en plus rares à mesure que la nuit s'avance. Elle ne pense à rien de particulier, sauf qu'elle voudrait être déjà à vendredi pour avoir la perspective de deux longs jours sans école. Si seulement il pouvait pleuvoir samedi, sa mère ne l'obligerait pas à sortir pour prendre l'air et elle pourrait rester lire à la maison ; en revanche, qu'il ne pleuve surtout pas dimanche, afin de ne pas gâcher la promenade matinale autour du lac, en compagnie de son père.

Cette promenade dominicale lui est consacrée. Sa mère dort tard le dimanche ainsi que Maury, à moins que ce dernier n'ait prévu d'aller faire du patin ou de sortir avec des amis. Son père, lui, ne fait jamais la grasse matinée.

— Question d'habitude, dit-il. Pendant des années je me suis levé à cinq heures du matin. Maintenant je m'accorde un peu plus de sommeil en me levant à six heures.

A huit heures et demie, ils sont dans le parc. De l'autre côté du lac, se dressent les silhouettes déchiquetées des édifices de la 5e Avenue. Le vent qui souffle ride la surface de l'eau. Essoufflés dans leur survêtement gris, des coureurs à pied les dépassent ; il leur arrive même de faire deux fois le tour du lac pendant qu'Iris et son père, qui marchent pourtant d'un bon pas, n'en font qu'un.

— J'aime bien me promener avec ma fille, répète-t-il volontiers.

Iris aussi se plaît beaucoup en sa compagnie. Elle se dit même souvent qu'elle aimerait bien que sa mère et son frère ne soient plus là. (Souhaiterait-elle leur mort ? Est-ce cela qu'elle voulait dire ? pensait-elle aussitôt avec un affreux sentiment de culpabilité.) Alors, elle serait seule avec lui à la table du dîner, puis seule avec lui dans la bibliothèque pendant la soirée et ils se parleraient longuement.

De l'autre côté du couloir, un rai de lumière filtre sous la porte de Maury. Lui travaille tard, mais il y est obligé. C'est qu'il étudie le latin et l'algèbre et doit se maintenir à un bon niveau s'il veut entrer à Yale. Iris aussi a de bons bulletins scolaires, mais ce n'est pas aussi important pour elle. Son père considère que pour une fille — une femme — les études ne sont pas une nécessité absolue. Il est cependant bon qu'elle s'instruise et acquière de la culture ; elle n'en sera que meilleure épouse et meilleure mère. Un jour, sa mère a dit que les choses changeraient peut-être et que les femmes occuperaient un emploi et feraient les mêmes choses que les hommes. A quoi son père répliqua que c'était absurde et que jamais il ne supporterait de voir sa femme travailler tant qu'il serait capable de subvenir à ses besoins !

Iris n'a vraiment pas sommeil. Elle passe une robe de chambre car elle frissonne un peu et, pieds nus — pour mieux sentir le contact rugueux du tapis — elle avance à pas feutrés dans le couloir jusqu'à l'angle de l'entrée. De l'endroit où ils sont assis dans la bibliothèque, ses parents ne peuvent pas la voir. Mais elle entend leur voix, et cela la réconforte quand elle est soucieuse. Or, Iris se fait beaucoup de souci à cause de son professeur de maths, une femme qui se fâche aisément. Les maths sont la seule matière où Iris ne réussit pas très bien et c'est la raison pour laquelle elle appréhende l'école.

Parfois, ses parents ne parlent pas. Sa mère étudie toujours quelque chose, une pièce de Shakespeare ou un cours du musée d'Art. Son père travaille souvent sur des rouleaux de papier bleu étalés sur la table située entre les deux fenêtres. Il fait de temps en temps une remarque sur son travail. Elle lui dit qu'elle a pris un abonnement avec Mme Davidson pour les concerts du Philarmonic le vendredi après-midi. Il répond que c'est une bonne idée parce qu'il sait combien elle aime la musique. Lui-même regrette beaucoup de ne pas partager ce goût, mais il préfère le lui dire franchement.

D'autres fois, ils parlent de choses intéressantes. De Mme Malone qui a fait une fausse couche, et sa mère de conclure que c'est fort dommage mais, qu'après tout, sept enfants constituent déjà une belle famille. Que sa mère va avoir un manteau de vison (son père y tient absolument) et que Maury va recevoir une nouvelle bicyclette pour son anniversaire. Maury est toujours surpris qu'Iris sache tout avant lui.

Il lui importe peu d'être découverte. Son père ne sera pas en colère car il ne se fâche jamais contre elle. Sa mère non plus ne sera pas vraiment en colère, mais elle se lèvera pour dire d'une voix sévère : « Les petites filles doivent être dans leur lit à une heure pareille. Et les personnes bien élevées n'écoutent pas les conversations des autres. Viens, Iris », et elle l'obligera à retourner se coucher. Toute la différence entre Papa et Maman, pense Iris.

Ce soir, elle se rend compte qu'ils parlent d'elle. Elle retient son souffle et entend son cœur qui bat plus fort

— J'aimerais qu'elle aille dans ce camp du Maine. Cela lui ferait du bien de vivre dans les bois avec d'autres enfants.

— Joseph, elle détestera cela !

— Maury semble beaucoup s'y plaire. Chaque été, il attend avec impatience le moment d'y retourner.

— Maury est Maury et il se sent à l'aise n'importe où. Mais Iris sera terriblement malheureuse.

C'est vrai. Tout ce qu'elle a entendu dire sur les camps n'a fait que la conforter dans cette idée. La seule perspective de vivre dans une cabane de bois à la merci de cinq autres filles, si loin de la maison et du refuge absolu que représente sa chambre, lui semble terrifiante.

L'année dernière, elle avait pour camarade Amy, une fillette aussi effacée qu'elle-même. Elles avaient l'habitude d'aller dormir l'une chez l'autre pendant le week-end. Ensemble elles écrivaient des poèmes et étaient les meilleures amies du monde. Puis, pendant l'été, Amy est partie dans un camp, tandis qu'Iris passait ses vacances à Long Beach dans une maison louée par ses parents. Le jour de la rentrée, elle fut très heureuse de revoir Amy.

— J'ai écrit d'autres poèmes pendant l'été, lui dit-elle.

— Qui s'intéresse à ce genre de choses ? répondit Amy d'une voix méprisante et forte afin que tout le monde puisse l'entendre. Je suis trop grande maintenant pour m'amuser de ces choses.

Bouleversée et meurtrie, Iris comprit qu'Amy avait changé, qu'elle était maintenant du côté des « autres ». Son amie faisait semblant de ne pas la voir lorsqu'elles se croisaient dans un couloir. Iris s'était trouvé une autre amie qui s'appelait Marcy et portait de longues tresses que les garçons s'amusaient à tirer. Quand des garçons se trouvent dans les parages, Amy et Marcy ne manquent jamais de rire très fort, si bien que les garçons s'approchent et demandent : « Qu'est-ce qu'il y a de drôle ? » Les garçons sont tellement bêtes qu'ils ne s'aperçoivent pas que les filles ricanent dans le seul but de se faire remarquer.

— C'est étrange à quel point ces deux enfants peuvent être différents ! Les mêmes parents, la même maison, et pourtant si peu de points communs, fait à présent remarquer son père.

En effet, Maury fait partie du conseil des élèves et de l'équipe de basket de l'école. L'année prochaine, il jouera dans des matchs opposant les plus grandes écoles privées de New York. Les gens sont toujours surpris d'apprendre qu'Iris est sa sœur, bien que les adultes soient trop polis pour le montrer. Mais à l'école, souvent, les autres élèves ne le croient pas.

— Tu ne vas pas nous faire croire que tu es la sœur de Maury Friedman ! s'écrient-ils.

Une fois, une fille de sa classe s'est avancée vers Maury à la fin d'un match de basket pour lui demander :

— Vous êtes réellement son frère ? C'est ce qu'elle prétend.
— Mais oui, bien sûr, avait répondu Maury surpris.
— Maury ressemble à mes frères, déclare sa mère. Surtout à Eli. Il me fait beaucoup penser à lui.

Sur la table de sa chambre, sa mère garde des photographies de sa famille restée en Europe : l'oncle Dan en compagnie d'une épouse potelée entourée d'une nuée d'enfants. L'Oncle Eli, sa femme et leur petite fille à skis devant un chalet de montagne dont l'avant-toit est dentelé de glace. La fillette s'appelle Liesel. Elle a le même âge qu'Iris et ses longs cheveux paraissent d'une blondeur irréelle. Pour Iris, Liesel et ses parents évoquent un rayon de soleil. Elle voit toujours les gens de manière très imagée. Ellen et Margaret, par exemple, sont comme des épis de maïs, longues et étroites.

Est-elle seule au monde à avoir ce genre d'idées ou bien existe-t-il d'autres personnes qui réagissent comme elle ?

Ses parents baissent la voix. Elle doit se pencher pour entendre.
— On prétend que c'est un excellent pédiatre. Il m'a semblé très consciencieux.
— Et qu'a-t-il dit ?
— Rien, en fait. Il n'y a absolument pas lieu de s'inquiéter. Elle a mauvaise mine, mais elle est en parfaite santé, mis à part sa nervosité. Mais ce n'est pas une nouvelle.
— Elle est tellement sensible ! dit-il. Sais-tu ce qu'elle m'a demandé dimanche dernier pendant notre promenade ? Elle m'a dit : « Papa, est-ce qu'il t'arrive de penser, quand tu regardes ton bras, qu'il a été fait à partir de gens morts il y a des centaines d'années et est-ce que tu te demandes si ces gens t'aimeraient s'ils te connaissaient ? » Elle a des idées incroyables pour une fillette de neuf ans !
— Oui, c'est une enfant très réfléchie. Elle sort de l'ordinaire.
— Tu sais, je me souviens souvent du temps où je la regardais dans son berceau quand elle n'avait que quelques semaines. Elle m'émouvait, Anna, comme jamais Maury ne m'a ému. Il était si fort, si plein de santé et toujours affamé. Mais elle !... J'allais jusqu'à la porte puis je revenais la voir et je me rappelle m'être dit à moi-même que pour elle la vie ne serait sans doute pas facile.

Silence de sa mère, à moins qu'Iris n'entende pas une éventuelle réponse.
— Je l'aime de tout mon cœur, Anna, s'écrie-t-il. Mais je voudrais tant qu'elle te ressemble ! Peu importerait alors qu'elle soit timide. Les gens iraient vers elle de toute façon.
— Ruth m'a dit l'autre jour qu'Iris est le type même de la fillette un peu fade qui s'améliore en grandissant. Je pense qu'elle a raison.
— Anna, tu la trouves vraiment fade ?
— Il est dur de juger ses propres enfants. Mais je ne dirais pas qu'elle est jolie.

Pas jolie ! Elle trouve que je ne suis pas jolie ! C'était comme entendre : « Vous avez une terrible maladie et vous ne pourrez plus marcher », ou encore : « Vous n'avez qu'un seul mois à vivre ». Pourtant, voilà ce que les gens pensent d'elle.

— Anna ! Mme Werner est morte ! s'écrie tout à coup son père. Son décès est annoncé dans le journal par son mari, Horace, son fils, Paul, et sa fille, Evelyn Jonas.

— Je ne savais pas.

— Franchement, tu devrais lire les nécrologies. Elle avait juste soixante ans. Je me demande de quoi elle est morte.

— Je n'en ai pas la moindre idée.

Werner. Iris possède une mémoire excellente et oublie rarement les noms. Il s'agit de ces personnes qu'elles ont rencontrées la semaine dernière, quand elles sont allées acheter un manteau. La femme a dit à sa mère qu'elle était malade. Iris se souvient parfaitement de la scène, alors pourquoi sa mère ment-elle ?

Elles sortaient d'un magasin lorsqu'une femme les avait abordées.

— Excusez-moi, mais vous êtes Anna, n'est-ce pas ? avait-elle demandé.

— Oui, je suis Anna, avait répondu sa mère. Comment allez-vous, madame Werner ?

— Paul, tu te souviens certainement d'Anna ? avait dit la femme.

L'homme — dont la ressemblance avec la femme laissait supposer qu'il était son fils — s'était incliné légèrement et avait dit : « Bien sûr », sans autre commentaire.

La femme s'était montrée tout à fait charmante et avait complimenté sa mère :

— Vous avez toujours été jolie, mais je vous trouve plus ravissante que jamais.

Une étrange rougeur était montée au visage de sa mère. Elle qui lui avait appris à remercier lorsqu'on lui adressait un compliment resta curieusement muette.

— Est-ce votre fille ? avait demandé ensuite Mme Werner.

— Oui, ma fille Iris, avait répondu Maman.

Iris avait alors dû serrer des mains et prononcer quelques paroles de politesse. La femme lui avait adressé un sourire mais l'homme s'était contenté de la dévisager.

— Je vois que la chance vous a souri, Anna.

Sa mère avait simplement répondu : « Oui, en effet », ce qui n'était pas dans ses habitudes car elle parle généralement très longuement quand elle rencontre l'une de ses amies.

La femme avait de très beaux cheveux gris, presque argentés et, comme sa mère, portait un manteau de fourrure. Mais les yeux étaient très sombres, entourés de cernes presque aussi foncés. Elle semblait malade.

— Nous avons déménagé à cause des escaliers : j'ai été subitement atteinte de troubles cardiaques, avait-elle expliqué. Mais vous, vous semblez dans une forme resplendissante et vous paraissez toujours aussi jeune.

— Pourtant j'ai vieilli, avait-elle répondu.

— Eh bien, il n'y paraît pas. Venez donc nous rendre visite un jour, Anna. Nous habitons à l'angle de la 78e Rue et de la 5e Avenue. Mon fils habite juste deux rues plus loin, ce qui est très agréable.

Après qu'ils se furent quittés, sa mère avait dit, s'adressant à elle-même plus qu'à Iris : « La 5e Avenue ! Naturellement, le West Side n'était plus assez bien ! »

Iris se rappelait tout cela parfaitement.

— L'enterrement a lieu mercredi à onze heures, dit maintenant son père. Je ferai mon possible pour t'y accompagner. Sinon, tu iras seule.

— Je n'ai pas du tout l'intention d'aller à cet enterrement, réplique calmement sa mère.

Au milieu d'un froissement de papier journal, Iris entend :

— Tu ne veux pas y aller ? Tu ne penses pas ce que tu dis !

— Mais si. Je n'ai pas vu cette femme depuis des années. Je ne représentais rien pour elle de son vivant et je ne vois vraiment pas pourquoi je devrais aller la voir maintenant qu'elle est morte ?

— Mais pourquoi crois-tu que les gens vont aux enterrements ? Parce que c'est la moindre des bienséances que d'exprimer un peu de respect ! Vraiment, Anna, tu me surprends ! De plus, ils ont été très bons pour nous, au cas où tu l'aurais oublié, ajoute son père tandis que sa mère reste silencieuse. Tu pourrais faire preuve de gratitude.

— De gratitude ? répète sa mère sur un ton légèrement exaspéré. Tu empruntes de l'argent à une banque, tu rembourses avec des intérêts, et tu es ensuite censé avoir de la reconnaissance pour cette banque ?

— Ce n'était pas une banque. Anna, je ne te comprends pas !

— Où est-il écrit que tu doives tout comprendre ?

Cette repartie ne ressemble pas à Maman qui ne cesse de me répéter : « L'homme est le maître du logis ; n'oublie pas cela quand tu te marieras », ou : « C'est à la femme de faire des concessions pour que la paix règne dans le ménage ».

La porte de Maury s'ouvre violemment et il se précipite dans le couloir.

— Oh, espèce de fouineuse ! crie-t-il en bourrant le dos d'Iris de coups de poing.

Ses parents arrivent en courant.

— Que se passe-t-il ? Que fais-tu ?

— Cette petite moucharde écoute en cachette ce que vous dites. Je te préviens que si tu me fais ça à moi, Iris, tu passeras un sale quart d'heure, petite peste !

— Maury, ce n'est pas une façon de parler ! dit son père. Viens ici, Iris. Que se passe-t-il ? Tu nous écoutais réellement ?

— Je ne l'ai pas fait exprès. J'allais seulement à la cuisine prendre une pomme.

— Tu parles ! s'exclame Maury.

— S'il te plaît, Maury, dit sa mère avec un signe de tête désapprobateur, retourne travailler dans ta chambre et laisse-nous régler cette question. Je veux savoir ce que tu as entendu, Iris.

Iris voudrait crier : « Je t'ai entendue dire que je n'étais pas jolie et que la cousine Ruth avait dit que je m'améliorerais en grandissant. Mais ce n'est pas son affaire et je la déteste. Et toi aussi je te déteste ! » Mais son orgueil lui interdit un tel aveu.

Le front de sa mère est soucieux. Iris prend un malin plaisir à annoncer :

— J'ai entendu que tu disais à Papa que tu n'avais pas vu cette femme alors que tu l'as vue !

— De quoi parles-tu ? demande son père.

— Je parle de Mme Werner, répond Iris. Nous l'avons vue la semaine dernière avec son fils.

— C'est vrai, Anna ?

— Oui, nous les avons rencontrés dans la 5e Avenue, confirme celle-ci dans un soupir. Je n'ai pas pris la peine de t'en informer parce que l'événement ne me semblait pas d'une telle importance.

— Mais pour une raison que j'ignore, tu prends aujourd'hui la peine de me le cacher.

— Joseph ! s'exclame-t-elle. Ce n'est pas le moment de...

Iris sait bien qu'elle veut dire : « Pas devant cette enfant. »

— Parfait, dit-il. Iris, ta mère va t'apporter un verre de lait chaud dans ta chambre et je veux ensuite que tu dormes.

— Je veux que ce soit toi qui m'apportes le lait, proteste Iris.

Son père tient le verre pendant qu'elle boit le lait.

— Tu te sens mieux, à présent ? Quelque chose te préoccupe ; tu ne peux pas me dire de quoi il s'agit ?

— Je n'ai pas d'amis, chuchote-t-elle, des larmes plein les yeux. A l'école, personne ne m'aime.

— Si tous ces gosses sont trop bêtes pour reconnaître tes qualités, tant pis pour eux ! répond-il avec indignation. Tu es la plus intelligente de tous ! Tu es ma petite reine et quand tu seras grande, tu les battras tous à plate couture, cela leur apprendra !

— Je ne suis pas jolie, dit-elle.

— Qui a dit cela ? J'aimerais bien entendre quelqu'un me dire que tu n'es pas jolie !

— Marcy a des tresses épaisses, avec des rubans au bout.

— Et alors ? Je n'aime pas les tresses. Tes cheveux à toi sont beaucoup plus jolis.

— Oh, non, Papa !

— Mais si, ma chérie, moi je le pense. Laisse-moi te dire autre chose, ajoute-t-il en prenant le verre vide : Que dirais-tu d'aller au cinéma avec moi la semaine prochaine, pour le congé de Thanksgiving ? Nous pourrions passer à mon bureau le matin, et nous aurons même le temps d'aller acheter une belle robe avant l'heure du cinéma. Maman donne un dîner et je voudrais que nos invités te voient dans une robe toute neuve. On verra alors si tu n'es pas jolie.

— J'aimerais aller à ton bureau et au cinéma. Mais pas au dîner.

— D'accord, n'en parlons plus pour le moment, dit-il en se penchant pour l'embrasser. As-tu sommeil, maintenant ? Tu t'endormiras tout de suite si j'éteins la lumière ?

Elle acquiesce d'un hochement de tête, il éteint. Mais elle n'a pas sommeil. Allongée dans l'obscurité, elle remue des tas d'idées dans sa tête.

Pendant les vacances scolaires, son père les emmène souvent à son bureau. Il est fier de Maury dans son costume bleu marine et d'Iris vêtue d'un bon manteau à col de castor. Il les fait entrer dans une pièce où trône son grand bureau en acajou, identique à celui de M. Malone dont le bureau se trouve de l'autre côté du couloir.

M. Malone est gros et aime faire des plaisanteries. Il garde une boîte de chocolats dans un tiroir. Les Malone font pour ainsi dire partie de la famille ; quand sa mère a été opérée de l'appendicite, Mme Malone est allée lui rendre visite tous les jours à l'hôpital. Ils vivent tout près, dans un appartement encore plus grand, à cause de leurs nombreux enfants. Ceux-ci sont tous costauds et débordent de santé. A côté d'eux, Iris se sent faible et maladive. Elle a l'impression qu'on devine ses omoplates saillantes sous sa robe. Comme tout le monde, les Malone aiment bien Maury. Ce dernier circule librement dans tout leur appartement, regarde les collections de timbres, les programmes de matchs de base-ball, mange des gâteaux dans l'office tandis qu'Iris reste assise avec les grandes personnes jusqu'à ce que Mme Malone appelle une de ses filles, la plus proche d'Iris par l'âge, et lui dise gentiment : « Mavis, pourquoi n'amènes-tu pas Iris dans ta chambre pour lui montrer ta maison de poupée ? » Et Iris la suit résignée.

Sa mère continue à bavarder dans la salle de séjour des Malone. Elle parle facilement avec les gens, qu'il s'agisse de la sœur de Mme Malone qui est religieuse, ou d'Ellen et Margaret à la maison, ou encore d'une vendeuse revêche dans un magasin. Les gens lui sourient toujours. Son père prétend que sa voix est cristalline et que c'est l'une des premières choses qu'il a remarquées en elle.

Il l'aime, cela saute aux yeux. Il passe son temps à vanter son intelligence, ses talents de cuisinière, bien supérieurs à ceux de Margaret qui est pourtant payée pour. Il est resté fâché trois jours quand elle a fait couper les longs cheveux roux qu'il admirait tant.

Oui, il l'aime. Il parle trop souvent d'elle. « Ecoute ta mère, Iris », « Ta mère sait ce qui est bien ! ».

Mais ce soir, il est en colère contre elle. Ils se disputent à présent dans leur chambre. Iris les entend et ne peut s'empêcher de se réjouir de leur querelle.

— Tout cela est sacrément étrange, dit-il. Je ne sais pas après qui tu en as, la mère ou le fils, mais tu montes sur tes grands chevaux dès qu'on cite seulement leur nom.

— Absolument pas ! hurle sa mère d'une voix perçante qu'Iris ne lui connaissait pas.

— Si ! Et je me demande parfois ce qui a bien pu se passer dans cette maison pour que tu réagisses de cette façon ? Tu ne daignes même pas parler d'une rencontre fortuite, tu ne veux pas aller à l'enterrement. Cette histoire n'a pour moi ni queue ni tête...

La porte claque. La dispute se poursuit, mais Iris ne distingue plus les paroles. Puis la porte s'ouvre à nouveau et elle entend son père dire :

— Très bien, je suppose qu'il s'agit seulement d'une question d'orgueil mal placé. Après avoir grimpé dans l'échelle sociale, tu n'apprécies pas qu'on te rappelle que...

— Veux-tu me laisser tranquille ! crie sa mère.

Et le silence s'installe.

Beaucoup plus tard, la porte de la chambre d'Iris s'ouvre. Un faisceau de lumière apparaît dans l'encadrement de la porte et se projette sur le plancher. Sa mère avance jusqu'au bord du lit.

— Iris ?

Pas de réponse.

— Iris, tu ne dors pas. Je l'entends à ta respiration.

— Qu'est-ce qu'il y a ?

Sa mère s'assoit sur le lit et lui prend la main. Iris se laisse faire.

— Je voulais venir te voir et prendre ta main avant que tu ne t'endormes.

Bien qu'elle ait le visage à demi tourné, Iris remarque que ses yeux semblent gonflés.

— Tu as pleuré, Maman ?

— Non.

— Si, tu as pleuré. C'est à cause de ce que j'ai dit sur cette femme et cet homme ?

— Quelle femme et quel homme ?

Pourquoi fait-elle encore semblant de ne pas comprendre ?

— Tu sais bien, dit Iris d'un ton fâché. Le femme qui est morte

— Non, répond sa mère le regard perdu dans le vague.

Alors Iris sent quelque chose monter en elle, un sentiment qu'elle n'a jamais ressenti auparavant : une sorte d'attendrissement à l'égard de sa mère.

— Je l'ai fait exprès, dit-elle. Je voulais que Papa soit en colère contre toi.

— Je sais.

— Et tu n'es pas fâchée ?

— Non. Nous avons tous des moments où nous n'aimons plus les gens, où nous avons même envie de leur faire du mal.

Iris voulait lui dire : « Je suis désolée de ne pas pouvoir t'aimer autant que Papa », au lieu de quoi elle annonce :

— Papa veut m'acheter une robe neuve pour le dîner que tu donnes, mais je ne veux pas voir tous ces gens.

Il lui demande toujours de venir quand ils reçoivent du monde. Et Iris reste seule dans l'encadrement de la porte tandis que, assis en cercle autour de la pièce, tous les invités, surtout ces femmes parfumées et couvertes de bijoux, braquent leurs yeux sur elle.

— Je ne veux pas, répète-t-elle. Est-ce qu'il faut vraiment que je les voie ?

— Non, dit sa mère, tu n'es pas obligée.

— Tu le promets ? Quoi que dise Papa ?

— Je te le promets.

— Parce que j'aï horreur de cela ! Vraiment horreur !

— Je comprends.

— J'ai sommeil, maintenant, dit-elle après avoir poussé un profond soupir de soulagement.

— C'est vrai ? Je suis contente.

Sa mère sort et ferme doucement la porte.

Elle ne se rendait pas compte à l'époque — et cette inconscience durerait fort longtemps — que, dans son amour aveugle, son père lui mentait. Sans le savoir peut-être, il mentait quand il l'appelait sa petite reine, qu'il lui parlait des grandes choses qu'elle accomplirait plus tard et comment elle en remontrerait aux autres. Plus tard, le souvenir de ces propos aussi insensés qu'affectueux irait même jusqu'à la gêner.

Sa mère, elle, ne lui donnait pas de faux espoirs. Il était évident qu'elle ressentait un malaise en compagnie d'Iris et que ce malaise rendait la fillette agressive à son égard et lui donnait même le sentiment qu'elle pourrait aller jusqu'à la haïr. Mais en même temps, elle savait qu'elles étaient et seraient toujours unies comme les deux doigts de la main.

14

Rien de ce qui se passait à l'intérieur ou à l'extérieur de la maison n'échappait au père de Maury qui avait souvent l'impression de sentir partout la présence paternelle. Certains de ses amis n'aimaient pas leur père ; on pouvait dire que parfois ils le haïssaient franchement. D'autres pensaient que leur père ne s'intéressait pas à eux. Rien de tel pour Maury. Son père s'intéressait à tout ce qui le concernait : ses amis, ses ennuis de santé, les détails de son éducation. Il lui avait par exemple appris à nouer une cravate, à serrer une main : « Un homme donne une poignée de main ferme pour montrer qu'il pense à ce qu'il fait. »

Joseph amena Maury chez son propre coiffeur, le seul qui savait faire une coupe de cheveux correcte. Ensemble ils jouaient aux échecs et son père lui avait promis de lui apprendre à jouer au bésigue, malgré la désapprobation maternelle, et Maury savait qu'il tiendrait parole. Parfois, ils s'amusaient à lutter sur le sol de la salle de séjour — au grand dam de sa mère — et bien que Maury fût presque aussi grand que son père, ce dernier gagnait toujours. Il avait des muscles d'acier. « A cause des années de dur labeur », expliquait-il. A présent il entretenait sa force en faisant de la gymnastique chaque matin. Un jour, Maury l'avait vu prendre dans ses bras un homme très lourd tombé sur la chaussée et le porter tout seul jusqu'au trottoir.

Mais Maury renâclait devant l'intérêt que lui portait son père. Parfois, il rêvait d'une seule et simple chose : qu'on le laisse tranquille. Iris, cette pleurnicharde stupide, était capable de manipuler son père à sa guise. Pas Maury. Lui devait « s'exécuter », pour reprendre la formule paternelle, ou encore « se montrer à la hauteur », expression que Maury avait en horreur.

Ce matin-là, le jeune homme était fou de colère parce qu'il devait aller avec son père rendre visite à sa grand-mère, dans une maison de repos pour personnes âgées.

— Oh, là, là, dit-il, il faut vraiment que j'y aille ? Nous étions tout un groupe à aller à la patinoire ce matin.

— Bien sûr que tu dois y aller, dit sa mère. Tu n'as pas vu ta grand-mère depuis des mois et elle t'a réclamé.

Et de tendre à Maury sa cravate et sa veste avant de sortir du placard un confortable manteau en poil de chameau. Elle semblait à la fois pressée et anxieuse.

— Dépêche-toi donc ! Ton père est déjà prêt. Tu sais bien qu'il a horreur d'attendre.

— On fête l'anniversaire de Washington et moi, il faut que je gâche ce jour férié ! protesta-t-il en enfilant une manche. Quand est-ce que j'aurai le loisir de faire du patin ?

Maury savait que s'il ne tenait qu'à sa mère, il pourrait aller patiner. Elle fit mine de compatir un instant puis ajouta sur un ton enjoué : « Allez, va, tout se passera bien ! » tout en le poussant vers la porte d'entrée où l'attendait son père.

— Attends, attends, Joseph ! s'écria-t-elle soudainement. J'ai confectionné ces petits gâteaux pour ta grand-mère, expliqua-t-elle en mettant entre les mains de Maury une boîte en fer-blanc garnie de motifs fleuris. Je suis sûre que les menus de la maison de repos ne prévoient pas ce genre de gâteries.

Elle embrassa son mari. Comme elle était grande, leurs deux visages se trouvaient à la même hauteur. Le matin, elle portait d'amples peignoirs pastel. Ses vêtements dégageaient un éternel parfum douceâtre, semblable à l'odeur des bonbons. Toujours vêtu de couleurs sombres — il portait invariablement des costumes bleu marine ou gris foncé qui tiraient sur le noir — il ne sortait jamais sans son chapeau melon.

Ils descendirent au rez-de-chaussée et la sensation de froid vif les saisit dès la cage de l'ascenseur. Un vent violent les gifla quand ils avancèrent sur le trottoir où le chauffeur les attendait, portière ouverte.

— Nous allons à la maison de repos, Tim, annonça Joseph.

— Bien, monsieur Friedman, répondit Tim en effleurant la visière de sa casquette avant de contourner la voiture pour prendre place à l'avant.

La maison où vivait la grand-mère de Maury se trouvait à la lisière du Bronx. Autrefois, c'était la campagne, mais aujourd'hui des rangées de maisons et de boutiques flambant neuves s'alignaient au milieu de lotissements non bâtis. Maury ne connaissait personne dans ce quartier où il n'allait que pour rendre visite à sa grand-mère, ce qui était assez rare. Il ne l'avait pas vue depuis un an, juste avant sa Bar-Mitzvah [1] et à l'époque, son père avait été très contrarié qu'elle ne puisse venir pour « ce grand jour ».

— Cette voiture marche à merveille, dit le père.

Il alluma un cigare. Il en avait toujours une demi-douzaine dans la poche intérieure de son veston. Ses amis et lui étaient gros consommateurs de cigares dont ils se recommandaient les meilleures marques, au milieu d'un nuage de fumée gris-bleu qui déplaisait fort à certaines dames. Son père était apparemment très fier que

1. Moment où un jeune garçon juif atteint sa majorité religieuse.

sa femme n'appartînt pas à cette catégorie, encore que, selon Maury, quand bien même elle aurait détesté l'odeur du cigare, elle n'en aurait rien dit.

Joseph gratta une seconde allumette tout en mâchonnant le bout humide de son cigare qu'il retira un instant de sa bouche pour l'examiner, avant de le remettre et de tirer une nouvelle bouffée.

— Ah, cette voiture marche à merveille, répéta-t-il.

La voiture était neuve. De si loin que Maury se souvienne, ils avaient toujours possédé une voiture, mais celle-ci était leur première véritable voiture de maître. Derrière le siège prévu pour le chauffeur se trouvait une vitre coulissante qui le séparait des passagers. Le père de Maury ne s'y était pas encore bien habitué et éprouvait encore une certaine gêne à l'égard du chauffeur. Il y avait d'ailleurs fait allusion pendant le dîner.

— Je conduis beaucoup, avait-il expliqué comme pour s'excuser. Nos chantiers sont disséminés dans toute la ville, il y en a même sur Staten Island, ce qui pose d'énormes problèmes de stationnement. De plus, ce système me permet de gagner du temps en étudiant les dossiers pendant le trajet.

Dès qu'il s'agissait de lui, il tenait à justifier ses dépenses qui devaient être utilitaires. Mais pour sa famille il achetait systématiquement ce qu'il y avait de plus cher, qu'il s'agisse de jouets, de meubles ou de manteaux de fourrure pour sa femme.

Il déplia le *New York Times* dont il tendit les premières pages à Maury.

— Je les ai regardées pendant le petit déjeuner, dit-il. Lis-les attentivement, cela pourra t'aider pour tes études.

Joseph s'intéressait beaucoup aux résultats scolaires de son fils. Il n'avait jamais le temps d'assister aux réunions organisées par les professeurs. C'était donc la mère de Maury qui y allait, mais le soir, il voulait savoir tout ce qui s'y était dit. Il lisait très soigneusement les bulletins semestriels et se montrait toujours satisfait.

— C'est bien, mon garçon, très bien, disait-il en donnant une tape sur le dos de Maury.

Maury se demandait ce qui se passerait si les bulletins n'étaient pas satisfaisants. Il savait que son père ne le réprimanderait pas, qu'il ne le punirait pas avec autant de sévérité que certains. Mais il n'ignorait pas non plus ce que son père attendait de lui.

La maison de repos était un vieux manoir en pierre, avec une porte et un grand perron. Il comprenait plusieurs ailes et des bâtiments rajoutés, le tout entouré de pelouses. L'intérieur offrait un enchevêtrement de couloirs et de recoins. Des chaises roulantes et des plateaux garnis d'assiettes sales encombraient les couloirs où se mêlaient les relents de désinfectant, de graisse froide et d'urine. Maury avait cette odeur en horreur. Des vieillards circulaient dans leurs fauteuils d'infirmes tandis que de jeunes infirmières alertes entraient et sortaient précipitamment des chambres où, par une porte entrouverte, on apercevait d'autres vieillards alités dont les cheveux gris ébouriffés s'étalaient sur les oreillers. Tout cela dégoûtait Maury.

— Ta grand-mère a soixante-dix-huit ans, disait à présent son père.

Sa chambre, personnelle, se trouvait au bout du couloir. La plupart des pensionnaires partageaient une chambre à deux ou plusieurs.

— Danny a une grand-mère de quatre-vingt-douze ans.

— C'est exceptionnel. Mais cette femme a dû mener une vie facile. Bonjour, Maman, comment vas-tu ?

La grand-mère était assise en compagnie de quatre autres personnes âgées, hommes et femmes, dans une sorte d'alcôve aménagée à l'extérieur de sa chambre. Si son père ne lui avait pas parlé, Maury serait passé sans la reconnaître.

Toutes ces vieilles femmes vêtues de tricots et de robes imprimées dans les noirs et les violets se ressemblaient. Avachies ou ratatinées. La grand-mère de Maury était ratatinée.

— Tu n'as rien à dire à ta grand-mère ?

Maury dit bonjour et embrassa la vieille dame puisqu'on en n'attendait pas moins de lui. Il n'en avait pourtant guère envie et son estomac se souleva à ce contact. Un espèce de film laiteux voilait les yeux qui le regardaient, tandis que la salive s'accumulait en mousse blanche aux commissures des lèvres. Dégoût.

Son père approcha deux chaises en bois.

— Donne les petits gâteaux à ta grand-mère, ou plutôt non, corrigea-t-il, porte-les dans sa chambre. Elle pourra les manger plus tard. Eh bien, Maman, répéta-t-il en se penchant vers elle.

La vieille femme le fixa et son front se rida davantage. Les yeux avaient un regard vide.

— C'est Joseph, Maman, dit le père, Joseph, ton fils. Et j'ai amené Maury pour te voir.

Elle était sourde ou quoi ? Ne reconnaissait-elle pas son propre fils ? Maury observait la scène, mal à l'aise.

Puis elle se mit à parler. Elle se pencha pour prendre la main de son fils. Les pleurs se mêlaient aux rires. Il lui répondait en yiddish si bien que Maury ne comprenait rien.

L'opulente vieille femme qui était assise en face de lui le tira par la manche et se tapota la tempe du bout des doigts.

— Elle dit n'importe quoi, chuchota-t-elle assez fort. Ne faites pas attention. Elle perd la tête et dit parfois des choses insensées.

Le père de Maury, qui avait entendu, fronça les sourcils, ce qui ne décontenança nullement la vieille femme.

— Vous êtes trop mince, dit-elle à Maury.

Son voisin dévisagea Maury avant de répliquer :

— Mais non, il n'est pas trop mince !

— Qu'en savez-vous ? Vous avez des enfants ? rétorqua la vieille femme. Moi, j'ai quatre enfants et trois petits-enfants, alors je sais de quoi je parle.

— Et moi, j'ai des neveux et des nièces. Il faut avoir des enfants pour savoir quoi ? On a des yeux pour voir, ce n'est pas suffisant !

— Je dis qu'il est trop mince.

— Maury, si tu allais faire un tour, histoire de visiter l'endroit ? suggéra son père.
— Il n'y a rien à voir, lui répondit Maury.
— C'est votre grand-mère ? demanda le vieil homme.
Maury acquiesça d'un signe de tête.
— Alors pourquoi vous ne lui parlez pas ?
— Elle ne parle pas anglais, expliqua Maury en rougissant.
Sa grand-mère parlait à présent avec volubilité, entrecoupant ses propos de larmes, ou de rires, ou des deux en même temps. Elle racontait une longue histoire et semblait se plaindre ou demander quelque chose. Ses propos étaient-ils sensés ? Maury n'en savait rien. Son père se contentait d'écouter, hochant la tête pour acquiescer ou désapprouver.
Puis la vieille femme regarda son petit-fils et fit une remarque à laquelle son père répondit. Maury détourna la tête.
— Votre père est un personnage important, reprit subitement le vieil homme. J'ai quatre-vingt-huit ans et je sais reconnaître un personnage important au premier coup d'œil. Un garçon comme vous a de l'avenir, ajouta-t-il.
Maury regarda le plancher. Le vieil homme était en train de mouiller son pantalon. La tache humide s'étendait et le liquide commençait à dégoutter sur le dessus de ses chaussures.
« Mon Dieu, tirez-moi vite de cette maison de fous ! » pensa Maury.
Une infirmière, arrivée en toute hâte, empoigna le vieillard par le bras. « Oh, là, là, on a besoin d'aller aux toilettes, n'est-ce pas ? »
Sa grand-mère s'était remise à pleurer.
— Maury, dit son père sur un ton sans réplique, Maury, va m'attendre dehors. Je ne serai pas long. Ou bien fais un tour si tu préfères.
— Pourquoi n'allez-vous pas voir la splendide salle de récréation dont votre père nous a fait don ? suggéra l'infirmière. Vous tournez à droite au fond du couloir, et vous la verrez tout de suite.
Il faisait une chaleur à mourir dans cet établissement, à cause des personnes âgées sans doute. Maury avait entendu dire qu'elles avaient toujours froid. Il enleva son manteau et se tint dans l'encadrement de la porte indiquée par l'infirmière. Il s'agissait d'une pièce vaste et claire, meublée de fauteuils en simili-cuir et dont le sol était recouvert d'un linoléum bleu vif. Des gens jouaient aux cartes. Assise derrière un piano droit installé dans un coin de la salle, une vieille femme jouait inlassablement les mêmes accords. Dans le coin opposé, posée sur une table, à côté d'un distributeur de boissons et de friandises, trônait une radio marron. La salle disposait aussi d'une estrade dont les rideaux tirés et attachés contre le mur laissaient supposer qu'elle servait parfois de scène pour des spectacles. Un vieil homme venait justement d'y monter pour esquisser péniblement un semblant de cake-walk [1]. Maury se

1 Danse négro-américaine, en vogue après 1900.

sentit gêné pour lui. Puis, sur le mur, à côté des doubles portes, il aperçut une plaque en marbre sur laquelle était gravé : « Cette salle est un don de Joseph et Anna Friedman. »

Son père donnait beaucoup aux œuvres de charité. Le courrier comportait toujours des demandes de subsides pour les aveugles, les hôpitaux, les Juifs démunis. Une fois, M. Malone avait même envoyé des prêtres. Maury, qui était allé ouvrir la porte, avait été surpris de voir ces deux hommes en soutane. Son père les avait reçus dans son bureau dont ils étaient ressortis un peu plus tard, tout sourires et remerciements. « Nous ne vous oublierons pas dans nos prières », avaient-ils dit en prenant congé.

Cette générosité emplissait Maury d'une certaine fierté. Les gens avaient beaucoup de respect pour son père. Où qu'ils aillent, on l'écoutait. Parfois Maury l'accompagnait sur des chantiers et le suivait dans le vacarme et le va-et-vient des camions, des grues et des brouettes chargées de briques. Ils enjambaient des enchevêtrements de planches, de tuyaux, de tubes et de rouleaux de fils de fer, pris par l'humidité froide et odorante du ciment frais. Son père posait des questions et signalait ce qui avait été mal fait ou oublié. Ils se rendaient ensuite dans une petite maison de bois donnant sur la rue, baptisée « Bureau de location », et là, il se penchait sur des livres et parlait au téléphone. Il déroulait des plans, tracés à l'encre blanche sur du papier bleu, et informait aimablement les gens qui venaient se renseigner. Quand son père sortait sur le trottoir, des hommes coiffés de casques venaient le saluer. « Je vous présente Maury, mon fils », disait-il alors. Et ces hommes lui serraient la main en le regardant avec respect, comme s'il avait beaucoup plus que treize ans. Mais Maury savait que son père était l'objet véritable de ce profond respect.

Une infirmière arriva derrière lui.

— Que pensez-vous de notre salle ? demanda-t-elle à Maury.

— Elle est très jolie.

— Votre père nous témoigne une grande bonté. C'est un homme gentil et généreux.

Au bout du couloir, son père venait de lui faire signe. Soulagé, Maury fit semblant d'être surpris :

— Nous partons déjà ?

— Oui, ta grand-mère ne se sent pas très bien. Je ne veux pas la fatiguer.

— Veux-tu que j'aille lui dire au revoir ? demanda-t-il avec l'espoir que la réponse serait négative, mais il ne pouvait faire l'économie de cette question.

— Non, merci, ce n'est pas la peine, répondit son père. Elle est retournée dans sa chambre.

Près de l'ascenseur, ils firent halte à un bureau où une infirmière était assise devant des téléphones et des tas de tableaux.

— Je tiens absolument à ce que l'histoire dont nous avons parlé ne se reproduise pas, dit Joseph. Il est inexcusable de la laisser tomber de son lit.

— Nous faisons de notre mieux, monsieur Friedman, je vous assure. Mais, voyez-vous, elle tombe si vite et...

— Peu m'importe, répliqua-t-il fermement. Je ne veux pas que cela se reproduise.

— Certainement, monsieur Friedman, dit-elle avec un sourire de commande. C'est votre fils, n'est-ce pas ? Quel beau garçon ! On dirait un Anglais.

— Oui, c'est un bon fils, répondit le M. Friedman en question, sans se dérider.

— J'ai une petite nièce tout à fait ravissante, dit-elle en se forçant à sourire davantage. Il faudra que je vous présente d'ici quelques années...

La porte de l'ascenseur s'ouvrit et mit un point final à la conversation.

— Quelle idiote ! dit Joseph.

Mais l'agacement de Maury avait une tout autre cause : il avait perdu un jour de congé parce que sa grand-mère voulait le voir, or elle ne l'avait même pas reconnu... « Une vieille ruine décatie... » Pour Maury, la vieille dame ne représentait rien de plus qu'une « vieille ruine décatie ».

Revenu dans la voiture, son père sortit une liasse de papiers de son porte-documents.

— Excuse-moi, Maury, je voudrais examiner ces papiers. Je viens juste de penser à quelque chose.

Maury savait qu'il s'agissait du nouvel hôtel, la construction la plus importante que son père ait jamais entreprise. La semaine dernière, les murs de brique s'élevaient sur trois étages, mais ils étaient surmontés d'une charpente métallique qui en comptait quarante-deux et qui, pour le moment, dessinait de grands carrés vides contre le ciel.

— Il s'agit d'un type de logement hôtelier tout à fait original, à base d'appartements, expliquait maintenant son père. C'est une innovation absolue dans la ville. Tu te rends compte que la moitié des appartements sont déjà loués alors que la livraison n'interviendra pas avant l'automne prochain ?

Il sortit de sa poche un cigare, ses allumettes et savoura le plaisir de tirer quelques bouffées.

— Sais-tu qu'il m'arrive encore de douter de la réalité de tout cela ? Parfois, je me réveille le matin, j'aperçois la lumière qui filtre à travers les rideaux et l'espace de quelques secondes, je me demande où je suis. N'est-ce pas étrange ? Je ne suis pas sûr de ne pas rêver. Est-ce que tu comprends ce que je veux dire ? Bien sûr que non ! Comment le pourrais-tu ? Dieu merci, tu n'as jamais connu autre chose, et je ferai en sorte que tu ne connaisses jamais une situation différente.

Mais c'est le privilège exclusif de l'Amérique, ajouta-t-il. N'oublie pas que nous sommes fils d'immigrants. Malone vient des tourbières d'Irlande. En dix ans, nous nous sommes imposés dans toute la ville. J'y pense chaque fois que je vois le « M et F », vert sur blanc de notre enseigne. Notre argent, nous l'avons gagné honnêtement. Je peux affirmer sans mentir que jamais nous n'avons volé nos clients, que nos maisons sont solides comme des pyramides, et je ne crois pas que nous soyons nombreux dans la profession à pouvoir en dire autant.

Il se replongea dans la lecture de ses documents et n'ayant rien de mieux à faire, Maury entama sans enthousiasme la deuxième partie du *New York Times*, puisqu'il n'y avait rien de passionnant à regarder par la vitre de la voiture. Ils passèrent devant une horloge qui indiquait midi et demie. Maury se dit qu'il disposait encore d'une bonne partie de la journée.

— Papa, demanda-t-il, es-tu d'accord pour me déposer à la patinoire ? Je pourrais emprunter des patins à quelqu'un.

Le regard que son père lui jeta lui apprit immédiatement que la réponse serait négative.

— Tu as manqué l'instruction religieuse pendant deux semaines à cause de ton rhume, dit-il. Tu dois avoir pris du retard.

Une véritable mémoire d'éléphant. Qui soupçonnerait qu'un homme dirigeant des chantiers de construction dans toute la ville trouverait encore le temps de se préoccuper de tels détails ?

— Je pourrais rattraper les cours demain matin avant de partir pour l'école. Je me lèverai de bonne heure.

— Tu sais bien que tu ne le feras pas. Non, tu vas rester à la maison cet après-midi et étudier.

Si seulement il pouvait me laisser tranquille avec ces trucs religieux ! pensait Maury. La plupart des garçons de l'école n'avaient pas cette contrainte. Leur famille avait abandonné des pratiques religieuses qu'ils jugeaient étroites et démodées. Mais son père était excessivement strict et pointilleux sur cette question. Sa mère au moins faisait de la religion un gracieux rituel, bénissant chaque vendredi soir avec amour, et même poésie, les bougies et les chandeliers d'argent qu'elle avait apportés d'Europe.

Il avait horreur de se lever le samedi matin pour aller à la synagogue.

— Laisse-le dormir, insistait sa mère. Il a travaillé tard hier soir. J'ai vu la lumière sous la porte.

— Non, répondait son père. Il y a un seul bon chemin, Anna, fait d'obligations. Les autres sont mauvais.

— Il n'aura pas le temps de prendre un petit déjeuner. Tu peux bien l'excuser pour une fois, Joseph.

— Eh bien, il n'a qu'à partir sans petit déjeuner.

Son père était inflexible. Il ne supportait pas que les gens soient en retard et n'attendait jamais qui que ce soit plus de dix minutes. Les gens qui enfreignaient des règles connues le mettaient en rage. Une des amies d'Anna devait se rendre à Reno pour divorcer et Maury eut l'occasion d'entendre ses parents évoquer l'événement pendant le dîner.

— Elle n'a aucune excuse, Anna. Nul ne peut ignorer où se situent le bien et le mal.

— Tu sembles bien dur, Joseph, dit sa mère. Tu n'as donc aucune indulgence ?

— Il y a un bon chemin et un qui ne l'est pas, lui rétorqua son pere comme il le faisait chaque samedi matin.

Maury fréquentait donc toujours la synagogue. Puisqu'il n'avait aucune chance d'échapper à cette obligation, il aurait mieux fait de se lever à l'heure et de partir sans protester. Mais sans savoir pourquoi, il ne pouvait s'empêcher de s'opposer à son père, d'une façon ou d'une autre.

Dans la voiture qui les ramenait à la maison, Maury pensait que ce père dirigeait tout et tout le monde. Il avait même vaguement le sentiment que cette autorité paternelle était vouée à se dresser au-dessus de lui jusqu'à la fin de ses jours. Parviendrait-il un jour à dire à son père ce qu'il avait envie de dire ? Réussirait-il à mener sa vie propre sans devoir lutter contre un être qui était de toute façon plus puissant que lui ?

Maury resta renfrogné pendant le reste du trajet. Arrivé à la maison, il monta dans sa chambre. Avant de fermer sa porte et de se mettre au travail, il entendit son père qui disait sans colère mais d'une voix ferme et catégorique : « Anna, je ne veux pas que la viande d'agneau soit aussi peu cuite que la dernière fois. Dis-le à Margaret. »

Juste avant l'heure du dîner, son père l'appela dans son bureau. Devant lui, sur la table, se trouvait une boîte en carton remplie d'images et de photographies.

— J'ai sorti ces photos pour y mettre de l'ordre et je voulais te montrer ceci.

Il lui tendit une très vieille photo collée sur un carton épais, représentant une fille debout contre un mur. Agrémentée de manches ballons, la robe couvrait les chevilles. La jeune fille portait deux longues nattes épaisses et ses vêtements étranges ne parvenaient pas à entamer sa beauté. En haut et à droite de la photographie était inscrit un nom étranger, certainement le nom du photographe, et le mot « Lublin ». Maury savait qu'il s'agissait d'une ville de Pologne.

— Qui est-ce ? demanda-t-il.

— Ma mère. Ta grand-mère, avant son mariage.

Maury regarda à nouveau le portrait. Une main posée sur une hanche, la jeune femme semblait presque effrontée et elle riait, le photographe venait peut-être de dire quelque chose d'amusant.

— On m'a toujours dit qu'elle était très jolie femme quand elle était jeune, dit son père. Tu peux d'ailleurs le constater toi-même.

La pauvre chose ratatinée qu'il avait vue aujourd'hui et cette charmante jeune fille étaient donc une seule et même personne ?

Lui revint alors à l'esprit une phrase d'un poème ou d'un texte lu en classe de littérature et qui évoquait « les longs corridors du temps ». Il eut soudain une perception aiguë et étrange du temps qui passe, et sut qu'il venait de comprendre quelque chose de fondamental.

Tout à coup, spontanément, il se pencha et embrassa son père, alors que depuis sa plus tendre enfance ce geste lui causait toujours une certaine gêne.

15

A midi, le *Berengaria* leva l'ancre à destination de Southampton, bannières au vent et au son des flonflons qu'emportait la brise du fleuve. Les machines grondèrent et vibrèrent. Le navire descendit l'Hudson avant de passer au large de la statue de la Liberté et de l'endroit où se trouvaient autrefois Castle Gardens, là où, pour la première fois, Anna avait foulé le sol américain. Etrangement, elle n'avait pas ressenti à l'époque l'exaltation qu'elle ressentait maintenant.

Dans la cabine de luxe, on n'avait pas encore enlevé les bouteilles de champagne qui avaient servi à célébrer le départ. Les commodes étaient encombrées de cadeaux : pyramides de fruits — de quoi nourrir dix personnes —, boîtes de chocolats et de biscuits, une pile de romans, des fleurs, et un présent de Solly et Ruth encore enveloppé et enrubanné.

Anna ouvrit le paquet dont elle sortit un carnet relié cuir, doré sur tranche. Sur la couverture étaient gravés ces mots : *Mon voyage en Europe.*

— Ruth sait que tu es une gribouilleuse, n'est-ce pas ? dit Joseph en souriant.

— J'écrirai chaque jour le compte rendu de la journée, annonça Anna non sans conviction. Je ne veux pas perdre une seule minute de ce voyage.

Le 4 juin

Quand je pense que nous allons si loin, à l'autre bout du monde ! Je n'arrive pas encore à y croire.

Un beau soir de mars, Joseph a décrété : « Cette année, j'ai envie de faire quelque chose de grandiose pour notre anniversaire de mariage. Je voudrais aller en Europe. Nous en avons les moyens. »

Je me fis cette curieuse remarque : Lorsqu'on est pauvre en Europe, on ne pense qu'à partir en Amérique afin d'être assez riche pour retourner en Europe.

« Tu ne peux pas dire cela à propos de Paris, dit Joseph. Tu ne viens pas de Paris, tu sais. »

Ainsi je vais voir Paris, le Louvre, les Tuileries, le château de Versailles. Avec toutes ses fontaines et ses lumières scintillantes. Cette ville évoque pour moi un chandelier de cristal.

Mais je serai surtout heureuse de revoir mes frères à Vienne. Je me demande si nous allons seulement nous reconnaître ?

Une véritable foule est venue assister à notre départ : des amis, des relations d'affaires et, bien sûr, les Malone. Lui et Mary iront passer six semaines en Irlande après notre retour en septembre. Ils veulent visiter la terre de leurs ancêtres. Joseph dit que lui n'ira certainement pas en Pologne pour voir le pays de ses aïeux.

Malone est très chaleureux, je crois que c'est l'adjectif qui le dépeint le mieux. Il donne l'impression de ne jamais se faire de souci. J'ai demandé à Mary si cette apparence correspondait à la réalité et elle a répondu affirmativement. Ce doit être un homme facile à vivre. Il envisage la vie avec humour. Tandis que nous observions les gens qui empruntaient la passerelle pour monter à bord, Malone n'a pas cessé de plaisanter : « Voici Lord Trottemenu ! » dit-il en apercevant un homme long et mince comme un fil de haricot vert avec des moustaches semblables à celles que l'on portait il y a trente ans. Il sait être amusant, sans méchanceté aucune.

Après l'annonce : « Tous les visiteurs sont priés de descendre à terre ! », nous sommes montés sur le pont. Maury et Iris, qui se tenaient sur le quai aux côtés de Solly et Ruth, semblaient tout petits. J'aurais voulu que les enfants nous accompagnent en Europe, mais Joseph voulait passer des vacances sans eux. Nous n'avons jamais pris de vacances sans enfant, pas même un jour ! Je ne peux certes pas reprocher à Joseph de vouloir prendre des vacances, lui qui, depuis que je le connais, travaille six jours par semaine, quand ce n'est pas sept. Mais les enfants me manqueront.

Ruth a pris Iris par le cou. J'ai compris qu'elle voulait me dire de ne pas m'inquiéter. Il n'empêche qu'Iris n'a que dix ans et elle est si frêle et timide que je ne peux m'empêcher de me faire du souci. Même en sachant que Ruth prendra bien soin d'elle, mon cœur se serre quand je pense à ma petite fille.

Chère Ruth ! Tu as été la première personne à m'accueillir quand je suis arrivée en Amérique. Je te revois quand tu as quitté ta machine à coudre dans cette affreuse petite pièce. Quel chemin nous avons parcouru depuis lors, toi, moi, nous tous !

Je viens d'aller me promener sur le pont. L'océan est noir, mais le ciel est encore clair. On n'aperçoit aucune terre. Il n'y a rien, rien que le ciel et la mer.

Le 5 juin

Joseph était vraiment en colère contre moi ce matin. Je n'y suis pas habituée : ses colères sont rares et éclatent généralement à propos de bagatelles. Nous étions en train de lire sur le pont lorsqu'il s'est écrié, avec agressivité : « Où est ta bague ? » (Il parlait du solitaire qu'il vient de m'offrir pour notre anniversaire de mariage.) Quand je lui ai répondu qu'elle était dans la cabine, dans un tiroir où je rangeais mes vêtements, il s'est fâché. Il estime que je dois porter cette bague constamment. Je lui ai expliqué que je n'avais pas jugé très approprié de porter un diamant aussi gros avec une jupe et un pull-over, mais il a répliqué qu'il se fichait bien de ces raisons, que cette bague avait infiniment de prix et que je devrais comprendre qu'il était insensé de m'en séparer. Il m'a envoyée la chercher dans notre cabine et, en chemin, j'étais terrifiée par l'idée que quelqu'un avait pu la voler. Cette bague avait dû coûter une fortune ! Dieu merci, elle était toujours là, au milieu de mes bas.

La vérité est que je n'ai jamais désiré posséder un tel bijou. Je n'accorde pas une telle importance à ce genre de chose, ce que Joseph est absolument incapable de comprendre. A l'instar de la plupart des hommes, je crois, il pense que toutes les femmes raffolent des diamants. Mes amies ont été effectivement très impressionnées par le mien. Je présume qu'il s'agit là de la véritable raison pour laquelle Joseph désire que je ne me sépare pas de cette bague. Voilà pourquoi il tenait tant à ce que je l'emporte pour ce voyage.

Le 7 juin

A table, j'ai appris que cette traversée qui représente pour nous une telle aventure constitue pour d'autres un mode de vie. Il est des gens qui s'embarquent sur un bateau qui traverse l'Atlantique comme nous nous prenons un bus sur la 5e Avenue. Un couple de notre âge, résidant dans la banlieue de Philadelphie, voyage en compagnie de trois enfants et d'une nurse qui prennent leurs repas dans leur cabine. Ils viennent chaque année en Europe et louent une maison en Angleterre, en Suisse ou en France. Joseph fut surpris d'apprendre cela, car ces personnes ne lui donnaient pas l'impression d'être tellement riches. Mais il ne se rend pas compte que leur simplicité est très dispendieuse. Ils parlent peu et semblent surtout avoir plus de choses à dire à la dame d'un certain âge qui partage notre table qu'à nous-mêmes. Cette dernière est la veuve d'un banquier de New York. Elle voyage apparemment beaucoup et dans le monde entier, avec sa fille. Cette dernière qui approche la trentaine paraît s'ennuyer beaucoup et souffrir de solitude. Elle me fait pitié.

J'écoute les conversations de cette confrérie du voyage. Ils connaissent les noms de tous les commandants et commissaires du bord des grands paquebots. Ils parlent de ceux qu'ils ont rencontrés lors de tel ou tel voyage, des cocktails auxquels ils ont été invités. Un soir, tous ces gens ont été reçus à la table du commandant et Joseph et moi étions seuls à notre table. Hiérarchie oblige ! Je pense qu'on nous a embarqués parce qu'il restait deux places libres. Nous n'appartenons certainement pas à ce milieu. Joseph est plus taciturne que jamais et je sais qu'il ne se sent pas à sa place. Je partage naturellement ce sentiment, sans que cela me gêne pour autant. Je trouve l'expérience intéressante. J'observe en spectatrice la procession descendant l'escalier pour aller dîner : femmes flétries, couvertes de brocarts et de diamants, hommes aux traits tirés, couples en voyage de noces. On tourne la tête, on sourit avec conviction, on murmure des salutations : « Comment allez-vous ? Voilà des siècles que nous ne nous sommes vus. »

J'admire les mets servis : un grand poisson découpé dans la glace, des légumes disposés avec un tel soin qu'on croirait une nature morte flamande, des paniers en filaments de pâte de guimauve, des petits gâteaux glacés arrangés comme un bouquet. Quel travail et quel art exige une telle cuisine ! Je regarde les garçons à l'amabilité souriante qui nous servent. Ils semblent enjoués et respectueux quand ils tirent la chaise en disant : « Bonsoir, madame, avez-vous passé un agréable après-midi ? » Je me demande ce qu'ils pensent réellement de nous tous.

La nuit dernière, après le dîner, nous sommes allés danser et j'ai raconté tout cela à Joseph. Il a paru un peu contrarié. « Tu ne peux donc jamais te contenter de t'amuser un peu en oubliant ces pensées profondes ? » Je lui ai expliqué que ces pensées ne m'empêchaient pas de m'amuser. « Alors, tu ne veux plus que je t'en parle ? » lui ai-je demandé. A quoi il a répondu : « Allez ! Tu peux me raconter tout ce que tu veux, tu le sais bien. » Il fut ensuite d'excellente humeur et nous avons dansé jusqu'à minuit passé. La musique était splendide et Joseph danse très bien. Nous devrions danser plus souvent. En dansant, on oublie tout. On se sent léger, heureux. Il a raison, je réfléchis trop.

Le 8 juin

Il pleut aujourd'hui et, dès que l'on dépasse le pont, le vent vous plie en deux. Tout le monde reste à l'intérieur. Joseph a trouvé des âmes sœurs et ils jouent ensemble aux cartes. D'autres sont allés au cinéma. Moi, je préfère profiter au maximum de la mer. Je suis allée seule sur le pont pour recevoir les embruns. Comme l'Atlantique Nord peut se déchaîner, même pendant l'été ! Je sais bien que nous sommes en sécurité à bord de ce grand transatlantique moderne, mais je me plais à imaginer que nous sommes menacés par les éléments !

On nous a dit qu'après-demain, au réveil, nous apercevrons l'Irlande. Je me demande ce que ressentiront les Malone en la découvrant.

Le 11 juin

J'ai l'impression de connaître toutes les rues de Londres. Le premier matin, nous sommes sortis nous promener. Notre hôtel se trouve dans Park Lane. Nous avions prévu d'aller assister à la relève de la garde au palais de Buckingham et Joseph voulait voir les radicaux haranguer la foule, à Hyde Park Corner. Quand je lui ai dit qu'il fallait tourner à gauche, il m'a regardée, surpris, avant de me demander si je n'étais vraiment jamais venue à Londres. Je lui ai dit qu'effectivement je connaissais déjà la ville, à travers des douzaines de livres, depuis Dickens jusqu'à Thackeray en passant par tous ceux que Mlle Thorne m'avait un jour recommandés. Cela remonte à dix-huit ans mais j'ai lu le dernier ouvrage de la liste pas plus tard que l'année dernière. Entre-temps, bien sûr, j'ai lu d'autres livres que ceux de mes cours d'histoire de l'art et d'histoire de la musique.

Je me demande ce qu'est devenue Mary Thorne. Elle a dû prendre se retraite à présent, et elle est probablement retournée à Boston. Je l'imagine en train de boire du thé dans une petite pièce couverte d'étagères garnies de livres. Comment elle ou moi aurions-nous pu deviner ce qui allait se passer durant toutes ces années ?

Le 13 juin

Joseph avait un rendez-vous d'affaires avec des actionnaires britanniques intéressés par des propriétés immobilières à New York. J'étais désolée que le travail empiète sur le tourisme, mais cela n'avait pas du tout l'air d'ennuyer Joseph. J'ai donc pris seule le bateau qui conduisait à Kew Gardens.

J'étais assise à côté d'un homme charmant, un Américain du New Hampshire. Il enseigne l'histoire dans un établissement célèbre dont j'ai oublié le nom. Sa femme est morte il y a six mois. Il m'a raconté qu'ils avaient prévu ce voyage en Europe depuis très longtemps et qu'avant de mourir, elle lui avait fait promettre d'y aller seul plutôt que de rester chez lui à pleurer. Quelle femme merveilleuse et généreuse !

Il m'a demandé d'où je venais. Il pensait — à cause de mon accent, je présume — que j'étais française et il a paru surpris quand je lui ai révélé mes véritables origines.

Nous avons parlé de l'Angleterre. Il venait de parcourir à pied le Lake District, le pays de Wordsworth. Je lui ai dit combien j'étais désolée de ne pas visiter cette région. Je crois que j'aimerais beaucoup ce genre de vacances : se promener à pied dans des villages, voir comment vivent les gens réellement, au lieu de rester confinés dans des grands hôtels où l'on ne rencontre que d'autres touristes. Il partageait mon point de vue. Après cette conversation fort agréable, il nous a semblé tout naturel d'aller nous promener ensemble lorsque nous sommes arrivés à Kew. Quel jardin merveilleux ! Dommage que Joseph l'ait manqué ! Il aurait certainement apprécié en dépit de ce qu'il avait prétendu.

Mon compagnon s'appelait Jeffers. Il m'apprit que sa femme et lui n'avaient pas eu d'enfants, ce qu'il regrettait beaucoup car, à présent, il reste vraiment seul. Il m'a posé diverses questions sur mes enfants. Je lui ai surtout parlé de Maury ; qu'il voulait aller à Yale et s'intéressait à la littérature. Il m'a cité le nom de quelques professeurs particulièrement compétents et réputés qui enseignaient dans cette université. Nous avons fini par bavarder comme des amis de longue date. J'ai rarement rencontré — voire jamais — des hommes aimant parler avec des femmes. Cette conversation m'a semblé très chaleureuse, très réconfortante, encore que le mot ne convienne pas parfaitement.

Pendant le retour, juste avant d'arriver, M. Jeffers m'a dit qu'il avait passé un après-midi merveilleux et inattendu.

« Je regrette infiniment de ne pas pouvoir vous revoir », m'a-t-il dit en me regardant droit dans les yeux, le visage grave et sincèrement peiné. Il n'avait rien d'un cuistre, car Dieu sait que j'en ai rencontré suffisamment pour les reconnaître rapidement. Il pensait sincèrement ce qu'il disait. Aussi ai-je répondu : « Je le regrette aussi et j'espère qu'un jour vous retrouverez le bonheur. » Et moi aussi, je pensais sincèrement ce que je disais. Nous n'avions fait que commencer à parler. Nous aurions eu encore tellement d'autres choses à nous dire si... des milliers de si...

Joseph m'attendait sur la berge. Il m'a d'abord demandé si la promenade m'avait plu, puis il a voulu savoir qui était cet homme.

— Vous aviez l'air en grande conversation, dit-il. Je vous ai observés quand le bateau s'approchait.

— Oh, oui, ai-je répondu. Il est américain et professeur. Il m'a donné de très bons conseils pour Maury.

— Vous avez parlé de Maury pendant tout ce temps ?

— Je n'ai pas passé tout mon temps à parler avec cet homme, Joseph !

— Tu ne sais donc pas que je suis jaloux ?

Il n'a pourtant, et n'aura jamais, aucun motif de jalousie. Sa confiance en moi peut être totale et absolue.

Le 26 juin

Nous sommes dans le train et venons de traverser la frontière autrichienne. Dans quelques heures, je reverrai Eli et Dan ! Joseph partage presque mon impatience. Il comprend très bien ce que je ressens après une si longue séparation. « Les familles ne devraient pas être séparées de cette façon », dit-il. Je pense comme lui, mais que peut-on faire ?

Le paysage ici me rappelle *The Student Prince* que nous avons vu il y a deux ans environ. Tout d'abord, la forteresse dominant Salzbourg, puis une infinité de lacs, comme autant d'énormes larmes bleues répandues sur la terre. Ensuite un monastère à l'aspect sinistre et mystérieux. « Melk », indique le guide. A présent, nous traversons des bois, le Wienerwald sans aucun doute, la forêt de Vienne. Et dans quelques minutes nous arriverons à la gare où ils nous attendent.

Joseph me regarde. « Tu n'es jamais fatiguée de gribouiller ? » me demande-t-il en me prenant la main et en me souriant. Il sait que je suis toute chavirée et caresse ma main pour m'apaiser. Je vais fermer ce journal.

Le 26 juin, plus tard

Mon frère Eli se fait appeler Eduard à présent. Tessa et lui sont venus nous accueillir sur le quai. J'avoue que je ne l'aurais pas reconnu ! Il est vrai que nous ne nous sommes pas vus depuis dix-neuf ans ! Ses cheveux sont pourtant toujours roux. Nous avons pleuré tous les deux et Joseph était très ému de nous voir ainsi, mais je crois que Tessa était gênée par ces effusions en présence de leur chauffeur. Ce qui ne l'a pas empêchée de se montrer charmante et de m'embrasser affectueusement. Sans être vraiment jolie, elle est fine et gracieuse. On doit se retourner sur son passage, quoi qu'en pense Joseph. J'ai l'impression qu'elle lui a tout de suite déplu, ce qui est étonnant de la part de Joseph qui s'abstient généralement de juger les gens.

Eli-Eduard, qui voulait nous accueillir dans leur maison, a été très déçu d'apprendre que nous avions réservé à l'hôtel Sacher. En effet, nous devons rester quinze jours à Vienne et Joseph pense que c'est un séjour trop long pour s'installer chez quelqu'un. Il dit que nous pourrons voir Eli et Tessa tous les jours sans pour autant nous immiscer dans leur vie familiale. S'agit-il d'indépendance ou d'une grande délicatesse de la part de Joseph ?

Le 26 juin, plus tard encore

Nous sommes retournés à l'hôtel afin de nous changer pour le dîner. Eduard enverra son chauffeur nous chercher. Nous sommes d'abord allés dans leur maison, qui se trouve assez loin du centre de la ville, presque dans les faubourgs, au milieu de vastes parcs et de grandes maisons. On parle ici de pavillons mais, selon les critères américains, il faudrait dire des palais miniatures ! Dans la maison d'Eduard, des chérubins en plâtre doré ornent les plafonds. J'ai dû lutter contre mon envie pour ne pas passer l'essentiel de mon temps à tordre le cou pour les regarder pendant que Tessa servait du café et des gâteaux. Nous nous sommes assis un moment dans le jardin, merveilleux, entouré de grands arbres et parsemé de fleurs splendides. Je devrais vraiment apprendre le nom des fleurs, car, mis à part les roses et les marguerites, je n'en reconnais aucune ! Oh, j'oubliais de dire que pendant l'hiver toutes les pièces sont chauffées par d'énormes poêles ressemblant à des coffres verticaux carrelés en céramique aux motifs ravissants. Joseph a trouvé cela drôle. Sur le chemin du retour, il m'a dit : « Quand je pense qu'on se chauffe encore avec des poêles au XXe siècle ! Comme l'Europe est en retard par rapport à nous ! »

Les enfants sont venus nous saluer : un joli petit garçon et deux fillettes blondes. Liesel a le même âge qu'Iris. Elle joue très bien du piano, bien que je ne sois pas bon juge en la matière. Ces enfants ont de bien charmantes manières !

Le 27 juin

Après une première journée passée en compagnie d'Eduard, je retrouve mieux les traits du jeune garçon que j'ai quitté : même sourire charmeur, même mâchoire proéminente, des yeux qui clignent souvent et, pourtant, il a tout du bourgeois autrichien. Il s'habille avec beaucoup de soin, à moins que Tessa ne s'en charge pour lui

En revanche, je suis triste à cause de Dan. Il ne ressemble plus à son frère et pourtant ce sont de vrais jumeaux ! Il est maintenant voûté et, quand il sourit, on dirait qu'il veut s'en excuser. Dena, sa femme, est plutôt jolie, bien que très rondelette. Elle se moque éperdument de sa ligne et n'hésite pas à reprendre de larges portions de crème fouettée. Mais elle est très gentille et m'a tout de suite plu. Je me sens beaucoup plus à l'aise avec elle qu'avec Tessa.

J'ai remarqué que Tessa ne faisait pas grand cas de Dena ni de Dan. Il est certain qu'ils n'appartiennent pas au même monde. Dena aide Dan dans son commerce de fourrure, ce qui doit être pénible. En effet, ils ont six enfants et, après le dîner, elle m'a glissé à l'oreille qu'elle en attendait un septième !

J'aimerais avoir plus d'enfants. Peut-être qu'il n'est pas trop tard et que je peux encore être mère. Je n'ai que trente-cinq ans. Sans jamais m'en parler, Joseph est terriblement déçu que nous en ayons deux seulement. Je suppose qu'il redoute que je prenne toute remarque à ce sujet pour un reproche, à moins qu'il ne juge inutile de parler de choses contre lesquelles on ne peut rien faire. Son esprit extrêmement pratique lui interdit de parler pour ne rien dire, ce qui ne devrait plus m'étonner.

La soirée fut étrange. Il m'a semblé manifeste que mes frères ne se voient pas souvent, bien qu'ils n'en aient rien dit. Mais j'ai surtout été étonnée de constater qu'ils étaient séparés par un problème de langue, qui ne pouvait être qu'artificiel, bien sûr. Dan et Dena parlent yiddish chez eux. Dena est une fille sans instruction qui a toujours vécu parmi les pauvres gens depuis qu'elle est à Vienne. Tessa, qui ne parle naturellement pas yiddish, ne connaît pas d'autre langue que l'allemand et le français, ce qu'elle nous a fait comprendre sans la moindre ambiguïté. Toutefois, l'allemand et le yiddish sont suffisamment proches pour qu'ils puissent se comprendre, moyennant un minimum d'efforts. Joseph pense d'ailleurs qu'ils se comprennent et que Tessa feint le contraire. Lui-même comprend sans trop de difficultés l'allemand de Tessa. Je crois que Tessa est une femme intransigeante et je m'interroge sur le bonheur d'Eduard.

Le 1er juillet

Nous avons été tellement occupés à faire du tourisme que je n'ai pas trouvé le temps d'écrire. Nous avons visité tous les musées et la Hofburg, le grand palais qui servait encore de résidence au dernier empereur, il y a quelques années. Nous avons assisté à une représentation de l'école équestre espagnole où paradaient de magnifiques chevaux blancs. Ce fut un spectacle digne de ce nom ! Je suis certaine que Joseph l'a apprécié, bien qu'il m'ait fait remarquer plus tard que ce genre de spectacle était au mieux enfantin, et au pire néfaste, en ce sens qu'il perpétuait un style de vie fondé sur l'oisiveté et s'adressait à des gens qui ne travaillaient pas. Or, pour Joseph, ne pas travailler constitue la pire des abominations. Je ne pensais pas qu'il accepterait de venir écouter avec nous le chœur des petits chanteurs dans la chapelle mais, à ma grande surprise, il est venu et a reconnu la splendeur de cette chapelle qui brillait justement de mille feux.

Oh, nous avons aussi admiré le Burgtheatre et le ravissant Burggarten. Eduard tenait absolument à ce que nous voyions tout et, étant son propre patron, il pouvait s'accorder autant de liberté qu'il le voulait. Nous sommes allés à Schönbrunn. L'idée que Marie-Thérèse avait vécu là et qu'en France, à Versailles, nous verrions le château où avait habité sa fille me fascina. Je relirai le *Marie-Antoinette* de Stefan Zweig quand je serai rentrée à la maison. Les mots me parleront davantage après que j'aurai vu les lieux où s'est déroulée sa vie. Je prends des tas de bonnes résolutions !

Le 2 juillet

Eduard a été merveilleux. Je lui ai dit que je regrettais presque ces moments de grand bonheur parce que notre séparation n'en serait que plus dure. Il est tellement différent quand Tessa n'est pas là ! Pourtant, je suis sûre qu'il l'aime car il la regarde toujours avec une immense fierté.

Nous sommes invités cet après-midi chez Dan, et Eduard doit nous y accompagner. (C'est dimanche, les cloches de toutes les églises sonnent à la volée et elles doivent être des milliers. Cette douce clameur restera pour moi un autre souvenir de l'Europe. Joseph dit qu'il n'aime pas le son des cloches, mais je crois tout simplement qu'il n'aime pas les églises.)

Nous sommes donc allés chez Dan en voiture. Il habite une rue populaire où toutes les boutiques restent ouvertes le dimanche. Ce coin de Vienne ressemble aux quartiers pauvres de l'East Side. On y vend toutes sortes de tissus en gros et au détail. Assis dans l'encadrement de la porte, des hommes prennent une voix cajoleuse pour vous attirer et vous faire acheter. Hormis l'absence de charrettes à bras le long de la chaussée, le décor rappelle tout à fait les rues du bas d'East Side, en plus calme et plus ordonné. Mais les gens vivent de la même façon au-dessus des boutiques.

L'appartement de Dan est sombre et encombré. On a l'impression que les meubles sont trop grands pour les pièces. Dena doit avoir bien des difficultés à entretenir sa maison avec tous ses enfants, d'autant que son père habite avec eux. Très vieux, vêtu d'un long manteau noir et portant des papillotes, on dirait davantage son grand-père.

Eduard a passé plus d'une heure avec nous. Dena a servi du café et des gâteaux. A Vienne, les gens semblent vraiment vivre de café et de gâteaux, ce qui est à la fois, je dois l'avouer, délicieux et très nourrissant... (Hier, Eduard nous a emmenés chez Demel pour goûter les pâtisseries et nous nous sommes régalés.) Dan, Eli et moi nous sommes mis à évoquer nos souvenirs d'enfance. Au lieu d'être triste et nostalgique comme je m'y attendais, cette conversation fut chaleureuse et agréable. Joseph et Dena nous écoutaient, apparemment heureux pour nous. Joseph, qui a souffert d'être enfant unique, aime bien me voir en compagnie de mes frères. Dena a trois sœurs, mais elles vivent toutes en Allemagne si bien qu'elle ne les a pas vues depuis des années.

« Ce n'est pourtant pas loin ! » ai-je dit, réflexion idiote que j'ai regrettée lorsque Dan a expliqué : « Voyager coûte très cher, Anna. » Tandis que Dena ajoutait : « La vie n'est pas très facile pour nous ici, mais c'est pire encore en Allemagne. Là-bas, beaucoup de gens meurent de faim. »

« Les affaires sont en pleine croissance en Amérique, a dit Joseph. Tout le monde y a sa chance. Avez-vous jamais envisagé de venir, Dan ? »

Dan a répondu qu'il n'y avait pas pensé, qu'il se débrouillait assez bien et que l'Autriche était devenue son pays, à présent. Il n'avait pas envie de changer à nouveau et de partir à l'aventure. Puis d'ajouter, non sans une certaine aigreur : « J'ai remarqué que vous n'avez pas fait cette proposition à mon frère. »

Tandis que Joseph, troublé, restait sans rien dire, Eduard répondait très simplement : « Moi, j'ai eu beaucoup de chance. »

Dans cet appartement, j'ai découvert un autre Eduard, qui parlait yiddish avec le père de Dena et plaisantait joyeusement. Quand il a fini par annoncer qu'il devait nous quitter bien qu'il n'en ait nulle envie, nous savions qu'il était sincère.

Dan aussi était différent chez lui. Nous avons fort bien dîné : une soupe délicieuse, puis du poulet et des croquettes servis sur un plat posé au milieu de la table.

« Sans statues de la désolation qui restent plantées autour de la table, comme chez Eduard, on peut discuter et rester naturel », a fait remarquer Dan. Il parlait sans jalousie, mais je me suis néanmoins abstenue de lui dire que nous aussi avions du personnel à la maison, bien que notre Ellen et notre Margaret ne soient ni raides ni guindées comme les domestiques employées par Eduard.

J'ai demandé à Dan comment Eduard avait rencontré sa femme.

« Die Gräfin, la comtesse ? », a-t-il répliqué. Comme Dena lui reprochait cette remarque désobligeante, il précisa : « Eh bien, je ne peux m'empêcher de l'appeler ainsi. Oh, elle n'est pas vraiment méchante, mais elle n'est pas comme nous. Comment l'a-t-il rencontrée ? Vous savez que la guerre a fait de lui un héros. Il a donc été invité à l'une des soirées mondaines que les riches se plaisent à organiser et c'est ainsi qu'ils se sont rencontrés. Je sais qu'au début le père de Tessa n'était pas ravi mais, au bout d'un certain temps, il n'a plus juré que par Eduard au point de l'inclure dans l'affaire familiale. La famille de Tessa possède de très nombreuses relations dans le textile, la banque et le gouvernement. Voilà toute l'histoire. »

Après le dîner, il faisait encore jour et, pendant que j'aidais Dena à débarrasser, Dan et Joseph sont allés se promener. Joseph étant dans le bâtiment, Dan voulait lui montrer quelque chose. Ils restèrent partis plus d'une heure et revinrent d'excellente humeur, après avoir visité une école construite au XVIIe siècle dont les murs avaient plus d'un mètre d'épaisseur et qui servait encore.

Nous nous entendons si bien que je regrette beaucoup que nous soyons obligés de vivre séparés comme des étrangers ! Quand nous sommes partis, Dena m'a serrée dans ses bras en me disant exactement la même chose.

Le 4 juillet

Nous sommes aujourd'hui le 4 juillet. D'habitude, nous sommes à la plage pour voir le feu d'artifice tiré au-dessus de l'eau. Iris le verra chez Ruth cette année. Ce spectacle la met toujours en joie. Je me souviendrai toujours de mon premier feu d'artifice, le 4 juillet où nous étions allés à Coney Island, juste avant la naissance de Maury. Je me sens loin de l'Amérique, loin de mon pays.

Le 6 juillet

Je dois dire que Tessa s'est montrée très gentille avec moi. Elle m'a emmenée cet après-midi faire des courses et nous avons dû entrer dans presque tous les magasins de Graben et Kärtnerstrasse. Je me suis offert un sac en tapisserie au petit point, j'ai acheté des cadeaux et un magnifique service à thé en porcelaine. J'ai dit à Tessa qu'étant donné sa valeur, je serai obligée de le laver moi-même, car je ne pourrai faire confiance à personne d'autre.

« Oh, oui, me répondit-elle, je comprends. Moi, je n'ai pas ce genre de problème avec Trudl qui a quitté la maison de mes parents pour me suivre quand je me suis mariée. Elle prend grand soin de toutes mes affaires comme si elles lui appartenaient. »

Il doit être agréable de posséder autant d'assurance que Tessa. Je ne la crois pas délibérément arrogante. Peut-être nous méprenons-nous à son sujet ? Et si nous lui enviions simplement cette belle assurance ? En tout cas, je suis contente d'avoir suivi le conseil de Joseph me demandant de prendre des toilettes habillées. Les femmes de Vienne sont vraiment très élégantes.

J'ai acheté une montre-bracelet en or pour Joseph. Les montres valent ici moins cher qu'aux Etats-Unis, bien que le prix reste élevé. J'ai économisé en grande partie sur l'argent du ménage. Je n'avais pas d'autre possibilité d'offrir quelque chose de vraiment beau à Joseph, car il ne veut jamais rien s'acheter pour lui-même. Je ne la lui montrerai pas avant d'être sur le bateau, sinon il voudra que je la rapporte.

Tessa est venue prendre le café avec moi au Sacher. Joseph m'attendait quand nous sommes entrées avec nos paquets. Il était ravi que j'aie fait des achats.

« Attendez qu'elle soit à Paris ! » a dit Joseph à l'intention de Tessa qui répliqua que Paris nous plairait certainement, puisque nous n'y étions jamais allés, mais que personnellement, elle n'y trouvait plus beaucoup d'intérêt. Autrefois, ses parents l'emmenaient chaque année à Paris pour faire des achats et, chaque année, sa mère disait que c'était la dernière fois parce qu'à Vienne la façon était nettement supérieure.

J'ai noté la moue amusée de Joseph qui s'est pourtant abstenu de tout commentaire, ce dont je lui sais gré

Le 9 juillet

Ce soir, Eduard et Tessa ont organisé une grande soirée en notre honneur. C'était splendide et j'ai compris pourquoi Dena et Dan avaient décliné l'invitation. Dena n'a certainement pas de robe de soirée. Il y avait là toutes sortes de gens, des musiciens, des politiciens et même un couple dont le patronyme commençait par « Von », ce qui, selon Joseph, signifie qu'ils ne travaillent pas parce que d'autres, il y a quelques centaines d'années, avaient travaillé ou volé pour eux ! Néanmoins, je suis sortie ravie de cette soirée, me demandant si j'en verrais jamais d'autre aussi brillante, et quand.

Après le dîner, nous sommes allés dans l'un des salons où avaient été installées des rangées de chaises dorées. Là, nous avons entendu des œuvres pour quatuor à cordes et pour piano dont la plupart étaient de Mozart. J'ai vu que Joseph n'appréciait pas. Lui n'aime que Tchaïkovski qui, selon l'un de mes professeurs d'histoire de la musique, se contente de faire appel à la sensiblerie.

Après le concert, tout le monde est sorti dans le jardin et Eduard — qui me fait terriblement penser à Maury — m'a présenté un homme qui s'est incliné pour me faire un baisemain. Quand Eduard s'est éloigné, ce monsieur, très beau de sa personne, m'a demandé dans un anglais parfait ce que j'avais vu de Vienne. Je lui ai raconté que nous étions allés cet après-midi dans la forêt de Vienne.

« Ah, vous connaissez donc l'histoire de Marie Vetsera et du Prince héritier ? »

Je savais vaguement qu'il y avait eu entre eux une histoire d'amour, mais j'ignorais qu'il était marié, qu'elle attendait un enfant et qu'ils s'étaient donné tous deux la mort.

« Eh bien, que pensez-vous de cette romantique histoire ? » me demanda-t-il après me l'avoir contée.

J'ai répondu que je la trouvais plus sordide que romantique.

« Ah, vous, les Américains, vous êtes tellement à la fois naïfs et moralistes, s'exclama-t-il. Il doit être amusant de prendre une femme innocente comme vous l'êtes, afin de lui enseigner un certain nombre de vérités. »

Ce genre de situation ne m'était pas inconnu. Les mots utilisés et l'accent pouvaient connaître des variantes, mais les yeux reflétaient la même question : « Est-ce que vous ?... Voulez-vous ?... » Et j'ai su adresser un regard qui signifiait clairement : « Je ne veux absolument pas. » Dieu merci, je ne suis pas aussi innocente qu'il se plaît à le croire.

Je ne sais si je dois me sentir insultée ou flattée par ce genre d'hommage. Peut-être les deux à la fois.

Le 12 juillet

Notre dernier soir à Vienne. Nous avons invité tout le monde à dîner à l'hôtel. Joseph avait commandé un somptueux repas avec la célèbre Sachertorte pour le dessert. Il chargea le sommelier de choisir lui-même les meilleurs vins, vu qu'il était américain et n'avait strictement aucune connaissance en la matière. J'ai toujours admiré la franchise de Joseph et son humilité.

Ce dîner fut à la fois joyeux et triste. Nous partons demain de bonne heure pour Paris et nous leur avons demandé de ne pas nous accompagner, car il sera moins dur pour nous tous de nous dire au revoir ici. Nous nous sommes donc quittés sur une série de promesses de visites mutuelles — qu'aucun de nous certainement ne tiendra. Mon petit Dan... mon petit Eli... Après leur départ, nous sommes montés dans la chambre et je me suis allongée sur le lit. Joseph est venu à côté de moi, il m'a pris la main. Après un long silence, il m'a dit qu'il avait demandé à Dan s'il pouvait faire quoi que ce soit pour lui mais que Dan lui avait répondu négativement. Ce qui ne l'a pas empêché de placer de l'argent sur un compte en banque au nom de Dan qui n'en serait avisé qu'après notre départ. J'ai pleuré des larmes de reconnaissance devant la bonté que mon mari témoignait à mon frère.

Le 22 juillet

Nous sommes à Paris depuis près d'une semaine. J'étais trop fatiguée, trop occupée, trop émerveillée pour écrire un seul mot avant aujourd'hui. Nous avons vu les principales richesses touristiques de cette ville, mon « chandelier de cristal ». Aujourd'hui nous sommes montés en haut de la Tour Eiffel, visite que nous avions réservée pour la fin de notre séjour.

De là-haut, on aperçoit des blocs d'immeubles de pierre blanche, des places et des rues bordées d'arbres. Les stores des fenêtres sont uniformément orange foncé. J'ai dit à Joseph que je voulais prendre le temps de bien regarder, afin de me souvenir à jamais de cette vue de Paris.

« Nous avons rendez-vous à trois heures », m'a-t-il annoncé en prenant des airs mystérieux. J'ai insisté pour en savoir davantage. Il n'y avait en fait, aucun rendez-vous, mais Joseph avait décidé de m'emmener chez un grand couturier. J'ai répliqué qu'ici les vêtements étaient beaucoup trop chers et que je n'avais besoin de rien. Qu'aucune des personnes que nous connaissions ne portait de vêtements achetés à Paris. Mais il a insisté et nous y sommes allés. Il avait dû trouver l'adresse dans un journal de mode oublié dans le hall de l'hôtel.

Je possède à présent un très bel ensemble bleu marine que je porterai longtemps avant qu'il ne soit usé, ainsi qu'une robe du soir rose pâle, la plus belle que j'aie jamais eue. Elle bouge avec moi quand je marche et tombe en plis majestueux qui me font ressembler à une statue grecque lorsque je suis immobile.

Joseph a dit qu'à sa connaissance, le rose n'allait pas aux rousses. La vendeuse, assez hautaine et tout de noir vêtue, lui a répliqué : « Au contraire, monsieur, le rose représente pour elles une harmonie particulièrement subtile. Mais vous permettez, madame ? Pas tant de bracelets. Et ne mélangez jamais les bijoux de pacotille et les vrais bijoux. Trop de bijoux, c'est comme une pièce encombrée de trop de meubles », a-t-elle ajouté.

En parlant de meubles, j'aimerais vraiment, à notre retour, éliminer ces meubles trop luxueux que nous possédons. Maintenant que j'ai vu d'authentiques ameublements français, je me rends compte que nos meubles ne sont que de pompeuses et prétentieuses imitations. Je me demande si Joseph voudra bien que je m'en débarrasse.

En rentrant à l'hôtel, j'ai remercié Joseph pour ces vêtements vraiment très coûteux. Il m'a dit : « Tu pourras porter la robe rose au mariage du fils de Solly l'hiver prochain. Tu seras plus belle que toutes ces femmes avec leurs perles et leurs franges. »

Le mariage doit avoir lieu à Brooklyn. J'ai fait la connaissance de la future mariée chez Ruth. C'est une fille charmante. Ma robe rose sera parfaitement déplacée à ce mariage mais l'ostentation ne déplaît pas à Joseph.

Le 23 juillet

Je prends plaisir à écouter les gens parler français dans les magasins et dans les rues. C'est une langue légère et mélodieuse qui évoque pour moi le bruissement du taffetas. J'aimerais beaucoup parler français. Un autre de mes nombreux souhaits !

Le 4 août

Nous voici revenus de notre visite des châteaux de la Loire. Je ne trouve ni le temps ni les mots pour décrire ce que nous avons vu. Ce fut un véritable enchantement. Pendant ces deux semaines, le couturier s'est hâté de terminer mes toilettes et Joseph a pris un rendez-vous chez un peintre pour faire faire mon portrait. Un Américain rencontré dans un hôtel lui a donné le nom d'un artiste, et il semble que « tout le monde » s'adresse à ce dernier pour faire faire son portrait. Je poserai vêtue de ma robe rose. Je me sens assez ridicule, mais Joseph se montre tellement enthousiaste que je ne saurais pas refuser. Le tableau sera achevé et encadré après notre départ. On nous l'enverra.

Le 11 août

L'artiste a terminé les premières esquisses du portrait. Le visage est achevé, le reste seulement ébauché, mais l'on peut se faire une idée de ce que sera le tableau définitif. Il est incontestablement ressemblant et l'on me reconnaît sans problème. Mais la perspective d'être fixée pour la postérité dans cette robe me semble totalement ridicule, surtout lorsque je me revois cousant des pantalons chez Ruth, enroulant des étoffes, époussetant les comptoirs chez l'Oncle Meyer, ou traversant le fleuve pour aller chercher des œufs chez Pretty Leah. Même s'il s'agit d'une époque que j'essaie d'oublier.

Le 12 août

Demain nous prenons le train qui nous conduira jusqu'au bateau. Au revoir, l'Europe !

Le voyage de retour est différent, empreint d'une légère tristesse. Je sais que nous ne reviendrons pas en Europe avant très longtemps, si nous revenons un jour. Pourtant, j'ai hâte d'être arrivée. Maury a grandi tellement vite l'année dernière. Je me demande s'il sera encore plus grand à mon retour ? Bien que Ruth m'ait affirmé qu'Iris allait bien, je me pose des questions. Et si Ruth avait fait en sorte de ne pas nous inquiéter pour ne pas gâcher nos vacances ? A moins qu'Iris ne donne l'impression d'aller bien et d'être heureuse, tout en étant terriblement triste en son for intérieur. Elle sait dissimuler ses sentiments. Parfois, j'ai l'impression de parfaitement connaître ma fille, et à d'autres moments, de ne rien savoir d'elle. Je crois que Maury est facile à comprendre, mais je peux me bercer d'illusions. Joseph prétend que je me tracasse trop pour eux.

Le 15 août

Nos voisins de table sont plus agréables qu'à l'aller, ou plutôt, devrais-je dire, plus proches de nous et, par conséquent, d'un contact plus facile. L'une des femmes, une certaine Mme Quinn, me rappelle Mary Malone. Même peau blanche et fine, avec ces ravissants yeux ronds qu'ont souvent les Irlandaises. Son mari travaille dans une entreprise de matériel automobile. Lui et Joseph ont parlé de l'achat éventuel d'un terrain. J'ai demandé à Joseph s'il ne pouvait jamais oublier son travail, d'autant plus que nous serons très bientôt à la maison.

Le 16 août

Un couple très étrange est installé à la table voisine. Les femmes de notre table ne cessent de les regarder. Lui est très âgé. Encore svelte, il est élégamment vêtu et arbore des cheveux blancs très soignés. Mais sa peau est toute parcheminée. Il doit bien avoir quatre-vingts ans. Or la frêle jeune fille qui l'accompagne paraît ne pas avoir vingt ans bien qu'elle soit probablement plus vieille. On pourrait croire qu'il voyage avec sa petite-fille, mais ils sont mari et femme !

Après le dîner, nous les avons revus dans l'un des salons. Ils écoutaient un jeune chanteur qui chantait une chanson très romantique en espagnol ou peut-être en italien. La musique était très belle, passionnée, probablement imitée de Schubert. Je regardais cette jeune femme et je m'interrogeais sur ce qu'elle pouvait ressentir en écoutant ce jeune chanteur.

J'en ai parlé à Joseph qui m'a répondu : « Qu'est-ce que tu crois ? C'est une putain ! Certaines femmes feraient n'importe quoi pour l'argent ! »

Je ne crois pas qu'il s'agisse d'intérêt bassement matériel. Nous ne savons rien de leur histoire. Joseph dit que je suis trop indulgente, que je cherche toujours à excuser les autres. Moi, je pense qu'il voit les choses de façon simpliste.

Le 18 août

Dans un jour, nous serons à New York. Je suis debout à la proue du paquebot : un vent pur rafraîchit mon visage. Puis je vais à la poupe où je regarde le grand « V » écumant et argenté sur le fond vert des flots, notre sillage. Je sais que, demain, quand nous approcherons de la terre, les mouettes suivront le bateau. On m'a dit qu'elles attendent que l'on déverse les ordures. Plus poétiquement, je préfère penser qu'elles viennent nous souhaiter la bienvenue. Oh, je suis vraiment d'un romantisme incorrigible !

Je me suis réveillée ce matin en songeant qu'un seul jour de voyage nous séparait des enfants. Je ne peux plus attendre. Je voudrais pousser le bateau. Puis une autre pensée est remontée à la surface, je me suis rendu compte que, pendant tout le temps de ce voyage, j'avais oublié — ou du moins rayé de mes pensées (comment est-ce possible ?) — ce qui habituellement habite mon esprit. Pensée quotidienne omniprésente, même si je n'en ai pas constamment conscience, comme une présence dissimulée derrière un rideau, qui attend. Aujourd'hui, elle est revenue de derrière le rideau.

Le jour de l'Expiation, on demande à Dieu de nous pardonner les péchés commis contre Lui. Ceux que l'on a commis envers les hommes ne peuvent être pardonnés que par ceux envers qui on les a commis. Or, et c'est là mon dilemme, comment une personne pourrait-elle accorder son pardon pour une faute dont elle ignore l'existence ? Et l'aveu constituerait un second péché dans la mesure où il entraînerait tout un cortège de souffrances inutiles. Et puis, de toute façon, si cette personne savait, elle ne pardonnerait pas. Jamais.

Ma tête me fait mal. Cet homme, ce prêtre d'une autre religion, avait raison lorsqu'il disait que j'expierais, chaque jour de ma vie.

Le 19 août

Nous venons de traverser *The Narrows* [1]. Nos bagages sont sur le pont principal et je suis redescendue précipitamment dans notre cabine pour m'assurer que nous n'avions rien oublié. Joseph est resté appuyé à la rambarde, car il ne veut pas manquer la statue de la Liberté. Quand j'étais à côté de lui — juste avant de

1. Chenal situé entre Lower Bay et Upper Bay et séparant Staten Island de Long Island.

redescendre — il a passé son bras autour de mon épaule pour me demander si j'étais contente de retrouver la maison et si ce voyage avait été à la hauteur de mes espérances. Bien sûr, la réponse est « oui », deux fois, et je le lui ai dit. « Nous sommes vraiment gâtés par la vie », a-t-il conclu, justement. Moi, je n'en mérite pas tant.

16

La première semaine du mois de septembre 1929, New York se réveilla de sa torpeur estivale. Les citadins avaient repris le chemin de l'école, du bureau, de la ville et les rues regorgeaient à nouveau de badauds et de gens faisant leurs courses. Les vitrines de la 5e Avenue attiraient une foule de femmes venues voir les derniers modèles de Paris : on ne faisait plus de tailles basses et les jupes descendaient résolument jusqu'à mi-mollet. Le bois-de-rose était la couleur de l'année et le brocart était de rigueur pour les sorties au théâtre. Les bureaux de location étaient du reste pris d'assaut et les places pour les revues à grand spectacle étaient toutes louées des mois à l'avance. Le fracas des marteaux et des grues rythmait l'animation frénétique des avenues, les tours s'élevaient, agrémentées de creux et de terrasses, offrant des façades en verre scintillantes conformes au nouveau style de Le Corbusier. Le cours des actions, qui était à la fois la cause et la conséquence de cette incroyable activité, n'avait jamais connu une telle hausse.

Le 3 septembre, une seule action de la Montgomery Ward, achetée cent trente-deux dollars l'année précédente, en cotait cent soixante-six. Une action de la Radio Corporation of America, acquise pour quatre-vingt-quatorze dollars et demi, se négociait cinq cent cinq dollars. Une foule d'individus possédait des milliers d'actions comme celles-ci. On pouvait, en effet, se porter acquéreur avec une mise initiale de dix pour cent de la valeur d'achat en empruntant le reste au broker.

Le 4 septembre, se produisit une légère baisse qui passa presque inaperçue. Le 5 septembre, le *New York Times* rapporta une chute de dix points, sur laquelle on ne s'appesantit pas davantage, bien que le journaliste financier, Roger Babson, ait écrit que l'essor touchait à sa fin et qu'une crise s'annonçait. Mais on le prit pour un alarmiste doublé d'un cinglé. Tout le monde savait que même une croissance vertigineuse ne pouvait se concevoir sans quelque ralentissement. De légers fléchissements sans conséquence étaient inévitables avant une nouvelle flambée des cours.

Mais au début de la semaine du 21 au 27 octobre, la baisse s'était considérablement accentuée et les brokers commencèrent à réclamer des couvertures[1]. Leurs débiteurs ne disposant pas de liquidités — ce qui paraît logique —, un mécanisme de vente massive des actions se mit en route. Le jeudi 24 octobre, les valeurs boursières s'effondrèrent comme un château de cartes. Des millions de titres furent jetés sur le marché dans un chaos assourdissant, tandis qu'à l'extérieur, en ce fameux « jeudi noir », à l'angle de Broad Street et de Wall Street, une foule à la fois abasourdie et curieuse s'était assemblée, parlant à voix basse. Personne n'acceptait de croire au désastre. Quelque chose allait certainement se passer qui allait redresser la situation.

Les choses continuèrent de la sorte pendant cinq jours, jusqu'au mardi 29 où une panique totale entraîna une baisse plus vertigineuse que jamais des cours. Durant ces derniers jours d'octobre, le cours des actions de la General Electric, l'une des valeurs les plus sûres du pays, accusa une baisse de quarante-huit points. Et l'on ne savait pas à l'époque que les cours allaient descendre encore plus bas. Les gens ignoraient qu'en 1932, United States Steel tomberait à vingt et un et General Motors à sept.

L'auraient-ils su que cela n'aurait rien changé : ils étaient déjà ruinés.

Dans les mois qui suivirent, les gratte-ciel cessèrent de s'élever vers le ciel et il devint clair que leur édification reposait sur les papiers de Wall Street. Le fracas rassurant et prometteur des machines se tut, et les enfants qui naquirent cette année-là quitteraient l'école avant qu'il ne reprenne.

Tout demeurait en suspens, semblant attendre Joseph. Dans ses rêves nocturnes et ses visions éveillées, il voyait une grappe de visages blêmes au regard interrogateur, tous tournés vers lui. On attendait sa réponse.

Tout avait commencé avec ce pauvre Malone pendant la semaine du 21 octobre. Joseph ignorait que Malone avait placé tout son argent dans des actions. Lui-même n'en avait jamais possédé beaucoup. La terre l'intéressait en priorité. De toute façon, il avait vendu toutes les actions qu'il possédait avant de partir en Europe, en vertu du principe selon lequel personne ne pouvait mieux que lui-même s'occuper de ses affaires.

Quand le broker téléphona, Malone se trouvait encore en Irlande. Il lui fallait au moins cent mille dollars, faute de quoi il se verrait dans l'obligation de tout vendre.

« Laissez-moi deux jours, supplia Joseph. Je vais essayer de le joindre d'une manière ou d'une autre. » Il se demandait où Malone pourrait bien trouver une telle somme.

Joseph essaya le téléphone transatlantique et, au bout de plusieurs heures, parvint à obtenir une communication qui se brouil-

1. Garantie donnée pour le paiement d'une dette.

lait régulièrement. Depuis un hôtel de Wexford, une voix métallique lui répondit que M. et Mme Malone avaient loué une voiture pour aller rendre visite à des parents qui habitaient à la campagne. Ils n'avaient laissé aucune adresse et ne reviendraient certainement pas à l'hôtel.

Ils ne devaient pas embarquer pour le retour avant une semaine et, quand bien même Joseph parviendrait à les joindre à ce moment-là, il serait de toute façon trop tard.

Joseph alla se coucher hanté par le désastre qui frappait son ami.

Le lendemain matin, il fut réveillé par la sonnerie du téléphone. Solly s'excusa de l'appeler à une heure aussi matinale, mais il n'avait pas dormi de la nuit et appelait Joseph en tout dernier ressort. Pouvait-il lui prêter aujourd'hui quarante-cinq mille dollars ?

C'est que cela représentait une sacrée somme.

Oui, Solly s'en rendait compte, mais les valeurs de ses actions sombraient et il devait fournir une couverture à son broker ce matin à onze heures.

Mon Dieu, quelle terrible chose !

Oui, c'était terrible. D'autant qu'il ne possédait absolument rien d'autre que ces actions et une assurance-vie.

A en juger par leur train de vie, Joseph avait imaginé que Solly possédait plus de biens.

Mais Solly lui assura que cette situation n'était que temporaire. Il avait l'intuition que les cours remonteraient dans un mois ou deux. Si donc Joseph pouvait le dépanner momentanément, il attendrait que les cours remontent et vendrait alors aussitôt des actions pour le rembourser.

Il s'agissait vraiment d'une somme énorme, répétait Joseph, à court d'argument et ne sachant de quelle autre façon lui expliquer qu'il ne risquerait pas une telle somme d'argent sur la seule foi d'une intuition de Solly ; que s'il devait prendre un tel risque, ce serait pour Malone.

Solly paierait très volontiers des intérêts si c'était cela que Joseph voulait.

Non, la question n'était pas là : il ne désirait certainement pas faire des bénéfices sur le dos de quelqu'un qu'il connaissait et aimait autant que Solly. Seulement, il ne pouvait pas se permettre d'impliquer sa famille dans une affaire aussi hasardeuse et espérait que Solly comprendrait ce souci. Il souhaiterait sincèrement pouvoir lui être utile. Solly avait-il vraiment tout essayé — les banques, les prêteurs professionnels ?... La voix de Joseph faiblit.

Oui, Solly avait tout essayé et Joseph représentait son ultime espoir. Ce refus était-il son dernier mot ?

Oui, et Joseph était vraiment désolé. Solly ne saurait jamais à quel point.

Car ce fut leur dernière conversation. A cinq heures de l'après-midi, Solly était mort.

Quand Joseph rentra du bureau en voiture, il se trouva que Tim emprunta la rue où habitait Solly ; laquelle s'avéra embouteillée par des voitures de police et un attroupement. Il se pencha par la fenêtre et questionna un badaud sur ce qui se passait.

— Un homme s'est jeté par la fenêtre, répondit ce dernier

Joseph sut que cet homme était Solly.

Arrivé chez lui, il alla au téléphone et appela chez Solly Une voix inconnue répondit, une voisine peut-être ?

— Est-ce que quelque chose... est-ce que tout va bien demanda-t-il.

— Non, répondit la femme d'une voix étouffée par les sanglots Oh, mon Dieu, Solly s'est tué !...

Il reposa doucement l'écouteur et attendit un moment avant d'aller prévenir Anna. Pendant les jours qui suivirent, ils s'occupe-rent de Ruth. Elle arborait un tel calme que l'on se demandait si elle n'était pas morte en même temps que lui. Beaucoup de monde venait la voir, mal à l'aise, le visage bouleversé. Ces visiteurs ne savaient pas quoi lui dire. Ils la prenaient dans leurs bras, posaient leurs joues sur son visage, puis ils passaient dans la salle à manger où des voisins avaient disposé une fontaine à café et des assiettes garnies de fruits, de sandwichs et de gâteaux, parce que la vie devait bien suivre son cours...

Certains ne cessaient de répéter : « Je crois que pour le moment elle ne réalise pas. » D'autres leur répondaient : « Dans une semaine, dans un mois, elle se rendra vraiment compte de ce qui est arrivé. »

En attendant, Ruth était assise dans la salle de séjour, dans le fauteuil de Solly. Le cierge de deuil brûlait sur un chandelier posé sur le piano que drapait depuis peu un châle espagnol que Joseph et Anna avaient rapporté de leur voyage en Europe. Un grand châle de soie noire à fleurs, bordé de franges, un objet clinquant dont Ruth avait très envie. A présent, elle étirait sa main osseuse, presque transparente, devant la flamme du cierge.

— Vide, vide, disait-elle, avant de replonger dans le silence.

Joseph se réveilla en sursaut. Il savait qu'il venait de rêver, mais le temps de se réveiller, le rêve s'était envolé. Il se souvenait seulement qu'il se trouvait au quatorzième étage, debout ou agenouillé, et qu'en bas, en dessous de lui, les toits sombres des voitures grouillaient comme des cafards. Le vent lui giflait le visage. Non, ce n'était pas son visage, mais celui de Solly. Etait-ce Solly ou Joseph, qui, debout sur le rebord de cette fenêtre, et fou de terreur, voulait reculer à la dernière seconde ? Trop tard, il était trop tard. Plus rien à quoi se raccrocher. Etait-ce Solly ou Joseph ? La chaussée qui semblait se soulever... les hurlements... Solly ou Joseph ?

Puis il sentit une main sur son épaule. Anna.

— Calme-toi, tu rêvais, Joseph. Ce n'est rien.

Il s'inquiétait aussi pour Malone. Ce dernier restait assis dans son bureau, abattu, téléphone débranché. Il avait dû perdre quinze kilos. Son embonpoint jovial avait disparu et sa peau distendue plissait dans le cou.

Un jour, Joseph entra et le surprit qui regardait fixement par la fenêtre. Quand Malone tourna son visage, Joseph découvrit qu'il avait pleuré et voulut s'éclipser discrètement mais Malone lui dit

— Pourquoi n'ai-je pas prévu que tout ce qui monte doit un jour descendre ? Dis-moi, pourquoi n'ai-je pas prévu ?

— Tu as des amis autour de toi, dit Joseph qui ne trouva rien de mieux à lui répondre.

Il s'inquiétait pour un immeuble qui était sur le point d'être achevé, mais Malone n'était pas en état de discuter du problème. Aussi appela-t-il son conseiller juridique qui lui apprit que leur banque ne pourrait peut-être pas effectuer le dernier versement du crédit de construction. Trois grandes banques avaient déjà fait faillite et, vu la façon dont les gens faisaient la queue aux guichets des banques pour retirer leurs dépôts, même une banque solide n'était pas à l'abri de la banqueroute. Qu'allait-il se passer si la leur flanchait ? Comment finiraient-ils leurs travaux ?

Il décida d'avoir un entretien avec le directeur de la banque dès demain matin. Il irait en personne plutôt que de téléphoner et s'efforcerait de manœuvrer avec un maximum de prudence. Il ne s'agissait pas d'entrer en disant que le bruit courait que cette banque pourrait bien couler aussi.

Le lendemain à dix heures, quand il arriva devant la banque, une foule de gens s'était amassée sur le trottoir. Des femmes âgées, des hommes en complet, d'autres en bleu de travail, tous se bousculaient à l'entrée. La banque avait fermé ses portes.

Que faire ? Un immeuble de neuf étages avec un appartement de grand standing sur le toit, dans le quartier chic d'East Side, un vrai petit bijou, déjà à moitié loué. Cent mille dollars suffiraient pour terminer les travaux. Joseph n'avait d'autre solution que d'utiliser ses propres fonds. Après tout, il ne faisait ainsi qu'être son propre créancier, raisonna-t-il. Mais, en agissant de la sorte, il épuisait presque tout son capital.

Plongé dans ces sombres pensées, il rentra chez lui pour entendre le récit d'un autre malheur.

— C'est Ruth, dit Anna. Nous pensions qu'elle toucherait l'assurance de Solly. Mais il semble qu'elle ait signé des papiers cédant ses droits au moment où Solly empruntait de l'argent pour sauver ses actions. Maintenant, on lui dit qu'elle n'a plus droit à rien. Joseph, elle n'a pas un centime ! Elle est dans cet appartement sans un sou en poche !

Sa tête était plus lourde que jamais. « Je veux qu'on me laisse tranquille ! » pensa-t-il. Puis il se souvint que Solly lui avait appris à nager, que Ruth était venue aider Anna à la naissance de chaque enfant et que tous les deux s'étaient très gentiment occupés d'Iris pendant l'été, il y a quelques mois seulement.

— Renseigne-toi sur ce dont elle a besoin, dit-il. Ils ont été très bons pour nous, Anna, je ne l'oublie pas.

Vint l'hiver et d'importantes chutes de neige avec lui. La municipalité informa qu'elle embauchait des hommes pour déblayer les rues. De longues queues se formèrent avant le lever du jour On y voyait des hommes d'un certain âge, vêtus de costumes faits sur mesure et de pardessus à col de velours. Dans toute la ville, on faisait la queue. Pour le pain, pour la soupe... Joseph les voyait en passant en voiture. Un jour, il aperçut un visage connu et détourna aussitôt la tête pour que l'homme ne sût pas qu'il avait été surpris.

Le désastre avait fait tache d'huile à une vitesse fantastique Assis derrière Tim, dans sa confortable voiture, il rentrait chez lui où l'attendait un repas copieux et une douce chaleur. Lui ne ressemblait pas à ces pauvres diables qui se pressaient dans des files d'attente. Et pourtant l'angoisse était là qui le tenaillait Sans cesse.

L'immeuble neuf, le fameux petit joyau, ne trouvait pas de locataires. Et l'appartement sur le toit avait finalement été loué pour moitié moins cher que ce qu'ils escomptaient. Le grand magasin de Madison Avenue qui avait un bail de quatre-vingt-dix neuf ans avait fait faillite. Un grand nombre d'entrepôts dans le quartier des fourreurs restaient inoccupés. Les deux meilleurs immeubles sur West Central Park se vidaient de leurs locataires, mais les intérêts à rembourser, les impôts et les frais d'entretien demeuraient. Joseph avait épuisé tous ses fonds personnels pour payer ces derniers. Malone était évidemment incapable de contribuer. Combien de temps allait durer cette crise, quel que soit le nom qu'on lui donne ? Combien de temps allait-il pouvoir tenir ?

Et pas de travail en vue.

Pendant ses nuits d'insomnie, il dialoguait avec lui-même.

« Du vent ! » disait-il indigné. Ils disent que tout cela n'était que « du vent » ! Mais quand je passe devant ces immeubles de quinze étages avec portiers en uniforme en faction à la porte, je sais tout de leur construction. Je connais la longueur des tuyaux de cuivre, la qualité du bois des parquets, le nombre des glaces dans le vestibule. Et vous prétendez que tout cela n'est que du vent ?

J'ai construit sur des promesses, voilà ce qu'ils veulent dire.

Des promesses ? Vous voulez dire des hypothèques sans doute, des cautions. Mais de telles constructions coûtent des millions, quel homme ou quel groupe d'hommes pourrait les construire sans emprunter ?

C'est vrai.

Nous avons toujours remboursé, n'est-ce pas ? De plus, il nous restait suffisamment d'argent pour vivre dans l'opulence.

Vous remboursez tant que d'autres vous paient.

Vous parlez des loyers ?

Bien sûr

Bien sûr.

Mais que se passera-t-il le jour où les gens ne paieront plus de loyer ?

Ils paieront Ils ne peuvent pas trouver de meilleur endroit pour se loger

Mais quand ils perdront leur emploi, que feront-ils ?

Je ne sais pas. Croyez-vous que la situation deviendra à ce point catastrophique ?
Elle l'est déjà.
Silence.
Il y a dix millions de chômeurs.
Silence.
Il vous faudra exproprier beaucoup de monde.
Vous voulez dire que je devrai les jeter à la rue, eux et leurs meubles ?
Exactement.
Mais je ne pourrai jamais m'y résoudre. Je ne dormirais plus si je faisais cela à des gens.
Alors vous perdrez vos immeubles, vous perdrez tout.
Et si je les mets dehors, que se passera-t-il ?
Vous perdrez tout de toute façon.

Pourtant, il ne se laissait pas gagner par la panique. Mois après mois, il maintenait ses affaires en ordre, restreignait les dépenses et se débrouillait. Malone et lui quittèrent leur luxueux bureau et licencièrent une grande partie du personnel. Il vendit sa voiture mais garda Tim comme garçon de bureau — bien qu'il n'en eût pas besoin — parce que ce dernier avait deux enfants en bas âge à élever. On donna leur congé aux domestiques et Iris fréquenta une école publique. De toute façon, elle n'était pas heureuse avec cette jeunesse dorée, se dit Joseph, bien conscient qu'il cherchait ainsi à se rassurer. Puis, pour faire face au paiement d'un emprunt pour un immeuble qu'il perdit un peu plus tard, il gagea le solitaire qu'il avait offert à Anna. Quand elle retira la bague de son doigt pour la lui tendre, une profonde amertume envahit Joseph. Elle le pressait de vendre cette bague, mais il refusa farouchement. Il ferait tout ce qui était en son pouvoir pour la lui rendre un jour.

Finalement, ils sauvèrent un petit immeuble sur Washington Heights où ils avaient commencé et, grâce à lui, ils survécurent aux années de famine.

17

— Un homme t'a appelée aujourd'hui au téléphone, annonça Iris à l'intention d'Anna, pendant le dîner J'ai oublié de te le dire
— Qui était-ce ?
— Il n'a pas laissé son nom. J'ai pensé que c'était le teinturier Tu avais dit qu'il appellerait peut-être pour le costume de Papa Mais ce n'était pas lui.
— Iris ! s'écria Anna, viens-en au fait, je t'en prie.
— Voilà ! C'était M. Werner et il a dit qu'il t'appelait au sujet du tableau qu'il t'a envoyé.
— Je croyais qu'il n'avait pas laissé son nom, se moqua Maury.
— Ça, c'était la première fois. La seconde fois, il a dit qui il était.
— Courage, les amis ! D'ici quelques années, cette gamine saura prendre correctement un message, dit Maury
— Werner ? Un tableau ? répéta Joseph.
— Oui, il a dit qu'il avait envoyé un tableau à Maman et comme il n'avait pas de nouvelles, il se demandait si le tableau ne s'était pas perdu en route.
— Oh, je voulais répondre, dit Anna. Seulement, je n'ai pas encore trouvé le temps de le faire. Il m'a effectivement envoyé un tableau après la mort de son père. Il m'a écrit qu'ils divisaient l'appartement et en faisant l'inventaire, lui, Paul Werner, et sa sœur, étaient tombés sur ce portrait. Comme il me ressemblait, ce qui est totalement faux... d'ailleurs il est affreux, ils l'ont euh... il l'a envoyé et ensuite cette histoire m'est complètement sortie de l'esprit. Je n'ai même pas pensé à vous en parler...
Elle se leva et se mit à débarrasser la table
— Café ou thé, ce soir, Joseph ?
— Montre-nous le portrait, Maman ! lui cria Maury depuis l'autre pièce.
— Oui, pourquoi tu ne nous le montres pas ? demanda Joseph quand elle revint de la cuisine

— Vous y tenez vraiment ? Je l'ai fourré quelque part et il va falloir que je fouille partout...

— J'aimerais le voir, insista Joseph.

Iris trouva le comportement de sa mère bizarre.

Anna dressa le portrait contre la table de la salle de séjour. Il s'agissait d'un dessin au pastel dans un cadre ouvragé et doré. Sur une petite plaque, elle aussi dorée, on pouvait lire : « La femme aux cheveux roux » et le nom de l'artiste.

La femme était assise, le corps tout en gracieuses rondeurs. Cheveux roux, foncés, relevés sur le sommet du crâne. Cou mince, légèrement incliné. Les épaules étaient nues, la poitrine suggérée. Le bras reposait sur la cuisse, la main se fondait dans l'ombre... Sur les genoux était posé un tricot en cours. La pelote avait roulé sur le sol.

Iris regarda le nom de l'artiste.

— Mallard, lut-elle. J'ai vu des toiles de lui. Dans un musée, avec notre professeur de dessin. Ce doit être un peintre célèbre !

— Pas d'emballement, s'il te plaît, répliqua sèchement Anna. Il ne s'agit que d'une esquisse. Elle ne vaut sûrement pas une fortune, ne te fais pas d'illusions.

Ni la mesquinerie de la remarque, ni le ton acerbe sur lequel elle avait été prononcée ne ressemblent à Maman, pensa Iris.

Joseph pencha la tête, l'air songeur.

— Il doit avoir une certaine valeur, dit-il. Sinon, pourquoi auraient-ils pris un cadre aussi luxueux ?

Iris remarqua que sa mère se mordait les lèvres.

— J'essaie de trouver la ressemblance, poursuivit Joseph. Rien à voir en tout cas avec le portrait que nous avons fait faire à Paris.

— Certes, dit Maury. Ce dessin est de l'art.

— Ah, tiens, parce que tu t'y connais en matière d'art, maintenant ? répliqua Joseph, vexé.

Ce dialogue amusait Iris. Elle prit son père par le cou.

— Mon petit Papa, c'est toi qui ne connais rien à l'art.

— Possible, grommela Joseph. Mais je sais ce qui me plaît. Ce portrait ne ressemble pas à votre mère. Je ne comprends pas pourquoi ces gens ont trouvé une ressemblance.

— Un dessin n'est pas une photographie, expliqua sérieusement Iris. L'œuvre d'art suggère. C'est ce que nous a expliqué notre professeur de dessin. Il s'agit de mettre la personnalité en lumière, de faire « sentir » la personne.

— Balivernes ! grogna Joseph. Un portrait est ressemblant ou bien il ne l'est pas, voilà tout.

— En fait, déclara Maury, celui-ci ressemble assez à Maman.

— Quoi ! s'écria aussitôt Anna. Avec ce nez pointu et ce cou long comme celui d'une oie ?

— On y retrouve ta personnalité, expliqua Maury. Tu m'étonnes, Maman. Tu es la seule dans cette maison à posséder un minimum de sens artistique et tu ne comprends pas ce que nous voulons dire ?

— Oh, vous commencez à m'ennuyer avec ce portrait ! s'écria Anna. Mais sa voix manquait de naturel.

Iris fut prise d'une soudaine pitié pour sa mère. Sans savoir précisément pourquoi, elle espérait que Maury ne répondrait pas.

— Je ne comprends pas pourquoi tu te mets dans un tel état, Anna, fit remarquer Joseph. Je sais que tu as horreur qu'on te parle des Werner, mais...

— Il ne s'agit absolument pas de cela, l'interrompit Anna en le regardant droit dans les yeux. As-tu l'intention de me rabâcher une fois de plus que j'ai travaillé pour eux et qu'il n'y a pas lieu d'en avoir honte ? Cesse de dire de telles bêtises. Je n'ai jamais rougi de travailler de mes mains.

Joseph soutint son regard.

— Que se passe-t-il, alors ? Pourquoi es-tu tellement en colère ?

— Je ne suis pas en colère. Je n'aime pas ce portrait. Pourquoi faudrait-il qu'il me plaise ? Je n'ai rien demandé, mais il est là et devient un sujet de discorde dans la famille. C'est ridicule, absurde !

— Très bien, n'en parlons plus ! s'exclama Joseph en levant les bras au ciel. Personne ne te demande de l'aimer. Je vais l'accrocher dans mon bureau. Il n'est pas si mal que cela, après tout, et ainsi, tu ne le verras plus.

— Il sera du meilleur effet entre une carte de Manhattan et ton certificat du Bureau des agents immobiliers !

Iris trouvait cette histoire bien bizarre. Son père opérait un revirement radical. Il avait commencé par prétendre que ce dessin ne lui plaisait pas et maintenant il parlait de l'accrocher dans son bureau.

— Bon, d'accord, soupira Joseph. Fais-en ce que tu veux. Quelle importance, finalement ?

— Aucune, et c'est ce que j'essaie de vous faire comprendre depuis le début, déclara Anna.

Iris était en train de se brosser les dents ce soir-là, quand sa mère entra dans la salle de bains.

— Dis-moi, Iris, que t'a dit M. Werner ?

— Je te l'ai dit.

— Il n'a rien ajouté d'autre ?

— Eh bien, quand je lui ai répondu que tu n'étais pas à la maison, il m'a demandé si j'étais la petite fille aux grands yeux. Il m'a dit qu'il se souvenait de m'avoir rencontrée avec toi sur la 5e Avenue.

— Quoi d'autre ?

— Je crois que c'est tout. Ah, oui ! il a fait un commentaire sur mes yeux. Il a dit qu'il se souvenait parfaitement de moi et que mes yeux mangeaient la moitié de mon visage. J'ai trouvé la remarque assez stupide. Ce n'est pas ton avis ?

— Tout à fait stupide, approuva Anna.

Cette fois, ils ne se disputaient pas, remarqua Iris avec satisfaction. Elle avait lutté contre le sommeil, sûre d'entendre des éclats de voix parvenant de la chambre de ses parents. Or il n'en fut rien. Pas comme cette nuit dont elle gardait parfaitement le souvenir, bien qu'il remontât maintenant à quatre ans, après la rencontre entre M. Werner et sa mère. Son père avait été terriblement fâché.

Bien des choses avaient changé depuis. Ils avaient été riches et maintenant ils étaient pauvres. Elle le savait : elle entendait ses parents évoquer à voix basse les factures à payer. Ils ne voulaient pas en parler devant elle ou devant Maury. D'ailleurs, elle les avait même entendus dire que ce serait une honte d'inquiéter les enfants.

Oui, ils avaient suffisamment de problèmes et elle était contente que le calme ne soit pas troublé — encore que ses parents n'aient guère l'habitude de se disputer. Des camarades de classe racontaient que leurs parents se querellaient à longueur de journée. L'une d'elles disait même que ses parents allaient divorcer, ce qui était vraiment terrible.

Une pensée lui traversa l'esprit avant de s'endormir : si seulement il pouvait ne plus jamais être question de M. Werner, qu'il ne les appelle plus jamais !

Le portrait disparut. Iris aperçut un paquet plat, enveloppé dans du papier kraft, tout en haut du placard de l'entrée. Elle pensa qu'il s'agissait probablement du tableau.

Quelques jours plus tard, elle remarqua une lettre, posée sur le bureau de la salle de séjour, à côté d'une enveloppe. La feuille n'était pas pliée, comme si sa mère voulait qu'on la lise. Ce que fit Iris. Il s'agissait d'un mot très bref.

Cher monsieur Werner. Mon mari et moi-même vous remercions pour le portrait. Nous avons été désolés d'apprendre la mort de votre père. Veuillez agréer l'expression de mon respect. Anna Friedman.

Etrange brièveté en vérité, que celle de ce mot griffonné à la hâte sur du mauvais papier blanc, taché de surcroît ! Rien à voir avec les jolies lettres adressées à ses amies, écrites à l'encre noire sur un élégant papier jaune, de son écriture fine et soignée apprise en Europe. Bizarre !

Il avait fallu une semaine à Anna pour retrouver son état normal. Mon Dieu, pensait-elle, il faut qu'il ait perdu la tête pour appeler à la maison et en plus, bavarder avec Iris ! Elle se demandait encore comment elle n'avait pas défailli sous le choc quand la fillette avait parlé du coup de téléphone.

Etonnant aussi que Joseph ait si bien pris la chose ! Elle n'oublierait jamais sa folle jalousie — car c'était bien de cela qu'il s'agissait, même s'il ne voulait pas le reconnaître — lors de la discussion qui les avait opposés à propos de l'enterrement de

Mme Werner. Cette fois, il avait simplement posé quelques questions avant d'accepter, ou de faire mine d'accepter, de croire que ce cadeau n'était rien de plus qu'un geste aimable de la part de Paul Werner et *sa sœur*.

Mais Joseph avait bien changé depuis cinq ans. Il avait perdu cette fermeté avec laquelle il dirigeait la maison quand tout allait si bien. Anna songea même tristement que, d'une certaine façon, il lui rappelait le jeune homme pauvre et mélancolique qu'elle avait connu au début de leur relation.

Un après-midi, toute à ses sombres pensées, elle rentrait de faire des courses dans le quartier et méditait sur la vitesse à laquelle les revers de fortune devenaient visibles, dans leur appartement notamment, quand, à quelques mètres de chez elle, quelqu'un appela son nom. Elle se retourna et aperçut Paul Werner qui souleva légèrement son chapeau pour la saluer.

— J'ai reçu votre mot, dit-il.

Elle resta sans voix. Pendant un court instant, elle eut même l'impression que le cœur lui manquait avant qu'il ne se mette à battre la chamade.

— Pourquoi ? cria-t-elle. Pourquoi avez-vous envoyé ce portrait ? Et venir ici, maintenant. Si quelqu'un vous voit...

— Ne craignez rien, Anna ! J'ai téléphoné ouvertement en laissant mon nom. Je n'ai utilisé aucun subterfuge de façon à ne laisser planer aucune ambiguïté.

Elle reprit sa marche et il lui emboîta le pas. Elle avait tourné au coin de la rue pour descendre vers le fleuve, s'éloignant ainsi de chez elle. Iris devait rentrer incessamment de l'école... Sa fille l'avait observée avec une telle circonspection l'autre soir...

— Je vous en prie, allez-vous-en ! supplia-t-elle. Partez, Paul, je vous en prie.

Mais il s'obstina.

— Ce mot vous ressemblait si peu, Anna ! Je ne vous ai pas envoyé ce Mallard dans le but de vous offenser. Simplement, je n'avais pas vu ce portrait depuis des années — mon père avait dû le ranger — et quand je l'ai retrouvé, la ressemblance avec vous m'a frappé, si bien que j'ai eu envie de vous l'offrir.

Ils atteignirent Riverside Drive. Des flots de voitures se déversaient dans l'avenue, scintillant dans la lumière du soleil qui éblouissait Anna. Son sac d'épicerie serré contre elle, elle tremblait de tous ses membres comme si le trottoir longeait un immense précipice.

Paul lui prit fermement le bras.

— Il faut que nous parlions. Traversons. Nous trouverons un banc sous les arbres.

Que s'était-il passé ? Quelques instants plus tôt, elle rentrait des courses par un bel après-midi frais et ensoleillé de début de printemps et, à présent, elle était assise sur un banc aux côtés d'un homme qu'elle pensait ne jamais revoir ! Elle croyait rêver.

— Anna, il fallait que je vienne, dit-il. Je n'ai jamais cessé de penser à vous. Jamais. Est-ce que vous me comprenez ?

— Oui, chuchota-t-elle, sans oser le regarder.

— Parfois, je pense à vous pendant une réunion, ou bien en conduisant ma voiture, ou quand je lis le journal... Soudain vous êtes là. Je me réveille et votre souvenir s'impose à moi, même si vous êtes absente de mes rêves. Mais... vous êtes là. Alors quand j'ai vu ce portrait, l'image que je garde de vous est devenue tellement présente que j'ai éprouvé le besoin de faire quelque chose.

La respiration d'Anna avait retrouvé un rythme normal. Elle tourna son visage vers le sien.

— C'est un très beau dessin et ce cadeau m'a profondément... profondément touchée. Mais c'est tout de même une folie d'être venu ici. Vous n'en êtes pas conscient, Paul ?

— Anna, il le fallait. Je ne peux pas en dire davantage.

Il lui prit la main, leurs doigts s'entremêlèrent. Malgré les gants de cuir, Anna sentit sa force et la chaleur de sa peau.

— Non, dit-elle.

Mais ni l'un ni l'autre ne firent le moindre geste et leurs doigts restèrent enlacés. La vie poursuivait son cours : les enfants faisaient du patin à roulettes, ou de la bicyclette, les chiens tiraient sur leur laisse, les jeunes femmes poussaient des landaus et nul ne prêtait attention à cet homme et cette femme, assis sur un banc.

— Parlez-moi de vous, réclama Paul au bout d'un moment.

Elle était à la fois accablée et transportée.

— Non, je ne pourrai pas. Racontez, vous, je préfère.

— Eh bien, commença-t-il, docile, je viens de rentrer d'Europe, d'Allemagne plus précisément, où je m'étais rendu pour la banque. Les choses vont mal là-bas et elles ne pourront qu'empirer avec ce Hitler. J'ai essayé de sauver quelques investissements pour nos clients avant qu'il ne soit trop tard.

Sa voix possédait des accents qu'Anna aurait reconnus même s'il avait parlé au milieu d'une foule compacte à l'autre bout du monde. Quand elle était dans sa chambre, au dernier étage, la voix mélodieuse de Paul montait dans l'escalier tandis que, allongée sur son lit, elle tendait l'oreille pour mieux l'entendre...

A présent, comme elle était manifestement incapable de parler, il cherchait autre chose à dire.

— A part cela... eh bien, je collectionne des œuvres d'art et je suis des cours de sculpture. Je ne suis pas très doué, mais c'est pour moi une sorte de gageure. Je m'occupe aussi des œuvres charitables dont s'occupait mon père. Il était un grand bienfaiteur et un directeur compétent. Difficile de lui succéder... Je fais de mon mieux.

Elle entendit le son amusé de sa voix et détourna les yeux du fleuve pour le regarder. Ces grands yeux aux paupières lourdes, brillants comme des joyaux sombres... Sa mère avait les mêmes, et le nez arqué était aussi un héritage maternel. Iris aussi a ces grands yeux.

— Pourquoi ce regard insistant, Anna ?

— Moi ? Je ne le faisais pas exprès.

— Oh ! cela ne me gêne pas. Regardez-moi autant que vous voudrez.

Elle rougit et son regard se porta de nouveau vers le fleuve. Son cœur s'emballait, elle avait peine à respirer.

— Vous aimeriez peut-être en savoir davantage sur moi. Je... nous n'avons pas d'enfants. Nous n'en aurons jamais. Marian a subi une opération, il y a deux ans.

— Je suis désolée, répondit machinalement Anna.

— Moi aussi, elle aussi. Mais nous n'adopterons pas. Elle est très occupée par des œuvres de bienfaisance. Elle y donne beaucoup de sa force et de son temps — pas seulement de l'argent.

Il s'arrêta un instant, puis reprit :

— Voilà ma vie. Maintenant, vous voulez bien me parler de la vôtre ?

— Je mène une vie très banale, commença-t-elle après avoir pris une profonde respiration. Comme la plupart des femmes : je m'occupe de la maison et des enfants. J'essaie de faire face aux temps difficiles.

— Vous avez été très touchés ?

— Nous avons presque tout perdu, répondit simplement Anna.

— Avez-vous besoin d'argent ? Puis-je vous aider ?

Elle hocha négativement la tête.

— Non, nous nous débrouillons. De toute façon, vous n'imaginez pas que j'accepterais de l'argent de vous, n'est-ce pas ?

Tout à coup, la froide réalité reprit le dessus. Elle retira sa main.

— Probablement pas, dit Paul sur un ton désolé.

Un long silence s'installa qu'il rompit en s'écriant subitement :

— J'aurais dû vous épouser, Anna. Est-ce que vous auriez accepté de vous marier avec moi ?

— Oh, dit-elle, vous savez bien que oui, étant donné les sentiments que j'éprouvais alors ! Mais à quoi bon en parler maintenant ?

Un petit bateau descendait rapidement le fleuve. Des nuages obscurcissaient la rive opposée. Anna voyait le paysage à travers un rideau de larmes. Tout aurait pu être tellement différent ! On s'engage un jour dans un chemin qui fait de vous une certaine femme. Un autre chemin vous aurait conduite ailleurs et aurait fait de vous une tout autre femme. Elle croyait avoir oublié — ou du moins, presque oublié — que la vie aurait pu être différente. Dieu seul sait les efforts qu'elle avait faits en ce sens.

Elle se tourna vers lui, presque farouche.

— Pourquoi ne m'avez-vous pas épousée ? Vous voyez que j'ai perdu de mon amour-propre. Je ne veux pas jouer les fières. Je vous pose donc la question. Pourquoi vous ne l'avez pas fait ?

Paul la regarda droit dans les yeux.

— J'étais encore adolescent, expliqua-t-il finalement, pas un homme. Tandis que vous, vous possédiez déjà la maturité d'une femme. Je n'ai pas eu le courage d'épouser quelqu'un que je... n'étais pas censé épouser. Est-ce que vous me comprenez, sans me

mepriser à cause de cette lâcheté ? Est-ce possible ? interrogea-t-il d'une voix étranglée.
Anna sentit exploser en elle un mélange de joie, de tendresse et de clémence.
— Oh, s'écria-t-elle, j'ai souffert au point de vouloir mourir. Ensuite, la colère a pris le dessus, l'amertume... Mais je ne vous ai jamais méprisé. Jamais.
Et elle songea qu'après tout, elle devrait peut-être lui dire la vérité à présent ? N'avait-il pas le droit et le devoir de savoir qu'il était le père de sa fille ?
— Je ne vous ai pas tout dit, annonça Paul abruptement. Il y a autre chose.
— De quoi s'agit-il ?
— Vous souvenez-vous de notre rencontre sur la 5e Avenue, voici quelques années ? Je n'ai jamais oublié la façon dont vous teniez votre main posée sur l'épaule de votre petite fille. Je ne sais pourquoi, ce geste m'a si profondément ému, mais le visage de cette enfant me hante. Vous allez penser que je suis devenu fou, mais j'ai le sentiment — j'ai eu, à ce moment précis, le sentiment que cette enfant était de moi. Mon enfant. Et je n'ai jamais pu m'ôter cette pensée de l'esprit.
Anna ne fut pas surprise qu'il eût découvert la vérité.
Un esprit d'une perspicacité rare, un regard si clairvoyant et pénétrant... peu de choses lui échappaient ! Non, elle n'était pas surprise. Elle ouvrit la bouche pour parler, mais il l'interrompit.
— C'est donc vrai, n'est-ce pas ?
— C'est vrai.
— Je ne suis ni stupéfié ni bouleversé. Comme si je l'avais toujours su.
Il alluma une cigarette en s'efforçant de paraître très calme, mais elle aperçut que ses mains tremblaient.
— Et Joseph ? demanda-t-il au bout d'un moment.
— Je suis seule à le savoir, répondit Anna.
Un long silence s'établit, très long, tandis que l'âcre fumée de cigarette partait en bouffées. Paul ferma les yeux, immobile. Il finit par la regarder à nouveau pour lui dire :
— Vous avez dû beaucoup souffrir, Anna !
— Je me sentais tellement coupable, au point de croire que je n'avais plus le droit de vivre, répondit-elle tout bas. Mais Dieu merci, la vitalité m'est revenue. Je suppose que les êtres humains sous-estiment leur capacité d'endurance.
— Tant de malheurs se sont abattus sur vous ! Vous avez perdu vos parents, connu la pauvreté dans un pays étranger, et ensuite, cette histoire ! Pourquoi ne me l'avez-vous pas dit, Anna ?
Elle le regarda tristement.
— Bien sûr, je n'aurais pas dû vous poser cette question. Je sais que vous ne pouviez pas le faire. Mais me permettrez-vous au moins de faire quelque chose pour elle ? Je pourrais lui ouvrir un compte en fidéicommis pour qu'elle ne soit jamais dans le besoin.
— Non, non ! Ce n'est pas possible ! Vous le savez bien ! La

meilleure chose que vous puissiez faire, c'est vous tenir loin d'elle. Est-ce que vous le comprenez ?

— Je vous en supplie, parlez-moi d'elle, demanda-t-il dans un soupir.

Anna réfléchit à la façon dont elle pourrait décrire en peu de mots cette fillette complexe, distante et sensible.

— Iris est très intelligente, très perspicace. Elle connaît la musique et la littérature. Je crois que comme vous, elle possède une sensibilité artistique.

Il esquissa un sourire qui l'encouragea à poursuivre.

Parler devenait enfin moins difficile. Anna ne cherchait plus ses mots, ils lui venaient spontanément à l'esprit. Elle était, après tout, une mère en train de parler de son enfant et son interlocuteur ne demandait qu'à l'écouter. Aussi évoqua-t-elle l'école d'Iris, les plats qu'elle aimait, les remarques amusantes qu'elle faisait, afin de permettre à Paul de mieux imaginer Iris à travers une description qu'elle voulait vivante.

— Est-ce qu'elle vous aime beaucoup ? Je l'espère. Tous les enfants n'ont pas la chance d'avoir une mère comme vous.

— Il n'y a pas de grands problèmes entre nous. Mais elle est plus attachée à Joseph. Lui l'aime de tout son cœur, il l'adore. Mais les choses se passent toujours ainsi entre fille et père conclut-elle, regrettant aussitôt ce manque de tact.

Mais Paul approuva tranquillement.

— Je ne suis pas vraiment bonne avec elle ! s'écria soudain Anna. Pas autant que je devrais l'être, Paul ! Je ne sais comment dire les choses. Je l'aime autant que Maury, mais je ne me sens pas à l'aise avec elle. C'est... différent, ajouta-t-elle d'une voix cassée.

— Bien sûr. Je comprends.

— Quand je la regarde, j'essaie de me convaincre qu'elle est née... — elle allait dire « de Joseph et de moi », au lieu de quoi elle dit : « différemment ». J'y parviens la plupart du temps. Pour moi, vous appartenez à un passé très lointain. Ce passé ressurgit aujourd'hui, et chaque fois que je regarderai Iris, je penserai que...

Anna ne put achever sa phrase.

Paul reprit sa main et la caressa doucement.

— Je me demande comment cette pauvre enfant ressent tout cela, dit ensuite Anna. Je suis certaine qu'elle perçoit quelque chose !

Cette remarque les laissa tous deux silencieux. Ce fut lui qui brisa le silence.

— Je n'ai pas été juste. Je ne vous ai même pas demandé de nouvelles de Maury.

— Vous ne le faites que par courtoisie. Maury ne peut pas vraiment vous intéresser.

— Mais si, il est votre fils, il fait partie de vous. Racontez-moi

— Maury est le fils que tout le monde voudrait avoir, le fils dont on rêve quand on s'imagine parent d'un garçon. Tout le monde l'aime, il... Anna s'interrompit. Je ne peux plus continuer,

Paul, tout se bouscule en moi. Il s'est passé... trop de choses cet après-midi.

— Je sais. Je ressens la même chose que vous, Anna chérie.

Prenant sa main entre les siennes, il retira le gant d'Anna, porta cette main à ses lèvres et baisa la paume, les doigts, le poignet où le pouls battait si vite.

Ils se rendirent compte qu'une certaine agitation régnait dans le parc. Les mères commençaient à appeler leurs enfants et à rassembler les jouets éparpillés. L'après-midi touchait à sa fin.

Paul lâcha la main d'Anna, se leva. A la grande surprise d'Anna, il lui tourna le dos pour faire quelques pas vers le fleuve. Il semblait si seul dans son manteau à col de velours ! Un étranger au milieu des pigeons et des enfants qui jouaient à la marelle. Cet homme puissant et grand, qui pouvait posséder presque tout ce qu'il désirait, cet homme était néanmoins vulnérable, à travers elle. Séparé d'elle, il lui serait attaché aussi longtemps que l'un ou l'autre vivrait, aussi longtemps qu'Iris vivrait, que les enfants d'Iris vivraient...

Il revint auprès d'elle.

— Ecoutez-moi, Anna. La vie est courte. Hier seulement, nous avions vingt ans. Voyez comme le temps passe ! Prenons, vous et moi, ce que la vie peut nous donner.

— Je ne comprends pas.

— Maintenant, je désire vous épouser. Prendre notre petite fille et vous offrir à toutes les deux ce que vous méritez d'avoir. Je ne veux plus me réveiller au milieu de la nuit en m'inquiétant de vous. Je veux vous trouver à mes côtés quand je m'éveille.

— Aussi simple que cela ? (Elle se rendit compte qu'une légère amertume perçait dans sa voix.) Et que faites-vous de Maury et de Joseph ? Et que faites-vous du simple fait que vous avez déjà une femme ?

— Marian supporterait le divorce. Croyez-moi, Anna, je ne suis pas destructeur. Je ne blesse pas les gens si je peux éviter de le faire.

— Blesser ? Vous vous rendez compte de ce qu'éprouverait Joseph s'il me savait assise là, avec vous ? C'est un homme pieux, croyant, rigoureux. Un puritain, Paul ! Cela dépasserait sa clémence. Demander le divorce ? Mais il ne s'en remettrait jamais ! Le soir, nous nous asseyons dans la même pièce, poursuivit Anna en haussant le ton, et quand je regarde cet homme qui m'a épousée alors que... alors que vous, vous ne vouliez pas de moi, cet homme qui m'a protégée, qui m'a offert toutes les choses matérielles qu'il pouvait m'offrir, donné sa gentillesse et son affection quand il n'avait rien d'autre à donner... L'idée de ce que je lui ai fait m'est déjà insupportable.

— Tout se paie, dit doucement Paul. Je comprends vos reproches et je comprends combien une telle décision pourra à de nombreux égards être dure, très dure. Cependant, il vous faut mettre cela en balance avec votre propre vie et ce que vous voulez en faire. Et je sais — je sais, Anna ! — que vous voulez venir avec moi.

Les deux joues d'Anna s'enflammèrent.
— Oui, oui, je ne peux pas le nier !
— Alors ?
— D'un autre côté, nous avons tant partagé, Joseph et moi !
Elle semblait réfléchir, rassembler ses souvenirs, laisser vagabonder sa pensée, comme si elle était seule.
— Nous avons lutté côte à côte pour nous élever avant de retomber brutalement, presque à notre point de départ. Et il travaille tellement ! Je me dis parfois qu'il va se tuer à la tâche. Il ne veut jamais rien pour lui. Tout ce qu'il possède, c'est pour nous, pour moi et pour les enfants.
— Pour mon enfant, dit Paul.
Anna poussa un long soupir qui ressemblait à un sanglot.
— Alors comment puis-je le quitter, Paul ? Est-ce que je peux détruire un homme comme lui, est-ce que j'en ai le droit ? De plus, je l'aime. Comprenez-vous ce que cela signifie quand je dis que je l'aime ?
Il ne répondit pas.
— Est-ce que vous saisissez bien la situation, Paul ?
— Je suis tellement malheureux pour nous tous ! s'écria-t-il Oh, mon Dieu, j'ai tant de peine !
Anna se mit à pleurer.
— Non, ne pleurez pas, chuchota-t-il en lui tendant un mouchoir. Vous ne voulez pas rentrer chez vous avec des yeux rouges, si ? Ou il vous faudra vraiment fournir des explications ! Anna, Anna, qu'allons-nous devenir ? dit-il en séchant gentiment ses larmes.
— Je ne sais pas. Je sais seulement que je ne peux pas vous épouser.
— C'est ce que vous pensez maintenant. Mais les choses évoluent. J'attendrai. Dans quelque temps, vous verrez les choses sous un angle différent.
— Nous ne devrions plus nous revoir, vous le savez.
— Et vous savez comme moi que c'est impossible. Ni vous ni moi ne pourrions le supporter.
— Je vous ai dit tout à l'heure que les gens sous-estimaient leur capacité d'endurance.
— C'est possible. Mais pourquoi devrions-nous nous torturer dans le seul but de mesurer ce dont nous sommes capables ? Je veux vous revoir, Anna, et je vous reverrai. J'ai sûrement le droit d'avoir des nouvelles d'Iris de temps en temps ?
— Très bien, dit-elle doucement. Je vais penser à un moyen. Mais je ne peux pas réfléchir maintenant. Plus tard.
Elle sortit une glace de son sac et examina anxieusement son visage.
— Vous êtes très bien. Rien ne paraît. D'ailleurs, vous êtes toujours ravissante, même dans ce manteau. Oh, je ne veux pas insinuer que ce manteau est vilain, ajouta-t-il aussitôt en rougissant. Je voulais seulement dire... eh bien... qu'il ne vous va pas aussi bien que du velours noir et des pendants d'oreilles en diamant,

Cette remarque la fit rire.

— Je préfère cela. J'aime vous entendre rire. La première fois que j'ai entendu ce rire remonte à bien longtemps...

— Il faut que je rentre, Paul. Il est terriblement tard.

— Partez, Anna chérie. Mais je vous appellerai demain matin vers dix heures. Est-ce que cela vous va ?

— Oui. A dix heures.

— Vous aurez eu le temps de trouver un moyen pour que nous puissions nous revoir.

— Tu as remisé le portrait dans un coin, lui dit Joseph cette nuit-là, après qu'ils se furent couchés.

— Oui, puisqu'il ne plaisait à personne.

— Je me demande pourquoi cet homme te l'a envoyé.

— Les gens riches aiment faire des cadeaux, voilà tout. Une façon de se donner de l'importance.

— Mais il te connaissait à peine. Ce n'est pas comme si tu avais fait partie de ses relations.

Elle ne répondit pas et il n'insista pas. Pauvre Joseph, il tournait autour du sujet, curieux et réticent à la fois. Ces dernières années avaient été trop dures pour lui. Il y avait perdu une part de son assurance. A force de lutter contre vents et marées depuis le début de la crise, il se sentait las. Anna fut envahie par une tendre pitié et lui parla d'une voix enjouée pour le réconforter et l'apaiser.

— Il s'est seulement trouvé que j'étais une petite domestique jeune et jolie et que les gens sont gentils avec les petites domestiques quand elles sont jeunes et jolies. Tu n'es quand même pas jaloux ?

— Eh bien, je pourrais l'être, mais étant donné la façon dont tu me présentes les choses, je ne le serai pas.

— Je t'en prie. Ne reprenons pas la querelle que nous avons déjà eue le jour où j'ai rencontré les Werner dans la rue.

— J'étais fou furieux, n'est-ce pas ?

— Effectivement. Et sans la moindre raison.

Il resta silencieux.

— Joseph ? Ne te mets pas en colère maintenant, je t'en prie. Je ne pourrais le supporter.

— Eh quoi ? Je suis donc tellement violent ?

— Tu peux l'être.

— Je ne le serai pas. Anna, ma chérie, oublie cette histoire. Oublie ce maudit portrait. Il ne vaut pas la peine que nous en parlions. Dormons.

Avec un soupir il l'attira vers lui et blottit sa tête dans le creux de son épaule.

— Quelle paix ! s'exclama-t-il en laissant échapper un autre soupir. Qu'importe qu'il fasse froid et que la vie soit rude au-dehors tant que j'ai ce refuge ! La nuit, je peux oublier pour quelques heures les dettes, les loyers et les nouvelles affaires. Je peux enfin penser à ce qui est primordial, toi et moi. Rien que toi et moi, Anna, et les beaux enfants que nous avons faits ensemble.

Anna sentit une boule lui nouer douloureusement la gorge.

— J'ai dû me battre pour vous tous, vous qui êtes les miens. Enfin, j'espère qu'avec cet homme nouveau qui arrive au pouvoir, ce Roosevelt, la situation va s'améliorer, murmura Joseph.

Quand il se fut endormi, Anna se tourna de l'autre côté. Quelle confiance et quelle loyauté ! Une véritable armure qui la protégeait à son insu. Comment faire souffrir un homme comme lui ? Une phrase lui traversa alors l'esprit, un vers que Maury avait dû apprendre pour un cours de latin, quelque chose comme « sa vertu le protège ». Des larmes coulèrent le long de ses joues. Je suis seule, désespérément seule. Qui d'autre sait ce qui se passe dans ma tête et dans mon cœur, ressent ce que je ressens ? Ma confusion, ma tension, mon angoisse ? Un avenir obscur se dresse devant moi sans que je sache ce qu'il me réserve.

Anna se mit à frissonner de froid et de peur. Elle se glissa vers le rempart solide qu'offrait le dos de Joseph. Alors les paroles de Paul lui revinrent en mémoire : « Je veux vous trouver à mes côtés quand je m'éveille. » Une vague de chaleur la submergea qui chassa la sensation de froid. Elle tremblait de désir et de honte.

Les aiguilles du réveil posé sur la table de nuit brillaient faiblement. Anna eut à nouveau froid. Elle resta allongée, les yeux grands ouverts, et elle passa la fin de la nuit à surveiller la progression inexorable des aiguilles sur le cadran.

A dix heures, le téléphone sonna. Une seule fois ; elle était là, à côté, à attendre.

— Je n'ai pas dormi de la nuit, Paul, lui dit-elle.

— Moi non plus. Avez-vous décidé quand et où ?

— Paul, je ne peux pas vous voir pour le moment. Mon refus n'est pas définitif, mais ce n'est pas possible maintenant.

— C'est ce dont j'avais peur.

— Je me sens coupable et j'ai peur. Je n'ai pas trouvé la force de décider quoi que ce soit. Comprenez-moi, je vous en prie, et ne soyez pas fâché.

— Je ne serai jamais fâché contre vous, Anna. Je suis seulement déçu, très déçu.

— C'est tellement dur !

— Etes-vous certaine de ne pas rendre les choses plus dures qu'elles ne sont ?

— Je ne crois pas. J'ai essayé de vous expliquer hier.

— Oui, et j'ai compris. Mais je ne vous laisserai pas rompre le lien qui nous unit, Anna. Jamais je ne m'y résoudrai.

— Il n'en est pas question. Si vous me faites savoir où vous êtes, je vous enverrai de temps à autre une carte postale. Le message sera anodin et lisible par tous. Vous seul saurez qu'elle parle d'Iris et de moi.

— Encore une chose : il y a un instant vous avez dit « pas maintenant », mais que ce refus n'était pas « définitif ». Est-ce bien cela ?

— Oui, oui.

— Je serai donc patient. Vous saurez toujours où je suis. A l'aide d'une carte postale. Avez-vous des amies qui voyagent ?

— Oh, oui. Mettez n'importe quel nom, ce n'est pas important.

— Eh bien, c'est entendu.

— Paul ? Voulez-vous raccrocher maintenant ?

— Dans un instant. Souvenez-vous seulement d'une chose : si vous changez d'avis ou si vous avez besoin de moi pour quoi que ce soit, vous n'avez que trois ou quatre mots à écrire et je viendrai. Vous changerez d'avis, vous verrez.

— Je vais raccrocher à présent, dit-elle doucement.

— Très bien. Raccrochez. Mais ne dites pas « adieu ».

II

Les caprices du vent

18

La vie de Maury n'avait pas subi de grands changements du fait de la crise : ses parents l'avaient en effet laissé dans l'école privée qu'il fréquentait, parce que cela l'aiderait — croyaient-ils — à entrer à Yale. En outre, ils considéraient que, pour un garçon, les études étaient de la plus haute importance. Joseph savait pourtant que Maury aurait pu recevoir un enseignement tout aussi valable dans l'enseignement public. Quelques-uns des plus grands cerveaux de la nation avaient fait là leurs études. Mais, sans trop savoir à partir de quand ni pourquoi, il avait toujours été dit et affirmé que Maury irait à Yale. Il s'agissait en fait d'une sorte de promesse que Joseph n'aurait pu rompre sans avoir le sentiment de déchoir aux yeux des siens, même si ceux-ci ne lui avaient adressé aucun reproche.

Quand Maury fut accepté à Yale, on fêta donc joyeusement l'événement. Les Malone, qui connaissaient Maury « avant même qu'il fût né » avaient été invités. De plus, Joseph avait une autre nouvelle à leur annoncer.

Anna retira son tablier avant de s'asseoir. Les chandeliers en argent ainsi qu'un vase garni d'un modeste bouquet de jonquilles représentaient le seul luxe de la pièce. Pour ce repas, Anna avait préparé tous les plats favoris de la famille : poisson en gelée, rôti à la cocotte nappé d'une épaisse sauce brune, plusieurs gâteaux de pommes de terre, carottes cuites avec des pruneaux, petits pains chauds et moelleux, salade fraîche et, pour finir, strudel fourré aux pommes.

Repu, Joseph recula sa chaise et poussa un soupir de contentement. Il regarda tous ces gens qu'il aimait tant et se dit que leur malheur aurait pu être bien pire.

Les jeunes se levèrent, laissant les adultes bavarder entre eux.

— A présent, déclara Joseph, j'ai une nouvelle à vous annoncer. Je suis allé voir le président-directeur général de la banque la semaine dernière. J'ai toujours eu dans l'idée qu'il fallait agir. On ne peut se contenter de végéter en attendant que la prospérité se pointe « au coin de la rue » comme on le chante sur l'air des lampions. J'ai donc dit à ce monsieur : « Ecoutez, monsieur Fairbanks, vous nous êtes redevable. Nous avons récupéré la moitié seulement de l'argent que nous avions en dépôt ; notez que je ne me plains pas — du moins, pas trop. Mais je crois que vous devez nous offrir une chance de gagner à nouveau notre vie. Nous allons nous lancer dans la gestion des biens. »

— Ah, oui ? l'interrompit Malone.

— Laisse-moi finir, répliqua Joseph en lui imposant le silence d'un geste de la main. J'ai ajouté : « Je désire gérer vos biens. Mon associé et moi-même savons parfaitement nous occuper d'immeubles. Dieu seul sait combien nous en avons construit pour notre propre compte ! » Il m'a répondu qu'il réfléchirait à la question.

— Ça ne marchera pas, répliqua tristement Malone. Ils emploient les mêmes personnes depuis des années. Pourquoi nous confieraient-ils ce travail ?

Joseph sourit.

— Tu as raison, je ne sais pas pourquoi, mais le fait est qu'ils nous le confient. Le président m'a appelé cet après-midi et nous devons aller le voir lundi matin pour recevoir ses directives.

Malone ouvrit de grands yeux et resta bouche bée avant de laisser échapper un grand cri de joie.

— Ça alors ! Je veux bien être pendu si nous n'avons pas là un homme intelligent, un vrai, quoi ! En plus, il est le meilleur ami que j'aie jamais eu, ou même souhaité avoir. Je propose que nous lui portions un toast et que nous buvions ensuite à notre santé à tous.

Il se leva et brandit son verre vide.

Joseph poussa la bouteille devant lui, ignorant le petit froncement de sourcils d'Anna pour lui signifier : « Il a assez bu. » S'il avait envie de boire, ce n'était certainement pas le moment de l'en empêcher. La première fois qu'il riait depuis plusieurs années...

— Je voudrais vous raconter une histoire au sujet de notre voyage en Irlande, maudit soit-il ! En effet, si nous avions été sur place... bah, mais c'est une autre histoire ! Bref, nous sommes allés en visite dans la famille à Wexford. Nous étions donc là, coincés dans ce bled. Mon Dieu ! Les toilettes se trouvaient tout au fond du couloir et il faisait un froid de canard comme je n'en ai jamais eu ! J'ai donc dit à mon cousin, un petit vieux tout noueux constamment affublé d'un bonnet de laine : « Fitz, écoute-moi. Ma femme et moi voudrions inviter la famille à dîner ce soir. Je vais commander un superbe banquet et toi, tu t'occuperas des invitations. Invite tous les membres de la famille, OK ? » Il m'a répondu que je pouvais compter sur lui. Alors, Mary et moi avons commandé toutes sortes de viandes, de tartes et de boissons alcoolisées. Puis nous sommes montés nous mettre sur notre trente et un. Vous comprenez, nous étions les parents d'Amérique, alors il fallait bien parader un peu. Quand nous sommes descendus, ils étaient tous là à nous attendre. Je suppose que vous aurez peine à le croire, mais je vous jure qu'ils étaient cinquante-quatre,

Cinquante-quatre, pas un de moins ! Une chance que j'aie eu beaucoup de chèques de voyage parce qu'ils ont mangé comme trente-six mille !

Il se recula pour rire à nouveau de l'anecdote puis, tout à coup, sa joie tomba et les larmes de rire se transformèrent en larmes amères qu'il essuya de son mouchoir.

— Oh, quel fou j'ai été, quel fou ! J'avais atteint le sommet et regardez-moi maintenant ! Regardez où j'en suis.

— Eh bien, ce n'est pas compliqué, dit Joseph, si tu avais vendu un mois avant le krach, tu serais millionnaire à présent et tout le monde vanterait ta clairvoyance.

— Oui, et si ma tante en avait, elle serait mon oncle.

— Malone ! s'écria sa femme, choquée et vexée.

— Laissez-le, dit Joseph. Il n'y a pas d'enfants dans la pièce et je suis sûr que nous connaissons tous l'expression.

Anna riait. Elle paraissait si jeune, pensa-t-il. Malgré tous les ennuis, elle gardait un air radieux, presque juvénile. Que deviendrais-je sans elle ? Elle remit son tablier pour débarrasser la table et resta un instant immobile à côté du portrait accroché entre les deux fenêtres. Toutes leurs années de vie commune défilèrent alors dans sa mémoire, depuis le jour où il lui avait demandé sa main, sur les marches de la maison d'Hester Street. C'est ce jour-là que sa vraie vie avait commencé.

Elle avait un port de reine, assise dans un fauteuil à haut dossier, avec une main, celle du solitaire, posée sur l'accoudoir et l'autre sur les genoux. Sa robe, cascade de soie rose pâle, tombait en larges plis jusqu'au plancher. Beaucoup plus tard, Anna découvrit un détail qui lui avait échappé la première fois : sur sa bouche qui esquissait un sourire, l'artiste avait suggéré une moue de surprise.

19

L'express de Bar Harbor avançait dans la nuit, roulant et cliquetant à plaisir. Il avait quitté New York une heure et demie plus tôt. Les couchettes avaient été installées et le wagon panoramique où était assis Maury était en train de se vider. En face de lui, un homme élégant vêtu d'un costume léger — il devait avoir sensiblement le même âge que son père — replia son journal et lui adressa un sourire.

— Vous allez en vacances dans votre famille ?

— Non, je vais rendre visite à des amis qui habitent à trente kilomètres de Bar Harbor.

— Eh bien, puisque nous sommes entre gens de Yale, je vous souhaite un bon séjour.

— Merci. Comment savez-vous que je suis de Yale ?

— A cause de l'écusson sur l'étui de votre raquette. Je vous ai vu monter à la gare de Grand Central. Je pratique aussi le tennis.

— C'est un sport formidable, dit poliment Maury.

— Je suis bien d'accord. Je joue encore chaque fois que l'occasion m'en est donnée.

Puis il prit congé avec un hochement de tête amical.

— Amusez-vous bien, mon garçon. Vous êtes en train de vivre les meilleures années de votre vie.

— Oui, monsieur, répondit Maury.

Maury resta assis encore un moment, observant les traînées lumineuses dessinées par les petites villes du Connecticut qui défilaient devant ses yeux. « Les meilleures années de votre vie. » Le langage était truffé de ce genre de clichés dont les gens de cet âge étaient particulièrement friands. Ce qui n'empêchait pas ces adages de comporter une bonne part de vérité.

L'entrée à Yale avait suscité en lui des sentiments mêlés. Il supposa que ce genre d'ambiguïté définissait justement l'âge adulte : la découverte que rien n'est simple. Il avait commencé par éprouver une profonde satisfaction. Ses parents, et sa mère principalement, étaient candidement persuadés que leur brillant rejeton ne pouvait qu'être admis à Yale. Son directeur d'école lui avait assuré que si un seul élève devait être reçu, il était celui-là. Aussi avait-il été très heureux de ne décevoir personne. Mais il nourrissait par ailleurs une certaine culpabilité parce que ses études coûtaient très cher à sa famille, ce qui le contraignait à réussir brillamment.

— Tu as bien de la chance, Maury, lui disaient les amis de son père quand les messieurs parlaient entre eux. Yale, par les temps qui courent... Ton père est très généreux.

Maury savait que ces hommes tendus et inquiets lui enviaient sa jeunesse heureuse et le regardaient comme s'il appartenait à un autre monde.

Car il s'agissait bien d'un monde différent. Les saisons se succédaient harmonieusement depuis l'automne jusqu'à la cérémonie de remise des diplômes — au son d'une musique majestueuse sous les arbres centenaires —, puis l'automne venait à nouveau. Quatre années déjà s'étaient écoulées. Comme il aimerait rester là, pour toujours !... Parfois, tard dans la nuit, quand il avait rangé ses livres, il se mettait à la fenêtre pour laisser la quiétude du lieu s'emparer de lui. Tout semblait tranquille et inébranlable lors de ces blanches nuits d'hiver. Ces arbres et ces bâtiments séculaires n'avaient rien à redouter : personne ne les détruirait ou ne creuserait un métro sous leurs fondations.

Maury s'avisa que, ces derniers temps, il nourrissait des pensées qui ne correspondaient pas à l'image que les gens se faisaient de lui, ni à celle qu'il avait de lui-même. On le percevait comme un garçon à qui tout semblait facile, le sport, les études ou même la vie en général. Certes, il apprenait sans grande difficulté, mais il reconnaissait honnêtement qu'il n'était guère habité d'une immense soif de savoir. Il était seulement doué d'une mémoire fantastique. Cette mémoire lui permettait également d'emmagasiner nombre de plaisanteries qui déchaînaient les rires de ceux qu'il fréquentait, si bien qu'il avait la réputation d'être « un type épatant » ou « un garçon épanoui », selon l'âge de ceux qui parlaient. Il n'aimait pas réfléchir à cette nouvelle « tranquillité » qu'il recherchait et qui ressemblait beaucoup à de la mélancolie. L'entrée dans l'âge adulte, se disait-il.

De toute façon, ce soir-là, il ne se sentait pas d'humeur mélancolique. Il se leva pour rejoindre le wagon-couchettes. Quand le jour se lèverait, il serait dans le Maine. Il sentait déjà l'odeur des pins et de l'iode dont les camps de vacances lui avaient laissé un souvenir impérissable, et il se faisait une joie de retrouver Chris.

Chris et Maury n'étaient pas destinés à devenir amis. Dans la famille de Chris, on fréquentait Yale de père en fils. Du côté maternel, on ne jurait que par Harvard. Avec une gravité moqueuse, Chris avait expliqué qu'il se trouvait dans une étrange situation lors du match annuel Harvard-Yale.

Chris fréquentait tous les bons clubs. Sa famille possédait une résidence d'été. Son père participait aux courses nautiques des Bermudes. Rien ne les prédisposait donc à être amis. Et sans doute ne le seraient-ils jamais devenus si par une nuit glacée Chris ne s'était pas déchiré un ligament en traversant la cour, alors que Maury se trouvait à la fenêtre.

« Il n'y avait pas un chat dehors ce soir-là, et je serais certainement mort de froid, si Maury ne m'avait pas vu. »

Chris se plaisait à raconter cette version de l'événement qui était probablement véridique.

Ils parlaient librement de leurs différents milieux familiaux. Chris voulait tout savoir sur la famille de Maury et l'interrogeait sur sa religion. C'était la première fois, en fait, qu'il fréquentait un Juif.

— Bien sûr, il y a toujours eu des élèves juifs dans ma classe, avait-il dit, mais tu sais comment les choses se passent, on ne se mélange pas, tout simplement. Dire que nous aurions pu faire toutes nos études côte à côte sans nous connaître, s'il n'y avait pas eu mon accident. Je ne comprends pas la véritable raison de cette ségrégation de fait.

Maury n'avait pas d'explication. Il s'agissait de différences totalement artificielles. Que diable importait d'où vos grands-parents venaient et qui ils étaient ? Ils s'entendaient si bien : Chris et lui riaient des mêmes choses, s'amusaient à se bourrer de coups de poing dans les vestiaires de la piscine et formaient des partenaires parfaits sur le court de tennis, ce qu'ils avaient découvert au printemps dès que les courts avaient été prêts. Pour tous deux, le tennis constituait une sorte de passion. Ils s'étaient baptisés : « Les deux enragés du tennis ». Ils aimaient aussi faire des promenades à bicyclette le dimanche après-midi, en faisant étape pour boire une bière, puisque la Prohibition avait pris fin. Il leur arrivait de travailler ensemble, bien que Chris et ses amis soient moins forts en ce domaine. Un « B » les satisfaisait pleinement, voire, à l'occasion, un « C ». Pourquoi se casser la tête ? Cet optimisme tranquille réconfortait Maury, bien qu'il se sentît tout à fait incapable de le partager.

Cette amitié rendait perplexe le compagnon de chambre de Maury, Eddy Holtz. Il fronçait les sourcils et secouait sa crinière noire et bouclée.

— Que fais-tu avec des gens comme eux, Maury ? Ce n'est pas ta place. Pourquoi les fréquentes-tu ?

— Qu'entends-tu par « ce n'est pas ma place » ? Ils m'aiment bien. Nous sommes amis.

— Ils ne t'aiment pas assez pour t'amener dans leurs clubs !

— Ce n'est pas la faute de Chris. Il trouve ce genre de ségrégation ridicule. Mais les préjugés ont la vie dure, même s'ils sont voués à disparaître un jour. En attendant, nous avons des tas de choses en commun.

— Une chose me tracasse. Je me demande si tu n'es pas pour eux un animal exotique, l'oiseau rare que personne ne possede encore dans le voisinage.

— Merci ! Merci beaucoup !

— Excuse-moi, je m'exprime peut-être très mal. Ce que je veux dire, c'est qu'il existe une barrière. Elle est là et tu ne peux pas la nier, Maury. Alors comment être sûr que tu ne prononceras pas une phrase qu'ils désapprouveront et ensuite...

Eddy lui rappelait son père. Ce côté fermé et intransigeant de son père qui lui avait toujours déplu. Anxieux, sérieux et bûcheur, Eddy était toujours plongé dans ses livres pour entrer à l'école de médecine. Il ne s'autorisait jamais la moindre fantaisie.

— Tu me fais tout à fait penser à mon père, n'avait pu s'empêcher de dire Maury.

— Peut-être que ton père et moi savons des choses que tu ignores.

Ce type de discours dans la bouche d'un garçon de son âge avait le don de mettre Maury en fureur.

— Vous êtes vraiment des paranoïaques ! s'était-il écrié.

Et Eddy s'était contenté de soupirer avec cet air las et triste dont il semblait ne jamais se départir. Rien de comparable chez Chris. Lui, débordait de joie et d'énergie.

— J'en ai marre d'être constamment bridé, enfermé dans vos peurs et vos vues étroites ! s'était exclamé un jour Maury. Nous sommes entourés par un monde immense et sans entraves, Eddy ! Je te laisse porter le fardeau du judaïsme, puisque tu as peur de t'en débarrasser.

— Merde ! Tu es aussi bridé et accablé par ce fardeau que moi, avait répliqué Eddy. Il n'y a pas d'échappatoire. Si tu veux mon avis, tu ferais mieux de t'y résoudre.

Dès qu'ils purent ne plus partager la même chambre, ils se séparèrent. Après avoir été les meilleurs amis du monde, Eddy Holtz et lui ne devinrent jamais vraiment des ennemis. Ils continuèrent à se saluer lorsqu'ils se croisaient, mais leur relation se bornait désormais à ces salutations polies.

Maury installa sa valise et rangea la boîte de bonbons pour la mère de Chris dans un lieu sûr. Sa mère s'était occupée de ce cadeau, elle lui avait sorti ses vêtements, blanchi ses chaussures, envoyé ses pantalons de flanelle blancs chez le tailleur pour qu'il refasse les plis. Elle avait même choisi deux cravates neuves.

Il souriait en pensant à elle.

— Tu ne vas quand même pas prendre ces vieux pantalons, Maury, lui avait-elle dit. Ils sont tout délavés !

— Je sais. Mais nous devons aller à la pêche. Et, de toute façon, ces gens ne s'habillent pas.

— Tu ferais mieux d'écouter ta mère, avait mis en garde son père. Des gens riches comme eux, qui possèdent une résidence d'été, s'habillent certainement. Tu ne veux quand même pas avoir l'air d'un clochard.

Maury sentit son enthousiasme grandir à mesure qu'il cherchait à s'expliquer.

— Ils ne sont pas riches, Papa, du moins pas de la façon dont tu le crois. Chris se moque éperdument de ce qu'il a sur le dos. Ses pull-overs ont même des trous. Tous ses amis et lui sont très simples. Ils ne cherchent pas à paraître. Tu serais étonné.

— Pas sûr, avait répliqué son pere en fronçant les sourcils. « Ils ne cherchent pas à paraître », dis-tu. Eux peuvent effectivement se payer le luxe d'être simples. Si je sors en ville avec un trou à mon manteau, on dira : « Friedman est fauché » et personne ne m'adressera la parole. Les gens de notre rang doivent s'habiller correctement.

Lors de son arrivée à la gare le lendemain matin, il fut heureux de s'être fié à son propre jugement : habillés de vieux vêtements et chaussés de tennis percées, Chris, ses frères et leur ami Donald l'attendaient dans un vieux break tout bringuebalant rempli de sacs de nourriture pour chiens.

Mais ils s'habillèrent pour le dîner et Maury se dit avec une moue amusée qu'il était content que sa mère ait pris soin de ses pantalons de flanelle.

La maison était basse et flanquée de deux ailes. De la véranda où s'alignait une rangée de fauteuils en osier, on apercevait, par-delà les pelouses et l'Océan, les collines couvertes de pins qui s'élevaient de l'autre côté de la petite baie. Après le dîner, ils sortirent tous pour contempler les étoiles.

— Comme tu peux le constater, nous ne sommes pas des noctambules impénitents.

— C'est le cinquante-septième été que je passe dans cette maison, annonça abruptement le vieux M. Guthrie.

— Plaît-il ? demanda Chris.

C'était une expression que Maury n avait encore jamais entendue. Chez lui, quand on n'avait pas compris, on demandait : « Comment ? » ou « Pardon ? »

— Je disais que c'est le cinquante-septième été que je passe dans cette maison, répéta le grand-père.

— C'est bien ce que j'avais cru entendre.

Le vieil homme, qui se tenait bien droit dans son fauteuil d'osier, donna un petit coup de canne sur le genou de Maury.

— Jeune homme, voulez-vous que je vous raconte les circonstances dans lesquelles cette maison a été construite ?

— Oui, monsieur, volontiers.

— C'était en 1875. J'avais alors vingt-cinq ans et je venais juste d'achever mes études de droit. J'étais marié depuis un an et ma femme attendait notre premier enfant. Elle appartenait à une famille de marins qui avait toujours vécu sur cette côte et, bien qu'elle se plût assez à Boston pendant les mois d'hiver, elle regrettait sa maison natale dès qu'arrivait l'été. Aussi, lorsque j'ai fait un petit héritage inattendu venant de ma grand-mère, ai-je décidé de faire construire une maison près du village où vivait la famille de ma femme. A l'époque, voyez-vous, le voyage de Boston à Bar Harbor se faisait en bateau, puis par route avec un chariot pour les bagages et un boghei pour nous-mêmes. Il fallait rouler cinq heures sur une route à voie unique et poussiéreuse. J'aurai quatre-vingt-deux ans jeudi prochain.

— Tu es content d'avoir quatre-vingt-deux ans, Grand-Père ? demanda le plus jeune des frères de Chris, Tommy, qui était âgé de onze ans.

La question fit rire tout le monde et le vieil homme répondit :

— Je n'irai pas jusqu'à dire que cela me ravit. Mais comme la seule autre voie aurait été de mourir jeune, je répondrai que, ma foi, je suis assez content de mon âge.

Dans la lueur diaphane, Maury promena son regard sur le demi-cercle de gens assis. Quelle famille agréable et haute en couleur ! Il y avait d'abord le frère cadet du grand-père, Ray, un joueur de tennis très alerte pour ses soixante et onze ans. Puis la fille d'Oncle Ray avec son mari et leurs deux enfants, pleins de santé, arrivés avec leur caravane, après un périple dans des parcs nationaux pour admirer la nature. Il y avait encore l'Oncle Wendell et son épouse, tous deux proches de la soixantaine selon Chris mais qui, à l'instar du reste de la famille, demeuraient minces et arboraient un ventre plat et une peau lisse.

— Oncle Wendell a fait une entorse à la tradition familiale, lui avait expliqué Chris. Il se fichait pas mal des questions bancaires, études de droit ou autres affaires. Il enseigne le grec et le latin à St. Bart's, quand il n'est pas en train de faire des fouilles en Grèce ou ailleurs.

— Je me demande comment va James, disait à présent la mère de Chris.

— Comme d'habitude, répondit quelqu'un. J'espère que Solly et Agatha seront là pour le 4 juillet.

— Mon oncle James a eu la poliomyélite, expliqua Chris à Maury. Il n'a pas toujours envie de voyager, bien qu'il vienne de temps en temps. Mais c'est un long voyage. Ils habitent à Brewerstown, dans l'Etat de New York.

— C'est terrible !

— Oui, en effet. C'était un juriste qui représentait des banques américaines en France au moment où le frappa la maladie, il y a environ douze ans. Il est rentré aux Etats-Unis où il dirige une petite étude pour rester actif. Mais cette histoire a totalement bouleversé leur vie, comme tu peux l'imaginer.

— Aggie est formidable, je suis sûr qu'elle te plaira, s'exclama ensuite Tommy. Elle va à Wellesley. L'an dernier, quand elle est venue pour l'anniversaire de Grand-Père, nous sommes allés à la fête foraine et nous sommes montés dans la grande roue. De plus, c'est une championne de tennis.

— Tommy déborde d'enthousiasme pour les filles, parce qu'il n'a jamais eu de sœur, dit M. Guthrie en riant. La présence d'une fille dans cette maison représente une nouveauté, croyez-moi. Eh bien, ajouta-t-il en se levant, je ne sais ce que vous autres comptez faire, mais moi je vais me coucher. Qui est partant pour une partie de tennis demain matin de bonne heure — mais vraiment de bonne heure ?

— Maury ? demanda Chris. J'ai pensé que nous pourrions emporter un pique-nique et faire de la voile toute la journée. Mais nous pouvons d'abord faire un set si tu en as envie ?

— D'accord. A quelle heure ?

— Six heures. OK ?

— OK.

Maury était agréablement fatigué, pourtant il ne s'endormit pas tout de suite. Il écouta les bruits de la nuit, le tonnerre assourdi d'un orage, dans le lointain, et le vent qui se levait. Il était ravi : quelle famille simple, charmante et paisible ! « Ma place est là, c'est à ce monde que j'appartiens... », songea-t-il avant de s'endormir.

Sans la trouver objectivement jolie, il ne se lassait pas de la regarder. Elle était petite et se déplaçait avec légèreté. Elle lui faisait penser à un oiseau, à un faon, à tout ce qui est doux et vif à la fois. Sa peau hâlée, ses cheveux et même ses yeux — des yeux de chat — étaient d'un beau brun doré. Si un tel prénom avait existé pour une fille, elle aurait dû s'appeler Septembre.

Il était allongé sur le ponton à côté d'Agatha, deux jours après son arrivée. Tout le monde était parti faire de la voile, mais Agatha n'avait pas voulu y aller.

— N'allez pas faire de bateau, avait-elle dit à Maury, venez vous baigner avec moi. Non, bien sûr, je ne parle pas sérieusement. Faites ce qui vous plaira.

— J'accepte de vous tenir compagnie, avait-il répondu.

Aussi se reposaient-ils, brûlés par le soleil et rafraîchis par la brise marine. Agatha rompit la silencieuse torpeur de l'après-midi.

— Maury, est-ce que cela vous ennuie si je vous pose une question ?

— Demandez toujours.

— Etes-vous pauvre ?

Il s'appuya sur un coude et la regarda, surpris.

— Quelle question ! Pourquoi m'interroger sur ce sujet ?

— Excusez-moi si vous trouvez cette curiosité déplacée. Mais la plupart des amis de Chris sont affreusement riches et je me disais que... eh bien... que votre air plutôt posé s'expliquait peut-être par le fait que vous étiez pauvre. Nous sommes nous-mêmes les pauvres de la famille et je sais un peu ce que l'on ressent dans cette situation.

« Pauvres », pensa Maury, en se rappelant les taudis où avaient vécu ses parents. Des gens y vivotaient encore tant bien que mal.. « des pauvres ».

— Non, répondit-il posément, pas vraiment. Mon père se débrouille assez bien, compte tenu de la situation actuelle.

— Bon, alors je suppose que c'est parce que vous êtes juif.

Cette fois Maury resta sidéré. Il ne savait vraiment pas quoi répondre à cette fille.

— C'est Chris qui me l'a dit.

— Est-ce tellement intéressant ?

— Je crois que oui. Je ne connais pas beaucoup de Juifs. Une ou deux filles seulement dans mon dortoir. Mais mon père en parle tellement souvent que cela m'a rendue curieuse

— Il n'y a pas lieu d'être curieux à ce sujet. Les Juifs sont des gens comme les autres, avec des bons et des mauvais.

— Mon père les déteste. Il les accuse d'être la cause de tous les malheurs de la terre. C'est son obsession, exactement comme l'Oncle Wendell avec ses fouilles en Grèce.

Une obsession ! Maury avala sa salive avant de changer de sujet.

— Votre oncle doit mener une vie intéressante ?

— Oh, oui. Vous devriez lui parler. Il a des tas de choses à raconter ! Il fait partie de la branche « rat de bibliothèque » de la famille. Pas comme dans cette maison.

Maury avait en effet remarqué que la maison était pleine de plantes vertes, de travaux d'aiguille, de tout ce qui rend une maison douillette, mais qu'il n'y avait pas un seul livre. Rien à lire à l'exception d'une série de vieilles revues du *National Geographic*.

— Je parie que Chris a rarement des notes au-dessus de « C », n'est-ce pas ?

— Eh bien, je ne peux pas tellement vous...

— Oh, ne craignez pas de trahir quoi que ce soit ! Ce n'est un secret pour personne et ses parents s'en moquent totalement.

— Ils se moquent des résultats qu'il obtient ? J'ai du mal à l'imaginer.

— Pourquoi ? Vos parents y accordent une telle importance ?

— Je crois que oui.

Lui revint en mémoire son dernier semestre d'études secondaires, où, pour la première fois, il avait eu un « B moins ». En chimie. Il avait horreur des matières scientifiques. Son père lui avait dit sans aucune rudesse : « Maury, j'ai vu ton bulletin. Pourquoi y a-t-il ce "B moins" ? »

— Ils ne me poussent jamais, disait-il à présent, pas comme le font d'autres parents du moins. Ils exercent plutôt une sorte de pression silencieuse. Je sais qu'ils tiennent à ce que je réussisse, pour profiter de la chance que j'ai et, d'une manière ou d'une autre, si je ne réussis pas, j'aurai le sentiment de les peiner.

— J'ai toujours entendu dire que les Juifs attachaient beaucoup d'importance aux études.

Nous y revoilà, pensa Maury. On ne peut jamais aborder un sujet sans que la question — « cette différence » — revienne sur le tapis.

— Ai-je dit quelque chose de blessant ?

— J'aimerais savoir une chose, demanda-t-il en tournant son visage vers elle. Partagez-vous le point de vue de votre père ?

— Moi ? Que voulez-vous dire ?

— Je fais allusion aux sentiments qu'il nourrit à l'égard des Juifs.

— Mais bien sûr que non ! s'écria-t-elle en riant. Comment pouvez-vous poser une telle question ! Je ne crois pas à tous ces trucs ! Et personne d'autre de la famille d'ailleurs. L'Oncle Wendell, par exemple, est un homme très libéral, très large d'esprit...

— Et votre mère ?

Aggie ne répondit pas tout de suite.

— Maman est... commença-t-elle d'une voix lente... eh bien, il est assez difficile de savoir comment serait Maman s'il n'y avait pas mon père. Elle subit d'autant plus son influence qu'il est tout le temps à la maison. Je pense que la manière de penser de Papa tient pour beaucoup à sa maladie. Quand on ne voyage plus, on ne voit plus ce qui se passe ailleurs, alors on se replie complètement sur soi-même et on devient... eh bien, fanatique. Il n'aime pas les catholiques non plus, surtout les Irlandais ! ajouta-t-elle d'une voix triste. Et peut-être que Maman pense un peu comme lui Je devrais dire qu'elle pense certainement comme lui.

— Elle ne sait rien à mon sujet ?

— Je suis sûre qu'on ne lui en a pas parlé. Maury ? interrogea Agatha en fronçant les sourcils.

— Oui ?

— Peut-être qu'il vaudrait mieux ne rien dire à ma mère.

Ah, au diable tous ces gens ! pensa Maury. Au diable sa mère glaciale et pincée et tous les autres avec !

— Maury ?

— Oui ?

— Je ne voudrais pas que vous pensiez que... je voudrais vous dire que, malgré cela, mon père est un homme merveilleusement bon. Il a terriblement souffert et je l'aime beaucoup. Je ne voudrais pas que vous vous imaginiez que je viens d'une famille anormale, mue par la haine et le mépris.

Pourquoi se souciait-elle de ce qu'il pensait d'elle et de sa famille ?

Elle le regarda droit dans les yeux. Son sourire était très joli et bien séduisant. Il lui sourit à son tour. Le sourire se transforma en rire, pas ce ricanement bête et artificiel des filles qui veulent passer pour enjouées et spirituelles, non, un beau rire franc et clair.

— Eh ! Savez-vous que cela fait deux heures que vous rôtissez au soleil ? leur cria Chris de l'autre côté de l'eau.

Ils se levèrent tant bien que mal, plongèrent et nagèrent rapidement jusqu'au rivage.

Cette conversation amena Maury à penser que Chris n'avait peut-être pas dit à ses parents qu'il était juif et qu'il en avait seulement parlé à Agatha. Il n'osait pas poser la question pour ne pas faire d'histoires inutiles. Mais en un sens il espérait que Chris avait mis ses parents au courant faute de quoi ces derniers seraient en droit de penser, s'ils l'apprenaient plus tard, que Maury était venu en se faisant passer pour ce qu'il n'était pas.

Ce soir-là, au dîner, certaines phrases dans la conversation suggérèrent à Maury qu'ils savaient. En parlant d'un banquier qu'il avait rencontré à Londres, le père de Chris signala que ce dernier possédait une splendide collection de peinture et que c'était un homme d'une très grande culture comme l'étaient beaucoup de Juifs. Maury en déduisit qu'ils savaient, sinon pourquoi aurait-il donné cette précision ? A moins que cette remarque ne prouvât exactement le contraire ?

Cette incertitude devenait gênante, pour ne pas dire pénible

Bien sûr, son nom aurait dû les renseigner. Mais il avait egalement des consonances germaniques. Quelle situation embarrassante ! Il n'avait pourtant aucun motif de honte. Son peuple avait tant apporté au monde qui l'avait ensuite traité avec une telle injustice ! Non, il n'avait pas honte. Quoi, alors ? Eh bien, il se sentait mal à l'aise, se demandait ce qu'ils pouvaient bien penser car, assurément, ils pensaient — ou peut-être simplement ressentaient — quelque chose. Etrangement, Maury ne s'était jamais posé autant de questions avec Chris et ses camarades sur le campus. Là, il s'était toujours senti sur un véritable pied d'égalité.

Mais en présence de ces adultes courtois, les choses étaient différentes et Maury le percevait pour la première fois depuis son arrivée. Les repas ne se passaient pas du tout comme à la maison Maury regarda la table et le plat garni de fines tranches de rosbif. Point de profusion. Pas étonnant qu'ils soient tous si minces ! Maury aurait volontiers mangé davantage, mais Mme Guthrie ne prêtait aucune attention à ce que chacun avait dans son assiette. A la maison, la mère de Maury aurait insisté pour que l'on se res serve et parfois, elle resservait d'autorité celui qui refusait. Ici, tout le monde manifestait une extrême retenue, alors que chez lui le ton montait souvent à propos de politique ou du professeur de maths d'Iris qui semblait martyriser la pauvre enfant.

Oui, c'était différent et ce constat le rendait furieux. Furieux contre qui ? Contre lui-même ? Ou contre la vie qui faisait de lui ce qu'il était ?

Le 4 Juillet, pour une raison bien précise, son moral remonta et il retrouva son humeur enjouée. Après un réveil matinal au son des pétards qui claquaient dans les collines alentour, il se sentit à nouveau bien et normal. Il fit deux sets au tennis avant de prendre un copieux petit déjeuner et d'aller nager. A présent, alors qu'il était midi, il se trouvait dans la grand-rue — en fait l'unique rue du village — pour regarder le défilé qui passait à l'ombre des ormes.

Les gens étaient venus à pied ou en camion. Il y avait même quelques chariots alignés devant le bureau de poste. On distinguait quelques groupes de vacanciers, comme la famille Guthrie, des scouts en uniforme, et le corps des pompiers volontaires en grande tenue. Des familles de fermiers pique-niquaient sur l'herbe près du kiosque à musique tandis que leurs enfants et leurs chiens folâtraient autour d'eux. Maury était ravi : il avait l'impression de voir une gravure ancienne, une lithographie d'Ives et Currier, symbolisant l'Amérique authentique.

Les fanfares défilèrent gaiement les unes après les autres. Celle des pompiers, celle du collège, celle de l'American Legion. Vint ensuite un groupe d'élèves accompagnés de leur instituteur, qui chanta *Yankee Doodle* et, pour fermer le cortège, une voiture découverte, qui roulait très doucement, et dans laquelle trois hommes âgés agitaient leur casquette bleue. Les derniers vétérans de la guerre civile.

— Celui qui est assis au milieu, dit le vieux M. Guthrie, c'est Frank Burroughs, un parent par alliance, mais je n'ai jamais pu déterminer le degré exact de parenté qui nous liait.

— Il doit être très vieux, chuchota Maury.

— Pas tellement plus que moi, répondit M. Guthrie.

Le drapeau défila : ceux qui avaient encore leur chapeau se découvrirent. Une fanfare joua *The Battle Hymn of the Republic* et, timidement, quelqu'un se mit à chanter, bientôt rejoint par d'autres. Le fait de se trouver dans cette vieille rue, au milieu de gens qui vivaient dans le berceau de leur famille, tandis que résonnaient les voix et les tambours triomphants et que passaient solennellement les drapeaux des régiments, suffit à gonfler de joie le cœur de Maury. Il s'entendit chanter d'une voix claire, joyeuse et fière : « Mes yeux ont contemplé la gloire... » et s'arrêta soudain, gêné, parce que Chris s'était tourné vers lui et souriait.

— Allez, ne vous arrêtez pas, dit le grand-père. Allez, chantez ! Cela me fait plaisir de voir un jeune homme enthousiaste et, de plus, vous avez une jolie voix.

Alors Maury continua de chanter avec les autres, jusqu'à ce que le défilé disparaisse derrière l'école et que les gens commencent à rentrer chez eux.

— Qui veut bien rentrer à pied avec moi ? demanda Agatha.

Elle recueillit un grognement unanime : « Mais enfin, il y a presque quatre kilomètres ! »

— Je sais, mais c'est une très belle promenade à condition de prendre le raccourci au lieu de la route. Qui vient ?

— J'accepte, dit Maury.

Ils quittèrent donc la route pour emprunter un petit sentier poussiéreux qui traversait des prairies et des broussailles. Tout semblait très calme en ce début d'après-midi. Même les troupeaux se reposaient, ruminant solennellement dans l'ombre.

— Pourquoi aviez-vous les larmes aux yeux pendant le défilé ? lui demanda Agatha.

Maury se sentit à la fois humilié et furieux. Comment pouvait-elle être aussi candide ? Il répondit bêtement :

— Des larmes aux yeux ?

— Vous avez honte ?

— C'est que vous me donnez l'impression d'être bête.

— Pourquoi ? Moi aussi, j'étais très émue. Je suis curieuse de savoir pourquoi vous l'étiez.

— Eh bien, je crois que c'est parce que, l'espace d'un instant, j'ai eu le sentiment d'appartenir pleinement à ce lieu. En voyant défiler un vétéran de la guerre civile, j'ai ressenti ce que représentait le fait d'avoir des racines et de pouvoir dire : « C'est mon pays », ou encore : « Celui-ci est de mon sang ». J'étais très ému car je me suis toujours interrogé sur cette sensation.

— Vous vous posez encore la question ? Vous ne le savez pas ?

Il ouvrit la bouche pour lui expliquer, puis se ravisa. Comment pourrait-elle comprendre une histoire aussi triste, déroutante et complexe ?

Il voulut cependant essayer.

— Voyez-vous, nous — je veux dire ma famille — nous sommes complètement dispersés, nous ne formons pas un tout comme vous. Ma mère, par exemple, vient de Pologne. Ses frères vivent en Autriche et ils ont combattu de l'autre côté pendant la guerre. Ils ne parlent pas la même langue. La famille paternelle de la femme de l'un d'eux vit en France, tandis que des parents de mon père vivent à Johannesburg et je ne sais même pas quelle langue on parle là-bas ! Nous sommes divisés, complètement dispersés, répéta-t-il.

— Mais moi, je trouve que ça doit être très intéressant ! Les vieilles familles américaines comme la mienne, qui habitent le même lieu depuis des siècles, constituent une petite enclave où rien de nouveau, rien de frais ne pénètre jamais. Je me dis parfois, surtout depuis que je fais mes études, qu'il y a si peu d'imprévu en nous que nous devons finir par être ennuyeux.

— Non, dit patiemment Maury. Vous êtes enracinés, vous êtes forts. Et il se sentit obligé de poursuivre. Il m'arrive de me demander : « Qui sommes-nous ? A quelle terre appartenons-nous ? Quel est notre pays, vraiment, celui où nous avons vécu et vivrons toujours ? Je me sens si léger, sans aucune racine, que j'ai l'impression que je... que nous tous — ma famille et nos amis, tous les gens que je connais —, nous pouvons être balayés comme des feuilles mortes et que cela importerait peu. Personne ne le remarquerait.

— Ce que vous dites est terriblement triste !

— Je suis désolé. Je ne voulais pas être sinistre.

— C'est ma faute. C'est moi qui vous ai interrogé. Tenez, le raccourci est là. Il passe par le sommet de la colline. Courons jusqu'en haut : vous allez découvrir le plus beau paysage que vous ayez jamais vu.

Il n'avait effectivement jamais rien vu de semblable. A leurs pieds, la colline descendait en déroulant des courbes et des plis majestueux avant de s'élever à nouveau, tachée d'or par le soleil et de vert sombre par l'ombre des nuages qui couraient dans le ciel. Quelques petites îles paressaient çà et là dans la baie au pourtour déchiqueté par des criques tortueuses et, au-delà de l'eau, jusqu'à l'horizon, s'étendaient d'autres collines.

Et Agatha récita d'une voix délibérément chaleureuse et charmante :

Trois longues montagnes et une futaie
Etaient alors tout ce que je voyais.

Maury sourit et poursuivit :

Je me suis tourné de l'autre côté
Et j'ai aperçu trois îles dans la baie.

Ils restèrent immobiles et se regardèrent.

— La première fois que je vous ai vu, dit Agatha, j'ai pensé que vous étiez comme Chris et la plupart de ses amis, que vous n'aviez pas grand-chose dans la tête.

— Je ne sais pas vraiment qui je suis.

Son trouble fut tel qu'il se détourna. Il aperçut alors une touffe de plantes plus hautes que lui.

— C'est quoi, cette plante avec les petites fleurs blanches ?

— Oh, celle-ci, c'est de la rue-des-prés, une herbe, tout simplement

— Et ce truc qui est si odorant ?

— Une autre plante commune : de l'achillée millefeuille.

A nouveau, il la regarda. Elle n'avait pas bougé et son visage avait une expression incroyable...

— Je crois qu'en fait leur nom ne m'intéresse pas vraiment.

— Je le savais.

Et alors, ils se rapprochèrent et leurs lèvres se joignirent tandis que, sous leurs vêtements de coton, leurs deux cœurs battaient à tout rompre.

— Quand devez-vous partir, Agatha ?

— Demain matin, et vous ?

— Après-demain. Vous savez que nous devons nous revoir.

— Oui.

— Quand ? Comment ?

— En septembre. Vous viendrez à Boston ou bien je pourrai venir à New Haven. L'un ou l'autre.

— Il se passe quelque chose de fou. Je suis amoureux.

— C'est fou, n'est-ce pas, parce que moi aussi je suis amoureuse.

Il était certain d'avoir changé et que les gens allaient sûrement s'en apercevoir. Mais personne ne sembla remarquer quoi que ce soit et c'était aussi bien. Même Chris ne soupçonna rien et Maury, avec une prudence prémonitoire, préféra le laisser dans l'ignorance.

Il entendait la voix d'Agatha résonner à ses oreilles. Parfois, lorsqu'il conduisait, son visage surgissait devant le pare-brise et l'éblouissait. Il pensait à son corps nu, essayait de l'imaginer, en éprouvait un trouble profond.

Ils se revirent à Boston en septembre. Elle vint une fois à New Haven et il fit le voyage du retour en train avec elle. Ils marchaient pendant des heures, s'éternisaient aux tables des restaurants. Ils visitaient les musées jusqu'à en avoir mal aux pieds. A mesure que l'hiver approchait, les trottoirs, balayés par un vent aigre qui transperçait les vêtements, devenaient moins accueillants.

Un jour, elle lui montra une clef.

— C'est la clé de l'appartement de mon amie Daisy, expliqua-t-elle. Ils sont partis skier dans le Vermont.

— Non, dit-il, nous ne pouvons pas.

— Pourquoi ? J'ai toute confiance en Daisy. Et nous n'avons jamais été seuls. J'aimerais seulement que nous puissions nous asseoir quelque part, seuls et tranquilles.

— Mais te rends-tu compte que je suis incapable de rester tranquillement assis, seul avec toi dans une pièce ?

— Eh bien, je ferai tout ce que tu voudras. Je voudrais tellement te rendre heureux !

— Mais ensuite, nous cesserions d'être heureux, Aggie chérie. Je veux vraiment que notre histoire commence dans la perfection, que nous n'enfreignions aucune règle. Nous avons déjà tant de choses contre nous, je ne tiens pas en ajouter.

Elle jeta la clef dans son sac qu'elle referma d'un coup sec.

— Tu n'es pas... Tu ne crois pas que je n'en ai pas envie, Aggie ? s'écria-t-il.

— Non. Seulement, je me demande si nous aurons un jour un moment d'intimité, dit-elle amèrement.

— Mais bien sûr que oui. Tu ne devrais te tourmenter ainsi.

— Tu n'as pas parlé de moi à tes parents ? demanda-t-elle.

— Non. Et toi ?

— Mon Dieu, non ! Je t'ai déjà raconté comment était mon père. Nous nous sommes même disputés la dernière fois que j'étais à la maison. Il prétendait que les Juifs étaient derrière Roosevelt et il pense, bien sûr, que Roosevelt est le pire scélérat de tous les temps et que nos descendants devront payer pour ce qu'il fait actuellement au pays.

Et je lui ai répété l'opinion de ton père, celle que tu m'avais expliquée, que les gens commençaient à avoir quelques dollars en poche et qu'il était certainement en train de sauver le système américain... J'ai cru que mon père allait avoir une attaque ! Il m'a demandé quelle sorte de professeurs cinglés et radicaux j'avais au collège et ma mère m'a fait signe de ne rien répliquer parce que mon père était vraiment dans tous ses états. Voilà comment les choses se passent chez moi.

— On va bien trouver un moyen, quelque chose, dit Maury avec assurance.

Un homme était censé avoir confiance en ses possibilités, mais, au fond de lui, Maury était assailli de doutes.

Le téléphone représentait à la fois un lien vital et un véritable supplice. Agatha recevait les communications dans une cabine située près du dortoir dans un couloir du collège, et, au milieu des cris et des portes claquées, elle entendait très mal ce qu'il lui disait. Il devait répéter, hurler : « Je t'aime. Tu me manques terriblement », prisonnier de sa frustration et de sa tristesse. Puis venait un long silence, les secondes défilaient à toute allure, comme s'ils ne trouvaient rien à se dire. En réalité, ils ne savaient trop par où commencer.

Maury dut subir les vacances de Thanksgiving. Il accompagna son père dans sa collecte des loyers et dans ses tournées d'inspection pour vérifier l'avancée des travaux sur les appartements de Washington Heights. Attendant sur le trottoir, il assistait au déchargement de camions transportant des meubles cossus venus de quelque quartier élégant de Berlin et qui semblaient trop massifs et trop encombrants pour convenir à un appartement new-yorkais. Les réfugiés commençaient à arriver d'Allemagne. Son père, le visage grave, parlait avec les nouveaux arrivants, mêlant yiddish et allemand, poussant de profonds soupirs qui paraissaient vouloir dire : Et maintenant, que va-t-il se passer ? Qu'allons-nous devenir ? C'était déprimant.

Pendant les repas, autour de la table familiale, Iris ne manquait jamais de rapporter avec sérieux et passion les commentaires du *New York Times*. « Mais enfin, Papa, disait-elle en repoussant derrière ses oreilles ses cheveux en bataille, tu simplifies beaucoup trop. Il faut rechercher l'origine de ce qui se passe actuellement en Allemagne dans le traité de Versailles et la crise économique... »

Pauvre Iris ! Maury lui souhaitait de trouver un jour un bonheur comparable à celui qu'il avait découvert auprès d'Agatha.

Dans la famille de Chris, les repas se passaient autrement. Pourquoi n'en était-il pas de même ici ? Maury ne voulait pas être de parti pris : peut-être prenait-il trop à cœur ce qui se passait chez lui.

Son père lui annonça alors qu'ils auraient des invités le jour de Thanksgiving : « M. Nathanson et sa femme. Nathanson est notre nouveau comptable. Un gars très brillant. Leur fille viendra aussi », ajouta-t-il sans autre commentaire.

Comme par hasard, la fille se retrouva assise à côté de Maury. Ce dernier faisait confiance à ses parents : il savait bien que jamais ils ne songeraient à lui imposer quelqu'un qui n'en valait pas la peine. C'était d'ailleurs une fille tout à fait charmante. Très intelligente, elle étudiait à Radcliffe, sans pour autant chercher à en imposer. Maury apprécia sa robe de lainage gris pâle et ses cheveux noirs, luisants et épais. Il aimait bien aussi ses ongles rouge foncé, parfaitement soignés. Il soupçonnait Aggie de ronger les siens. Mais, pas plus qu'une autre, cette fille n'était comparable à Agatha.

— Que comptez-vous faire après l'université ? lui demanda-t-elle.

Tout le monde entendit la question. Ne sachant trop lui-même quelles étaient ses intentions, il fut le premier surpris de sa réponse.

— Je voudrais faire mon droit.

(Une idée qui lui trottait dans la tête depuis quelque temps, peut-être à cause du sympathique grand-père de Chris ou des projets de Chris lui-même.)

Sidéré, son père faillit s'étrangler :

— Maury ! Tu aurais pu nous en toucher un mot !

— Eh bien, c'est que je n'étais pas sûr.

— Sapristi, voilà une grande nouvelle ! s'écria-t-il. Savez-vous, confia-t-il aux invités, que sa mère et moi avons toujours rêvé, depuis le début, qu'il devienne médecin ou juriste. Vous savez comment...

Oui, les Nathanson comprenaient parfaitement et ils sourirent d'un air entendu.

— Où vas-tu aller ? Harvard ou Yale ?

— J'irai là où on voudra bien de moi, répondit-il modestement.

— Bien, bien. Il faudra que je me démène un peu, mais je le ferai, dit son père. Pour Maury, je remuerai ciel et terre s'il le fallait.

— Quand les affaires auront repris, pourquoi votre fils ne travaillerait-il pas avec vous, il pourrait s'occuper de tout le côté juridique ? fit observer M. Nathanson. Vous ne trouvez pas que c'est une bonne idée, Maury ?

Ce n'était pas du tout ce que Maury avait en tête, mais il n'en dit rien. Son rêve était en train de prendre forme : il se voyait menant une vie bien américaine, dans une petite ville aux traditions anciennes. Il s'imaginait assis derrière un bureau à contempler de vieux érables par la fenêtre, bercé par une atmosphère tranquille et austère. Comme Lincoln à Springfield. Oui, c'était ça son rêve !

Quelques jours plus tard, sa mère fit remarquer :

— C'est une fille charmante, cette Natalie, tu ne trouves pas ?

— Oui, tout à fait, approuva-t-il mais, contrairement à ce que semblait attendre sa mère, il n'en dit pas plus.

Quelques semaines s'étaient écoulées lorsque, au téléphone, elle lui dit :

— J'ai parlé avec Mme Nathanson aujourd'hui et je ne sais plus comment cela est venu, mais elle prétend que tu n'as plus fait signe à Natalie.

— Non.

— Elle ne te plaît pas ? demanda sa mère après un moment de silence.

— Ce n'est pas du tout la question.

— Je ne veux pas t'importuner. Je comprends que tu aies tes secrets et je n'ai pas l'habitude de me mêler de tes affaires sentimentales, n'est-ce pas, Maury ?

— Oui, c'est vrai.

— Alors, pardonne-moi pour cette fois... Tu penses à une autre fille, c'est ça, hein ?

— Eh bien, je ne sais pas encore. Mais je te promets de t'en parler le moment venu.

— Je n'en doute pas. Nous te faisons confiance, Maury. Tout ce que tu décideras sera bien pourvu qu'il s'agisse d'une jeune fille juive bien sûr. Mais est-il besoin de te le rappeler ?

Les vacances de Noël ne furent guère plus réjouissantes. Agatha vint à New York pour une soirée dansante. Il la retrouva dans le hall de l'hôtel Commodore. Elle eut beau lui affirmer qu'untel et untel ne représentaient rien pour elle, qu'ils n'étaient que des cavaliers pour cette soirée, que personne ne comptait à part lui, il avait beau savoir qu'elle disait la stricte vérité, il se sentait tenaillé par une jalousie atroce. Danser, cela signifiait que des mains la toucheraient, que des oreilles écouteraient ses propos, que des regards effrontés et impudiques se poseraient sur elle...

Quand le mois de mars et les vacances de printemps arrivèrent, son absence lui devint intolérable. Il demanda à son père de lui prêter la voiture pendant un jour ou deux pour aller rendre visite à un ami qui habitait près d'Albany.

Plus il montait vers le nord, et plus le froid devenait vif. Les petits villages semblaient encore cloîtrés dans le silence de l'hiver ; quelques congères subsistaient ici et là.

Maury s'arrêta déjeuner dans un endroit qui empestait la vieille graisse ; la serveuse, une femme plus toute jeune, était en butte aux plaisanteries et aux allusions obscènes d'un groupe de braillards accoudés au comptoir. Soudain accablé par une telle atmosphère, Maury eut envie de faire demi-tour. Mais, après avoir fait le plein à la station d'essence voisine, il reprit la route. De grosses fermes apparaissaient çà et là, de plus en plus dispersées, puis vinrent de grands bois et des maisons anciennes flanquées d'un enclos à bétail. En fin de journée, il arriva à Brewerston.

Il eut l'impression de se trouver soudain en plein XVIIIe siècle. Cet endroit merveilleux qui appartenait à un autre siècle était pour ainsi dire sien, et ce sentiment emplit Maury d'une immense joie. Il connaissait déjà ces larges rues bordées d'ormes, l'église blanche et le cimetière, les murs de brique et les impostes, les clôtures blanches et les allées bordées de rhododendrons. Pourtant, il n'était jamais venu ; il avait seulement admiré ce paysage sur des gravures et ce décor avait souvent hanté ses rêves.

Toutes les boutiques de la ville étaient déjà fermées, à l'exception du drugstore dans la rue principale. Maury entra, consulta l'annuaire et nota l'adresse et le numéro de téléphone. Il n'y avait pas d'autres clients dans le magasin, aussi s'adressa-t-il à l'homme qui était derrière le comptoir :

— Est-ce que Lake Road se trouve loin d'ici ? demanda-t-il.

— Cela dépend où vous allez dans Lake Road. La route longe le lac pendant dix à douze kilomètres avant de rejoindre la nationale. Vous cherchez qui ?

— Oh, je ne pense pas y aller ce soir, répondit Maury en hochant la tête. Je vais d'abord appeler.

Il introduisit une pièce dans l'appareil téléphonique et donna le numéro à l'opératrice.

— La ligne est occupée, dit-elle.

Il se demanda s'il aurait le courage d'appeler une nouvelle fois. L'homme derrière le comptoir l'examinait avec curiosité.

— Vous n'êtes pas de la région ?

— Je suis de New York City.

— Ah ! J'suis allé une fois à New York. Ça m'a pas plu.

— On ne peut pas vous en vouloir, c'est si beau ici.

— Eh ouais ! Mes ancêtres y sont arrivés quand les Indiens y étaient encore.

Maury remit la pièce dans la fente. Cette fois-ci, quelqu'un répondit.

— Pourrais-je parler à Agatha, s'il vous plaît ?
— Mademoiselle Agatha ? (Maury fut soulagé d'apprendre qu'il parlait à une employée.) De la part de qui, s'il vous plaît ?
— Dites que c'est un ami. Un ami de New York.
Quand elle vint au téléphone, il chuchota :
— Aggie, je suis ici, en ville.
— Oh, mon Dieu, pourquoi ?
— Parce que je ne pouvais plus supporter d'être loin de toi.
— Mais que vais-je dire ? Que vais-je faire ?
— Dis que tu as besoin d'aller acheter quelque chose au drugstore, n'importe quoi. Je t'attendrai un peu plus loin dans une Maxwell. Combien de temps te faut-il ?
— Un quart d'heure.
— C'est juste ce que je pourrais endurer.
Ils roulèrent environ trois kilomètres en dehors de la ville avant de s'arrêter. Quand ils s'enlacèrent tendrement, la chaleur de leurs corps réunis leur fut comme un baume sur une douloureuse blessure.
— Je voulais savoir ce que nous allions devenir, dit Maury. Non, non, ne pleure pas, murmura-t-il en voyant des larmes couler sur les joues d'Agatha. Depuis cette soirée de Noël, je pense que le monde est plein d'ennemis, de gens qui veulent me séparer de toi...
— Personne ne pourra me séparer de toi, s'écria Agatha avec véhémence.
— Alors, veux-tu m'épouser ? En juin, quand j'aurai obtenu mon diplôme ? Est-ce que tu acceptes, Agatha ?
— Oui, oui, j'accepte.
— Quoi qu'il arrive ?
— Quoi qu'il arrive.
Au moins, à présent, il savait où ils allaient. Il ignorait comment ils y parviendraient, comment il pourrait concilier les études de droit et le mariage, mais il avait sa parole, et cette certitude l'encouragea pendant tout le troisième trimestre jusqu'aux examens de fin d'année.

Le soir de la cérémonie de remise des diplômes, Maury était assis en compagnie de sa mère dans la cuisine où celle-ci avait l'habitude de boire une dernière tasse de café avant d'aller se coucher. Pendant toute la journée, il avait eu le sentiment qu'elle avait quelque chose à lui dire.
— Maury, commença-t-elle, tu connais une fille, n'est-ce pas ? Et elle n'est pas juive.
Il sentit monter en lui, absurde, un rire nerveux provoqué par la stupéfaction. Mais il le réprima.
— Comment as-tu deviné ?
— Pour quelle autre raison en ferais-tu un tel secret ?
Il ne répondit rien.
— C'est elle que tu es allé voir quand tu as emprunté la voiture de Papa le printemps dernier, n'est-ce pas ?

Il acquiesça d'un signe de tête.
— Que vas-tu faire ?
— L'épouser, Maman.
— Tu es au courant, bien sûr, des problèmes que cela va créer ?
— Oui, je sais, et je suis vraiment désolé.
Sa mère remua son café et la cuiller tinta gaiement contre la tasse, comme pour réconforter Maury. Elle parla d'une voix douce.
— Je me sens souvent partagée et écartelée entre deux manières de voir les choses. D'un côté, je pense que tu as raison, Maury. Si tu aimes vraiment quelqu'un — et Dieu seul sait que l'amour véritable est rare... il semble tenir à tant de choses en même temps que... même à mon âge, je n'ai pas encore vraiment compris... — alors, plutôt qu'« aimer », je devrais dire : si tu veux être avec quelqu'un, pourquoi ne pas le faire ? Pourquoi souffrir et se sacrifier quand la vie est si courte ? On naît avec une étiquette, mais on aurait aussi bien pu naître avec une autre. Tu vois ce que je veux dire, Maury ?
— Je vois. Mais quel est l'autre côté ?
— L'autre côté, dit-elle calmement, c'est que cette étiquette est quand même là. Tu es né et l'on n'y peut rien changer. Ce côté me fait dire que ton père a raison, Maury, et que tu dois l'écouter.
— Sais-tu ce qu'il va dire ? En as-tu parlé avec lui ?
— Bien sûr que non, je n'en ai pas parlé avec lui. Mais je sais parfaitement — comme toi d'ailleurs — ce qu'il va dire.
Elle avala son café et il la regarda. Il pensa qu'elle avait un visage très doux, très beau...
— Il dira — et il aura raison —, poursuivit-elle, il dira que tu descends d'un peuple ancien et fier. Tu peux en douter lorsque tu vois les enfants des ghettos de l'Est de la ville. Nous manquons d'éducation — où pourrions-nous l'acquérir ? Nous sommes souvent bruyants et nos manières ne sont pas raffinées. Mais nous ne sommes qu'une toute petite partie de l'histoire de notre peuple.
— Je sais tout cela et le comprends.
— Je me suis parfois demandé, étant donné qu'à Yale tu vivais dans un monde différent, si tu n'avais jamais eu honte de moi, ne serait-ce qu'un tout petit peu ? Une mère étrangère parlant avec un accent étranger.
— Non, non, Maman, jamais.
Cette femme qui se tenait si droite et semblait si sûre d'elle avait donc toujours eu cette idée, cette crainte enfoncées quelque part en elle ? pensa-t-il avec une soudaine tristesse. Comme il est difficile de connaître les autres !
Cette cuisine blanche et froide, crûment éclairée par une lampe qui pendait du plafond, parut alors à Maury semblable à une salle d'opération. Lui aurait été le patient, étendu pieds et poings liés, impuissant.
— Maman, je ne peux pas, je ne peux pas.
— Tu ne peux pas la quitter ?
Les sanglots qui lui nouaient la gorge l'empêchaient de parler. Il

ferma les yeux et répéta d'une voix voilée : « Je ne peux pas la quitter. » Elle resta silencieuse, mais sans même la voir ni l'entendre, il sentait sa présence chaleureuse.

Elle s'approcha de lui et caressa doucement ses cheveux, en disant :

— Maury, Maury, je suis désolée. La vie est parfois terriblement dure.

— Alors, tu veux me parler, Maury ? demanda son père.

Ils se trouvaient dans le bureau de Joseph au milieu du décor familier que constituaient la fumée de cigare, l'humidificateur en acajou, les nombreuses photographies de famille, sans oublier le globe posé devant la fenêtre, un cadeau d'Iris qui aimait toujours faire ce genre de présent : un globe, des livres ou encore des cartes anciennes.

— Je pense que Maman t'a annoncé de quoi je voulais discuter, dit Maury.

— Oui. Mais je tiens à ce que tu saches qu'il n'y a en fait rien à discuter, dit gentiment son père. Cela ne veut pas dire que je refuse de parler. Je suis aussi tout disposé à t'écouter.

— Mais que puis-je dire d'autre, sinon que j'aime Agatha ? Je l'aime tellement...

— Je suis désolé. Désolé que tu aies de la peine.

— Cette peine peut être évitée. Les choses pourraient être si simples.

— Rien n'est simple.

— Elles l'ont pourtant été pour Maman et toi, non ?

— Rien n'est simple, crois-moi. Et ta mère était juive.

— Papa, toi qui es un homme à l'esprit pratique et rationnel, dis-moi pourquoi tu trouves si étrange que j'aime Agatha. Elle est merveilleuse. Je suis sûr que tu l'aimerais beaucoup. Elle est intelligente, enjouée et elle a bon cœur.

— Je n'en doute pas. Je suis sûr que tu ne t'intéresserais pas à quelqu'un qui ne posséderait pas toutes ces qualités. Toutefois, l'épouser demeure impossible.

— Comment peux-tu penser une telle chose et être en même temps l'ami de M. Malone ?

— Où est le problème ? Malone et moi nous comprenons très bien et c'est pour cela que nous sommes amis. C'est un bon catholique et il compte que ses enfants épousent des catholiques, ce en quoi je le respecte.

— Mais pourquoi ? Vraiment pourquoi ? Tu ne m'as toujours pas expliqué. Je reconnais qu'il est plus facile d'épouser quelqu'un de la même religion, mais...

Joseph se leva et alla vers le globe qu'il fit tourner.

— Regarde, ici c'est la Palestine. C'est là d'où nous venons. Là, nous avons donné au monde les Dix Commandements et si tout le monde les respectait, il n'y aurait plus de problèmes. Là, nous avons donné son Dieu au monde chrétien. Et de là, nous avons été chassés par le feu, dépossédés de notre terre pour échoir ici — son doigt balaya l'Afrique d'un grand geste et remonta vers l'Espagne — et ici — sa main s'arrêta sur la Pologne et la Russie — et puis de l'autre côté de l'Atlantique, et encore ailleurs : l'Afrique, l'Australie...

— Oui, oui, je sais, dit Maury impatiemment. J'ai un peu étudié et je connais notre histoire.

— Peut-être, mais pour toi elle ne représente que des mots. Maury, toute cette histoire, cette longue errance s'est écrite dans le sang. Et à l'heure actuelle, tandis que nous parlons, elle continue de s'écrire. En ce moment, en Allemagne, notre peuple est torturé sans raison aucune et le monde ne bouge pas. Nous avons tellement souffert, nous, le Peuple de la Bible, ce peuple fort et fier qui a tant donné au monde ! Mon fils, nous sommes peu nombreux et nous avons bien besoin les uns des autres ! Comment peux-tu te détourner de ton peuple ? Comment oses-tu ?

Maury était ému et furieux de s'être laissé émouvoir. Son père avait fait preuve d'une telle éloquence que des larmes lui étaient montées aux yeux. Cette éloquence ne lui ressemblait guère, lui qui était d'ordinaire peu communicatif. Il n'a pas le droit de me faire cela, pensa Maury qui savait déjà que la bataille était perdue. Ce qui ne l'empêcha pas de tenter une nouvelle offensive.

— Papa, je ne me détournerai pas de mon peuple. Je ne changerai pas. Penses-tu que je veuille me convertir ? Je resterai ce que je suis et Agatha restera ce qu'elle est.

— Et vos enfants ? Que seront-ils ? Laisse-moi te le dire : rien ! Et tu me demandes d'accepter comme si ce n'était pas grave que mon petit-fils, le fils de mon fils, ne soit rien ?

— Papa, accepterais-tu au moins de rencontrer Agatha ? Permets-moi de l'amener ici. Tu pourras lui parler et...

— Non, non. Cela ne rimerait à rien.

— Tu es exactement comme sa famille à elle. Aussi sectaire.

— Quoi ? Tu ne fais plus de différence maintenant entre les bourreaux et les victimes ? Tu as dû perdre la tête ! Ainsi sa famille aussi est contre, n'est-ce pas ?

— Bien sûr ! Qu'est-ce que tu croyais ?

— Tu vois bien que c'est impossible ! Ecoute-moi, Maury. Je voudrais tant que tu comprennes. Crois-moi, il n'est rien qu'un être humain ne soit capable de surmonter. Tu en doutes peut-être aujourd'hui, mais fais-moi confiance, je t'en prie. Des parents perdent leurs enfants et des maris perdent leur femme, pourtant, ils continuent de vivre. Peu à peu, la douleur s'apaise.

Crois-moi, tu souffriras quelques mois, je le sais. Mais ensuite, tu n'y penseras plus et tu rencontreras une fille bien, de ton milieu, et cette Agatha rencontrera un autre homme. Ce sera mieux pour elle aussi.

— Je ne veux pas entendre de tels propos ! Je ne te permets pas de parler ainsi ! s'écria Maury.

— Maurice, ne me parle pas sur ce ton. J'essaie de t'aider et s'emporter n'arrangera certainement pas les choses.

Maury se dirigea vers la porte. Il avait envie de casser quelque chose, lancer la lampe contre le sol. Piétiner. Mettre en mille morceaux. Foutu monde et foutue vie !

— Et que feras-tu si je l'épouse quand même ?

Le visage de son père devint blême.

— Maurice, dit-il d'une voix très basse, j'espère que tu ne feras pas cela. Par égard pour ta mère, par égard pour moi et pour nous tous, j'espère que tu ne feras jamais cela. Je t'en supplie, je te mets en garde, ne laisse pas se produire l'irréparable !

Agatha était en larmes au bout du fil.

— J'ai parlé à mes parents, Maury. Ou, du moins, j'ai essayé. Ils étaient absolument horrifiés et j'ai cru que mon père devenait fou. Mais il a prétendu que c'était moi qui étais folle. Enfin, je ne vais pas me mettre à te raconter tout ce qu'il a dit !

— Je l'imagine facilement, dit Maury d'une voix sinistre.

— Il m'a ensuite parlé de notre famille, de nos ancêtres, de ce qu'ils incarnaient et de ce qu'incarne l'Amérique. Il a dit que si... si je faisais cela, je ne serais plus sa fille. Ma mère a tout d'abord pleuré, puis elle est devenue furieuse contre moi parce que mon père était absolument livide et elle a cru qu'il allait avoir une attaque. Elle m'a priée de sortir de la pièce. Oh, Maury, c'est vraiment effroyable de se marier dans ces conditions, de quitter ainsi sa maison.

— Crois-tu que si je parle à Chris il pourra intercéder en notre faveur ? demanda-t-il après avoir réfléchi quelques instants.

— Je ne sais pas, Maury. Essaie !

— Il vient à New York pour le week-end. J'irai le voir à son hôtel.

— Oui, mes parents ont dit le plus grand bien de toi, dit Chris. « Un jeune homme très séduisant », a dit ma mère — ce sont ses propres termes.

— Eh bien, s'ils ont pensé du bien de moi, peut-être pourraient-ils parler aux parents d'Aggie, à moins que tu ne t'en charges ? Cela nous aiderait beaucoup, je crois.

— Je ne crois pas, sincèrement, répondit Chris avec douceur.

— Non ? Aggie pense le contraire.

— Aggie devrait pourtant être au courant. Elle se raccroche à un faux espoir.

Maury enfouit sa tête dans ses mains. Il pensait avoir parlé de manière convaincante.

Chris se dirigea vers la fenêtre et regarda dehors pendant quelques instants, comme s'il était en train de prendre une décision, puis il se retourna vers Maury.

— Ecoute, j'ai une proposition à te faire. Tu es à bout de nerfs, c'est visible comme le nez au milieu de la figure. Pourquoi ne pas laisser tout tomber et t'embarquer avec moi pour l'Angleterre ? Je pars la semaine prochaine. Si l'argent pose un problème, je peux t'en prêter. On se baladera dans tout le pays et tu te sentiras renaître. Qu'en dis-tu ?

— Tu ne comprends pas. Si tu prétends que tu veux m'aider, pourquoi me refuser l'aide que je te demande ? Dis-moi, Chris, sois honnête avec moi.

— Tu y tiens vraiment ?

— Oui.

— Parce que je n'approuve pas ce mariage. Si j'avais su ce qui se passait entre toi et Aggie, je n'aurais pas laissé les choses aller si loin.

— Mais pourquoi, Chris, pourquoi ?

— Bon sang, Maury, ne sois pas aussi naïf ! Parce que tu es ce que tu es, voilà tout.

— Et en quoi suis-je différent de toi ?

— Je ne pense pas que tu sois différent, mais les autres le pensent. Et tu demandes à Aggie d'assumer avec toi ce rôle de victime.

— Elle s'en moque.

— C'est ce qu'elle croit. Il va falloir qu'elle laisse tomber les clubs, les amis — enfin, presque tous ses amis. Ses enfants seront rejetés par des gens qui rêvaient de les accueillir à bras ouverts.

— Elle s'en fout totalement, je te le répète !

— Mais elle ne se fout peut-être pas totalement de ses parents ! Aggie leur est très attachée, surtout à son père. Depuis qu'il a eu la polio, elle est son bras droit. Je me souviens que quand elle était toute gamine — elle ne devait pas avoir plus de huit ou neuf ans — elle lui apprenait à remarcher. Tu aurais eu le cœur brisé si tu les avais vus à cette époque.

— Et notre histoire, elle ne te brise pas le cœur ?

Chris le regarda sans rien dire. Maury ouvrit la porte.

— Mon ami. Mon grand ami, Chris. Eh bien, tu peux vraiment aller te faire voir ailleurs !

Ils se marièrent à la mairie par un jour torride de juillet. « On pourrait se faire cuire un œuf sur le trottoir, aujourd'hui », plaisanta l'employé de mairie en tamponnant leur certificat de mariage.

Un vieux ventilateur brassait paresseusement l'air confiné de leur chambre d'hôtel. Par la fenêtre ouverte, on entendait le même disque, inlassablement. Ils se firent monter un repas dans leur chambre. On leur servit des steacks durs comme des semelles et des pommes de terre mal cuites. Mais pour Maury et Aggie, il n'existait pas de chambre plus belle, ni de musique plus douce, ni de repas plus succulent...

Aggie sortit une bouteille de sa valise.

— J'ai apporté du vin pour célébrer notre mariage. Regarde l'étiquette. C'est du meilleur !

— Je n'y connais rien en vin. Il n'y en avait jamais à la maison.

— A force de vivre en France, je m'y suis habituée. Là-bas, on boit du vin à la place de l'eau.

— Et on ne devient pas complètement saoul ?

— Non. On voit seulement les choses dans un léger brouillard, pas désagréable. A ta santé !

— Et à la vôtre, madame Friedman !

Ils burent à leur santé, tirèrent le store et retournèrent au lit, bien qu'il fût seulement trois heures de l'après-midi.

Le lendemain matin, à l'heure où il était sûr que son père serait parti travailler, il appela sa mère.

— Maury, s'écria-t-elle, je voudrais tant te voir ! Mais je ne peux pas. Ton père me l'a interdit. Mon Dieu, si seulement tu n'avais pas fait cela ! dit-elle en pleurant. Depuis hier, il règne ici une atmosphère sinistre. Iris et moi osons à peine respirer. Et ton père a l'air d'avoir dix ans de plus.

Il n'en voulut pas à sa mère des propos qu'elle lui tint. Avant de raccrocher, il lui dit au revoir d'une voix douce.

A eux deux, ils possédaient un peu plus de quatre cents dollars.

— Si nous faisons très attention, nous pouvons tenir pendant deux mois avec cet argent, dit Maury. Mais je trouverai certainement un travail bien avant cette échéance, ajouta-t-il, confiant en lui-même et en sa force.

— Moi aussi, je trouverai quelque chose. Je peux toujours faire des remplacements en attendant d'obtenir un poste fixe comme professeur de français.

— Avant de décider où nous voulons nous fixer, nous allons chercher un appartement qui soit à la fois convenable et bon marché.

Forts de ces belles résolutions, ils achetèrent les journaux d'un cœur joyeux, sillonnèrent la ville en métro et trouvèrent finalement un appartement meublé au dernier étage d'un pavillon situé dans le Queens. M. Georges Andreapoulis, un jeune Grec américain, qui avait obtenu son diplôme de droit en pleine crise, en était le propriétaire. Il avait rencontré son épouse, Elena, une jeune femme forte, lors d'un voyage en Grèce.

L'appartement était propre et garni de meubles neufs en bois d'érable. Une affreuse carpette qui se voulait une imitation de tapis d'Orient ajoutait une touche d'un goût douteux.

— Je pourrais en demander cinquante dollars par mois, dit M. Andreapoulis, mais les temps sont tellement durs en ce moment que, franchement, je me contenterai de quarante.

Par la fenêtre de la cuisine, Maury regarda la courette en ciment, les terrains vagues où poussaient quelques herbes folles. Pas le moindre petit arbre. Cette désolation rejoignait l'horizon, limitée dans le lointain par les grands panneaux publicitaires qui bordaient l'autoroute. Sinistre, même sous le plus éblouissant soleil. Mais l'appartement était d'une propreté irréprochable, le propriétaire correct et gentil, et, de toute façon, ils n'y resteraient pas longtemps.

— Ma femme ne parle pas l'anglais, dit M. Andreapoulis. Nous sommes jeunes mariés, nous aussi. Peut-être pourriez-vous l'aider, madame Friedman ? En échange, elle vous apprendrait à faire la cuisine, c'est une merveilleuse cuisinière. Oh, excusez-moi, ajouta-t-il, confus. Je suis stupide. Malgré la réputation que l'on fait aux jeunes Américaines, vous êtes probablement un cordon bleu.

— Que non, dit Agatha en riant et, pour reprendre la formule rituelle, je ne sais même pas faire cuire un œuf. Je suis donc prête à apprendre, jusqu'à ce que je trouve du travail, bien sûr.

La question du logement se trouva donc réglée. Ils firent deux voyages en métro avec leurs valises, une lourde caisse pleine de livres, et un poste de radio que Maury avait acheté pour trente-cinq dollars. Ils l'installèrent sur la table de la salle de séjour, à côté de la lampe.

Ils ne regrettèrent pas cet investissement coûteux dont ils avaient commencé par avoir un peu honte. A eux qui ne pouvaient se payer le cinéma, la radio offrait gratuitement des concerts le dimanche après-midi et, pratiquement en permanence, de la musique de danse interprétée par le Casa Loma Orchestra de Glen Gray ou Paul Whiteman au Biltmore. Dans leur cuisine, ils dansaient aussi bien des biguines que de tendres slows, toutes lumières éteintes. Seuls au monde, et ne formant qu'un seul corps, ils évoluaient dans la pièce, étourdis et ravis. Puis Maury éteignait le son et, dans le silence qui tombait soudain, ils rejoignaient leur lit, toujours tendrement enlacés.

20

Ils remontèrent Riverside Drive et tournèrent vers West End Avenue pour rejoindre la rue où habitait Iris. C'était une chaude soirée du mois d'avril et tout le monde était dehors : les pères de famille promenaient le chien de la maison tandis que des jeunes gens chantaient *When a Broadway Baby Says Goodnight* et s'amusaient à se bousculer en riant bruyamment. Ils allaient à une surprise-partie. Iris et Fred en revenaient.

— Je suis désolé d'être parti si tôt, dit Fred quand ils arrivèrent devant l'immeuble où habitait Iris. Je n'aurais pas dû laisser tant de travail à faire pour ce soir, c'est ma faute, dit-il pour s'excuser.

— Cela n'est pas grave, moi aussi j'ai du travail, mentit-elle.

Ils restèrent devant la porte. Devait-elle lui demander de monter quelques minutes ? Elle n'en avait pas vraiment envie et elle savait qu'il déclinerait l'invitation.

— Merci de m'avoir invité, dit-il. C'était une soirée formidable. Je ne savais pas qu'Enid et toi étiez amies.

— Nous ne sommes pas amies. Il se trouve seulement que sa mère et la mienne travaillent dans le même comité de bienfaisance.

En disant cela, elle trouva soudain étrange que sa mère s'occupât d'œuvres charitables alors qu'il n'y avait jamais un dollar de trop à la maison. Il est vrai que sa mère répétait toujours qu'il y avait beaucoup de gens plus malheureux qu'eux et qu'ils ne devaient pas se plaindre.

Fred s'éloigna donc en lui rappelant :

— N'oublie pas la réunion pour le journal, demain, après les cours.

— J'y pense, répondit-elle avant de rentrer et de se diriger vers l'ascenseur.

Sa mère était en train de lire dans la salle de séjour. Elle leva les yeux vers Iris, étonnée.

— Déjà ? Et où est Fred ?

— Nous sommes partis de bonne heure. Il avait du travail à faire.

— Mon Dieu, il n'est que neuf heures et demie ! Il aurait pu monter prendre quelque chose. J'avais préparé du chocolat chaud et des gâteaux.

— Tu sais, nous avons déjà mangé comme dix chez Enid !

— Alors, tu t'es bien amusée, dit sa mère. Ne dérange pas ton père, il est en train de faire sa déclaration d'impôts. Je crois que je vais aller lire dans mon lit, ce sera plus confortable.

Iris regagna sa chambre et enleva sa robe vert émeraude. Un cadeau de sa mère quand Fred avait commencé à s'intéresser à elle, à l'époque où ils s'étaient mis à travailler ensemble au journal de l'école. Elle lui avait conseillé de soigner davantage sa tenue à présent qu'elle avait quinze ans.

Fred était un garçon sérieux. Malgré ses lunettes, il deviendrait certainement beau garçon quand il s'étofferait un peu avec l'âge. Et c'était l'un des plus brillants sujets de l'école.

Pendant tout l'hiver, ils avaient eu des discussions passionnantes dans la salle de rédaction et parfois, en fin d'après-midi, Fred la raccompagnait chez elle, à pied. Il s'intéressait à la politique, ce qui suscitait entre eux de violentes controverses. Pourtant, sur beaucoup de points, ils partageaient le même avis. Il disait qu'il respectait son esprit de réflexion et son indépendance intellectuelle.

Sans se l'avouer, bien sûr, ils se sentaient plutôt supérieurs à la plupart des autres élèves. Leur vie était bien remplie et ils ne perdaient pas leur temps en vaines futilités. Lui aussi lisait énormément et ils discutaient ensemble de leurs lectures.

Elle sentait qu'elle lui plaisait et rien jusqu'à présent ne l'avait rendue aussi heureuse que cette certitude.

La semaine précédente, il l'avait invitée à un mariage. L'une de ses cousines se mariait et avait prié Fred de venir avec sa cavalière. Le mariage devait être solennel et la tenue de soirée de rigueur. Iris se faisait une joie d'être invitée non seulement parce qu'elle n'avait jamais été à un grand mariage mais aussi à cause de Fred.

Sa mère avait aussitôt déclaré qu'il lui fallait une jolie toilette pour l'occasion et, après quelques instants de réflexion, elle était allée chercher un carton dans sa penderie. Elle en avait sorti une robe en soie rose et Iris avait reconnu celle du portrait, la robe de Paris.

— Nous pourrions la faire transformer par un couturier, avait dit sa mère. Regarde ces mètres de tissu — et quel tissu ! s'était-elle exclamée en déployant la robe comme un éventail. De quoi te faire une robe magnifique. Nous teindrons des chaussures de la même couleur. Qu'en penses-tu ?

Iris était ravie. Elle se demandait néanmoins ce que porteraient les autres filles et comment elle pourrait le savoir.

Iris venait de retirer sa robe. Pendant la soirée chez Enid, une fille — de celles qu'un rien habille et qui réussissent à avoir de l'allure même avec un vieux chandail noué autour des épaules — avait longuement regardé sa robe. Iris s'était alors enfoncée davantage dans son siège, persuadée que sa robe était affreuse et ne lui allait pas du tout. La même fille rencontrée un peu plus tard devait lui avouer qu'elle avait été fascinée par le superbe vert émeraude de sa robe.

Cette soirée chez Enid était atroce et pitoyable. Iris regrettait d'avoir invité Fred, mais Enid lui avait demandé de venir accompagnée. Tous les amis d'Enid correspondaient au type même des personnes qui déplaisaient souverainement à Fred : superficiels, prétentieux, ils ne cessaient de faire des remarques désobligeantes auxquelles on était censé répondre par une plaisanterie d'un goût aussi douteux, ce qui rendait la conversation très pénible. Fred et Iris avaient échangé de longs regards de connivence. Elle lui avait fait signe qu'elle était désolée et Fred lui avait apporté une assiette en disant : « Tant pis, du moment que la nourriture est bonne ! » avant d'aller lui-même se resservir. Il avait un robuste appétit.

Iris avait observé les autres filles. Quel spectacle de les voir glousser et faire les yeux doux aux garçons en prenant des airs inspirés ! Et ces idiots qui étaient incapables de remarquer à quel point elles prenaient la pose... Fred ne faisait pas partie du lot. Il n'était pas dupe de leurs minauderies. Iris et lui se comprenaient parfaitement bien.

— Seigneur ! s'était écriée Enid en regardant Iris, on dirait que tu viens d'enterrer ton meilleur ami ! Tu ne t'amuses donc pas ? avait-elle ajouté avec un sourire pincé.

Iris s'était sentie humiliée devant Fred.

— Mais si, je m'amuse, avait-elle répondu sèchement.

Peut-être devrait-elle sourire davantage. La cousine Ruth lui avait dit un jour qu'elle avait un sourire extraordinaire parce que, dès qu'elle souriait, tout son visage était illuminé. Rentrée chez elle, Iris s'était alors entraînée devant le miroir de la salle de bains. La cousine Ruth avait raison : ses lèvres s'étiraient doucement, laissant apparaître des dents éclatantes, mais aussitôt qu'elle cessait de sourire, son visage retrouvait un aspect sévère qui ne correspondait pourtant pas à sa nature profonde. Il faudrait qu'elle fasse l'effort de sourire davantage, sans exagérer toutefois, sous peine de passer pour une imbécile heureuse.

Enid et quelques garçons avaient poussé les tapis et mis en marche le phonographe. Tout le monde s'était levé pour danser. Fred avait tendu les bras vers Iris. Elle adorait danser, ce qu'elle tenait certainement de sa mère. Son père dansait bien, mais il n'y prenait pas grand plaisir. Iris se souvenait qu'un jour, en rentrant, elle avait surpris sa mère en train de danser toute seule dans la salle de séjour. N'ayant pas entendu Iris entrer, elle tournoyait et virevoltait sur l'air du *Danube bleu* joué par le phonographe, un vieil Edison qu'il fallait remonter au milieu du disque. Iris s'était sentie très gênée mais sa mère avait affiché une belle décontraction. Après s'être arrêtée, elle avait seulement dit d'une voix enjouée :

« Tu sais que si je pouvais être réincarnée pendant quelques jours, j'aimerais être une comtesse ou une princesse viennoise afin de valser à loisir dans une splendide robe de dentelle blanche, sous des chandeliers de cristal. L'espace d'un jour ou deux. Car ce genre de vie devait être futile et vain. »

— J'aimerais bien qu'ils mettent une valse, avait chuchoté Iris dans l'oreille de Fred.

— N'y compte pas, avait-il répondu en riant et en posant sa joue contre la sienne.

Ce contact chaleureux l'avait transportée de bonheur. Elle se dit que la soirée avait commencé de l'amuser à ce moment précis.

Iris se rendit dans la salle de bains où elle fit couler de l'eau dans la baignoire. Elle avait déjà pris un bain avant de sortir. Mais elle avait envie de s'allonger dans l'eau chaude pour mieux réfléchir. Les bains chauds la réconfortaient toujours.

Si cette fille n'était pas arrivée, la soirée aurait pu être merveilleuse. Dès son entrée en piste, tout avait changé. Elle faisait partie de ces filles pleines de vitalité qui captent automatiquement l'attention de tout le monde sans même avoir besoin d'être jolies.

— Je vous présente Alice, avait dit Enid. Elle vient juste de quitter Altoona pour habiter ici. Nous étions dans un camp de vacances ensemble.

— Alice d'Altoona, avait renchéri Alice, tout le monde avait ri bien que la remarque n'eût rien de comique.

Toute l'assistance s'était aussitôt intéressée à elle. Ils voulaient savoir quand elle avait déménagé, quelle école elle fréquentait et si elle avait déjà vécu à New York.

Alice ne s'était apparemment pas émue de l'intérêt qu'elle suscitait. Sans doute avait-elle l'habitude d'être la vedette de toutes les soirées. Iris l'avait observée avec l'œil du spectateur, car pour elle c'est bien d'un spectacle qu'il s'agissait. Sauf que la vedette venait de faire son entrée en scène alors que, jusqu'à maintenant, les autres n'avaient tenu que des seconds rôles. Elle avait soigneusement examiné son comportement et ce qui la différenciait des autres. Alice ne parlait pas beaucoup, mais ses paroles faisaient mouche et déclenchaient généralement les rires. Ou bien elle adressait un petit compliment, en passant, qui ne manquait jamais de flatter celui à qui il s'adressait. Elle semblait faire les choses avec beaucoup d'aisance, sans en rajouter, mais Iris n'était pas dupe de son manège.

La nouvelle venue avait dit à la mère d'Enid que l'appartement était absolument charmant et qu'elle aimerait que sa propre mère pût le voir. Sa mère serait donc invitée. Puis elle avait fait savoir à tout le monde que son frère était étudiant en seconde année à l'université de Columbia. Les autres filles ne manqueraient pas d'inviter Alice à leurs soirées. Elle avait déclaré à chaque garçon qu'il était un merveilleux danseur. « Il est des choses qui se remarquent. » Immédiatement, tous les garçons avaient voulu danser avec elle.

« Vous êtes tellement grand ! » avait-elle dit à Fred, à croire qu'il appartenait à une espèce de géants qu'elle n'avait encore jamais rencontrée auparavant.

Mais Fred avait paru flatté et l'avait invitée à danser. Pour le Peabody, Alice connaissait quelques variations. « Nous ne sommes pas totalement ignorants à Altoona », avait-elle dit avant de pirouetter. Sa jupe tourbillonnait jusqu'à laisser voir la dentelle de son panty. Fred l'avait reçue dans ses bras comme un danseur de ballet et tout le monde s'était reculé et avait fait cercle pour regarder danser le couple. Fred semblait aux anges.

Iris s'était efforcée de faire bonne figure. Quand Enid avait changé le disque, Fred avait continué de danser avec Alice. Bientôt, tout le monde était revenu sur la piste de danse, à l'exception d'Iris. Puis un garçon était venu l'inviter, à son grand soulagement, jusqu'au moment où elle avait découvert que son cavalier était le petit frère d'Enid et n'avait pas encore treize ans. Il lui avait fallu supporter le contact moite des mains de ce piètre danseur qui piétinait plus qu'il ne dansait. On changeait les disques, mais il persistait à danser avec elle. Peut-être qu'il aurait aimé se débarrasser d'elle, sans savoir comment s'y prendre ? En tout cas, elle aurait bien voulu se débarrasser de son cavalier mais ne savait pas davantage comment faire. Au bout d'un moment, elle avait simplement prétendu qu'elle avait envie de se reposer un peu.

Fred l'avait vue aller s'asseoir. Il était venu la rejoindre. Sans doute ses obligations de cavalier lui étaient-elles revenues en mémoire. En outre, quelqu'un d'autre venait d'inviter Alice.

— Tu sais qu'on est dimanche, lui avait-elle rappelé. Tu ne crois pas que nous ne devrions pas nous attarder trop longtemps ?

A sa grande surprise, il avait acquiescé en lui disant qu'il lui restait en effet beaucoup de travail pour la semaine. Elle s'était imaginé qu'il aurait envie de rester jusqu'à la dernière minute puisqu'il s'amusait tant.

Iris fit couler davantage d'eau chaude. Sa mère lui recommandait toujours de ne pas s'endormir dans la baignoire, mais elle trouvait l'endroit tellement apaisant pour penser. Peut-être Maury saurait-il me dire ce qui cloche en moi, songea-t-elle. Cette fille avait fait exactement tout ce que Fred prétendait détester. Peut-être Maury saurait-il... se répéta-t-elle. Elle avait souvent eu envie de lui demander à quoi tenait son charme, mais elle craignait toujours de le mettre dans l'embarras. Un jour — elle devait avoir onze ans — elle avait épié Maury par l'entrebâillement de sa porte. Il regardait par la fenêtre, l'air perdu dans de profondes pensées. Finalement elle était entrée et lui avait demandé : « Est-ce que tu es triste ? » ce qui l'avait mis très en colère. « Tu n'es qu'une sale enquiquineuse ! » lui avait-il crié. Mais le même soir, un peu plus tard, il était venu dans sa chambre et s'était gentiment excusé. Maury pouvait être très tendre, mais il répugnait à se montrer sous ce jour.

Je suis tellement malheureuse qu'il nous ait quittés, se disait-elle à présent. Je crois qu'il était incapable de renoncer à aimer Agatha. De toute façon, pour lui, la religion n'avait jamais représenté grand-chose. A la synagogue, je voyais clairement, sur son visage, qu'il ne ressentait rien, ou qu'il ne ressentait pas les choses de la même façon que Papa ou moi. Je n'ai jamais su quoi penser à propos de Maman, je sais seulement qu'elle est très sensible aux chants et à la musique. Mais moi j'aime les paroles de la Bible et ce Peuple Ancien dont Elle parle. Je pense à tous ceux qui sont assis devant, derrière et à côté de moi comme étant une partie de moi et moi une partie d'eux. Quand ils se lèveront et quitteront la synagogue, ils seront à nouveau des étrangers, mais aussi longtemps que nous sommes réunis et que résonne au-dessus de nos têtes cette musique mélancolique et plaintive, nous ne faisons plus qu'un. Quand j'étais toute petite, je pensais que Dieu était comme Papa, ou Papa comme Dieu et qu'il pouvait tout faire. Je sais maintenant que c'est faux... Il n'a rien pu faire pour Maury. D'ailleurs, il ne veut plus parler de lui et ce silence fait mesurer l'étendue de son chagrin. Maman parle de Maury quand Papa n'est pas à la maison. Elle raconte souvent des tas de choses sur lui quand il était bébé. Mais jamais elle ne dit : « Quand tu étais bébé, Iris... »

L'eau commençait à refroidir. Iris sortit de la baignoire, se sécha et enfila sa chemise de nuit. Le téléphone sonna dans le couloir. Sa mère alla répondre.

— Iris, c'est pour toi, cria-t-elle.

Iris regarda la pendule et vit qu'il était presque onze heures. Elle prit le téléphone et entendit la voix de Fred.

— Iris ? Je suis vraiment désolé de t'appeler si tard, mais je viens de me rappeler quelque chose, et je voulais te le dire...

— Oui ? dit-elle patiemment.

— C'est à propos du mariage. Je suis vraiment très embarrassé. Il semblerait qu'il y ait eu malentendu, de mon fait ou pas. Finalement : je ne suis pas censé venir accompagné. C'est moche de t'annoncer cela, mais... euh, je sais que tu comprendras.

— Bien sûr, répondit-elle d'une voix enjouée. Bien sûr, je comprends.

Il parla quelques minutes encore au sujet du journal, mais elle ne l'écoutait pas vraiment. Elle se demandait ce qui l'empêchait de répondre à Fred qu'il était inutile qu'il se donne la peine de mentir, qu'elle savait parfaitement qu'il avait l'intention d'emmener Alice à ce mariage et qu'il était probablement retourné chez Enid après l'avoir raccompagnée.

Quand elle raccrocha, sa mère sortit de sa chambre.

— Mon Dieu. Il ne pouvait pas attendre demain pour te parler ? fit-elle remarquer en souriant.

— C'était à propos du mariage. Il s'est trompé : finalement il n'est pas censé venir accompagné.

— Oh... je vois, articula-t-elle lentement.

Pendant une minute elle parut troublée et chercha à lire une explication sur le visage d'Iris qui demeura impassible et fière.

— Ce n'est pas grave, il y aura d'autres mariages.

Iris sut que la réaction de sa mère n'était pas dictée par l'indifférence, loin de là. Elle-même n'aurait pas réagi différemment. « A moins d'une catastrophe, tu ne veux jamais reconnaître que quelque chose ne va pas », se plaignait toujours son père qui savait cependant profondément gré à sa femme de faire preuve de cet optimisme placide qu'Iris trouvait souvent exaspérant. Un jour elle avait même demandé à sa mère si rien ne la tourmentait jamais. Ce qui lui avait valu, au bout d'un moment, la réponse suivante : « Lorsque quelque chose me tracasse, je le garde pour moi. Ton père a déjà suffisamment de sujets d'inquiétude. »

Iris retourna dans sa chambre, se brossa les dents et se coucha. Etrangement, elle se sentait moins déprimée qu'elle ne l'aurait cru. D'une certaine manière, peut-être même était-elle soulagée de ne pas aller à ce mariage : ainsi n'aurait-elle à se soucier ni de l'impression qu'elle produirait, ni des filles comme Alice. Et puis Fred n'était qu'un adolescent. Un jour, elle rencontrerait un homme qui n'aurait d'yeux que pour elle.

Je suis sûre que ma mère me croit accablée par ce contrordre, parce qu'elle sait aussi bien que moi que Fred ment. Il y a quelques années, quand nous allions à la plage, elle croyait déjà que j'étais malheureuse sous prétexte que je restais toute seule à lire dans un hamac, alors qu'une ribambelle de gosses jouaient ensemble autour de nous. Je me souviens de l'été où je lisais *Ivanhoé* et *Les derniers jours de Pompéi*. Ces merveilleux gros livres racontaient des histoires tragiques et tristes qui faisaient venir les larmes aux yeux, sans que le lecteur soit vraiment affligé, grâce au romanesque des situations. Quand je reposais le livre, j'étais très heureuse alors même que les larmes coulaient le long de mes joues.

Après mes études secondaires, je voudrais étudier la littérature anglaise. Je suis amoureuse des mots, de leur musique, de leur rythme, de leur charme envoûtant, depuis toujours ou, plus probablement, depuis le temps où Maman me lisait des histoires à voix haute quand j'avais trois ans ou peut-être moins. On sent la texture des mots comme les doigts sentent la douceur du velours. Un jour, j'avais dressé une liste des mots que je trouvais particulièrement beaux et, parmi ceux-ci, figurait Angélique. J'aimerais beaucoup porter ce nom. Il faut que je prenne la résolution d'apprendre cinq mots nouveaux chaque jour.

Iris avait très envie d'écrire, mais le problème était qu'elle n'avait rien à raconter. Dans une rédaction, elle avait parlé d'une fille qui se sentait seule dans un camp de vacances, loin de chez elle, et le professeur lui avait fait compliment de son lyrisme, mais c'était la seule fois. Plus tard, la vie lui apporterait certainement de nombreuses expériences et des choses à dire, ce qui ne changerait rien puisqu'elle était persuadée qu'elle n'avait aucun talent particulier.

Elle connaissait une fille à peine plus âgée qu'elle qui venait de quitter l'école pour étudier dans un conservatoire de musique ; elle avait déjà joué dans un orchestre. Cela devait être merveilleux de pouvoir exprimer à l'aide d'un instrument ce que l'on sentait en soi ! Iris sentait des élans merveilleux lui soulever la poitrine — sans parvenir à se manifester réellement.

C'est vrai, pensa-t-elle, la personne que je sens au plus profond de moi et celle que les autres voient sont deux personnes bien différentes.

21

Durant l'automne 1935, il semblait qu'il n'y eût pas le moindre emploi vacant pour un diplômé de Yale, qui s'exprimait correctement, se présentait bien, et était disposé à accepter n'importe quoi. Il n'y en avait pas davantage pour une charmante jeune femme de très bonne famille, ancienne élève du collège de Wellesley et qui, de surcroît, avait étudié les beaux-arts en Europe et parlait français aussi bien — voire mieux — que certains francophones de naissance. Elle ne parvenait même pas à obtenir un emploi de serveuse dans un restaurant, car il y avait toujours une cinquantaine de candidates plus expérimentées qu'elle pour ce genre d'emploi. Lui ne pouvait pas travailler comme porteur parce que, d'abord, il n'a pas le physique de l'emploi et ensuite, on licenciait beaucoup plus qu'on n'embauchait. La situation était absurde.

Tous les soirs, à minuit, Maury sortait pour aller acheter la première édition des journaux. Il épluchait les pages d'offres d'emploi, puis prenait le métro à cinq heures et allait de magasin en usine, d'usine en atelier, traversant la ville du Bronx jusqu'à Brooklyn, pour revenir chez lui dans le Queens, sans travail.

Au mois d'octobre, ils commencèrent à désespérer de jamais trouver un travail. Il leur restait exactement soixante-dix dollars. Un jour, Maury décida de ne plus acheter le journal. Il était inutile de jeter cinq *cents* tous les matins par les fenêtres. Ce jour-là, pour la première fois, ils furent pris d'une réelle panique.

— Tu ne connais vraiment personne qui pourrait t'aider ? demanda timidement Agatha. Je veux dire que tu as toujours vécu à New York, alors...

Comment lui expliquer qu'il avait rompu tout contact avec ses amis d'enfance ? Il ne pouvait pas leur faire signe maintenant, uniquement pour leur demander un service. De plus, dans la plupart des cas, leurs pères étaient médecins ou juristes et ne pourraient rien faire pour lui, à moins qu'ils ne soient dans les affaires, auquel cas ils avaient leurs propres difficultés.

Sa seule ressource était Eddy Holtz. Bien sûr, ils s'étaient quittes un peu fraîchement, mais quelque chose en Eddy permettait à Maury de ravaler sa fierté — et Maury reconnaissait que ce trait de caractère était tout à l'honneur d'Eddy. Eddy étudiait la médecine et la chirurgie à l'université de Columbia. Ses efforts laborieux avaient été récompensés et Maury songea, non sans tristesse, qu'Eddy s'accrocherait toujours à son travail et parviendrait à ses fins. Son père possédait trois ou quatre magasins de chaussures dans Brooklyn. Peut-être pourrait-il l'embaucher...

— Je demanderai à mon père, dit Eddy. Je verrai ce que je peux faire. Est-ce que tu es heureux, Maury ?

— Oui, excepté le fait que je ne trouve pas de travail. Tu sais que je suis marié ?

— Avec la cousine de Chris Guthrie, n'est-ce pas ?

— Oui, et nos familles ne sont pas... c'est-à-dire que nous n'avons plus aucune relation avec elles. Voilà pourquoi j'ai pensé à toi. Je sais que nous n'avons pas toujours été du même avis, Eddy, mais j'étais sûr que tu n'aurais pas oublié notre ancienne amitié.

— Je n'ai encore rien fait pour toi. Mais je vais essayer.

Le magasin se trouvait à deux rues de la station de métro. Il n'avait donc pas loin à marcher. C'était une boutique longue et étroite, coincée entre un Prisunic et un magasin de vêtements pour enfants. Deux autres vendeurs, Resnick et Santorello, travaillaient là depuis quinze ans et gagnaient quarante dollars par semaine. Maury remplaçait un homme plus âgé, mort subitement la semaine précédente. Il toucherait vingt dollars par semaine.

— Le patron fait des économies avec la mort de Binder, lui dirent les autres hommes. Il était là depuis plus longtemps que nous et sa paye atteignait quarante-cinq dollars.

Ce qui inquiétait Maury, c'est qu'en fait, il n'y avait pas suffisamment de travail pour trois vendeurs. Pendant toute la matinée et jusqu'à trois heures, on ne voyait parfois qu'une demi-douzaine de clients : des mères de famille avec leurs bambins, un homme qui achetait des chaussures de travail, des gamines qui voulaient des escarpins vernis bon marché pour aller danser, une vieille femme qui entrait avec des chaussures tout avachies et percées et sortait les derniers sous de son porte-monnaie pour s'en offrir une nouvelle paire. Après trois heures, à la sortie des classes, une nuée d'enfants turbulents envahissait la boutique. Ils se disputaient pour monter sur le cheval à bascule. Maury avait appris à s'occuper d'eux avec patience et efficacité, si bien que quand les mères revenaient avec le reste de leur progéniture, elles demandaient souvent à être servies par lui.

Maury passait ces interminables matinées à regarder par la vitrine et finit par découvrir qu'il avait attrapé la fâcheuse manie de faire tinter les pièces de monnaie dans ses poches comme le faisaient Resnick et Santorello pour tromper leur ennui. Il observait le flot lent et monotone des voitures, les gens qui descendaient de l'autobus au coin de la rue et ceux qui sortaient du métro, au milieu de la matinée : où pouvaient-ils bien aller ? Une ambulance s'arrêta de l'autre côté de la rue pour emmener quelqu'un. Quel événement ! Il aurait bien aimé pouvoir apporter un livre emprunté à la bibliothèque, afin d'oublier un peu cette rue sinistre et toutes les vicissitudes de cette terrible année 1935. Mais il savait que le seul fait de se plonger dans un livre signifierait aux autres qu'il était différent d'eux. Et il aurait été pour le moins malvenu de s'attirer ainsi leur antipathie. Il ne participait déjà pas beaucoup à leurs conversations, sauf lorsqu'ils parlaient de baseball. Le plus souvent, les deux hommes évoquaient des histoires de famille ou d'argent, les deux étant d'ailleurs intimement liées. Comment payer l'hystérectomie de sa femme, que faire du beau-père qui avait perdu son emploi ? Il faudrait certainement qu'ils le prennent chez eux, ce qui voulait dire que l'aîné des garçons dormirait sur un canapé... Où la fille recevrait-elle alors son petit ami ? Elle fréquentait un garçon charmant qui possédait un emploi stable chez Edison et ce serait une foutue histoire si elle perdait le petit ami à cause d'un vieux salaud qui n'avait jamais rien fait pour eux. Mais c'est le père de ma femme, dit Santorello... et chaque soir ce sont des scènes et des crises de larmes ; ça me fout le bourdon de rentrer à l'idée qu'il va falloir entendre des jérémiades ! Et Resnick, le sage Resnick, secouait la tête pour montrer qu'il comprenait. Avec ses yeux sombres, son regard cynique et résigné, ce dernier lui rappelait parfois son père, au point qu'il évitait de le regarder en face. Resnick secouait la tête et soupirait : ah, oui, la famille... mon frère me doit cent cinquante dollars, je sais que je devrais l'obliger à me rembourser, il peut faire un emprunt, il n'arrête pas de me faire des promesses, nous avons toujours été comme ça — comme les deux doigts de la main, disait-il, joignant le geste à la parole, et j'ai horreur de faire des histoires entre nous, mais, zut ! cent cinquante dollars ce n'est pas rien !

Au moins, se dit Maury, qui se sentait plein de pitié pour eux, cette situation n'est pour moi que temporaire. La crise ne durera pas éternellement. Je trouverai bientôt un autre travail. Mais, après tout, ces hommes sont-ils si différents ? Qu'ai-je de plus qu'eux, finalement ? A part le fait d'avoir lu quelques livres qu'eux n'ont pas lus. Suis-je donc voué à me pencher sur des pieds et nouer des ficelles autour de boîtes à chaussures jusqu'à la fin de ma vie ?

Eh oui, je pense trop parce que je n'ai rien d'autre à faire, songea Maury. L'ennui me fait broyer du noir. Il faut que j'arrête. Je devrais être content de trouver Aggie quand je rentre à la maison et non pas les fatigantes mégères qui leur servent d'épouses. Et puis, nous nous débrouillons, maintenant. Deux semaines de salaire pour le loyer : ce qui laisse environ quarante dollars pour le reste. Huit dollars par semaine pour la nourriture, soit trente-deux dollars par mois, et il en reste huit pour payer les transports, le gaz et l'électricité. On peut s'en sortir tant que nos vêtements tiennent le coup et que nous n'avons pas de frais médicaux. De toute façon, George Andreapoulis a dit qu'il aurait besoin de quelqu'un pour lui faire un peu de dactylographie, car il n'avait pas les moyens de s'offrir une secrétaire. Aggie tape très bien à la machine et pourrait taper pour lui. Seulement, il faudrait que George fournisse la machine à écrire parce que j'ai donné la mienne à Iris et Aggie a laissé la sienne chez ses parents. Autant dire que les deux sont perdues pour nous. A moins que... Tout tourbillonnait dans sa tête et il se rendit compte qu'il dépensait une énergie incroyable à réfléchir sur tous ces détails... A moins qu'Iris ne parvienne à convaincre leurs parents de lui en acheter une autre et lui rende la sienne ?...

Il y a environ un mois, en rentrant chez lui après la journée de travail, il avait trouvé sa sœur assise à table en compagnie d'Aggie. Vêtue d'une jupe à carreaux, d'un chandail et chaussée des chaussures bicolores qui étaient à la mode chez les filles à ce moment-là, elle était venue directement de l'école. Sa pile de livres était posée par terre, à côté de sa chaise.

— Tu ne t'attendais pas à me voir, Maury ? avait-elle dit en se levant pour l'embrasser.

— Ça, non ! Ça c'est une surprise ! Mais je suis très content ! Vous avez déjà fait les présentations, les filles ?

— Je suis arrivée il y a quelques minutes, avait précisé Iris. Je me suis un peu perdue. C'est la première fois que je viens dans le Queens.

— Et comment as-tu trouvé notre adresse ?

— Par le bureau de poste. J'ai pensé que vous vous étiez arrangés pour faire suivre votre courrier.

— J'aurais dû me souvenir que tu étais une petite futée !

Elle avait rougi. Le rose qui colorait ses joues avait atténué la sévérité de son visage.

— As-tu... as-tu dit à quelqu'un que tu venais ?

— J'ai prévenu Maman qui a pleuré un peu. Elle n'a rien dit, mais j'ai senti qu'elle était contente.

— Mais tu ne l'as dit à personne d'autre ? Impossible de prononcer Papa, ou père.

— Eh bien, comme je ne veux pas passer pour une hypocrite, j'ai annoncé ce matin que je serais en retard parce que j'allais vous voir. J'ai parlé suffisamment fort pour que Papa, qui était dans le couloir, puisse l'entendre. Je ne veux pas faire les choses derrière leur dos, avait-elle répété avec fierté.

Elle était devenue quelqu'un, avait alors soudain songé Maury non sans une profonde émotion. L'un d'eux avait manifestement changé. Jamais auparavant il n'avait pris la peine de la regarder vraiment. Elle faisait partie du décor au même titre qu'un canapé ou une chaise dont on réalise seulement la présence quand on se cogne contre eux dans le noir. Mais, non, elle était une *personne*.

— Je t'aime beaucoup, Iris, avait-il alors dit, simplement.

Avec le tact qui faisait partie de son charme, Aggie était partie préparer le thé puis avait dit joyeusement :

— Iris en est au point où nous en étions il y a exactement cinq ans : elle ne sait pas quel collège choisir.

— Ce n'est pas exactement cela, avait corrigé Iris. Je n'ai pas le choix. Je vais aller à Hunter. Ce qui ne me dérange pas du tout : j'ai hâte d'y être !

— C'est quoi, Hunter ? avait voulu savoir Aggie.

Avec un léger sentiment de culpabilité — mais ce n'était pas sa faute si ses parents lui avaient payé un lycée privé avant de l'envoyer à Yale —, Maury lui avait expliqué :

— Hunter est un établissement public de la municipalité de New York. Il faut être très brillant pour y entrer. Le niveau exigé est très élevé.

— Oh ! Et après cela, Iris ? Savez-vous déjà ce que vous voulez faire plus tard ? Je l'espère pour vous, sinon, vous risquez de vous trouver dans la même situation que moi actuellement.

— Je vais enseigner — si je trouve du travail, bien sûr. En tout cas, je vais m'y préparer.

Iris remua son thé avec calme. Elle est sortie de l'enfance, avait songé Maury.

— Tu ne veux pas avoir des nouvelles de la maison ? avait-elle demandé brusquement. Ou bien est-ce que tu n'oses pas me le demander ?

Une telle perspicacité l'avait surpris.

C'est ainsi qu'il avait appris que les affaires de gérance de son père et de Malone se développaient. Ils arrivaient à joindre les deux bouts, mais tout juste. Sa mère était toujours très occupée. Ruth et ses filles s'étaient installées chez eux pour quelques semaines, entre deux déménagements. June était mariée et les autres travaillaient à mi-temps pour le beau-père de June.

— Mais c'est surtout Papa qui subvient à leurs besoins, avait-elle conclu. Et Maury avait compris le message. Essaie de te souvenir de la bonté de Papa, essaie de le comprendre, ne le déteste pas trop.

Iris avait toujours beaucoup aimé leur père.

Plus tard, Maury l'avait accompagnée jusqu'à la bouche du métro, car il commençait à faire nuit. Il l'avait regardée descendre les marches. Elle s'était retournée pour lui dire : « Je reviendrai bientôt », et, quelques marches plus bas, elle avait ajouté : « J'aime bien ta femme, Maury, je la trouve très bien. » Et il était resté planté là jusqu'à ce qu'elle disparaisse complètement de sa vue, attendri, désemparé, la gorge nouée. Allons ! Pas de sentimentalité à l'eau de rose, s'était-il dit en colère contre lui-même avant de faire demi-tour.

Pourtant la vie était ainsi faite : confuse et complexe. Pour quelques personnes, quelque part dans le monde, elle était peut-être simple mais pas pour nous, pensa Maury. Pas dans ce foutu pays et pas à cette foutue époque. Je souhaitais tellement autre chose pour Agatha. Elle devrait vivre entourée de fleurs. Il compta les bus qui s'arrêtaient au coin de la rue : deux en cinq minutes alors que parfois il fallait les attendre pendant une demi-heure. Ridicule ! La porte du magasin s'ouvrit soudain et trois gamins turbulents accompagnés d'une mère fatiguée entrèrent, interrompant ses pensées.

— M'sieur, on voudrait trois paires d'espadrilles.

Un jour, quelques mois plus tard, ils reçurent une invitation au mariage d'une amie de collège d'Aggie. Maury lut la carte qui traînait sur la commode : Eglise presbytérienne de la 5e Avenue, réception immédiatement après, au River Club.

— Eh bien, c'est chouette ! Tu vas voir tous tes amis, dit-il.

Elle était en train de couper du pain et ne leva pas la tête.

— Qu'est-ce qui ne va pas ?

— Rien. Mais nous n'irons pas à ce mariage.

Elle n'a pas de robe à se mettre, voilà pourquoi elle ne veut pas y aller, pensa-t-il aussitôt.

— Aggie, on peut acheter une robe, si tu veux, dit-il gentiment.

— Nous n'en avons pas les moyens.

— On peut trouver une jolie robe pour quinze dollars, et peut-être même douze.

— J'ai dit non.

Ces derniers temps, il avait perçu une pointe d'amertume dans sa voix. Elle devait être énervée, pensa-t-il simplement.

— J'ai vu une robe dans la vitrine de Siegel, tout à fait ton style, lui dit-il gaiement le lendemain. Elle est blanche avec des fleurs bleues et une espèce de petite cape. Tu devrais aller la voir demain.

— Je ne veux pas aller à ce mariage.

— Mais pourquoi ?

— Je ne sais pas, répondit-elle sans lever les yeux de son tricot.

Il se sentit exclu, furieux.

— Ne me rejette pas comme ça ! Pourquoi faire tant de mystère ? Tu as honte de moi ?

— Comment peux-tu dire une chose aussi ignoble ! s'exclama-t-elle en levant les yeux vers lui. Tu me dois des excuses.

— D'accord, je m'excuse. Mais parle-moi, explique-moi tes raisons.

— Tu ne comprendras pas. C'est simplement que je trouve cela terriblement artificiel. Un après-midi ! Je ne m'entendrai pas avec les autres invités, nous ne vivons pas dans le même monde. Alors à quoi bon se lancer dans une aventure qui n'aura pas de suite ?

— C'est vrai, je t'ai arrachée aux tiens.

— Oh, s'écria-t-elle en bondissant sur ses pieds pour le prendre par le cou. Ce n'est pas ce que je voulais dire ! Tu crois que je me soucie tellement de Louise et de Foster ? Non, c'est simplement trop compliqué. Plus tard, quand nous serons vraiment installés, je me sentirai davantage d'humeur à sortir et nous aurons des tas d'amis.

Elle était dans ses bras, au milieu de la petite pièce mais, pour la première fois, il se sentit très loin d'elle.

Le jour du mariage, il rentra chez lui le cœur débordant de tendresse. Il pensait qu'elle avait dû imaginer son amie montant vers l'autel, tout habillée de dentelle blanche et couverte de fleurs... ce dont elle, Aggie, avait été privée. Il ouvrit la porte de l'appartement... et, à sa grande stupeur, vit immédiatement qu'elle était ivre.

— Je fête toute seule le mariage de Louise, annonça-t-elle.

Maury fut à la fois déconcerté, furieux et affolé. Malgré son expérience très limitée en la matière, il se souvint des vertus du café noir et alla dans la cuisine en préparer un pour Agatha.

En dépit de ses efforts pour prendre les choses sur le ton de la plaisanterie, elle avait manifestement honte.

— Je suis vraiment désolée, dit-elle, j'ai bu un tout petit peu trop, alors que j'étais à jeun. J'aurais dû le savoir.

— Ce qui m'étonne le plus, dit-il, c'est que tu aies eu envie de boire, assise là, toute seule.

— Mais c'est précisément à cause de cela : je trouve ce lieu tellement déprimant. Le silence bourdonne dans mes oreilles. Bloquée toute la journée dans ce trou sinistre...

— Tu ne peux pas lire, aller te promener ou trouver quelque chose d'autre à faire ?

— Maury, sois raisonnable. Je ne peux pas lire toute la journée jusqu'à m'en crever les yeux. Est-ce que tu as jamais réfléchi à ce qu'était ma vie ? Je tape un peu à la machine pour George, je passe un coup de chiffon sur ces pauvres meubles et voilà ma journée.

— Je suis désolé, Aggie, je ne me rendais pas compte que c'était pénible à ce point.

— Eh bien, réfléchis un peu ! Faire une promenade : je ne connais personne. Toutes les femmes poussent des voitures d'enfant et, de toute façon, nous n'avons rien en commun. Oh, si, j'oubliais, je connais une personne : Elena. Je peux toujours l'emmener au marché pour lui donner une leçon d'anglais : c'est un radis, répétez : ra-dis, con-com-bre...

— Et pourquoi Elena semble plus heureuse ? Elle se trouve pourtant à des milliers de kilomètres de son pays et ne parle même pas la langue d'ici.

— Voyons, Maury, Elena a toute une famille qui l'aime ! Une vraie famille ! Plus des douzaines d'amis à l'église grecque. Ses parents adorent George. Elle est aimée et entourée...

Il comprenait ce qu'elle voulait dire et resta silencieux. Il fallait vraiment qu'ils arrivent à mener une vie plus riche. Mais comment faire ? Nerveux et tendu, il tournait et virait dans le lit quand, soudain, elle se tourna vers lui. Il sentit ses bras, la douceur de ses lèvres, sa chaleur et tout s'envola : les soucis, la tension et la peur.

Il sombrait dans un doux sommeil lorsqu'il l'entendit murmurer :

— Maury, Maury, j'ai oublié de mettre le truc. Tu crois que...

— Oh, mon Dieu, répondit-il, affolé et tout à fait réveillé. Oh, mon Dieu, il ne manquait plus que cela !

— Je suis désolée, c'est vraiment bête. Mais cela ne se reproduira pas.

Il devint prudent. La nuit suivante, il se retira subitement en disant :

— Tu as pensé à mettre ton truc ?

— Mais qu'est-ce qui te prend ? répliqua-t-elle en se redressant. Tu es vraiment très romantique ! Quel amant passionné tu fais !

— Qu'est-ce que tu veux dire ? Je n'ai pas le droit de poser la question ?

Elle se mit à pleurer et il alluma la lumière.

— Eteins ! Pourquoi faut-il toujours que tu me flanques cette lumière éblouissante dans les yeux ?

— Dis-moi un peu ce que je fais de bien ? Je ne suis pas un amant passionné, j'ai la manie d'allumer la lumière, quoi encore ?... Je ferais peut-être mieux de me tirer une balle dans la tête, on n'en parlerait plus. Merde ! Je vais lire le journal dans la cuisine.

— Non, Maury ! Reviens ! Je suis désolée. Je suis terriblement susceptible, je le sais.

Il la regarda et se radoucit aussitôt : assise sur le lit, avec sa chemise de nuit en coton blanc chiffonnée, ses cheveux en bataille et ses yeux humides, elle avait l'air d'une petite fille.

— Oh, Aggie, moi aussi je suis très susceptible. Ce n'est pas ta faute, je voulais seulement dire que nous n'avons pas les moyens d'avoir un enfant. Et j'ai peur que... peut-être que je ne devrais pas te le dire. Une femme doit pouvoir se reposer sur son mari.

— Dis-moi, dis-moi, chéri.

— J'ai peur de bientôt perdre mon travail. Santorello a annoncé aujourd'hui qu'il avait entendu dire que le magasin allait peut-être fermer. Les affaires marchent mal.

— Le père d'Eddy te donnera du travail dans un autre magasin.

— Non, je ne lui demanderai même pas. Il ne va certainement pas m'embaucher alors qu'il licencie des hommes qui travaillent pour lui depuis dix ans et plus.

Il se réveilla à l'aube avec la sensation d'être seul dans le lit et se leva. Il y avait de la lumière dans la cuisine. Agatha était assise à la table, les yeux perdus dans le vague, le visage triste, devant une bouteille de vin et un verre.

— Aggie, il est cinq heures du matin ! Que fais-tu ?

— Je ne pouvais pas dormir. J'avais peur de te réveiller en remuant dans tous les sens, alors je me suis levée.

— Je parlais du vin.

— Je te l'ai déjà dit : c'est pour me détendre. J'ai pensé qu'un peu de vin m'aiderait à dormir. Ne fais pas comme si j'étais saoule ou je ne sais quoi encore.

— C'est une mauvaise habitude, Aggie, qui ne me plaît pas du tout. Tu ne devrais pas dépendre d'un verre pour résoudre tes problèmes. Et puis le vin coûte cher.

— J'ai pris les quinze dollars que tu voulais me donner pour une robe et j'ai acheté deux bouteilles. Ne sois pas fâché, Maury.

Son travail dura un mois encore. Le vendredi après avoir reçu sa dernière paye, il rentra chez lui sans hâte. Tout doucement, il monta les escaliers en espérant que George Andreapoulis ne l'entendrait pas et ne viendrait pas lui souhaiter le bonsoir. Ce soir-là, il ne se sentait pas d'humeur à faire des politesses.

Il ouvrit la porte. Autant lui dire tout de suite, pensa-t-il, puis réfléchir ensuite à ce qu'on pourrait bien faire. Prions le ciel qu'Andreapoulis ait des tas de choses à faire taper pendant les semaines à venir.

Agatha était assise sur le sofa, les mains serrées entre ses cuisses. Elle avait l'air d'une petite fille perdue dans une salle de danse, attendant qu'on l'invite à danser.

— Maury, je suis enceinte, dit-elle.

Et pendant tout ce temps, il faisait à New York une chaleur torride. Quand je serai vieux, pensait Maury, je me souviendrai du grincement du métro, de l'odeur aigre du métal chaud, des pancartes affichant *Pas d'emplois* et des draps humides sur lesquels était étendue Agatha avec son ventre qui s'arrondissait. Je me souviendrai aussi de la bibliothèque municipale où je passais mes après-midi plutôt que de rentrer à la maison : quand on ne trouvait pas de travail en début de journée, ce n'était pas la peine de continuer à espérer ; autant aller dans une bibliothèque.

— L'été est une mauvaise période pour chercher un emploi, dit George Andreapoulis sur un ton compatissant.

— L'hiver sera pire. J'aurai besoin d'un manteau cette année et d'une nouvelle paire de bottes. Ce sera bien ma veine s'il tombe de la neige jusqu'au genou !

— Il est possible qu'un de mes clients ait du travail à offrir... annonça George en hésitant. Je vais ouvrir l'œil. J'ai rédigé un testament pour l'homme qui tient une épicerie fine un peu plus loin sur l'avenue. Ses affaires marchent très bien et il embauchera peut-être quelqu'un à l'automne.

Un matin de septembre, après avoir longuement hésité, Agatha finit par dire :

— Je ne sais pas ce que tu vas penser de cette idée, mais est-ce que tu me promets de ne pas te mettre en colère ?

— Je te le promets.

— Bon, alors voilà mon idée : tu sais que mon père a un cousin. Je t'en ai déjà parlé, celui que j'appelle Oncle Jed. En fait, il n'est que le mari de la cousine de mon père — qui est morte à présent — mais je suis sûre qu'il ne m'a pas oubliée. Il n'a jamais eu d'enfants et il m'adorait. Je me souviens que pour Noël il m'envoyait toujours les plus jolies poupées. Pour mes seize ans, c'est lui qui m'a offert mes premières perles.

— Oui, oui, fit-il en essayant de dissimuler que son bavardage l'assommait.

Dire qu'ils devraient être tellement heureux, pensait-il. Sans tous ces problèmes. Foutu monde et foutue époque qui gâchaient ce qui aurait pu être si beau. Son enfant et l'enfant d'Agatha. Leur enfant qui se développait en elle...

— ... Vice-président à la Barlow-Manhattan Bank. Je ne voulais pas faire appel à lui parce que je ne voulais pas que Papa le sache, mais je trouve que c'est de l'orgueil déplacé et maintenant je m'en moque. Tu ne voudrais pas aller le voir ?

Il resta silencieux. Ramper devant ces gens ? Quémander ?

— Bien sûr, je l'appellerai d'abord. Maury ?

Pour elle. Pour le bébé qui grandissait en elle et qui sortirait d'elle nu et si doux. Il faudra bien que je le réchauffe, que je le nourrisse, que je me batte pour lui.

— Appelle-le demain matin. J'irai, répondit-il. Est-ce que tu as du cirage pour mes chaussures noires ?

Il poussa une porte qui donnait dans Madison Avenue. Celle-ci s'ouvrit sur un vaste vestibule garni de fresques murales qui représentaient Peter Stuyvesant, des Indiens en train de suivre une piste, George Washington prêtant le serment solennel, des cabs défilant sur la 5e Avenue, des enfants poussant devant eux des cerceaux dans Central Park. Pas de voitures à bras ni de taudis.

La tête haute et la démarche assurée, il s'avança sur la moquette vert mousse. Que pouvait craindre un diplômé de Yale, doté d'une éducation solide, d'un physique agréable, et qui était, finalement, tout aussi capable qu'un autre ?

Il vit *Jedediah Spencer* écrit sur une porte. Curieux comme ce vieux prénom hébreu dont plus personne n'aurait aujourd'hui osé affubler son enfant, s'auréolait d'une certaine dignité lorsqu'il était inscrit sur une plaque de cuivre fixée à une porte en acajou.

Tout était marron foncé dans la pièce : le bois des meubles, les boiseries, le cuir des fauteuils et même le complet de M. Spencer.

— Ainsi vous êtes le mari d'Agatha... Asseyez-vous, je vous en prie.

— Merci, monsieur.

— Agatha m'a téléphoné pour me dire que vous étiez parti me rendre visite. Je regrette qu'elle ne m'ait pas appelé plus tôt, cela vous aurait évité le déplacement.

— Pardon, monsieur ?

— Nous n'avons aucun poste vacant à la banque.

— Monsieur, nous n'en espérions pas tant. Nous pensions — Agatha pensait — qu'étant donné votre position, vous connaissiez de très nombreuses personnes travaillant dans différentes branches, et que vous pourriez peut-être me recommander auprès de l'une d'entre elles.

— J'ai pour principe de ne jamais solliciter de faveurs personnelles auprès de nos clients.

M. Spencer ouvrit un tiroir et sortit un stylo. Une grande photographie dans un cadre d'argent cachait sa main. Maury ne vit pas ce qu'il écrivait jusqu'au moment où il lui tendit un papier. Il s'agissait d'un chèque de mille dollars.

— Vous pouvez le toucher au guichet qui se trouve dans l'entrée, dit M. Spencer en regardant sa montre. Naturellement, je ne veux pas qu'Agatha soit dans le besoin. Cela vous dépannera le temps que vous vous remettiez dans la bonne voie.

Maury leva les yeux et sur le visage imperturbable qui lui faisait face, il lut une profonde antipathie à son égard. « Se remettre sur la bonne voie. » Ce n'est pas moi qui ai besoin de retrouver la bonne voie, pensa Maury, c'est le monde. Il reposa le chèque sur le bureau. « Merci beaucoup. Je n'en veux pas », dit-il avant de tourner les talons et de sortir. Ses mains étaient moites et son cœur battait à tout rompre. Une terrible honte l'étreignait. Il avait l'impression de vivre l'un de ces cauchemars où l'on marche le long d'une avenue très fréquentée, pour s'aviser soudain que l'on est sorti habillé de ses seuls sous-vêtements. Après la honte, vint l'envie de vomir.

Il aperçut un drugstore au coin de la rue. Il n'avait bu qu'un café en guise de petit déjeuner, il savait que cette nausée était aussi due à la faim. Il se demanda s'il aurait les moyens de s'offrir un sandwich et une glace, une grosse glace couverte de crème Chantilly. Trop faible pour aller se percher sur l'un des tabourets du comptoir, il s'installa à une table malgré les tarifs plus élevés. Quel beau salaud, pensa-t-il. Il n'a même eu ni l'amabilité ni la décence de dire qu'il essaierait de faire quelque chose, même s'il n'en avait pas la moindre intention. Il éprouvait pour moi un tel mépris qu'il n'a pas jugé bon de faire semblant...

Un homme vint occuper l'autre place libre à sa table. Maury se rendit compte que cet homme le regardait d'une manière insistante.

— Je crois que je vous connais, dit finalement ce dernier. Je vous ai vu lors d'un mariage à Brooklyn il y a quelques années.

— Oui ? interrogea Maury avec méfiance.

— Ouais. Vous vous souvenez de Solly Levinson — paix à ses cendres — eh bien, c'était au mariage de son garçon, Harry. Vous êtes le fils de Joe Friedman, n'est-ce pas ?

— Oui. Je ne...

— Je m'appelle Wolf Harris. J'ai connu votre cher père quand il était gamin. Mais maintenant, il ne me juge plus digne de figurer parmi ses fréquentations.

Maury ne disait rien. Etrange rencontre ! Comme l'homme l'avait dévisagé carrément, à son tour, il fixa le visage net de ce quinquagénaire — semblable à tant d'autres, à l'exception du regard farouche et intelligent qui l'éclairait. Il portait des vêtements sombres et coûteux, une montre et des boutons de manchettes en or. Les chaussures semblaient faites sur mesure.

— Je n'aurais pas fait de remarque désobligeante sur votre vieux si je n'avais su qu'il vous avait foutu à la porte.

Quelques années plus tôt, Maury n'aurait jamais toléré une telle intrusion. Mais aujourd'hui, il se sentait trop abattu et son orgueil n'était plus le même. Il répliqua simplement :

— Je sais deux choses sur vous : vous avez une excellente mémoire et un bon service de renseignement.

— Un service de renseignement ? Pas exactement, dit l'homme en riant. Juste le hasard. J'ai rencontré la fille de Solly dans la rue, vous savez, cette grosse gamine qui parle trop ?

— Oui. Cécile.

— C'est elle qui m'a parlé de vous, alors que je ne m'en souciais pas le moins du monde et que je ne lui demandais rien. Quant à la mémoire, ça c'est autre chose. Je possède une mémoire incroyable et je n'oublie jamais rien. Jamais. Une chose que personne ne pourra me retirer. Qu'est-ce qu'il y a de drôle ?

— Tout simplement que je vois mal qui que ce soit vous retirer quoi que ce soit.

Indécis, Wolf le fixa une ou deux secondes avant de se mettre à rire.

— Vous avez raison, sacrément raison ! Vous n'êtes pas bête vous non plus, dites-moi !

— Merci.

La serveuse arriva avec un bloc et un crayon pour prendre les commandes.

— Donnez-moi un double cheeseburger avec des frites et des oignons, du lait malté et deux feuilletés aux fruits.

— Pour moi, ce sera un sandwich au thon, dit Maury.

— Et comme boisson ? demanda la serveuse impatiemment.

— Rien. Seulement un sandwich.

— Allons donc ! Qu'est-ce que c'est que cet appétit d'oiseau ! Servez-lui la même chose qu'à moi. L'addition sera pour moi.

Maury ne put s'empêcher de rougir. Sa faim était-elle donc si visible ? Non, Wolf avait dû remarquer son costume et le col élimé de sa chemise. Il avait peut-être même vu ses chaussures en entrant.

— Cet endroit est un boui-boui affreux, mais le service y est rapide et j'ai un rendez-vous à une heure au coin de Madison Avenue et de la 45e Rue.

Un long silence suivit cette remarque. Maury ne trouvait rien à dire. Alors M. Harris se pencha vers lui et demanda.

— Eh bien ? Quoi de neuf ? Que faites-vous actuellement ?

Maury se sentait comme un enfant timide et docile. Pourquoi ne pouvait-il pas dire tout simplement qu'il n'avait pas envie de parler de ses problèmes, qu'il ne se sentait d'ailleurs pas le cœur à parler de quoi que ce soit ? Pourquoi ? Parce qu'il n'avait rien et ne savait même plus qui il était.

— Les nouvelles ? Ma femme attend un enfant. Ce que je fais ? Rien du tout, malheureusement !

— Au chômage, hein ?

— Je travaillais dans un magasin de chaussures mais ils viennent de fermer.

— Que savez-vous faire, à part vendre des chaussures ?

Maury sentit une douloureuse amertume le submerger.

— Pour vous dire la vérité, rien. Quatre années à Yale et le résultat... rien !

— J'ai quitté l'école quand j'avais douze ans, confia Wolf avec une moue amusée.

— Et alors ? interrogea Maury en levant la tête. Ses yeux croisèrent le regard perçant et brillant de l'homme qui lui faisait face.

— Eh bien ! je suis en mesure de vous offrir un travail, si vous voulez bien l'accepter.

— Je prends, dit Maury.

— Vous ne savez même pas de quoi il s'agit.

— Est-ce que je suis capable de le faire, c'est ce que vous voulez dire ? Si je ne sais pas, j'apprendrai.

— Savez-vous conduire ?

— Bien sûr. Mais je n'ai pas de voiture.

— Pas de problème. Je vous en achèterai une.

— Et qu'est-ce que je ferai avec ?

— La conduire. Pour vous rendre à des adresses que je vous aurai indiquées, prendre là chaque matin quelques papiers et les porter ensuite à un appartement.

— C'est tout ?

— C'est tout. Vous ne m'avez pas demandé combien vous serez payé.

— Quel que soit le salaire, il sera toujours supérieur à ce que je gagne actuellement.

— Dites-moi, mon petit, vous êtes complètement abattu, n'est-ce pas ? demanda l'homme d'une voix étonnamment gentille. Eh bien, relevez la tête. Je vous offre soixante-quinze dollars par semaine.

— Simplement pour conduire et remettre des papiers ?

— Et tenir votre langue. Vous comprenez ?

— Je crois que oui. Je vous poserai d'autres questions quand nous serons dehors.

— Excellente idée : mangez. Et si ensuite vous avez encore faim, dites-le franchement. J'aime les gens qui parlent franchement. A bon escient, s'entend.

Maury mourait de faim. Pas seulement à cause du petit déjeuner léger de ce matin. Depuis des semaines, il souffrait de la faim. Lui se nourrissait de biscuits et de soupes en boîte, gardant les aliments sains, le lait, les oranges, pour Aggie. A présent, il savourait la sensation de chaleur et de satiété que lui apportaient la viande, le fromage et le riche lait malté. *Les loteries clandestines.* Il s'agissait certainement de cela. Eh bien, ce genre d'activité ne faisait souffrir ni mourir personne, n'est-ce pas ? Les riches jouent des milliers de dollars dans les casinos sans que personne y trouve rien à redire. Alors pourquoi les pauvres ne pourraient-ils pas tenter leur chance avec quelques *cents* ? Maury savait bien qu'il se cherchait des excuses, des justifications. Mais le frigidaire sera plein, pensa-t-il. Nous pourrons acheter des affaires pour le bébé et des vêtements d'hiver pour Aggie. Je n'aurai plus besoin d'éviter Andreapoulis quand arrivera le moment de payer le loyer.

Ils sortirent sur le trottoir. Madison Avenue avait un air chaleureux. Deux filles guillerettes passèrent en riant et lancèrent un regard à Maury. Un homme entra dans une chemiserie qui exposait en vitrine d'élégantes chemises et de jolies cravates en soie. Le monde était devenu soudain moins hostile.

— Quelle chance que je me sois trouvé par hasard à votre table, monsieur Harris, dit Maury.

— Appelez-moi Wolf. Voici mon numéro : vous m'appelerez demain matin. Je vous préparerai tout. Ce n'est pas la peine de parler davantage pour le moment. Vous savez de quoi il s'agit.

— Oui, je sais. Et je voulais vous dire que vous pouvez me faire entièrement confiance.

— Ce n'est pas la peine de me le dire. Si j'en avais douté, je ne me serais pas adressé à vous. Il me suffit de deux secondes pour jauger quelqu'un. Qu'allez-vous dire à votre femme ?

— Que je collecte des loyers. Elle ne comprendrait pas.

— C'est bien ce que j'avais pensé. Elle est issue de la haute société, n'est-ce pas ?

— En quelque sorte.

— Ouais, bon, appelez-moi demain alors. A dix heures et demie. Ni avant ni après. Voici vingt dollars pour vos frais d'ici là. Non, attendez, prenez-en vingt de plus. Pour vous acheter une paire de chaussures.

— Je n'ai pas besoin de vingt dollars pour les chaussures, je peux trouver une paire pour six dollars.

— Vingt. Je n'aime pas les choses bon marché.

Le fond de l'air automnal fraîchit, Maury rentra le bébé. Il monta le landau et le rangea dans l'entrée, à côté des escaliers. Les Andreapoulis étaient très arrangeants pour ce genre de choses. De toute façon, cette voiture d'enfant faisait plutôt bel effet avec ses chromes rutilants et sa capote en cuir bleu marine. Il s'agissait d'un très beau landau anglais, comme ceux que poussent les nurses en uniforme dans Park Avenue. Un cadeau offert par l'entreprise de Maury pour la naissance d'Eric. Ce somptueux présent avait vraisemblablement été commandé par Wolf Harris qui ne manquait jamais d'attentions pour son personnel : une couronne funéraire et une corbeille de fruits quand la mère de Scorzio était morte, des présents pour chaque mariage, chaque première communion ou chaque Bar-Mitzvah. Il avait une mémoire étonnante.

Maury souleva le bébé endormi dont la petite tête s'abandonna sur son épaule. Il monta à l'appartement et le déposa, toujours endormi, dans le berceau. Il regarda sa montre : encore une demi-heure avant le prochain biberon. Il glissa un doigt sous la couche, mais préféra laisser le bébé dormir. Pourquoi le réveiller, alors qu'il serait à nouveau mouillé dans quinze minutes ? Il sourit, fier de sa compétence. Quand il rentrait de bonne heure l'après-midi — ce qui se produisait fréquemment à cause de la souplesse de ses horaires, il libérait volontiers Aggie. Durant les mois d'été qui avaient suivi la naissance d'Eric, il s'était souvent assis sur les marches du perron avec un livre, tandis qu'Eric dormait dans son landau. Des femmes du voisinage, surtout celles qui étaient d'origine étrangère, se poussaient du coude lorsqu'elles passaient devant lui. Elles trouvaient certainement drôle de voir un homme pouponner, mais Maury se fichait royalement de leur avis.

Aggie ne tarderait pas à rentrer. Il lui avait remis un chèque pour qu'elle s'achète des vêtements. Elle s'était déjà offert un ensemble d'un rouge très seyant qui lui allait à ravir et mettait en valeur la minceur qu'elle avait très vite retrouvée après la naissance du bébé. Rien ne flattait autant un homme que de pouvoir dire à sa femme : sors et achète-toi ce qui te fera plaisir. Il se sentait alors vraiment un homme.

Maury avait été augmenté : il gagnait à présent quatre-vingt-dix dollars, plus les frais pour la voiture.

— Procurez-vous un coupé, lui avait ordonné Wolf Harris ce premier matin. Sans vous faire remarquer. Prenez soin de ne pas attraper de contravention pour stationnement illégal. Quand vous roulez, surveillez bien votre rétroviseur et soyez très vigilant. Si vous avez le sentiment d'être suivi, conduisez lentement, n'éveillez aucun soupçon. Arrêtez-vous au premier bar que vous verrez et sortez lentement de votre voiture. Allez ensuite dans les toilettes pour y vider vos poches. En sortant, dirigez-vous, sans aucune hâte — est-ce bien entendu ? — vers le comptoir où vous commanderez une bière, l'air de rien, comme n'importe quel type vaquant à ses affaires, puis retournez dans la voiture. Je me suis bien fait comprendre ?

Tout à fait. Maury avait acheté une Graham-Paige noire et n'avait eu jusqu'à présent aucun problème. Ils avaient même utilisé la voiture pour emmener le bébé à la plage. Il n'avait pas l'impression d'être un conspirateur. Pas même celle de commettre une action illégale, même s'il agissait contre la loi. La « chose » en elle-même ne lui semblait pas si terrible. Ils ne faisaient de mal à personne, seule la loi décidait qu'il s'agissait d'une activité répréhensible.

Leurs « bureaux » étaient situés dans divers appartements qui changeaient tous les deux ou trois mois. On en était au second depuis que Maury avait commencé à travailler. Les registres étaient tenus et les coups de téléphone reçus dans la cuisine d'un appartement très modeste. La femme paraissait encore plus jeune qu'Aggie et avait deux jeunes enfants. Quoi de plus innocent que de mettre une comptabilité à jour tandis que les deux petites filles déjeunaient !

Les hommes qui travaillaient avec Maury n'avaient pas plus que lui des allures de criminels. Scorzio ou Feldman appartenaient à la même catégorie d'individus que les vendeurs du magasin de chaussures. Des hommes chargés de famille, sauf qu'eux n'étaient pas tracassés par d'inextricables problèmes d'argent. Pendant l'été, ils envoyaient leurs enfants dans des camps de vacances et parlaient souvent des leçons de piano qu'ils prenaient. Windy[1], ainsi surnommé pour quelque indélicate raison, avait certes des manières un peu bourrues, mais il se montrait toujours très correct et généreux. Quand Maury avait eu la grippe, il l'avait raccompagné chez lui et s'était montré extrêmement prévenant. Bruchman, le comptable, était un véritable cerveau, aussi rapide qu'une machine à calculer ! Sans la crise, il travaillerait certainement ailleurs. Tom Spalding, le détective, qui venait toucher ses cent dollars chaque semaine, avait un visage avenant. Aucune méchanceté en lui, que des besoins d'argent. Il était père de quatre enfants, dont l'un fréquentait une école dentaire ; comment aurait-il pu s'en sortir autrement ?

A propos d'argent, passaient entre leurs mains des sommes stupéfiantes ! Encore s'agissait-il là d'une petite partie seulement du chiffre d'affaires dont le total s'élevait à quelques millions de dollars par semaine ! Et ces revenus ne provenaient que de l'une des affaires de Harris, pas même la plus importante. On disait qu'il abandonnait progressivement à d'autres ce genre d'entreprises. Il n'en avait plus besoin. Depuis la fin de la Prohibition, il était rentré dans la légalité. Il possédait des distilleries au Canada, et tout un réseau de compagnies d'importation d'alcool aux Etats-Unis. Les revenus importants qu'il en tirait lui avaient permis d'étendre ses activités et d'investir dans des biens immobiliers très rentables à travers tout le pays. Ces multiples ramifications financières et humaines ne manquaient pas d'être fascinantes. Scorzio lui avait confié un jour, à voix basse et avec un effroi mêlé de respect, que le grand patron — au-dessus de Harris — n'était autre que Jim Lanahan, le fils du sénateur. Harris et lui avaient fait fortune durant la Prohibition et Lanahan était à présent à la tête de dizaines de millions. Le capital amassé par Harris n'était rien à côté. Quelques millions seulement, avait précisé Scorzio avec un large sourire.

— Mais Harris est bon et généreux, ne l'oubliez pas. S'il vous aime bien, il n'y aura jamais rien de trop bien pour vous.

Maury voulut savoir s'il leur arrivait de rencontrer Harris. Lui-même ne l'avait pas revu depuis le jour où ce dernier lui avait proposé le travail.

— Généralement une seule fois par an. Il donne une soirée aux environs de Noël. Il habite loin d'ici, dans Long Island où il possède une grande maison avec un jardin entouré d'un mur de pierre, comme à Central Park. Vous serez invité la prochaine fois.

Aggie lui avait naturellement demandé pour qui il travaillait et ce qu'il faisait. Il lui avait répondu qu'il s'occupait de collecter les loyers pour une importante compagnie immobilière, mais pour ne mentir qu'à demi et se sentir moins coupable, il lui avait cité le nom de Wolf Harris qui, bien sûr, ne signifiait rien pour elle. De temps en temps, il faisait allusion à certaines personnes qui tra-

1. Ce mot caractérise quelqu'un qui a l'habitude de laisser échapper des vents (*wind*=vent) et pourrait se traduire par « péteur ».

vaillaient avec lui, mais leurs noms ne pouvaient rien lui apprendre.

Elle l'incitait à nouer des amitiés dans son milieu de travail.

— Je ne vois pas pourquoi tu refuses d'inviter quelques-uns de ces hommes et leurs épouses, insistait-elle. Nous ne voyons absolument personne à l'exception de George et Elena, et ce n'est pas dans ce quartier que nous risquons de nous faire des relations. Ton travail est finalement le seul moyen que nous ayons de rencontrer du monde.

— Ce n'est pas le genre de personnes que tu apprécies, répondit-il maladroitement.

— Mais je pourrais peut-être les rencontrer et en juger moi-même ? Je pourrais au minimum bavarder avec les femmes, parler des enfants.

Sa vie présente ne la satisfaisait évidemment pas. Il était parfaitement utopique de sa part d'imaginer qu'un bébé suffirait à remplir sa vie. Une femme avait besoin d'autre chose. Surtout lorsqu'elle débordait de vitalité, comme Aggie. C'est d'ailleurs cette qualité qui avait séduit Maury dès leur première rencontre. Il n'ignorait pas que leur problème se résumait à une absence de racines. Enracinement dans un lieu ou un milieu. Ils avaient besoin de se trouver des racines. Maury n'avait plus utilisé ce mot depuis sa visite au pays d'Aggie qui symbolisa pour lui l'enracinement dans un passé authentique et profond. Là-bas, les gens que l'on croise dans la rue connaissent votre nom. Les amis téléphonent et passent vous saluer ! Un jour, sûrement, ils connaîtraient cette vie-là. Lui ferait son possible pour qu'Aggie retrouve ce qu'elle avait perdu. Le désarroi de sa femme le bouleversait profondément, et la lettre de sa mère n'avait pas arrangé les choses. Quelle garce !

Apparemment Aggie, à son insu, avait écrit à ses parents pour leur annoncer la naissance d'Eric. Mais en cherchant parmi des factures entassées sur le bureau, il était tombé sur la réponse et l'avait lue entièrement. « ... tu es évidemment la bienvenue, ainsi que ton petit garçon, disait à peu près la lettre. Mais ton père refuse de recevoir ton mari. Personnellement je reconsidérerais volontiers le problème, mais je ne peux brusquer les choses pour le moment étant donné l'état de santé de ton père. Il a le cœur absolument brisé. C'est maintenant un homme malade. Tout ce qui comptait pour lui est parti, son unique enfant est partie. » La lettre expliquait ensuite que rien n'était définitif. Lorsqu'une erreur avait été commise, mieux valait la réparer que d'en supporter toute sa vie les conséquences. Si donc Aggie changeait un jour d'avis, il n'était pas trop tard... La lettre se terminait par ces mots : « Je te redis encore combien nous t'aimons. Tu seras toujours la bienvenue si tu viens à la maison avec le bébé. »

Cette lettre l'avait mis hors de lui. Il s'était excusé auprès d'Agatha de l'avoir lue, ce qui n'était pas glorieux, mais il n'avait pas pu s'en empêcher.

— Cela ne fait rien, avait-elle répondu, j'avais de toute façon l'intention de t'en parler. Et elle s'était mise à pleurer.

Si son idiote de mère et son salaud de père s'étaient trouvés dans la pièce, il les aurait tués sans regret.

Le bébé remua dans son berceau et se mit à hurler. Ses cris ressemblaient au bêlement d'un agneau. Pauvre petit ! Il ouvrait la bouche, se cognait le visage de ses petits poings et tapait du talon contre le drap. « Tu es furieux, n'est-ce pas, tu as faim », lui dit Maury. Fier de sa célérité, il dégrafa rapidement la couche et admira le joli petit corps, avec ces cuisses fermes et ses minuscules attributs de la virilité qu'il trouvait si attendrissants. Petit bonhomme ! Il attacha solidement la couche propre, installa le bébé dans le creux de son bras gauche, et lui donna le biberon qui était juste à la bonne température.

Le bébé tétait gloutonnement. Il ne connaissait rien d'autre que la chaleur des mains et celle des voix. Puisse-t-il en être toujours ainsi ! pensa Maury, tout en sachant qu'il rêvait. Les yeux gris clair de l'enfant étaient fixés sur le visage du père. L'une des petites mains serra avec une force surprenante le doigt de l'adulte penché sur lui. « Mon fils ! Je me souviendrai toujours, quoi qu'il arrive et même si tu pars loin de moi — ce qui est sans doute inévitable —, chuchota Maury à l'oreille du bébé, je me souviendrai toujours de ce jour d'octobre où ta petite main serra mon doigt tandis que le soleil inondait le plancher. »

Il entendit le pas d'Agatha et ne bougea pas pour qu'elle les voie ainsi.

— J'ai besoin de te parler, dit-elle.

Au ton cassant de sa voix, il se retourna. Vêtue de son tailleur rouge, elle était postée dans l'encadrement de la porte, tenant à la main un carton à chapeaux, une boîte à chaussures et un journal.

— Tu m'as menti, s'écria-t-elle. Tu ne collectes pas des loyers. Tu es un racketteur, tu t'occupes de loteries clandestines ! C'est écrit là, dans le journal.

— Qu'est-ce qui est écrit ? De quoi parles-tu ?

Elle lui montra la première page. La police avait fait une descente dans un appartement loué par Mme Marie Schuetz et arrêté un homme nommé Peter Scorzio. On avait découvert une vaste opération de fraude dont le montant était évalué à cent cinquante mille dollars par semaine.

— Je doute fort qu'il existe deux hommes répondant au nom de Peter Scorzio, dit Aggie.

Le bébé avait fini de boire. Maury le mit contre son épaule pour qu'il fasse son rot mais il ne répondit pas à Aggie.

— Ainsi notre nourriture, les vêtements que nous portons et tout ce que touche Eric provient de cette *saleté* ! lança-t-elle avec une colère froide et contrôlée. Pourquoi m'as-tu menti, Maury ? Pourquoi ?

Il se mit à trembler à cause d'elle, et surtout à l'idée que s'il était resté plus tard ce jour-là, on l'aurait pris avec les autres. Quelqu'un avait dû faire une bourde, un nouveau flic du quartier peut-être.

— J'avais honte. Je savais ce que tu penserais. Alors j'ai trouvé plus simple de mentir, voilà.
— Et tu comptes faire quoi, maintenant ?
— Quelle solution vois-tu ?
— Tu peux aller leur annoncer ta démission demain. Non, tu devrais plutôt l'appeler tout de suite, lui, le patron du gang, peu importe son nom, décréta-t-elle avec dédain, et lui dire que tu ne reviendras plus. Voilà la solution !
— Et ensuite ? Tu crois peut-être que je n'ai pas essayé de trouver autre chose ? Oui, j'ai trouvé du travail, ou plutôt un boulot, dans un vague Prisunic, pour vingt-deux dollars par semaine !
— Eh bien, prends-le !
— Tu t'imagines qu'on peut vivre avec ça ? Payer le lait pour le bébé, les visites chez le pédiatre ? Nous avons pris l'habitude de vivre avec plus...
— Tu penses que cela valait la peine ? Oh, j'aurais dû me douter que tout cela était bizarre ! Un patron qui envoie un somptueux cadeau pour la naissance d'Eric et qui m'offre une montre-bracelet pour Noël. Faut-il que je sois naïve ! Tu veux savoir la vérité ? Je me sens souillée par ces vêtements et j'ai envie de jeter cette montre dans la boîte à ordures !
Il la laissa parler, incapable de lui opposer une réponse. Elle se mit à pleurer.
— Mais le plus grave, Maury, le plus grave c'est que tu aurais pu être pris, toi ! Imagine qu'ils soient tombés sur toi au lieu de Scorzio ! Passer plusieurs années de sa vie en prison, un homme comme toi, des gens comme nous, ruinés, déshonorés...
— Il ne va pas y passer des années, pas même une nuit. On va le relâcher sous caution, peut-être même l'est-il déjà. Et dans quelques semaines l'accusation sera abandonnée faute de preuves.
— Tu veux dire, dit-elle en le dévisageant, qu'on va acheter quelqu'un... un juge ou quelqu'un d'autre ?
— Exactement. C'est ainsi que fonctionnent les choses.
— Et tu approuves ?
— Bien sûr que non. Mais je n'y peux rien et dès que j'en aurai la possibilité, je laisserai tomber. En attendant...
— Tu y retournes ?
— En attendant, j'y retourne.
Le téléphone sonna et il lui tendit le bébé.
— C'est pour moi, pour me dire la nouvelle adresse pour demain.

Il ne savait jamais ce qui l'attendait quand il rentrait chez lui. Agatha serait peut-être en train de jouer par terre avec Eric devant une pile de cubes. Maintenant qu'il marchait, ses jouets jonchaient toujours le sol dans un joyeux désordre que Maury aimait bien. Leurs deux voix mêlées résonneraient dans le couloir avant même qu'il ouvre la porte et une bonne odeur de cuisine étrangère fortement épicée parviendrait à ses narines. Aggie était devenue une championne de cuisine grecque.

Ou alors, il ouvrirait la porte et découvrirait la cuisine et la salle de séjour plongées dans la pénombre. Eric pleurerait dans son parc, ses couches toutes mouillées. Agatha serait endormie sur le lit. Il ne savait jamais.

Maury s'était procuré un livre sur l'alcoolisme. Il lui avait fallu quatre jours pour trouver le courage de l'acheter. Quand il avait sorti le livre du paquet avant de le poser sur le siège de sa voiture, il comprit que cet achat correspondait finalement à une acceptation de la réalité.

Le livre conseillait de ne jamais se mettre en colère, ce qui n'arrangerait rien. Plus facile à dire qu'à faire ! Il pensait néanmoins faire preuve d'une relative patience. De son côté, Aggie n'était jamais agressive, ni larmoyante. Elle était seulement vaseuse et avait tendance à s'endormir. Mais la situation était terriblement déprimante. Maury ignorait presque tout de l'alcoolisme, sauf que les gens avaient recours à l'alcool pour apaiser leur anxiété. Apparemment, sa femme avait quelque chose de trop lourd à porter.

— Elena m'a demandé quelle sorte de travail tu faisais, lui raconta-t-elle un jour. Je suis sûre qu'elle soupçonne quelque chose. Tu vois, jamais je ne pourrai me faire d'amie dans le quartier. J'aurais trop peur et trop honte.

Quand il pensait à l'endroit où elle était née, avec ses maisons blanches, ses arbres centenaires, sa sérénité et sa dignité, Maury se sentait terriblement coupable. Lui imposer une telle vie maintenant...

Un soir, tandis qu'il mettait la clé dans la serrure, il entendit de joyeux gazouillis et sut que le petit garçon était dans sa chaise haute en train de barbouiller allégrement son bavoir de purée de carotte ou d'épinard. Il jeta son manteau sur une chaise et se précipita dans la cuisine. Il découvrit sa sœur Iris en train de nourrir Eric.

— Où est Aggie ? demanda-t-il en la regardant fixement.

— Tout va bien ! Elle était simplement allongée quand je suis arrivée, à cause d'un léger mal de tête. Je lui ai dit de ne pas bouger, que j'allais m'occuper d'Eric, voilà tout.

— Ne me mens pas, Iris ! N'essaie pas de lui trouver des excuses ! Elle a encore bu et tu le sais parfaitement.

— Voilà, dit Iris, c'est fini ! Tante Iris va t'essuyer la bouche et ensuite tu auras un peu de pêche.

— Merde ! s'écria Maury en martelant ses cuisses de coups de poing. J'en ai vraiment marre, marre !

— Je t'en prie, Maury, plus tard. Tu fais peur à Eric.

L'enfant avait détourné sa tête de la cuiller pour fixer son père. Ce dernier quitta la pièce en direction de la salle de bains. Puis il passa un moment devant la fenêtre de la salle de séjour, les yeux perdus dans le vague. Finalement, il ouvrit la porte de la chambre. A cause de l'obscurité, il ne distingua pas le visage d'Aggie. Elle dormait sur le lit, les genoux presque ramenés sous le menton, pelotonnée dans une attitude fœtale, songea-t-il avec dégoût avant de s'approcher d'elle. La main portant l'alliance était étalée sur l'oreiller. Il ne put s'empêcher de la caresser, mais Aggie ne bougea pas. Maury se sentait à la fois furieux, apitoyé et désolé, ou plutôt, il était assailli par un ensemble de sentiments confus qu'il aurait bien voulu démêler.

Il retourna dans la cuisine. Iris avait mis Eric dans son parc et, comme le bébé avait l'estomac plein, il jouerait tranquillement pendant au moins une demi-heure.

— Il n'y a rien dans le frigidaire, excepté un poulet rôti. Je pense que c'est ce qu'Aggie avait prévu pour le dîner. Mais il est déjà cinq heures et demie.

— Tu n'as qu'à faire des œufs. Je n'ai pas faim. J'espère que tu n'es pas affamée, toi non plus.

Il n'avait pu s'empêcher de lui parler avec brusquerie.

— Je vais faire une omelette, dit Iris.

— Comme tu veux.

Ils mangèrent en silence. Maury finit par se rendre compte à quel point il était désagréable, occupé qu'il était à ruminer ses problèmes.

— Tu viens de terminer les examens de milieu de trimestre, non ? Est-ce que ça a marché ?

— Oui, ça a bien marché, répondit calmement Iris. Mais ne te crois pas obligé de te montrer sociable, Maury. Je sais que tu es préoccupé.

Il ne répondit rien.

— Aggie m'a dit ce que tu faisais pour vivre.

— Elle n'avait pas le droit !

— Ne sois pas fâché contre elle. Je le sais depuis plusieurs mois. On a besoin de quelqu'un à qui se confier, tu sais.

— Eh bien, est-ce que je fais une chose tellement horrible ? éclata-t-il.

— Elle n'est pas habituée à ce genre de situation.

— Tu crois peut-être que moi, j'y suis habitué ?

— Bien sûr que non. La seule différence est que tu sembles capable de le supporter. Tu as le sentiment d'y être contraint. Elle ressent les choses différemment et ne peut pas assumer la situation. Alors elle boit, tu ne comprends donc pas ?

— Elle ne se facilite pas les choses. Elle ne nous aide pas.

— Je suis certaine qu'elle le sait, et que cela aggrave encore son état.

— Est-ce que tu comprends toujours aussi bien les gens ?

Elle leva rapidement les yeux vers lui.

— C'est de l'ironie ?

— Iris ! Que vas-tu chercher ? Je voulais simplement dire que tu comprends beaucoup de choses pour une fille de dix-sept ans.

— C'est drôle, parce qu'en général, j'ai plutôt l'impression de ne pas comprendre grand-chose.

— J'aimerais trouver un travail honnête, mais il n'y a rien. J'ai vraiment tout essayé, crois-moi.

— Je te crois.

— Dis-moi, est-ce qu'à la maison ils savent ce que je fais ?

— Ils l'ont découvert. Pas par moi ! Par la cousine Ruth. Tu sais, elle a des parents qui ont des relations avec Wolf Harris. Il semble que certaines personnes n'aient rien de mieux à faire que de colporter des ragots.

— Est-ce qu'ils ont fait des commentaires ? Dis-moi la vérité.

— Maman n'a rien dit. A son habitude, elle attendait que Papa parle le premier. Lui a dit que c'était honteux et scandaleux.

— Alors, qu'attend-il pour me trouver autre chose de plus reluisant ?

— Tu ne le lui as jamais demandé.

— Tu le ferais, si tu étais à ma place ?

— Ne me demande pas de prendre parti.

— Pourquoi ne m'appelle-t-il pas ? Réponds à cette question.

— Parce qu'il est le plus vieux, Maury. Parce que c'est lui le père, dit calmement Iris.

Agatha était encore endormie quand Iris partit. Il fit couler l'eau du bain pour Eric et se demanda comment Aggie se débrouillait avec l'enfant en son absence. Elle pouvait être tellement charmante ! Elle adorait chanter et il l'avait souvent entendue fredonner pendant qu'elle prenait un bain ou travaillait dans la cuisine. Il espérait qu'elle ne restait pas muette toute la journée. Depuis la naissance d'Eric, il avait lu beaucoup d'articles consacrés à la santé des enfants et il avait appris que les jeunes enfants étaient capables de sentir l'humeur des adultes et de comprendre leurs expressions. Pourvu qu'Eric prenne un bon départ dans la vie.

Après le bain, l'enfant eut envie de dormir et Maury le souleva pour le prendre dans ses bras. Ce bébé lui était un réconfort. N'était-il pas étrange de se sentir consolé par un petit être endormi ? Il coucha Eric et se dirigea vers la porte fermée de la chambre. Sept heures. Il faudrait qu'elle mange un peu. Tandis que sa main hésitait à tourner le bouton de porte, le souvenir d'une conversation qu'ils avaient eue, bien longtemps avant leur mariage, sur le bonheur de se retrouver ensemble derrière une porte fermée, lui revint en mémoire. A cette époque, ils auraient donné tout l'or du monde pour passer une seule heure ensemble, à l'abri des regards indiscrets. La vie est bien étrange, songea-t-il.

Elle venait de se réveiller.

— Quelle heure est-il ? demanda-t-elle, surprise et effrayée, comme pour s'excuser.

Il s'assit sur le bord du lit et lui prit la main.

— Aggie, je vais... j'ai vraiment l'intention de chercher un autre travail, dit-il.

Ils lui donnèrent une nouvelle adresse, chez Timmy, et lui demandèrent d'être là aux environs de onze heures pour prendre livraison. C'était une belle journée d'été, l'azur du ciel était éclatant et, à la campagne, l'herbe chaude devait sentir bon.

Il quitta New Lots Avenue et tourna à gauche. Le paysage lui était familier : les quartiers sales et négligés de la périphérie. Quelques rangées de maisons accolées les unes aux autres s'alignaient au milieu de lotissements à bâtir et de constructions d'un étage, avec une petite boutique au rez-de-chaussée, que l'on appelait une « contribuable », parce que le bénéfice suffisait juste à payer les traites. On s'en contentait dans l'attente de jours meilleurs, puis on les démolirait pour construire quelque chose de plus rentable. Les jours meilleurs...

Il stationna dans une rue mal entretenue, devant chez Timmy qui tenait un commerce de confiserie. Les affaires ne devaient pas marcher bien fort, à moins qu'il n'y ait une école quelque part dans les environs, songea vaguement Maury. Auquel cas, il devait y avoir affluence après trois heures et pendant les belles soirées, quand les gamins se retrouvaient dans la rue. Il entra. Deux gars, un grand et un petit, se tenaient devant le présentoir à journaux. Ils n'avaient pas une allure de flics, mais Maury dressa un sourcil interrogateur à l'adresse de Timmy.

— Venez, lui dit Timmy.

Ils passèrent dans l'arrière-boutique. Il n'y avait donc pas lieu de s'inquiéter de ces hommes qui n'étaient pas des flics. Timmy l'attendait, comme prévu.

— Je suis Maury, j'espère que vous me verrez plus souvent, dit-il pour se montrer aimable.

Il prit l'enveloppe que Timmy lui tendit et la mit dans sa poche. Avant de partir, par prudence et par gentillesse, il acheta un paquet de bonbons, puis sortit et commença à marcher vers le bout de la rue où il avait prudemment garé sa voiture.

Une autre voiture s'était rangée derrière la sienne. Si ce sont des flics, pensa-t-il, je n'ai qu'à continuer à marcher. Il entendit alors des pas précipités derrière lui, se retourna et vit les deux hommes de la confiserie. Il n'eut pas le temps de se ranger car ils foncèrent sur lui et le précipitèrent au sol. Puis ils le traînèrent dans leur voiture dont quelqu'un avait ouvert la porte, malgré ses cris et ses gesticulations. Malheureusement, la rue était absolument déserte. Pas des flics, pensa-t-il, mais qui alors ?... Il se retrouva couché sur le sol de la voiture, maintenu par ses deux agresseurs. Démarrage en trombe.

— Que faites-vous, bon Dieu ? Laissez-moi partir ! Que voulez vous ? Je vous donnerai tout...

— Il nous donnera ! Eh, Shorty, t'entends ça ? dit le plus grand.

De gros rires éclatèrent dans la voiture sans que Maury puisse déterminer s'il y avait une personne ou deux sur la banquette avant. Shorty expédia un coup de poing sur le nez de Maury. La douleur l'étourdit.

— Qui êtes-vous ? cria-t-il. Que voulez-vous ? Dites-le-moi, je vous en prie. Je ferai ce que vous voudrez, mais ne...

Le grand avait glissé à moitié de son siège, enfonçant son genou dans les côtes de Maury.

— Tu vas nous dire, dit-il en enfonçant davantage son genou, tu vas nous dire ce que tu faisais chez Timmy. On le sait mais on a envie de te l'entendre dire.

— Si vous êtes au courant, vous savez alors que je faisais une commission pour Scorzio...

Maury hurla en voyant le poing de Shorty s'abattre à nouveau vers lui. Il se contorsionna juste à temps pour que le coup n'atteigne pas l'œil mais la pommette et l'aile du nez qui saignaient déjà.

— Demandez à Scorzio. Appelez-le. Il vous dira...

— Vous êtes un ami de Scorzio ? C'est-y pas mignon ?

Quelqu'un assis à l'avant s'écria :

— Merde alors, qu'est-ce que c'est que cet oiseau ? Où ont-ils déniché un oiseau pareil ?

— Bull, dis-lui, dit Shorty du bout des lèvres. Ce monsieur est mon ami Bull. Bullshit de son vrai nom [1], mais on l'appelle Bull. Il va te mettre au parfum.

Bull s'acharnait à le cogner avec son genou. Je vais m'évanouir pensa Maury, m'évanouir ou mourir.

— Ecoute, mon petit chéri, dit Bull, tu viens de te foutre dans un pétrin de première et ce n'est pas Scorzio qui va t'en sortir. Il se trouve que toi et Scorzio venez de franchir les limites de notre territoire. Bien sûr, Scorzio peut penser le contraire, auquel cas il se tromperait lourdement. Ici ce n'est pas son territoire, c'est le nôtre, et ce connard de merde a intérêt à décamper vite fait.

Sur quoi il prit Maury par les oreilles pour lui cogner la tête contre le plancher.

— Je ne savais pas... (Maury criait, pleurait, hurlait.) Aidez-moi, mon Dieu, je ne savais pas, aidez-moi, je n'aurais pas...

— Fermez-lui la gueule, à ce sale con, cria quelqu'un. Dégagez-le. On en a fini avec lui.

La voiture fit une embardée, changea de direction et ralentit. Ils avaient ouvert la porte et le poussaient, le soulevaient, le bourraient de coups ; Maury entendit son propre hurlement de terreur. Il se raccrocha désespérément, aveuglément à la portière, puis au marchepied, puis à rien...

Il faisait sombre et l'on percevait dans le lointain une sorte de bourdonnement d'abeilles ou celui d'un flot continu de voitures. Il concentra tous ses efforts pour identifier ce bruit, redressa la tête et ressentit une douleur tellement aiguë qu'il eut l'impression qu'on venait de lui plonger un couteau dans l'oreille. Il hurla et tout devint plus clair. Il se trouvait dans une chambre, une ampoule fluorescente pendait du plafond et quelqu'un le regardait. On parlait à voix basse. Une à une, les choses perdirent leur contour flou. Il y avait des infirmières et il était allongé sur un lit. Leurs voix résonnaient à ses oreilles comme un lointain murmure

— Monsieur Friedman, dit l'une, vous vous sentez mieux ?

Une autre voix demanda :

— Savez-vous où vous êtes ?

Il fronça les sourcils, saisissant mal le sens de leurs questions,

1 *Bullshit* signifie en gros « de la merde ».

puis il comprit qu'elles cherchaient à savoir si son cerveau avait été atteint. Il aurait aimé en rire, mais sa bouche lui faisait mal et il se contenta de marmonner : « Hôpital ? hôpital ? »

— Oui, vous êtes à l'hôpital St. Mary. Depuis deux jours. Vous êtes tombé d'une voiture. Vous vous en souvenez ?

« Ouais. » Il se souvenait. La panique. Le sang brouillant sa vue. Ils me tuent. Le pantalon mouillé. Immobilisé à terre. Coincé. Des hurlements, des voix hystériques. Ses cris ou les leurs ? Puis la porte ouverte, la vitesse, le vide. Il se souvenait.

Il hocha la tête, haletant.

— Allons, dit l'infirmière, dormez maintenant. Ne parlez pas. Je sais que vous me comprenez. Je voulais seulement vous dire que vous allez vous rétablir parfaitement. Vous souffrez d'un traumatisme crânien et d'une blessure au front qui se cicatrisera sans problème. Vous avez aussi une clavicule et deux doigts cassés. C'est une chance que vous vous en soyez tiré à si bon compte. Votre femme est venue, avec vos voisins. Nous l'avons renvoyée chez elle. Elle va bien. Vous n'avez aucune raison de vous inquiéter de quoi que ce soit.

Elle parlait comme une mère, avec calme et autorité, et il se rendormit.

Plus tard, il entendit une voix masculine, douce et autoritaire elle aussi.

— Je suis l'inspecteur Collier. Le docteur m'a dit que je pouvais vous voir cinq minutes. Pouvez-vous me dire ce qui s'est passé ?

Maintenant, il faut se méfier, penser clairement, se dit Maury. L'effet des calmants se dissipe, car la douleur est redevenue plus vive. Tout mon visage me fait mal. A quoi ressemble-t-il ? Prudence.

— On m'a poussé hors de la voiture, expliqua-t-il en feignant d'être encore inconscient. Son interlocuteur n'était pas censé savoir que l'effet des médicaments était passé.

— Ça, nous le savons. Qui est ce « on » ?

— Deux hommes. Ils m'ont agrippé, fait monter de force. Ensuite ils m'ont jeté par la portière.

— Bon, et ces hommes vous les connaissiez ? Vous les aviez déjà vus ? demanda très patiemment l'inspecteur.

— Jamais.

— Réfléchissez bien à présent. Est-ce que vous ne vous rappelez pas un détail à leur sujet : une allure particulière, un accent étranger ou autre ? Est-ce que vous n'avez pas entendu de noms ? Concentrez-vous.

Si je me rappelle ces deux hommes ? Je ne les oublierai jamais ! Un type tordu avec l'œil gauche qui regardait du côté de l'épaule, et un grand type, style méchant dans les westerns, avec une cravate verte, qui se penchait pour mieux cogner. Bull, il s'appelait. Diminutif de Bullshit, avait dit Shorty en riant.

— Prenez votre temps, je sais que c'est difficile pour vous.

Je voudrais qu'on les pende et je rigolerais sous la potence en les voyant mourir à petit feu. Mais ils savent qui je suis et Agatha est seule à la maison, se dit-il avec un frisson.

— Je n'arrive pas à réfléchir... Je suis désolé. Je voudrais bien, mais...

— Auriez-vous, par hasard, entendu prononcer le nom de Bull ? Ou bien l'avez-vous entendu auparavant ?

— Bull ? Non, non.

— J'espère que vous n'essayez pas de nous dissimuler quelque chose, monsieur Friedman. (La voix était devenue nettement moins patiente.) Il m'est difficile de croire que vous ne vous souvenez de rien, pas même un mot, de ce qui s'est raconté pendant tout le temps que vous avez passé dans la voiture. Que faisiez-vous quand ils vous ont fait monter de force ?

— J'étais sur le trottoir.

— Oui, ça, je m'en doute. Mais qu'étiez-vous venu faire dans le coin ?

— Je m'étais arrêté pour acheter des bonbons dans une confiserie.

— Oui. Alors, comment gagnez-vous votre vie ? Vous n'étiez donc pas au travail à cette heure de la matinée ?

— Je n'ai pas de travail fixe. J'ai été licencié.

— Chômeur ?

— Oui, chômeur.

— Nous sommes passés chez vous, pour voir votre femme. Vous vivez assez bien. Vous avez une jolie voiture.

Qu'est-ce qu'Agatha leur avait raconté ? Il sentait l'étau se resserrer sur lui sans parvenir à penser clairement.

Une nouvelle voix se fit alors entendre.

— Désolé, inspecteur, mais les cinq minutes sont largement écoulées. Cet homme est très gravement blessé et vous voyez bien qu'il n'est pas en état de répondre à d'autres questions.

— Il me faudrait seulement une minute, docteur, pour finir de démêler tout ça, si seulement il voulait bien coopérer.

— Coopérer ? Mais inspecteur, regardez-le un peu ! Il ne comprend même pas ce qui se passe ! Je suis désolé, vous devez partir. (La voix était ferme, très ferme.) Vous pouvez essayer de revenir demain. D'ici là, il devrait aller mieux, du moins je l'espère.

— Ecoutez, je vais tâcher de ne pas le fatiguer. Juste une minute encore.

— Non, pas maintenant. Vous devez partir.

Plus tard, le médecin lui confia d'une voix rageuse, au fort accent de Brooklyn :

— Je n'aime pas les flics.

— C'est pour cela que vous êtes venu à mon secours ce matin ? Vous saviez que je comprenais tout ?

— Ouais, je savais. Allongez-vous, je suis censé regarder ce qui se passe sous ce bandage.

Est-ce que je vous fais mal ? demanda-t-il en promenant ses doigts le plus légèrement possible. Nous n'avons pas envie qu'une infection se déclare là-dessous, elle gâterait votre belle gueule.

La douleur traversa son corps jusqu'au ventre.

— Désolé. Il fallait.

— Ça va.

Grimaçant de douleur, Maury regarda les yeux attentifs, surmontés d'épais sourcils, de celui qui l'examinait. C'est un interne de mon âge, pensa-t-il. Non, il doit avoir quelques années de plus.

— Pourquoi m'avez-vous aidé ce matin ?

— Je suis toujours du côté des opprimés... Aujourd'hui, c'était vous qui l'étiez. D'après mon expérience, les flics sont toujours contre les opprimés ou les perdants.

Maury ne comprenait pas très bien. Les flics étaient parfois eux-mêmes les perdants. Mais il pensait que le moment était mal choisi pour s'adonner à la philosophie ou à la sociologie.

— Dites-moi la vérité, docteur, est-ce que je vais m'en sortir correctement ?

— Oui, c'est l'affaire de deux semaines. Soyez patient. Le temps que la clavicule se ressoude et que vous vous remettiez du choc.

— Seulement deux semaines, vous êtes sûr ? J'ai une famille à nourrir, il faut que je travaille.

A cette idée, à l'idée de la très lourde responsabilité qui lui incombait, il se sentit à nouveau pris de panique.

— Combien d'enfants ?

— Un garçon. Mon Dieu ! Je ne peux pas me permettre d'en avoir davantage, pas maintenant.

Le jeune médecin s'éloigna du lit et Maury vit la longue blouse blanche avec le stéthoscope qui dépassait de la poche. Les internes aimaient bien arborer cet instrument et sur le visage de celui qui lui faisait face, Maury put lire une certaine fierté. Il y discerna également une grande fatigue et une intelligence apparemment très vive.

— Et votre femme, comment va-t-elle ?

— Bien. L'infirmière m'a dit qu'elle reviendrait me voir aujourd'hui.

— Elle est charmante, mais fragile.

— Pourquoi dites-vous cela ? Qu'avez-vous remarqué ?

— Ne vous affolez pas. Je n'aurais pas dû m'exprimer aussi brutalement. Je voulais simplement dire qu'elle m'a semblé très sensible, trop peut-être pour supporter certaines choses. Je comprends donc ce que vous entendez par responsabilité. Est-ce que je me trompe ?

— Docteur, vous êtes très perspicace, dit Maury en soupirant.

— C'est ce qu'on dit.

A chaque pas, il avait des élancements dans la tête. Il était rentré chez lui depuis trois jours et le médecin lui avait conseillé de se promener un peu. Il alla jusqu'au bout du pâté de maisons. Un espace couvert d'herbe s'étendait entre deux maisons et il s'assit là, sur une pierre. Sous le bandage, son front commençait à le démanger, ce qui signifiait que la cicatrisation se faisait bien. Il avait une grande entaille, lui avait-on dit, mais qui cicatriserait vite parce qu'il était jeune. Dieu merci, ses yeux avaient échappé aux coups de ces bêtes féroces. Des bêtes ? Les animaux ne sont jamais aussi vicieux ! Il faisait chaud dehors, mais lui avait constamment froid et avait dû mettre un chandail léger. Le choc nerveux. Il lui faudrait du temps pour se remettre. La forme d'Agatha le surprenait. Elle avait eu tellement peur pour lui qu'elle ne lui avait même pas demandé ce qu'il allait faire.

Quand Bruchman était venu lui rendre visite, elle s'était retirée dans la chambre avec Eric, mais elle avait entendu leur conversation malgré elle. Bruchman avait commencé par expliquer que quelqu'un — sans préciser qui — avait fait une erreur grossière : faute d'avoir bien clarifié les limites des nouveaux quartiers, il avait par erreur envoyé Maury dans une zone qui ne leur appartenait pas. Mais les choses avaient été clarifiées. On s'était également occupé de l'inspecteur qui avait interrogé Maury à l'hôpital et plus personne ne viendrait lui poser de questions. En passant, il avait complimenté Maury de s'être bien tiré de l'interrogatoire. En fait, dès qu'il serait rétabli, il était attendu au bureau et on ne lui donnerait plus de courses à faire un peu partout comme il le faisait auparavant.

— Non, merci, avait dit Maury.

Si c'était une question d'argent, il devait savoir que le problème ne serait jamais là. Il pouvait certainement espérer le double. N'avaient-ils pas payé sa chambre d'hôpital, et n'étaient-ils pas aussitôt venus voir sa femme pour s'assurer qu'elle ne manquait de rien ? Non, ce n'était pas une question d'argent et Maury appréciait tout ce qu'ils avaient fait, mais il voulait en finir. Non, il n'éprouvait aucun ressentiment, il voulait seulement cesser ce travail. Il avait même menti, pour faciliter les choses, en disant qu'il allait peut-être quitter New York pour s'installer ailleurs.

Bruchman avait encore essayé de le convaincre, il s'était même montré insistant mais, finalement, voyant que c'était peine perdue, il était parti après avoir serré la main de Maury en lui souhaitant bonne chance.

Agatha avait ouvert la porte de la chambre. Elle était en pleurs. Des larmes coulaient sur ses joues, mais son visage rayonnait quand elle s'était jetée dans ses bras.

— Oh, s'il t'était arrivé quelque chose, je ne sais pas ce que j'aurais fait, je ne sais pas si je l'aurais supporté !

— Je vais prendre soin de toi, je te le jure, avait dit Maury.

— Je sais, Maury, je sais, avait-elle répondu.

Mais comment allait-il s'y prendre ? Il n'en avait pas la moindre idée. Comment ? Où ? Il se leva, marcha lentement vers la maison, en se souvenant des pages d'offres d'emploi et des longues queues, dès cinq heures du matin. Cent hommes pour un seul emploi, sans parler des trajets jusqu'au Bronx ou Brooklyn avant le retour dans le Queens.

Où ? Comment ?

Il tourna au coin de la rue, sa tête lui causait toujours des élancements. Il monta les marches. Agatha l'entendit et vint lui ouvrir la porte. Derrière elle, dans la salle de séjour, il aperçut sa mère et, assis sur le canapé, son père qui tenait le petit garçon dans ses bras.

— Maman ? dit-il avec étonnement.

— Mais oui ! Et tu n'as pas besoin de parler, ajouta-t-elle d'une voix claire et tremblante. Nous savons tout. Dieu merci, Dieu merci, tu es en vie !

22

Dans le bureau poussiéreux, Maury attendait que la secrétaire prépare son chèque. Il promena son regard sur le sol couvert de linoléum et sur les stores dont l'un était déchiré. Il pensa alors au bureau spacieux de Broadway, avec ses trois étages, ses meubles en acajou et ses tapis, comme dans une banque.

Son père raccrocha le téléphone.

— Je lis ce que tu penses, Maury. Les choses étaient différentes autrefois.

— Du moins, les affaires continuent-elles.

— Exact. Nous essayons de surnager, dit-il en allumant un cigare très odorant qui n'était pas un vieux havane.

— Je ne sais pas pourquoi, mais je préfère l'odeur des cigares bon marché.

— Parce que tu n'y connais rien. J'ai gardé l'humidificateur et, note bien ce que je vais te dire, un jour viendra où je le remplirai des meilleurs havanes, comme avant.

— Je l'espère, Papa.

— Moi, je le sais. J'ai confiance en ce pays. Nous nous en sortirons. En attendant, je suis désolé de ne pas pouvoir faire mieux. Cinquante dollars par semaine, ce n'est pas beaucoup. Mais c'est le maximum que je puisse faire.

— J'ai déjà de la chance d'avoir un travail.

— Ah, mais c'est une honte que toi, avec les études que tu as faites, tu en sois réduit à collecter des loyers. Je suis malade rien que d'y penser.

— Alors, n'y pense pas. Comme tu dis, nous surnageons. Ce qui n'est déjà pas mal, comparé à beaucoup d'autres. Eh bien, je vais rentrer à la maison. N'oublie pas : nous vous attendons vers sept heures.

— Tu peux attendre un peu et partir en voiture avec nous. Pourquoi prendre le métro ?

— Merci, je préfère rentrer maintenant pour voir Eric et donner un coup de main à Aggie.

— J'espère qu'elle ne se donne pas trop de mal pour ce dîner. Vous pouvez nous recevoir sans faire de façons.

— Aggie aime beaucoup cuisiner. Ne t'inquiète pas pour ça.

— Ta mère amènera son strudel, de quoi nourrir un régiment. Tu sais comment elle est.

— Aggie sera contente. Bon, à tout à l'heure.

— Maury, attends. Est-ce que tout va bien chez toi ? Es-tu heureux ?

Il sentit aussitôt son visage se fermer, ses muscles se contracter, mais il répliqua :

— Quoi ? Oui, bien sûr. Pourquoi ?

— Bien, bien. Ce n'était qu'une question, répondit son père dont le visage se ferma à son tour.

Le métro tanguait et grondait. Sûr qu'ils se jouaient la comédie, pensa Maury. Son père savait qu'il savait qu'ils étaient au courant. Iris était loyale, mais elle leur en avait sûrement touché quelques mots. Lui, en revanche, n'avait aucune envie de leur en parler. Pas encore. Peut-être que, plus tard, la vérité sortirait malgré lui. Il ne pouvait jurer de rien mais, pour le moment, il ne se sentait pas prêt à dévoiler ses secrets.

Peut-être que, lorsqu'ils déménageraient, les choses s'arrangeraient, songea-t-il tandis qu'une autre partie de lui disait : cela ne fera aucune différence et tu le sais parfaitement. De toute façon, leur bail actuel n'expirait pas avant un an. Son père lui avait parlé d'un appartement dans l'un des immeubles qu'il gérait : trois pièces assez grandes, quatre en comptant la cuisine, pour quarante-cinq dollars par mois. L'immeuble se trouvait sur Washington Heights, qu'on avait surnommé depuis quelque temps le Quatrième Reich — drôle de plaisanterie ! — à cause de tous les réfugiés allemands qui y vivaient. On n'entendait presque plus parler anglais dans les rues du quartier.

Il imaginait mal Agatha dans ce quartier. Il s'avisa que, chaque fois qu'il était contrarié ou plongé dans de tristes réflexions, il songeait à elle en disant Agatha, mais que quand tout allait bien, elle redevenait Aggie. Il ne la voyait pas du tout assise dans le parc ou promenant Eric dans ces rues. Elle se sentirait doublement étrangère à cet endroit, comme dans le quartier qu'ils habitaient actuellement. En y réfléchissant bien, il se dit que les seuls endroits de New York où elle pourrait se sentir chez elle seraient Park Avenue ou la 5e Avenue ou les rues transversales qui les séparaient. Et ils n'étaient pas près d'habiter là, se dit-il, désabusé.

Le métro tangua fortement dans un virage. Maury sentit son corps osciller mollement au rythme du wagon. Il était épuisé. Son travail ne suffisait pas à expliquer une telle fatigue. Il se sentait las de réfléchir sans trouver de solution. Agatha refusait de reconnaître qu'elle avait un problème de boisson. Lorsqu'il rentrait, il le devinait à ses yeux ou le sentait à son haleine, mais elle s'obstinait à répéter que c'était pure imagination de sa part. Puis elle passait à l'attaque, ce qui le plaçait dans une position de défense. Il lui reprochait de faire une petite sieste l'après-midi, disait-elle. Il était suspicieux, victime de ses obsessions. Pendant un temps, il avait mesuré le niveau des bouteilles et cherché les endroits où elle cachait le vin bon marché qu'elle achetait en petites bouteilles qu'elle consommait rapidement et faisait disparaître comme par enchantement dans la boîte à ordures. Sans résultat. Il avait donc fini par renoncer à ces procédés qui ne menaient à rien.

Il essaya de la raisonner... « Tu m'as dit que tu étais angoissée à cause du travail que je faisais, ce que je comprends. Mais maintenant, j'occupe une fonction tout à fait honorable dans l'affaire de mon père et tu n'as rien à craindre. Alors pourquoi cette nervosité ? A quoi elle répliquait judicieusement : « Si on savait pourquoi on se sent nerveux et angoissé, on cesserait de l'être, n'est-ce pas ? » Ils tournaient donc en rond et n'arrivaient à aucune solution.

Pourtant, Maury était sûr de connaître les raisons profondes de son attitude : elle regrettait, probablement de manière inconsciente, de l'avoir épousé... Elle m'aimait au moment de notre mariage, mon Dieu, sûr qu'elle m'aimait ! Elle m'aime d'ailleurs encore, mais cette vie ne lui convient pas. Bien sûr, elle ne me quittera pas, et moi non plus. Je serais incapable de la quitter. On n'abandonne pas sa femme et son enfant. De toute façon, je ne pourrais pas. Je ne voudrais pas vivre sans toi, Aggie. Mais, pourquoi, pourquoi n'es-tu plus celle que tu étais ? Pourquoi ?

La même question revenait sans cesse.

Le métro était bondé. Une foule de visages gris et de vêtements sombres se pressaient au milieu de paquets aux couleurs vives. Il avait oublié qu'on était l'avant-veille de Noël. Sur ce, le Père Noël monta à une station et vint s'accrocher à une poignée de cuir, juste à côté de deux petits garçons qui le dévisagèrent avec des mines effrayées mais pleines de respect.

— Que fait-il dans le métro ? chuchota l'un d'eux.

— Je laisse mon renne se reposer un peu, répondit le Père Noël après s'être éclairci la gorge.

Autour de lui, les gens arboraient des sourires approbateurs et adressaient des clins d'œil complices aux enfants.

Il faut finalement peu de chose à la plupart des gens pour qu'ils soient heureux. Un lieu rassurant et quelqu'un qui les aime suffisent à leur bonheur.

Maury abandonna ses réflexions quand il se retrouva dehors ; il fut heureux de sentir l'air humide du soir et marcha d'un bon pas le long des quelques pâtés de maisons qui le séparaient de chez lui. Il avait hâte de retrouver Eric qui l'accueillait toujours avec une joie sans mélange, bondissant dans ses bras et riant aux éclats en découvrant une rangée de petites dents.

L'arbre fut la première chose qu'il vit en ouvrant la porte. C'était un sapin bien fourni, qui sentait très bon, aussi haut qu'Aggie. Elle avait commencé à le décorer et une boîte en carton, remplie de boules et de guirlandes, était posée par terre. Elle ne lui avait pas dit un mot de son projet.

— Tu n'as pas oublié que mes parents venaient ?

— Bien sûr que non ! Tu ne sens donc pas les odeurs de dinde rôtie ? Elle est presque cuite.

— Mais l'arbre, dit-il. L'arbre !

— Qu'est-ce qu'il a ?

— C'est probablement ma faute. Je ne savais pas que tu allais en acheter un. J'aurais dû te prévenir... que nous ne faisions pas d'arbre de Noël.

— Nous ? Qui « nous » ?

— Eh bien, mon père et ma mère. Ils ne font pas d'arbre de Noël.

— Oui, bien sûr, je le sais ! Mais quel rapport avec nous ?

Elle n'avait pas bu de vin ce soir-là, il l'avait remarqué immédiatement. Le problème était donc ailleurs.

— Je pense, dit-il prudemment, que cela a peut-être quelque chose à voir avec nous.

— Je ne vois pas.

— Eh bien, personnellement, je n'y vois aucune objection. En ce qui me concerne, tu peux faire tous les arbres de Noël que tu voudras. Mais je crois que ce serait un choc terrible pour mon père, et comme il y a eu déjà beaucoup de contrariétés, je voudrais simplement éviter qu'il n'y en ait davantage.

— Ton père peut faire ce qu'il veut dans sa maison. Mais je ne vois pas pourquoi Eric devrait être privé de cet arbre, et toi ?

— Eric n'a pas la moindre idée de ce que représente Noël, dit patiemment Maury.

— D'accord, mais que fais-tu de moi ? Le sapin de Noël est l'un de mes meilleurs souvenirs d'enfance.

— Je n'aurais jamais cru que tu avais tant de bons souvenirs !

Il regretta aussitôt d'avoir prononcé cette phrase. C'était vraiment mesquin.

— Si tu fais allusion aux préjugés de mes parents, je veux te dire que dans ce domaine, les tiens remportent la palme.

— OK. Je ne veux pas discuter de cela. Mais, s'il te plaît, Agatha, je te supplie de descendre cet arbre. Mon père le prendrait comme une gifle en plein visage. Pourquoi gâcher le chemin parcouru ? S'il te plaît.

— Maury, je ne tiens vraiment pas à compliquer les choses, dit-elle d'une voix douce mais résolue, mais cette maison est la nôtre et si ton père est sincèrement prêt à m'accepter... à nous accepter... ne vaut-il pas mieux éviter de jouer la comédie ?

— Aggie, il a presque cinquante ans et il a mené une existence très dure. Est-il bien nécessaire de lui faire de la peine ?

— J'ai l'impression d'entendre l'histoire de la mamma juive qui a une attaque cardiaque chaque fois que l'un de ses enfants la contrarie.

— Tu peux te dispenser de ce genre de remarques, Agatha, dit-il sèchement.

— Allez, ne prends pas la mouche, comme si j'étais antisémite ! Pour l'amour du ciel, les plaisanteries sur les mammas juives font partie du folklore ! De plus, elles sont effectivement possessives ! Et toi, tu dis toujours que les goys boivent trop, n'est-ce pas ?

— Je ne dis pas que les goys boivent trop, je dis que *toi*, tu bois trop.

Elle ignora la remarque et leva les bras pour accrocher une boule de satin rouge à une branche.

— Mais qu'est-ce que je vais lui dire quand il va entrer ? Tu ne sais pas ce que cela représente pour Papa. Ecoute, Agatha, dans les villes où ses parents ont grandi, où ma mère a grandi, Noël était l'époque où les Cosaques et toutes les brutes des environs avaient l'habitude de venir à cheval avec des chiens et des fouets pour violer, brûler et...

— Il n'y a pas de Cosaques ici et il serait temps que votre peuple cesse de vivre dans le passé. Ici, on est en Amérique. D'ailleurs, tu as dit toi-même que ton père vivait complètement dans le passé. Je crois même me souvenir que tu as ajouté : derrière un rempart, comme au Moyen Age.

— Possible, dit Maury en rougissant. Il est vrai que tes parents à toi sont tellement modernes, tellement larges d'esprit et tellement bons ! Au moins, mon père est-il là, lui.

— Certes, mais il a fallu que tu manques d'être tué pour qu'il vienne !

— Mais il est là, répéta Maury.

— Peut-être que le mien aussi serait là si je lui avais dit la vérité ! Peut-être que j'aurais dû lui dire : mon mari s'occupe de loteries clandestines et s'est fait tabasser par des gangsters, alors s'il te plaît, viens, j'ai besoin de toi !

Le carillon de la radio annonça six heures et demie.

— Agatha, ils vont arriver d'une minute à l'autre. Descends-le maintenant et je te promets que je t'aiderai à le remettre ce soir quand ils seront partis. Je te jure que je le ferai, dit-il en décrochant une boule argentée.

— Ne touche pas ! Ecoute, nous sommes chez nous, oui ou non ? Tu t'indignes à la seule idée de transiger sur ce qui est ton héritage et tu voudrais que je renonce au mien ? Est-ce que tu apprécierais si nous allions rendre visite à mes parents et si je te demandais de...

— Supposition gratuite ! Tu sais parfaitement qu'ils n'accepteront jamais de me recevoir chez eux ! Et tu veux savoir ? Je n'ai pas non plus la moindre envie de voir ces salauds !

— Est-il indispensable de te montrer aussi vulgaire ?

— Certainement. Je suis un youpin et les youpins sont vulgaires. Tu ne le savais pas ?

Des pleurs parvinrent soudain de la chambre où se trouvait Eric.

— Tu vois ce que tu as fait. Il s'en souviendra, Maury. Les enfants n'oublient pas ce genre de scène. (Elle se mit à pleurer.) Tout allait être si joli, et tu as tout gâché ! Je déteste ta voix quand tu cries comme ça ! Tu as l'air méchant ! Je voudrais que tu voies ta tête !

— Très bien, très bien ! Arrête de pleurer, tu veux ? Laisse ton foutu sapin, je leur expliquerai...

— Je n'en veux plus, de cet arbre. Emporte-le !
Une boule tomba à terre et se brisa en mille morceaux. Agatha ajouta :
— Toute la joie que cet arbre me donnait s'est envolée. Je vais m'occuper d'Eric.

Elle posa sa tête contre son épaule.
— Est-ce que le dîner était affreux, Maury ? Est-ce que la soirée était complètement ratée ?
— Non, non, ils étaient très contents d'être là.
— Parce que je ne voudrais pas que tes parents me haïssent.
— Mais ils ne te haïssent pas du tout, Aggie. Sincèrement, ils t'aiment bien.
Il caressa son dos tremblant, ressentit la profonde tristesse qui l'habitait. Elle qui était si gaie...
— Le monde est difficile, soupira-t-elle. Comment le supporter, dis-moi ?
— Il n'y a pas que des difficultés et il n'est pas d'autre monde possible.
— Tu crois que j'ai bu, Maury ?
— Non, je sais que tu n'as pas bu.
— Alors, sers-moi un cognac, s'il te plaît, j'ai terriblement froid.
— Un thé bien chaud te réchauffera mieux. Je vais te le préparer.
— Ce n'est pas pareil. Le thé ne me détend pas. Je t'en prie, ce soir j'en ai besoin.
— Non. Allez, je vais faire du thé pour nous deux.
— Laisse tomber. Reste avec moi.
— Aggie, chérie, tout va bien. Tu es là. Nous sommes là.
— Mais j'ai peur, j'ai tellement peur. Oh, mon Dieu, Maury, que nous arrive-t-il ?

23

La soirée qu'ils n'oublieraient jamais débuta dans la cuisine, devenue le cœur de la maison. Quand Joseph rentrait du travail, il s'y rendait directement. Ce soir-là, il était accompagné de Maury. Iris était allée en ville avec Agatha pour voir les soldes de manteaux d'hiver, et, plus tard, ils devaient tous dîner ensemble.

Anna s'affairait autour de la cuisinière, car elle préparait un pudding. Depuis combien d'années Maury et Joseph ne s'étaient-ils pas vraiment parlé ? Ils avaient discuté ensemble autrefois de bulletins, de camps de vacances, d'école religieuse, de toutes sortes de sujets qui semblaient à l'époque de la plus haute importance, mais qui n'étaient rien, comparés à celui abordé aujourd'hui.

— Quand t'en es-tu aperçu ? demanda Joseph.

— Je ne peux pas donner de date précise, répondit Maury. Je sais depuis longtemps qu'elle aime bien prendre un petit verre pour l'aider à surmonter les moments difficiles...

— Les moments difficiles ! s'écria Anna. Qu'est-ce qu'il ne faut pas entendre ! Quelles véritables difficultés a-t-elle jamais connues dans sa vie ?

— Très peu, jusqu'à ce qu'elle m'épouse, Maman. Mais depuis, elle en a affronté beaucoup.

— Personne ne l'a obligée à t'épouser !

Joseph se leva.

— Quelle véhémence, Anna ! S'emporter ne résoudra rien, tu m'entends ? demanda-t-il en lui prenant le bras.

Les doigts de Joseph la serrèrent jusqu'à lui faire mal. Bien sûr, il avait raison. Mais elle était stupéfaite par le calme et l'indulgence dont il faisait preuve à présent. Comme au cours des longues discussions secrètes entre Iris et eux-mêmes, jusqu'au jour où — elle ne savait plus très bien dans quelles circonstances — Maury avait exposé la situation ouvertement.

— Combien de fois cela arrive-t-il ? voulut savoir Anna. Iris dit que...

— Laisse-le tranquille, Anna, intervint Joseph. Nous n'avons pas besoin de revenir sur les détails. Je les connais déjà.

— Maury et toi en avez parlé ?

— Oui, nous avons parlé, répliqua-t-il sèchement.

Pourquoi fallait-il que, dans les situations graves, les gens commencent à se parler sur un ton désagréable ?

— Je vois, rétorqua-t-elle. Et pourrais-je savoir ce que vous avez dit ?

Ni l'un ni l'autre ne répondirent. Le pudding déborda sur la cuisinière, avec une odeur de sucre brûlé qui aggrava l'énervement d'Anna.

— Oh, mais qu'est-ce qu'elle a dans la tête, cette fille ? Quelle honte, quelle honte !

— Ce n'est pas une honte, corrigea Joseph. C'est une maladie. Tu ne comprends pas qu'elle ne peut rien y faire ?

— Une sale maladie !

— On en peut dire autant de toutes les maladies, Anna.

— Eh bien, s'il s'agit d'une maladie, qu'elle aille voir un docteur !

— Elle n'ira pas.

— Fais-en venir un toi-même, pour l'amour du Ciel ! Qu'attends-tu ?

— Je l'ai déjà fait.

— Ah oui ? Et que s'est-il passé ?

— Elle s'est enfuie en courant par l'escalier de derrière. Elle ne voulait absolument pas voir le médecin.

Maury se leva. Sa chaise grinça tout à coup contre le sol et Anna détourna les yeux de sa cuisinière pour le regarder. Une marque blafarde rayait son front. Il la garderait probablement à jamais, comme pour l'empêcher d'oublier. Il faisait beaucoup plus vieux que ses vingt-quatre ans ! Pourquoi fallait-il qu'il ait tant de soucis et que la vie soit si dure pour lui ? Il était si brillant, si vif, toujours en mouvement, l'air pressé, avec des livres ou une raquette de tennis sous le bras, souvent accompagné d'une bande d'amis qui emplissaient la maison de leurs cris et de leurs rires. Même les enfants de Ruth, en dépit de ce qu'ils avaient enduré, semblaient à présent profiter un peu de leur jeunesse... Tandis que mon fils, mon unique fils, connaît une vie de malheur... La colère nouait la gorge d'Anna.

— Tu l'as enlevée à sa famille, Maury, dit Joseph en soupirant, mais elle est venue avec toi de son plein gré. Pour le meilleur ou pour le pire. A présent, vous en êtes au pire et il faudrait trouver un moyen d'en sortir.

— Comment ? demanda Maury en levant les yeux.

— Oui, comment ? répéta Anna.

— Je ne sais pas, dit Joseph en fronçant les sourcils. Mais j'ai pensé à une chose, Maury : pourquoi tu n'emmènerais pas Agatha et le bébé en Floride pour quelques semaines ? Je paierai, je peux m'arranger. Partir quelques semaines au loin, sur une plage, peut opérer des miracles. Le soleil guérit, tu sais.

— Le soleil guérit l'alcoolisme ? demanda doucement Maury.

— Eh bien, être ensemble dans un endroit merveilleux... peut vraiment aider à retrouver le moral. Qui sait ?

— C'est très gentil de ta part, Papa. Je veux que tu saches combien ton geste me touche, vraiment.

— Alors, vous allez partir ?

— Je vais en parler avec Aggie.

Une question vint alors à l'esprit d'Anna qui demanda :

— Mais quand tu lui parles du fait qu'elle boit trop, que dit-elle ?

— Elle refuse de le reconnaître. Mais il est bien connu que les alcooliques admettent rarement leur alcoolisme.

La porte battante qui communiquait avec la salle à manger fut soudain poussée violemment.

— Tu parles de *moi* ? cria Agatha. Maury, tu es en train de parler avec eux de moi ?

— Nous étions seulement..., commença-t-il.

— Ne mens pas ! J'ai tout entendu. Tu ne savais pas que nous étions rentrées... (Elle martela sa poitrine de coups de poing.) Excuse-toi ! Reconnais que tu as menti à mon sujet.

Maury lui prit les mains.

— Je suis désolé, je n'aurais peut-être pas dû en parler, même à mes parents. Mais je ne dirai pas que ce n'est pas vrai, parce que nous savons tous les deux que c'est la vérité.

— Je ne comprends pas, dit Agatha en se tournant vers Joseph et Anna, votre obsession puritaine à l'égard de la boisson. Tout cela parce qu'il n'aime pas boire, il pense que dès qu'une autre personne boit un ou deux verres, elle est ivre. Et si je m'allonge quelques minutes, ce n'est jamais parce que je suis fatiguée. Non, la seule explication est que j'ai dû boire !

Joseph et Anna restèrent silencieux. Quelle petite fille ! se dit Anna à la fois avec un mélange de pitié et d'aversion. Une véritable enfant avec sa robe-chasuble et son corsage de collégienne, son visage inondé de larmes et son air furieux. Elle n'était même pas jolie. Que lui avait-il trouvé ? Quand je pense aux filles qu'il aurait pu épouser, bien plus jolies ! Mais que pouvait-on contre ce désir qui liait puissamment deux êtres ? Bien sûr, je suis bien placée pour savoir...

— Nous n'arriverons jamais à rien, Aggie, si nous ne sommes pas honnêtes l'un envers l'autre, déclara Maury. Si tu voulais bien admettre que tu as un problème, nous pourrions t'aider.

— Un problème, moi ? J'en ai peut-être un en effet, et c'est toi !

— Pourquoi ? Parce que j'ai découvert que tu cachais la bouteille derrière le fourneau ?

— Que se passe-t-il ? intervint Iris. J'étais au téléphone et j'ai entendu un tel vacarme que j'ai dû raccrocher !

— Iris, dit Joseph, nous sommes en train de discuter. Pourrais-tu nous laisser quelques minutes ?

— Je veux qu'elle reste ! cria Agatha. Elle est la seule personne ici à qui je puisse parler. Sais-tu qu'ils m'accusent d'être une ivrogne ? Dis-leur, Iris, est-ce que tu m'as déjà vue saoule ? Dis-leur !

— Laissez Iris en dehors de cette histoire, lança sévèrement Joseph. Maintenant écoutez, Agatha, écoutez calmement. Je veux que vous veniez dans mon bureau et que nous parlions ensemble.

— Pourquoi nous ne dînons pas d'abord ?

Anna entendit ses propres paroles comme si elles avaient été prononcées par une autre : elle offrait encore de la nourriture. La seule chose qu'elle savait faire, apparemment.

— J'ai un très beau rôti et il est prêt.

— Non, dit Agatha, je rentre à la maison ! Je ne peux pas rester ici, je ne peux pas m'asseoir à votre table !

Iris alla se mettre devant la porte d'entrée.

— Aggie, je ne sais pas comment tout cela a commencé, mais écoute-moi, reste un peu. De toute façon, il pleut à verse, et tu ne peux pas conduire, tu ne verras rien. Attends un peu.

Mais Agatha enfila brusquement son manteau et sortit. Maury la rejoignit et ils poursuivirent leur dispute devant la porte de l'ascenseur.

— Je refuse de te laisser conduire. Si tu tiens à t'en aller, laisse-moi au moins conduire.

— Si je veux conduire cette voiture, je le ferai, l'entendirent-ils répondre, puis la porte de l'ascenseur s'ouvrit, claqua, et l'ascenseur descendit lentement.

Anna disposa la nourriture sur la table et tous les trois s'assirent. Ils touchèrent à peine à ce qu'ils avaient dans leur assiette, parlèrent peu, sauf Anna qui commença une phrase : « Pas une seule fois depuis que nous sommes dans cette maison... » sans aller plus loin. Iris l'aida à ranger la cuisine et Joseph s'assit dans la salle de séjour avec le journal du soir qu'il ne lut pas. Le vent qui soufflait du fleuve faisait trembler les vitres. En bas, dans la rue déserte, des tonnes de pluie s'abattaient à la lueur floue des réverbères.

Il était presque huit heures et demie quand retentit la sonnette de la porte d'entrée. Lorsqu'elle vit les deux agents de police dans leur cape noire ruisselante de pluie, Iris sut immédiatement qu'il était arrivé un malheur.

— Monsieur Friedman ? demanda l'un des agents.

Joseph se leva de sa chaise et s'avança vers eux à pas lents.

— Dépêche-toi, dépêche-toi donc ! s'impatienta Iris.

— Entrez, dit Joseph.

— Il y a eu... Je dois vous dire..., commença l'un des hommes, mais il s'interrompit.

L'autre, le plus âgé, qui avait certainement l'expérience de ce genre de choses, prit la relève.

— Il y a eu un accident, dit-il doucement.

— Oui ?

Joseph attendit. Ce oui interrogateur sembla se répéter en écho dans la pénombre de l'entrée, dans l'attente d'une réponse.

— Votre fils. Sur le boulevard, dans le Queens. Est-ce que nous pouvons nous asseoir ?

Ils se querellaient, pensa Iris. Ils étaient en train de se disputer dans la petite voiture étroite.

Le policier avait une expression bizarre. Il déglutissait comme s'il avait un nœud au fond de la gorge.

— Ils... un témoin a dit que la voiture roulait à vive allure. Trop vite, sous la pluie, et elle a manqué un virage.

— Vous êtes en train de m'annoncer qu'il est mort, dit Joseph sans trop savoir s'il en était convaincu ou s'il posait encore la question.

Et l'on entendit à nouveau dans le silence : Il est mort, il est mort...

L'homme ne répondit pas tout de suite. Il prit le bras de Joseph et alla l'asseoir, tel un pantin, sur la chaise en bois sculpté de l'entrée.

— Ils n'ont pas souffert, dit-il d'une voix très douce. Aucun des deux. Tout s'est passé très vite.

Le plus jeune des policiers était là debout, tripotant nerveusement sa casquette mouillée.

— Non, ils n'ont pas souffert, répéta-t-il, comme si cette affirmation était une grâce dont il fallait être reconnaissant.

— On n'a pas pu déterminer qui conduisait, précisa le premier. Mademoiselle, dit-il en se tournant vers Iris, auriez-vous un peu de whisky dans la maison ? Et pouvons-nous appeler quelqu'un ? Quelqu'un de la famille ou un médecin ?

A l'arrière-plan, près de la porte qui donnait sur les pièces du fond, un grand cri déchira l'air. Celui que poussa longuement Anna.

— C'était un couple très tranquille, dit M. Andreapoulis.

Il était assis en compagnie de Joseph et d'Anna dans son petit salon. Par la porte entrebâillée, ils apercevaient sa femme qui était occupée à rouler de la pâte sur la table de la cuisine.

— Ils ne nous ont jamais rien dit, mais nous avons senti dès le début que quelque chose n'allait pas. Personne ne venait jamais les voir. Ils faisaient de longues promenades ensemble. Ils nous faisaient de la peine.

Ni l'un ni l'autre ne faisaient la moindre allusion à sa famille jusqu'à la naissance du petit garçon. Un soir, ils étaient descendus, la mine grave, et lui avaient demandé de bien vouloir rédiger pour eux le testament qu'ils entendaient faire. Faute d'avoir grand-chose à léguer, ils devaient songer à l'avenir de leur enfant, au cas où il leur arriverait quelque chose à tous les deux. M. Andreapoulis avait approuvé cette initiative. Après de longues hésitations gênées, ils avaient finalement décidé que, au cas où ils viendraient à mourir, la garde de l'enfant devait être attribuée aux grands-parents maternels. Il leur avait demandé s'ils en avaient parlé avec les intéressés. Ils avaient répondu négativement, mais que cela ne poserait pas de problèmes ; les parents de la jeune femme habitaient dans une très grande maison à la campagne.

Puis ils s'étaient mis à rire, sans doute pour donner le change, ce qu'Andreapoulis avait très bien compris : rédiger un testament semble une démarche formelle et pompeuse quand on est jeune. On ne meurt pas à cet âge-là, surtout en laissant un bébé derrière soi. Dans leur esprit, il s'agissait d'une mesure théorique et, en tant que telle, ridicule.

Voilà comment s'étaient décidées les choses. Ils lui avaient confié la garde du testament et leur attitude laissait supposer qu'ils l'avaient complètement oublié. En fait, lui-même n'y avait plus jamais pensé jusqu'au soir de l'accident.

— Par conséquent, dit Joseph, nous ne pouvons rien faire pour le modifier ?

— Eh bien, comme je vous l'ai dit, chacun a le droit de contester un testament. Mais dans le cas présent, vous ne pourrez certainement pas prouver l'existence d'une influence extérieure, je crois. Les grands-parents maternels n'étaient pas au courant. Ils souhaitent vraiment s'occuper de l'enfant, voyez-vous, ajouta-t-il avec un regard affligé. Toutefois, n'importe quel tribunal vous accordera un droit de visite, bien sûr.

— Chez eux ?

— Il saurait difficilement en être autrement.

— Autant lui rendre visite dans une prison, marmonna Joseph.

— Eh bien, voulez-vous faire appel de cette décision ? Je n'ai pas beaucoup d'espoir, mais sait-on jamais ?

— Les tribunaux et les hommes de loi... une sale affaire. Excusez-moi, cette remarque ne vise personne, mais...

— Je comprends ce que vous voulez dire. Ne vous inquiétez pas.

— Sale affaire, répéta Joseph dont les yeux s'embuèrent de larmes.

Le jeune homme détourna le regard et attendit.

Joseph se leva.

— Nous y réfléchirons et nous vous tiendrons au courant Viens, Anna.

Sur le mur, derrière le bureau du médecin, était accroché un nombre impressionnant de diplômes. Les étagères croulaient sous les livres : ceux du docteur et beaucoup d'autres. *La psychologie de l'adolescent*, lut Anna, et *La psychologie de l'enfant d'âge préscolaire.*

— Oui, je dirais que cet enfant a subi un traumatisme assez important, dit le médecin. Je sais, bien sûr, que ce diagnostic ne correspond pas à ce que vous espériez entendre.

— Non, mais je crois qu'il est juste, dit Anna en s'essuyant les yeux. Je comprends. Le partager lui serait néfaste, même si les tribunaux acceptaient une telle solution, ce qui semble d'ailleurs assez improbable d'après l'avocat.

— Vous avez sûrement réfléchi, madame Friedman, et vous êtes une femme courageuse.

— Pourtant, je ne sais pas, s'écria-t-elle avec amertume. Si le testament avait été rédigé dans l'autre sens, je n'aurais pas traité ces gens comme ils nous traitent !

— Moi, si, dit Joseph. J'aurais fait exactement ce qu'ils font. C'est la vérité.

— Ce qui prouve, fit remarquer le docteur Briggs, qu'il vaut mieux éviter à l'enfant d'être exposé à une telle hostilité. Sa petite vie est déjà suffisamment confuse et troublée. La meilleure chose que vous puissiez faire pour lui, si vous l'aimez, et je vois que vous l'aimez, c'est de vous incliner et de le laisser tranquille. Laissez les autres grands-parents l'élever et lui apporter un certain équilibre. Cet enfant n'est pas un trophée que l'on se bat pour emporter.

— Pas même lui rendre visite, dit Anna.

— A votre place, je ne le ferais pas, étant donné les circonstances que vous m'avez décrites. Pourquoi devrait-il affronter tant de haine et être obligé de prendre parti ? Quand il sera plus grand, l'enfant aura envie de vous voir. Les adolescents sont très angoissés par leurs problèmes d'identité. La situation sera toute différente.

— Adolescent ! s'écria Anna.

— Cela fait une longue attente, je sais, dit le docteur.

A la maison, Anna se lamentait : « Si je ne l'avais pas connu, je n'aurais pas autant de chagrin. Savez-vous qu'il commençait à dire mon nom ? Il m'a appelée Nana la dernière fois qu'il m'a vue. »

Je n'avais pas conscience d'aimer Maury à ce point quand il était en vie, songeait Iris. Mais quand je me rappelle Eric, son petit visage, ses petites mains, je sais combien j'aimais mon frère. Maintenant qu'ils ont emmené Eric, je perds mon frère une seconde fois.

24

Après la douleur hallucinante, vinrent les jours et les nuits sans fin de leur long désespoir. Pourquoi ? Mais pourquoi ? La même question revenait sans cesse et demeurait toujours sans réponse. Manger, s'habiller, aller au marché représentait des efforts, incommensurables, répondre au téléphone devenait une véritable épreuve.

Puis un matin, Anna sentit monter en elle le désir de renaître à la vie. Elle sortit une liasse de lettres, arrivées d'Europe pendant la terrible période qui avait suivi la mort de Maury. Des voix l'appelaient, venues de l'ombre : celles de ses frères, Eli et Dan, avec leur nez retroussé et leurs taches de rousseur, dans une cuisine, d'abord en compagnie de leur mère puis, tout à coup, à Vienne, aussi âgés que leur père au moment de sa mort. Celle de Liesel, la petite fille d'Eli et ses cheveux dorés. La voix inconnue de Theo, le mari de Liesel.

I

Vienne, le 7 mars 1938

Chers Oncle Joseph et Tante Anna,

A présent que je m'apprête à vous écrire, je me sens confuse et je dois commencer par m'excuser de ne pas l'avoir fait plus tôt, mis à part le petit mot pour vous remercier du très beau cadeau de mariage que vous nous avez envoyé, à Theo et à moi. Je crois que la seule excuse que je puisse donner pour justifier mon long silence pendant toutes ces années, et elle est bien mauvaise, est que Papa vous écrivait et que j'ai toujours eu l'impression qu'il le faisait en notre nom à tous. En tout cas, me voici, moi, Liesel, votre nièce paresseuse, assise dans la bibliothèque, en train de regarder par la fenêtre la neige qui fond dans le petit jardin où nous prenions le café l'après-midi, quand vous étiez là, il y a neuf ans. Déjà ? Je n'étais alors qu'une enfant dévisageant les cousins venus d'Amérique ! Et me voici maintenant mariée. Notre fils Friedrich, que nous appelons Fritzl, a treize mois. Il commence à faire ses premiers pas et c'est *nous* à présent qui allons partir pour l'Amérique ! J'ai peine à y croire !

C'est la raison pour laquelle je voulais vous écrire. Theo a pris le train pour Paris ce matin même. Il s'embarquera au Havre et arrivera à New York le dix-neuf. Il a votre numéro de téléphone, ne soyez donc pas surpris si vous recevez un coup de fil de lui ! Il a passé trois ans à Cambridge et parle merveilleusement bien l'anglais, pas comme moi. C'est la raison pour laquelle je vous écris en allemand, je me souviens que vous compreniez notre langue. Je suis sûre que vous vous entendrez très bien.

Theo fait ce voyage pour préparer notre immigration. Comme vous le savez, il est docteur en médecine, et vient de terminer sa spécialisation en chirurgie plastique. J'ai vu le travail qu'il a réalisé sur un enfant qui avait eu le bras brûlé. Il réussit très bien ce métier qu'il aime énormément ! Il doit se renseigner sur les moyens d'obtenir l'autorisation d'exercer la médecine aux Etats-Unis, et peut-être trouvera-t-il un médecin qui souhaite s'adjoindre un jeune assistant... Tout cela est bien incertain, comme vous pouvez l'imaginer. Aussi, ai-je pensé que parmi vos nombreux amis, vous connaîtriez peut-être un médecin qui pourrait le conseiller. Nous aurons également besoin d'un appartement. Theo veut signer un contrat de location, que tout soit prêt, puis il reviendra nous chercher, Fritzl et moi, et nous nous arrangerons pour faire expédier nos meubles par bateau. Vous pourriez peut-être lui indiquer où chercher un appartement.

Je dois avouer que je suis très partagée quant à ce projet. Theo est absolument convaincu que les nazis vont occuper l'Autriche d'ici un an ou deux. Il disait la même chose avant notre mariage, si ce n'est la première fois où nous nous sommes rencontrés. Il s'intéresse beaucoup à la politique et ne semble que trop convaincant. Pour lui, l'émigration est notre seul salut. Mes parents, toute la famille de Maman et les propres parents de Theo trouvent ses craintes absurdes. Ils refusent de quitter l'Autriche et ont le cœur brisé de nous voir partir. Pendant un temps, Papa fut terriblement fâché contre Theo qui lui enlevait son premier petit-fils et sa fille, mais à présent que le moment du départ approche, il est trop abattu pour être en colère.

Quant à moi, mes parents, mon jeune frère et ma jeune sœur me manqueront terriblement, ainsi que Vienne. Le père de Theo et Papa s'étaient arrangés pour nous acheter un ravissant petit pavillon près de Grinzing. Jusqu'alors, nous habitions un très bel appartement à quelques minutes à pied de Ringstrasse. Tout cela me manquera beaucoup... J'oubliais de vous dire que j'avais été invitée à participer à la prochaine saison musicale. J'avais enfin le sentiment d'arriver à quelque chose en piano. Il sera dur de repartir à zéro à New York.

Mais s'il s'avère que Theo a raison au sujet des nazis, je me rends compte à quel point nos vies seront ici en danger par le seul fait que nous sommes juifs. Je ne me suis pourtant jamais sentie juive. J'ai toujours été autrichienne, viennoise pour être plus exacte. Excusez-moi si ces propos vous offensent, Papa m'a dit que vous étiez très religieux. Mais je suis sûre que vous comprendrez. Etre ou non croyant est une question entièrement personnelle, n'est-ce pas ?

En parlant de gens religieux, vous ne savez peut-être pas qu'Oncle Dan est déjà parti. Lui et toute sa famille ont quitté Vienne le mois dernier pour le Mexique. Il voulait aller aux Etats-Unis, mais cela n'a pas été possible parce qu'il est né en Pologne. Le quota d'immigrants polonais est déjà dépassé pour plusieurs années. Bien sûr, Papa pense qu'Oncle Dan est idiot — ils ne se sont apparemment jamais entendus, n'est-ce pas ? En tout cas, je leur souhaite de réussir là-bas.

Finalement, cette lettre s'est révélée beaucoup plus longue que je ne le prévoyais. J'entends Fritzl qui se réveille de sa sieste. Nous pensions tous qu'il aurait les cheveux roux comme Papa et vous, Tante Anna, mais ses cheveux sont devenus très blonds, presque blancs.

J'espère que vous allez tous bien et je vous remercie beaucoup pour toute l'aide que vous pourrez apporter à Theo. Il n'a pas besoin d'argent, seulement de conseils.

Je vous embrasse,
votre nièce, Liesel Stern.

II

Vienne, le 9 mars 1938

Chère sœur et cher beau-frère,

Votre lettre est arrivée ce matin et je suis malade de chagrin. Perdre votre fils, votre fils que vous aimiez tant ! Tué bêtement dans un accident ! Même pas mort sur le champ de bataille, au service de la patrie ! Votre douleur serait la même, mais elle aurait un sens, ce qui vous serait une petite consolation. Mais cet accident ! J'en ai le cœur totalement brisé pour vous, ainsi que Tessa et tous ceux qui m'entourent. J'ai compris que Liesel vous avait écrit il y a quelques jours avant de connaître la triste nouvelle. Si seulement je pouvais faire quelque chose pour vous, chère Anna, cher Joseph !

On dirait que seul le chagrin trouve encore sa place en notre monde. Je ne comparerai pas notre accablement au vôtre, mais nous sommes très peinés de toutes ces séparations dans notre famille... Comme vous le savez à présent, mon gendre, un jeune homme très bien, d'excellente famille, s'est mis en tête de partir en Amérique. Ne croyez surtout pas que j'ai des préjugés contre les Etats-Unis. Je comprends très bien, Anna, que tu aies quitté le village où nous habitions pour partir là-bas, Mais je trouve absurde de quitter l'Autriche, à cause des menaces proférées par une poignée de fanatiques de l'autre côté de la frontière. Même si les Allemands envahissaient l'Autriche, et croyez bien que les choses ne se passeront pas aussi facilement, cela ne signifierait pas pour autant la fin du monde ! Il est probable que quelques extrémistes empêcheront des juifs d'exercer leur métier mais ce n'est pas une nouveauté. De telles discriminations ont toujours existé en Europe, à un degré plus ou moins important. Rien d'insurmontable. De toute façon, j'ai essayé de faire comprendre à Theo, et ses propres parents ont fait la même chose, qu'avec les relations dont jouit notre famille, nous serions les dernières personnes à être inquiétées.

La famille de Tessa habite l'Autriche depuis tant de siècles qu'on ignore même l'origine première de ses ancêtres. Son père occupe un poste élevé au sein du ministère des Finances. La sœur de son grand-père s'est convertie après avoir épousé un catholique. L'un de ses petits-fils vient juste d'être consacré évêque. Voilà pour Tessa. Je ne peux malheureusement pas me targuer de telles relations, mais je connais une certaine réussite dans mes affaires. Vous savez également que j'ai combattu pendant la guerre, et obtenu la médaille du mérite impérial. Vraiment, je n'arrive pas à comprendre cette attitude hystérique. Enfin, les jeunes sont rarement raisonnables et nous n'y pouvons rien !

Je vous prie de m'excuser de vous parler si longuement de nos problèmes, alors que vous avez le cœur brisé de chagrin. Je vous en prie, prenez soin de vous, de votre fille Iris et de votre petit-fils. Sachez que nous pensons bien à vous. Nous sommes de tout cœur avec vous et nous prions pour que vous trouviez la force de surmonter la terrible épreuve qui vous frappe.

Votre frère à jamais,
Eduard.

III

Paris, le 15 mars 1938

Chers Oncle et Tante,

Je vous écris rapidement pour vous expliquer pourquoi je ne suis pas arrivé à New York. Vous devez vous demander pourquoi je n'étais pas sur le bateau, à moins que vous ne l'ayez deviné d'après les nouvelles mondiales.

La veille de mon embarquement au Havre, l'Autriche a été occupée. J'ai essayé de joindre la maison des parents de Liesel ou la mienne par téléphone, en vain. Je suppose qu'ils ont tous quitté Vienne pour aller à la campagne. Ils sont peut-être dans le chalet de la famille de Tessa, près de Graz. En tout cas, je prends demain le train pour Vienne. Ils m'auront certainement laissé un message. Je vous écrirai dès que je saurai quelque chose.

Respectueusement vôtre,
Theodor Stern.

IV

Paris, le 20 mars 1938

Chers Oncle et Tante,

Je vous écris ce mot en toute hâte car je devine votre inquiétude. Je ne sais plus du tout où j'en suis et j'ai l'impression de vivre un cauchemar. Je voulais rentrer en Autriche, mais on m'a prévenu, en France, que si j'essayais de le faire, je serais arrêté dans le train. J'ai refusé de le croire, mais les journaux parisiens commencent à rapporter des incidents et à publier le nom de gens qui avaient tenté de rejoindre leur famille le plus rapidement possible. Tous ont été arrêtés et emprisonnés. Evidemment, mon arrestation serait parfaitement inutile. Mais je possède ici certains contacts qui me seront certainement d'un grand secours. Je vous tiendrai au courant.

Respectueusement vôtre,
Theodor Stern.

V

Paris, le 26 mars 1938

Chers Oncle et Tante,

Toujours rien. A croire que la terre s'est ouverte pour engloutir tous ceux que j'aime. Ce n'est pas possible, je ne parviens pas à y croire. Je travaille jour et nuit. Je vous écrirai dès que j'aurai du nouveau.

Respectueusement vôtre,
Theodor Stern.

VI

Paris, le 3 avril 1938

Chers Oncle et Tante,

Dieu merci ! Ils sont en vie ! Ils se trouvent dans le camp de détention de Dachau où les gens importants, les milieux gouvernementaux, du journalisme, etc., ont été emmenés pour interrogatoire. On m'a dit que le but de l'opération était d'éliminer les éléments subversifs... Nous n'avons donc rien à craindre. On peut difficilement accuser nos familles d'être subversives ! Je pense qu'ils devraient sortir très prochainement. Je connais des gens très influents qui devraient faire en sorte qu'ils puissent me rejoindre en France.

Vous ne pouvez vous imaginer comment j'ai découvert cela. J'ai fait allusion aux relations d'affaires que mon père avait à Paris.

Mais je me suis aussi souvenu qu'un de mes amis de Cambridge, allemand de nationalité, travaillait actuellement à l'ambassade allemande de Paris. J'ai donc pris contact avec lui et, par son intermédiaire et celui de la Croix-Rouge internationale, je suis arrivé à obtenir quelques communications téléphoniques importantes.

Si seulement ils m'avaient écouté ! J'ignorais, naturellement, que les événements allaient se précipiter à ce point. Je pensais que nous disposions encore d'une année, sinon je serais parti tout de suite avec Liesel et le bébé. Mais à quoi bon maintenant !

Mon ami allemand m'a assuré qu'ils seraient libérés d'ici très peu de temps. J'ai mis une grosse somme d'argent à sa disposition, ce qui devrait permettre d'accélérer un peu les choses, le monde étant ce qu'il est. En attendant, je fais des démarches auprès du bureau des visas de Cuba, afin que les parents de Liesel puissent se rendre là-bas où ils attendront tranquillement le permis d'immigration pour les Etats-Unis, assujetti, comme vous le savez, au problème des quota.

Je vous écrirai bientôt, probablement la semaine prochaine, dès que j'en saurai davantage.

Respectueusement vôtre,
Theodor Stern.

VII

Marigny-sur-Oise, le 14 août 1938

Cher monsieur et madame Friedman,

Vous ne me connaissez pas, mais je suis un ami de la famille du Dr Theodor Stern et donc, indirectement, de votre famille. Le Dr Stern habite chez nous depuis ces trois derniers mois. Nous connaissions son père depuis de nombreuses années. Nous avons rencontré Theodor Stern à Paris où nous avons essayé de l'aider à retrouver sa femme, son enfant et ses parents... Mais, tragiquement, nos démarches sont restées vaines.

Je crois savoir que les dernières nouvelles que vous avez reçues vous annonçaient que vos parents se trouvaient dans le camp de concentration de Dachau. Le Dr Stern a remué ciel et terre pour obtenir leur libération et c'est le cœur brisé que je dois vous apprendre que tous ses efforts ont été sans résultats. Toute la famille a trouvé la mort, dans ce camp ou dans d'autres camps où on les avait transférés, eux et des milliers de personnes. Le seul détail que nous ayons est que le bébé serait mort de pneumonie quelques jours après leur arrestation. Peut-être vaut-il mieux ne pas en savoir davantage pour les autres.

En apprenant ces nouvelles, le Dr Stern est tombé gravement malade. Personnellement, sa santé m'inquiétait déjà depuis un moment, car il ne prenait jamais le temps de se reposer, dormait à peine, refusait de s'alimenter, et ne cessait de courir comme un fou dans tout Paris avec l'espoir d'obtenir de l'aide. Lorsqu'il a appris la terrible nouvelle, il s'est effondré, ce qui est bien compréhensible. Nous l'avons alors emmené dans notre maison de campagne, nous lui avons trouvé un excellent médecin et essayons de l'entourer de notre mieux.

Il semble se remettre progressivement. Il mange un peu, semble calme, mais il demeure très silencieux. C'est lui qui m'a prié de vous écrire cette lettre, ce qui m'a paru une bonne idée. En effet, mettre cette tragédie par écrit n'aurait fait que raviver sa douleur et je préfère lui éviter cette nouvelle épreuve.

Hier, il nous a annoncé son intention de partir en Angleterre où il avait passé des années très heureuses à l'université. Il a le projet d'offrir ses services à l'armée britannique et de se tenir prêt pour la guerre qui selon lui éclatera très prochainement. Je suis encore chargé de vous dire qu'il vous écrira bientôt, car vous représentez pour lui un lien avec l'épouse qu'il a perdue.

Croyez en ma sincère amitié,
Jacques-Louis Villaret.

VIII

Mexico, le 23 août 1938

Chers Joseph et Anna,

Cela fait très longtemps que je ne vous ai écrit et vous devez vous demander ce que nous sommes devenus. J'écris donc pour vous donner des nouvelles, en espérant que vous les transmettrez à notre frère Eduard et à sa famille. Donnez-leur notre adresse et, s'il vous plaît, envoyez-moi la leur. Je suppose qu'ils ont quitté Vienne, mais comme Eduard a beaucoup de relations dans les milieux bien placés, je suis sûr qu'ils vont bien, ce dont je remercie Dieu.

Pour notre part, vous devez bien vous en douter, notre vie a totalement changé. Nous aurions préféré nous installer aux Etats-Unis, pas tant pour le pays lui-même que pour le plaisir que nous aurions eu à vivre auprès de vous. Est-il rien de plus précieux que la famille ? Sur qui d'autre peut-on vraiment compter ? J'aimerais tant partager avec vous le pain du vendredi soir, mais nous ne pouvons rien contre la destinée.

Cela dit, nous nous débrouillons bien ici et aurions mauvaise grâce à nous plaindre, surtout lorsque nous lisons ce qui se passe en Europe. Cette seule idée m'est insupportable et je noierais cette page sous mes larmes si je m'étendais davantage sur ce sujet.

La ville de Mexico est immense. Les demeures qui longent les avenues sont encore plus splendides que celles de Vienne ! Nous sommes arrivés au mois de février dernier, après un départ précipité, et nous avons été surpris de découvrir ici le printemps. Nous avons loué une petite maison convenable, construite autour d'une cour, comme le sont la plupart des maisons ici. Dena y a planté des fleurs et, avec le soleil, tout pousse très bien. Le vieux père de Dena — j'oubliais de vous dire que le vieil homme est avec nous, il a quatre-vingt-treize ans et toute sa tête — aime s'asseoir dehors, en se déplaçant avec le soleil. Je crois qu'il est finalement content d'être ici, malgré ses réticences du début. Mais vous savez que nous n'aurions jamais accepté de l'abandonner, ce qui nous a obligés à lui forcer la main. Il a supporté le voyage avec une étonnante facilité.

J'ai trouvé un emploi de fourreur dans une bonne entreprise. Le commerce des fourrures marche bien, malgré la douceur du climat. Il y a ici beaucoup de gens très riches et très élégants. Tillie, notre plus jeune belle-fille, qui est une couturière remarquable, a également trouvé un bon emploi dans un établissement de couture qui copie des modèles parisiens. Saül est horloger et il a aussi trouvé un travail. Leo cherche encore, mais il ne tardera pas à trouver. Nos plus jeunes enfants ont tous les cinq commencé l'école. Ils ont tous appris l'espagnol tellement vite que nous les emmenons avec nous pour faire les courses ou traiter des affaires. Dena et moi avons plus de difficultés à apprendre une nouvelle langue. C'est que nous avons plus de quarante ans, et c'est la seconde fois, au cours de notre vie, que nous débarquons comme des immigrants et des étrangers, avec un nouveau pays à découvrir, une nouvelle langue à apprendre. Mais nous y arriverons. Même le vieillard connaît déjà quelques mots.

Nous économisons dans le but de monter, d'ici quelques années, mes gendres, mes fils et moi, une affaire d'export-import. Je pense qu'il est plus facile de faire son chemin ici qu'à Vienne. Il semble y avoir de la place pour les nouveaux arrivants. En tout cas, Dieu merci, nous vivons en paix, et qu'y a-t-il de plus important quand on y réfléchit bien ?

Nous espérons que vous allez bien et, maintenant que vous avez notre adresse, donnez-nous souvent de vos nouvelles.

Votre frère,
Daniel.

P.S. Je ne savais pas que l'Amérique du Nord était si vaste. J'allais vous proposer de venir nous voir, quand j'ai regardé une carte et découvert que New York se trouvait à des milliers de kilomètres de Mexico. Mais peut-être viendrez-vous quand même ?

25

Un matin maussade et froid de novembre, le téléphone sonna. Quand Anna répondit, elle entendit une voix qu'elle reconnut immédiatement.

— Anna ? Je suis ici. Je suis arrivé hier soir par bateau.

— Paul ? interrogea-t-elle sans y croire.

— Dès que votre carte est arrivée, j'ai embarqué sur le *Queen Mary*. Je ne sais pas ce que je peux faire pour vous, ni même si qui que ce soit peut faire quelque chose, mais il fallait que je vienne.

Oui, elle se souvenait ! Un mois plus tôt, cédant au désespoir lancinant qui avait fait suite à l'effroyable douleur du début, mue par une pulsion irraisonnée, elle avait rompu un silence de plusieurs années et envoyé une carte à Paul. « Maury est mort », avait-elle écrit sans autre commentaire. Ni signature ni date, seulement un cri du cœur. Elle avait expédié le message à Londres, geste qu'elle devait regretter peu de temps après.

— Anna ? Vous m'entendez ?

— Oui. Je ne parviens pas à croire que vous avez fait tout ce chemin...

— Et pourtant... Mais cette fois, je ne veux pas courir le risque d'un rendez-vous manqué. Je suis en face de votre immeuble, de l'autre côté de l'avenue, dans une voiture. Mettez votre manteau et venez me rejoindre.

D'une main tremblante, elle donna un coup de peigne dans ses cheveux, empoigna un sac, un chapeau et des gants. Tant d'années s'étaient écoulées ! Trois ou quatre fois par an, ils avaient échangé de brefs messages tels que : « Iris a été reçue troisième à son examen », ou : « Je pars pour Zurich pour mes affaires, je serai de retour dans six semaines. » Elle s'était faite à l'idée que ces cartes seraient désormais leurs seuls contacts. Et, voilà qu'il était ici.

Il l'attendait à côté de la voiture. Sans dire un mot, il prit les mains froides d'Anna dans les siennes. Comme il avait minci ! Mince et grave, se dit Anna tandis qu'elle se laissait examiner par Paul. Quand ils furent ensemble dans la petite voiture elle lui répéta :

— Je ne parviens pas à croire que vous avez fait tout ce chemin...

— Pouvez-vous me dire ce qui s'est passé, Anna ? Voulez-vous en parler ?

— Un accident de voiture, tout simplement, lui dit-elle. Sa femme aussi a été tuée. C'était en mars dernier.

— Mars dernier ? Et vous avez attendu tant de temps pour me le dire ?

Elle esquissa un geste de résignation.

— Je sais ce que Maury représentait pour vous, dit Paul d'une voix triste.

— Il a laissé un petit garçon de deux ans. Mais nous ne le voyons pas.

— Pourquoi ?

— Une histoire de querelle familiale. Ses autres grands-parents en ont la garde.

— C'est une chance que vous soyez très, très forte, déclara Paul d'une voix douce.

— Moi ? Vous ne pouvez imaginer à quel point je me sens faible.

— Vous êtes l'une des personnes les plus fortes que j'ai jamais connues !

Il mit le moteur en marche, enclencha la première, descendit l'avenue.

— Roulons un peu dans les environs. Voulez-vous m'en dire davantage, ou préférez-vous ne plus en parler ?

— Il n'y a rien de plus à dire.

— Oui, les faits sont suffisamment éloquents.

— Mais je suis contente de vous voir, Paul. La dernière fois, c'était il y a six ans, le jour où nous nous sommes assis dans Riverside Park.

— Il y aura sept ans au printemps, corrigea-t-il. C'était le 3 avril.

La voiture prit vers l'est et s'engagea dans la 5e Avenue. Le général Sherman était à son poste, sur le fier destrier. La première fois qu'Anna avait vu cette statue, elle n'était qu'une jeune immigrante, fraîchement émoulue des cours du soir de Mlle Mary Thorne. La ville brillait à ses yeux comme poussière de diamant. Une ville aux millions de secrets, cachés sous les jaquettes des livres ou derrière les portes des grandes maisons de pierre. Le monde s'offrait alors à son jeune regard comme une superbe fleur en bouton.

— Nous sommes allés prendre un thé au Plaza, pensa tout haut Anna.

— Oui, et vous avez refusé le chapeau que je vous avais acheté, ajouta-t-il en souriant.

— Je me demande s'il est bon que nous ne sachions pas à l'avance ce qui va arriver.

— Certainement pas, répondit aussitôt Paul. Si nous pouvions prévoir, nous agirions différemment.

— Non, il est des choses voulues par le destin et contre lesquelles on ne peut rien.

— Oh, la métaphysique !... Vous savez que j'ai l'impression de n'avoir jamais quitté New York ! Londres est une vieille dame majestueuse, mais New York a toujours l'air d'une jeune fille qui s'apprête à aller danser. Regardez cette 5e Avenue, Anna, ce n'est pas superbe ?

Elle savait qu'il cherchait à distraire son chagrin, mais elle répondit cependant :

— A condition de ne pas avoir trop de soucis en tête et le portefeuille bien garni.

— Où en est votre situation, à ce point de vue ?

— Nettement meilleure. Mais nous vivons de manière très simple. Joseph économise un maximum d'argent qu'il réinvestit dans la terre, jusqu'au dernier *cent*. Il dit qu'à la fin de la crise, les prix vont monter en flèche.

— Ce en quoi il a tout à fait raison. C'est ce qui va se passer. Dites-moi : êtes-vous tenue par l'heure, aujourd'hui ?

— Non, j'ai toute ma journée. Joseph ne rentre pas déjeuner et Iris va travailler chez une amie.

— Vous pouvez donc passer la journée en ma compagnie. Je veux que vous me parliez d'Iris. Et puis nous avons tant de choses à nous dire. Aimez-vous le bord de la mer en hiver ?

— Je ne connais pas.

— C'est une merveille ! Les mouettes et le silence ! Pour moi, le bruit de l'océan constitue une forme particulière du silence.

Il engagea la voiture sous un tunnel.

— Nous pourrions aller à Long Island. Je possède là-bas une petite maison que je mettais en location ces dernières années. Mais à cette époque, elle est inoccupée. Nous irons nous promener sur la plage, cela vous fera du bien.

La route était presque déserte. Ils traversèrent les villages sans encombre et roulèrent au milieu de champs dénudés.

— Vous vouliez que je vous parle d'Iris : eh bien, elle est étudiante à Hunter. Très brillante.

— Et les garçons ? Est-ce qu'elle profite de la vie ?

— Pas vraiment. Elle est très timide, elle manque totalement d'assurance. Elle ne se trouve pas jolie.

— A-t-elle des raisons de le penser ?

— J'ai une photo dans mon portefeuille : vous jugerez vous-même.

Paul rangea la voiture sur le bas-côté de la route et examina longuement la photographie, pendant qu'Anna scrutait son profil aigu et ses yeux sombres. Quels sentiments pouvait bien susciter en lui cette jeune femme dont il était le père sans la connaître ?

Il finit par réagir.

— Non, elle n'est pas jolie, n'est-ce pas ? Mais son visage ne manque pas de caractère. Son visage rappelle celui de certaines jeunes femmes de la Rome antique. On les trouvait belles parce qu'elles avaient de la noblesse et de l'arrogance.

— Iris est loin d'être arrogante. Malheureusement pour elle. De

la « noblesse »... Il est vrai que Joseph l'appelait toujours sa reine quand elle était petite, se rappela Anna dans un soupir.
— Elle ressemble beaucoup à ma mère, ajouta Paul.
— Oui, mais votre mère avait beaucoup d'allure et d'assurance. Ce que je n'ai pas su donner à Iris.
— Peut-être l'assurance ne se donne-t-elle pas, Anna.
— Je crois que si. Mais... je ne me suis jamais sentie à l'aise avec elle. Je vous en ai déjà parlé.
— Et... lui, que pense-t-il ?
— Ah, pour Joseph, Iris est la huitième merveille du monde ! Il ne saurait lui trouver le moindre défaut. Si un père adore sa fille, c'est...
Elle s'interrompit brusquement.
Paul remit la voiture en marche et ils roulèrent à travers une paisible campagne faite de vastes champs et de villages dispersés.
— J'aimerais la voir, dit-il. Une partie de moi vit en elle qui partage peut-être ma façon de sentir et de penser... et je ne la connais pas.
Comme Anna ne disait rien, il poursuivit :
— Après votre départ, le jour où vous m'avez appris la vérité à son sujet, je suis resté sur le banc jusqu'à la tombée de la nuit. Je n'avais plus aucune force. Il me fallut faire effort pour distinguer ce que je ressentais vraiment de ce que j'étais censé ressentir.
— Et vous y êtes parvenu ?
— Non, et je n'y parviens pas plus aujourd'hui. Que penser d'un accident biologique ? Puis-je l'aimer quand je ne l'ai vue que quelques minutes ? demanda-t-il avec amertume. Pourtant, il me suffit de penser qu'elle est votre fille et la mienne pour l'aimer de tout mon cœur... Anna ! J'ai tellement rêvé de recevoir un message de vous qui me dise : « J'ai changé d'avis. » Mais il n'est jamais venu.
— Je vous en prie, soupira Anna.
— D'accord, je n'en dirai pas plus long, dit-il en la regardant. Vous avez déjà votre lot de tourments. Je voudrais que cette journée vous soit une détente.
Ils s'arrêtèrent dans l'unique rue d'un village coquet : des maisons se blottissaient sous les érables, un clocher surmontait la petite église de bois peinte en blanc et les vitrines des boutiques offraient livres, costumes de tweed et autres produits fins importés.
— Vous ne trouvez pas bien agréable cet îlot de calme tranquille loin des réalités sordides de ce monde sans âme ? demanda Paul. Un paradis artificiel, bien sûr, mais je dois avouer que j'y prends plaisir. Le temps d'un été du moins.
Il y avait peu de voitures et peu de gens dans la rue. Le village était manifestement déserté et ne se repeuplerait pas avant Memorial Day[1].
Ils entrèrent dans une épicerie aussi rutilante qu'une bijouterie. Paul prit un panier d'osier qu'il emplit rapidement avant de se diriger vers la caisse.

1 Le dernier lundi de mai, jour férié.

— Vous avez acheté de quoi nourrir six personnes ! protesta Anna.

Il avait en effet choisi différentes sortes de viandes froides, du fromage, des biscuits, un gâteau, des fruits, des cœurs d'artichauts en boîte, un petit pot de caviar, une bouteille de vin et un pain français.

— Je suis sûr que vous mangerez. J'ai dans l'idée que vous ne vous nourrissez pas très bien depuis un certain temps.

— C'est vrai, reconnut-elle. Je n'ai plus faim.

— Le grand air vous ouvrira l'appétit, je vous le promets.

Au bout de la rue commerçante, ils empruntèrent une route bordée de maisons cossues. Parfois, entre deux bosquets, on apercevait des morceaux de mer gris ardoise. Puis ils s'engagèrent sur un sentier de terre. Pendant un demi-kilomètre, la voiture cahota sur les ornières, puis Paul s'arrêta.

— Nous sommes arrivés, annonça-t-il.

Anna regarda la petite maison en planches patinées, à quelques pas du vaste océan qu'illuminait une lumière argentée. Sur la clôture de bois, s'accrochaient encore les tiges flétries des roses de l'été précédent, comme pour empêcher les herbes folles des marais d'envahir le jardin.

— Quelle jolie maison ! s'écria Anna. Elle doit être très, très ancienne !

— Non. Bien que cette région ait été peuplée dès le XVIIe siècle il ne reste que quelques vestiges authentiques de cette première occupation. Cette maison n'est qu'une bonne copie.

— Oh, c'est vraiment ravissant, répéta Anna.

La décoration intérieure était d'une grande simplicité : des petits tapis de lirette égayaient le plancher ciré, le mobilier se composait de quelques meubles rustiques — le strict nécessaire — et, sur le manteau de la cheminée, un pot de cuivre contenait un bouquet de fleurs séchées.

Paul promena un doigt sur la cheminée.

— Pas de poussière, annonça-t-il. La personne qui entretient cette maison est formidable. Attendez, je vais mettre le chauffage, dit-il en tournant le bouton du thermostat.

Un grondement sourd en provenance du cellier se fit aussitôt entendre.

— Nous sommes bien équipés, ajouta-t-il. Il peut faire frais vers la fin du mois d'août. Venez, allons nous promener en attendant que la maison se réchauffe. Vous devriez mettre votre foulard sur votre tête car un vent terrible souffle sur la plage.

La mer montait. Elle courait sur le sable dur, imprimait sa marque puis reculait. Plus loin, les flots se brisaient en grondant contre la digue et un brouillard d'embruns cachait l'horizon gris que l'on apercevait partout ailleurs. Toutes les deux ou trois minutes, un soleil timide se montrait derrière les nuages pour disparaître aussi rapidement qu'il était venu. Le foulard d'Anna claquait violemment au vent et la bourrasque emportait leur voix, les obligeant à crier pour s'entendre. Ils se contentèrent donc de marcher côte à côte, silencieusement, regardant une hirondelle de mer plonger à pic dans les flots pour pêcher un poisson, ou écoutant le cri sauvage des mouettes. Quand ils s'approchèrent du marais qui s'étendait au bout de la plage, les canards sauvages s'envolèrent précipitamment à grand renfort de caquètements apeurés.

Personne à l'horizon. De l'autre côté du marais, Paul étendit la main, par-delà des hectares de joncs, en direction d'une construction tarabiscotée qui faisait face à la mer.

— C'est l'auberge, cria-t-il. On y mange d'excellents fruits de mer. C'est l'un des meilleurs hôtels du monde entier pour passer des vacances.

Joseph dédaignerait ce genre d'endroit délabré et éloigné de tout, se dit Anna. Mais pourquoi fallait-il toujours qu'elle songe à ce que Joseph penserait ?

Revenus à la maison de Paul, ils se frottèrent les mains, heureux de trouver une douce chaleur.

— Il nous faut un vrai feu, dit Paul.

En quelques minutes, il alluma du feu dans la cheminée. Des flammes jaillirent des journaux froissés et du petit bois avant de lécher une grosse bûche de cèdre. Tandis que Paul attisait le feu, Anna regardait danser les flammes pourpres et dorées, illuminées de filaments incandescents.

— Je suis ravie ! dit-elle lentement. J'ai l'impression d'avoir parcouru des milliers de kilomètres depuis ce matin !

Paul se leva.

— Cette maison semble faite pour vous, Anna. Mais je vous verrais mieux encore dans une demeure rustique de style élisabéthain, en train de descendre les marches qui conduisent au jardin. Il fit un large geste majestueux. Ou encore dans une villa espagnole avec un carrelage de tuile rouge et une fontaine au milieu du patio. Je vous imagine mal dans un appartement new-yorkais du West Side.

— C'est pourtant là que je vis, répliqua-t-elle doucement.

— Eh bien, c'est une erreur ! Dès que je vous ai vue j'ai su que vous étiez une femme destinée à posséder richesses et diamants...

— J'ai un diamant, un énorme solitaire. Je n'en voulais pas. Joseph a dû le mettre en gage. Je lui ai dit de le vendre, mais il a refusé. Il veut le reprendre dès qu'il aura un peu d'argent devant lui. Je me demande pourquoi il tient absolument à ce que je porte un diamant, songea-t-elle tout haut.

— Moi, je sais, dit Paul d'un ton cassant.

Mais il se radoucit très vite pour ajouter :

— Rapprochons la petite table du feu et mangeons un morceau.

Anna ne laissa rien dans son assiette et Paul s'exclama qu'il avait eu bien raison de dire que le grand air lui ouvrirait l'appétit. Ce dont elle convint volontiers.

— Vous avez beaucoup maigri, n'est-ce pas ? ajouta-t-il.

— Je crois bien. Je n'y ai pas prêté grande attention. Mais vous aussi, vous êtes plus mince.

— Je travaille énormément, répondit-il brièvement.

Il alluma une cigarette, lentement. Anna sentit que les pensées de Paul se trouvaient à mille lieues d'ici. Puis il secoua la tête comme s'il voulait en chasser quelques préoccupations obsédantes et reprit la parole.

— A propos d'Iris, vous devriez veiller à lui donner aussi un enseignement pratique, que son éducation ne soit pas limitée aux humanités classiques, plus quelques madrigaux et un cours sur le théâtre du XIXe siècle.

— Vous semblez bien méprisant !

— Pas du tout. Je trouve ces matières passionnantes, mais il faut aussi la mettre en mesure de pouvoir gagner sa vie.

— Joseph subviendra toujours à ses besoins, rétorqua Anna avec méfiance.

— Ce n'est pas ce que je voulais dire. Il a aussi une question d'amour-propre. Il est mauvais de dépendre des autres toute sa vie, surtout dans le cas d'Iris qui, si je vous comprends bien, manque beaucoup de confiance en elle.

Anna n'avait jamais eu cette vision des choses. Pour elle, les filles étaient censées se marier, toutes les filles. En outre, elle se rendit compte qu'avec les problèmes de Maury, puis sa mort, elle avait beaucoup délaissé Iris et son avenir.

— Je comprends. Vous avez raison. Eh bien, elle suit aussi des cours de pédagogie qui lui permettront d'enseigner.

— Alors, c'est parfait.

Anna n'était pas habituée à ce qu'un homme s'occupe de ces questions, qu'il analyse et planifie ainsi l'avenir de ses enfants. Joseph n'avait jamais... Si, si, rectifia-t-elle, il l'avait fait pour Maury ! Il s'était occupé des devoirs scolaires de Maury, de ses cours d'instruction religieuse — elle se souvenait des nombreuses disputes qu'ils avaient eues à ce sujet —, de l'école de droit où Maury n'était jamais entré. Autant de choses qui faisaient partie des espoirs que Joseph avait placés en son fils. Mais il n'avait jamais rien fait de comparable pour Iris à qui il se contentait de porter un amour intense, aveugle et protecteur.

Paul s'était levé pour débarrasser la table. Quand Anna voulut l'aider, il lui fit signe de se rasseoir.

— Non, aujourd'hui vous êtes mon invitée. Restez assise.

Mais elle se leva et fit les cent pas dans la pièce, avant de s'arrêter devant un miroir ancien et piqué, accroché entre les deux fenêtres. Quelque chose dans son attitude lui rappelait la femme du portrait offert par Paul. Dans la glace, elle découvrit le même visage mince, la lourde chevelure rousse ramenée sur le sommet du crâne, les mèches folles ébouriffées par le vent qui pendaient maintenant dans le cou. Le calme de ce visage pouvait traduire une profonde sérénité aussi bien qu'une profonde mélancolie.

Quand Paul eut fini de desservir, ils s'assirent sur le tapis déroulé devant la cheminée. Ils se regardèrent puis détournèrent rapidement les yeux, comme deux étrangers gênés de se trouver seuls.

Anna voulut briser le silence qui s'était brusquement installé.

— Avez-vous l'intention de rester, maintenant que vous êtes rentré aux Etats-Unis ?

— Non, je resterai à Londres jusqu'à ce que la guerre éclate — ce qui ne saurait tarder, vous pouvez me croire. A ce moment-là, je partirai.

— Mais votre travail, votre banque sont ici, fit-elle remarquer, perplexe.

— Je ne traite pas d'affaires financières là-bas.

Elle comprit qu'il ne fallait pas l'interroger davantage et attendit qu'il parlât. Paul tisonna inutilement le feu ce qui eut pour seul effet de faire jaillir une gerbe d'étincelles dont quelques-unes tombèrent sur le tapis. Il s'empressa de les éteindre, puis regarda Anna.

— Pourquoi vous cacher mes activités ? Voilà : j'ai effectué un certain nombre de voyages en Allemagne pour tenter de sortir de prison, ou des camps de concentration, quelques-uns des nôtres. Nous commençons par collecter des fonds, puis nous établissons des contacts. Pour de l'argent, ces brutes nazies feraient n'importe quoi. Le problème est que l'argent dont nous disposons ne nous permet que de sauver un tout petit nombre de personnes, celles qui ont la chance qu'on ait entendu parler d'elles.

— C'est à ces activités que vous faisiez allusion lorsque vous m'avez dit que vous travailliez beaucoup ?

— Oui, et j'ai le cœur perpétuellement fendu. Savoir que ce que l'on fait ne représente guère plus qu'une goutte d'eau dans la mer et voir ensuite les survivants ! A la frontière française, j'ai rencontré un homme qui venait d'être relâché. Il avait perdu un œil et on lui avait arraché toutes les dents. Il était, plutôt il avait été, professeur en bactériologie. Mais il ne pourra sans doute plus jamais exercer sa profession.

— Vous allez donc en Allemagne ? fit observer Anna. Est-ce que ce n'est pas terriblement dangereux ?

— Je ne saurais prétendre le contraire. Je suis citoyen américain, ce qui représente une certaine protection, mais je suis également juif, et l'on ne peut prévoir ce qui risque d'arriver. Les gens disparaissent parfois très rapidement et dans le plus grand secret. L'ambassade américaine ne pourrait rien faire.

— Quand ce cauchemar finira-t-il, Seigneur Dieu ?

— Dieu le sait peut-être, mais moi je l'ignore complètement. Nous devons faire tout ce qui est en notre pouvoir. Nous travaillons aussi en Palestine. Les Britanniques s'efforcent de nous en interdire l'entrée, mais ce serait pour beaucoup de Juifs l'unique refuge. Alors, là-bas non plus, le travail ne manque pas. Mais je suis désolé, je suis tenu au secret.

— Je n'ai qu'une vue très vague de ces événements. Je sais que Joseph a envoyé un chèque la semaine dernière, qu'il avait besoin de cet argent, mais qu'il l'a envoyé... Paul, ne vous faites pas tuer.

— Comptez sur moi pour faire le maximum afin de l'éviter, répondit-il en souriant. Mais il existe des missions dangereuses qu'un homme dans ma situation, sans responsabilités de famille disposant de beaucoup d'argent et de suffisamment d'énergie, se doit d'accomplir, conclut-il simplement.

Les yeux d'Anna s'emplirent de larmes et elle détourna son visage. Mais Paul avait vu ses larmes.

— Anna, qu'y a-t-il ?

— Vous allez penser qu'il ne m'arrive que des malheurs. Mais ma famille a été si durement frappée que j'ai parfois peine à y croire...

— Racontez-moi ça.

— Mon frère de Vienne. Lui, sa femme et ses enfants, ils sont tous morts à Dachau, dit-elle en enfouissant son visage dans ses mains.

— Vous aurez eu trop de souffrance à endurer. Mon Dieu, la vie est injuste ! s'écria-t-il en caressant ses cheveux.

Elle blottit son visage dans le creux de son épaule et sentit contre sa joue la laine rêche de sa veste.

— Nous sommes comme des somnambules marchant au bord d'une falaise, murmura-t-elle. J'ai tellement peur depuis que nous avons perdu Maury. Je me demande toujours, et pourtant j'essaie de me raisonner, je me demande : quel autre fléau va s'abattre encore sur nous ?

— Ces malheurs sont comme des dés jetés, Anna chérie. Dans votre cas, il semble pratiquement sûr que tous ont été jetés en même temps et que vous êtes au bout de vos souffrances.

Il attira vers lui le visage d'Anna, essuya d'un baiser les larmes accrochées à ses cils, avant d'embrasser les joues humides et de trouver ses lèvres.

Anna reçut ce long baiser comme un baume. La force de Paul la réconforta et lui apporta un certain bien-être. Elle se serra davantage contre lui et sentit s'alléger le poids de la douleur qui lui étreignait la poitrine. Peu de temps après, elle s'allongea devant la cheminée, tandis qu'avec des gestes rapides et tendres, il la déshabillait. Elle regarda les doigts de sa main étendue devant le feu. Ils semblaient translucides dans la vive clarté des flammes. Puis elle vit les yeux lumineux de Paul avant de fermer les siens. Et elle s'abandonna à son désir d'apaisement. Si seulement ce moment merveilleux avait pu se prolonger à jamais...

Vint un calme délicieux tandis que les bras de Paul la serraient toujours et qu'un doux sommeil s'emparait d'eux.

Paul était assis sur le sol, à côté d'elle. Il observait anxieusement son visage.

— J'avais peur que vous soyez à nouveau prise de remords.

— Eh bien, chose assez étrange, non, dit-elle en clignant des yeux.

— Alors à quoi pensiez-vous avant d'ouvrir les yeux ?

— Je viens juste de me réveiller.

— Vous êtes réveillée depuis une minute ou deux. Vos paupières bougeaient.

Quelle perspicacité ! On ne pouvait décidément rien cacher à cet homme-là.

— Très bien. Je me demandais si les choses s'étaient passées de la même façon la dernière fois ou bien s'il s'agissait d'une illusion.

— Et alors ?

— Non, je ne suis pas victime de mon imagination.

— Parfait ! s'exclama-t-il en riant.

L'expression ravie et triomphante de Paul amena un sourire sur les lèvres d'Anna avant qu'elle n'éclate de rire. C'était la première fois qu'elle riait, depuis des mois. Elle savait néanmoins que la souffrance demeurait toujours en elle et qu'elle resurgirait quand cette heure serait envolée.

Comme s'il avait pu lire ses pensées, Paul lui dit :

— Je vais vous raconter une histoire que j'ai entendue un jour. Elle concerne une femme qui avait perdu son enfant dans des circonstances particulièrement dramatiques. Quand ils revinrent de l'hôpital, ou peut-être de l'enterrement, le mari voulut faire l'amour avec elle. Elle prit ce désir pour un outrage et lui se sentit terriblement coupable. Ils ne s'étaient pas compris. Que pensez-vous de cette histoire ?

— Oh, répondit Anna, il avait besoin de réconfort, d'amour. Pourquoi ne l'a-t-elle pas compris ? Quand on se sent seul et accablé de chagrin, cet acte d'amour qui est avant tout un acte de vie éloigne la mort et aide à revivre. Oui, oui, je comprends cet homme.

— Je crois que vous comprenez tout.

Quand ils furent rhabillés, la bûche achevait de se consumer et le jour commençait à décliner. Paul alluma la radio.

— Dites-moi, commença-t-il, si vous êtes ainsi avec moi, comment pouvez-vous être heureuse avec un autre que moi ? Je ne parle pas, bien sûr, de ces derniers mois tragiques.

Anna réfléchit et répondit d'une voix lente :

— Que signifie finalement « être heureuse » ? Je vis entourée de chaleur et de paix. Je suis aimée.

— Je sais que j'ai promis dans la voiture d'éviter toute discussion grave ou toute forme de pression mais..., Anna, épousez-moi.

— Je suis liée, Paul, répondit-elle en secouant la tête. Vous ne le voyez pas ? Je pense à Maury et peut-être qu'un jour son petit garçon...

— On ne vit pas pour quelqu'un qui n'est plus, ou pour un espoir qui ne se réalisera peut-être jamais ! interrompit Paul. Vous ne croyez pas que vous avez enfin gagné le droit de vivre pour vous ?

— Mais justement je ne peux pas vivre coupée de ma famille.

— Comment pouvez-vous mettre quoi que ce soit en balance avec cet après-midi ? Croyez-vous que je n'aie moi-même aucune affection pour Marian ? Eh bien si. C'est une femme extraordinaire et je ferai n'importe quoi pour qu'il ne lui arrive jamais aucun mal. Cela dit nous pouvons nous séparer comme des amis, honnêtement. Si je sais qu'elle est bien et ne manque de rien, je réussirai facilement à l'exclure de mes pensées. Et elle fera la même chose avec moi.

— Mais... moi, je penserai à Joseph chaque jour de ma vie !

Paul poussa un soupir qui semblait exprimer une peine profonde.

— J'espère au moins qu'il connaît son bonheur.

— Oui. Il m'aime. Il a foi en moi.

Le feu s'éteignait en crépitant et la radio jouait une musique douce.

— Paul, dites-moi, comment est-il possible d'aimer autant deux hommes à la fois, et de manière si différente ? s'écria tristement Anna.

— Vous avez répondu vous-même à la question. « De manière si différente », avez-vous dit. Allez, venez contre moi.

Ils demeurèrent dans cette position jusqu'à ce que le ciel s'obscurcisse totalement. Dans la cheminée, quelques étincelles s'échappaient des cendres et, après un final passionné, la musique s'était tue.

— Je repars demain, dit Paul calmement.

— Demain, ce n'est pas possible ! Mais pourquoi ? demanda-t-elle en se redressant.

— Le *Queen Mary* repart à minuit. Je ne suis venu que pour vous voir, Anna. Il faut que je retourne là-bas.

— Tout ce chemin pour me voir ? C'était la seule raison ?

— La raison ? Je n'ai pas eu à raisonner. Venez, Anna, ma douce Anna, il est temps de partir, dit-il en se levant avant de lui tendre les mains pour l'aider à se mettre debout.

Cette journée était mienne, pensa Anna quand elle se retrouva seule dans l'appartement silencieux, car ni Joseph ni Iris n'étaient encore rentrés. Elle m'appartenait. Je sais bien que j'essaie de me trouver des justifications, des excuses pour un acte que je sais répréhensible. Mais nous sommes faits de chair et de sang, et c'était inévitable...

La porte claquera sourdement quand Joseph rentrera. Je l'entendrai tousser. Il va très probablement attraper une nouvelle grippe, la troisième de l'année. Mais il s'épuise à la tâche et refuse de m'écouter quand je lui demande de ne pas travailler autant. Il n'est rien que je désire au prix de sa santé, c'est pourtant le prix qu'il s'obstine à vouloir payer.

Iris est sérieuse, prolixe et inquiète. Je n'arrive pas à en faire une jeune fille affable, pleine de rêves charmants que sont censées avoir les jeunes filles de son âge. J'étais moi-même ce genre de jeune personne et je rêvais que la vie serait un conte de fées, mais peut-être étais-je idiote. De toute façon, je ne peux pas changer Iris.

Encore une fois je me sens terriblement partagée. Reverrai-je jamais Paul ? Je crois que oui, sans le savoir vraiment. Demain soir, il retraversera l'océan pour aller au-devant d'une foule de dangers. Il m'a dit qu'il attendrait le message lui annonçant que j'ai changé d'avis. Mais celui-ci n'arrivera pas, Paul, il n'arrivera jamais.

Toutefois, jamais je n'oublierai cette journée. La dernière fois, je m'étais précipitée dans la baignoire pour me frotter avec rage. Aujourd'hui, je chéris la sensation de nos deux corps réunis. La première fois, j'étais jeune et pour moi le monde ne pouvait être que tout blanc ou tout noir. C'est d'ailleurs encore la vision du monde de Joseph. Moi, je ne vois plus les choses de manière aussi tranchée. Peut-être a-t-il raison ? De toute façon, cette journée était mienne.

Je n'ai fait de mal à personne et jamais je n'en ferai.

— Oh, Maury ! Iris, Joseph... s'écria-t-elle à voix haute.

A ce moment-là, une clé tourna dans la serrure de la porte d'entrée et Iris entra.

— Tu es encore en train de lire ? Est-ce que Papa est rentré ?

Comme d'habitude, elle réclamait son père.

— Non, il rentrera tard ce soir.

Anna se leva et traversa la pièce. « Iris ! », dit-elle en repoussant les cheveux de sa fille pour embrasser son front.

— Maman, que se passe-t-il ? Qu'est-ce qui ne va pas ?

— Rien, rien. Seulement que tu comptes beaucoup pour moi, ma chérie.

Iris sembla surprise, peut-être même gênée.

— Mais je vais bien, Maman.

— Je ne veux pas qu'il t'arrive jamais aucun mal, tu m'entends ?

— Mais il ne m'arrivera rien ! Va te coucher, Maman ! Prends un livre, et tu t'endormiras en lisant. Allez, écoute-moi.

Dormir. Oui, bien sûr, dormir. Si toutefois le sommeil veut bien venir ! On ne le convoque pas à son gré. Le sommeil et le calme ne viennent que s'ils le veulent bien. Mais les soucis peuvent aussi continuer à déferler : Iris, Joseph, Maury, et Eric, et Paul aussi. Ils surgissent et roulent comme les vagues de l'océan et empêchent la paix de venir...

26

Un jour, Anna fut prise de l'une de ses « grandes envies de rangement », pour reprendre l'expression de Joseph. Elle s'attaqua aux placards, aux étagères et fouilla des tiroirs auxquels elle n'avait plus touché depuis des années.

Le dernier tiroir du bureau de l'entrée se révéla bourré de papiers : cartes postales d'amis, récépissés de paiement, lettres, faire-part de mariage. Certains noms écrits sur ces faire-part ne lui disaient plus rien : ils dataient de l'époque où l'on invitait à de somptueuses réceptions des gens que l'on connaissait à peine. A jeter. Puis elle découvrit une liasse de lettres envoyées par Dan du Mexique. Il décrivait les Indiens de ce pays qui parlaient encore la langue de leurs ancêtres et vantait la splendeur des monuments. Comme il serait merveilleux de pouvoir aller admirer ces trésors et revoir Dan ! Mais ils n'en avaient guère les moyens. Parmi des lettres rangées en vrac elle distingua l'écriture d'Iris qui écrivait, l'été où ils étaient partis en Europe : « Cher Papa et chère Maman, quand rentrez-vous ? » Elle retrouva aussi le faire-part envoyé de Vienne par Eli pour annoncer, en élégantes lettres gothiques, le mariage d'« Elisabetha Theresa avec le Dr Theodor Stern ». Ces lettres, ce papier que leurs mains avaient touchés étaient donc la seule trace de gens définitivement disparus ? Anna promena ses doigts sur les lettres gravées puis rangea la carte dans le tiroir. Ses yeux tombèrent alors sur une lettre que Maury avait écrit quand il était à Yale. Allait-elle l'ouvrir et la lire ? Non, pas aujourd'hui. Un autre jour, peut-être, pensa-t-elle en la rangeant sous d'autres lettres tout en sachant que jamais ne viendrait de jour où il lui serait moins douloureux d'examiner ces souvenirs.

Après la mort de Maury, durant ce printemps pluvieux où le soleil semblait ne jamais devoir revenir pour apporter un peu de réconfort, les lettres de Vienne étaient arrivées — elle se souvenait de ces enveloppes blanches, sur la table de la salle à manger — porteuses de ces horribles nouvelles, et tout au long de cette triste saison, elle avait tourné en rond dans l'appartement pour se retrouver à chaque fois dans ce qui avait été la chambre de Maury. Elle en avait examiné chaque coin et recoin, à la recherche d'un détail qui aurait pu l'aider à comprendre. Elle n'avait trouvé qu'une vieille chaussure de tennis, un devoir sur un texte de Jules César, avec le nom de Maury enluminé de fioritures dessinées à l'encre verte et, griffonnée au crayon, la silhouette d'un gros bonhomme fumant la pipe, son professeur peut-être. La bannière défraîchie : « Pour Dieu, pour la patrie, pour Yale » était toujours à sa place, ainsi qu'un diplôme de natation remis par la Croix-Rouge. Elle avait trouvé ces reliques, mais aucune réponse à la question qui l'étreignait. Il lui aurait fallu un travail épuisant qui ne lui aurait pas laissé le temps de penser.

On ne parlait plus de Maury. Le jour de son anniversaire, Joseph n'avait fait aucune remarque. Il est vrai qu'il n'avait jamais eu la mémoire des dates. A moins que ? Avec Joseph, on ne pouvait jamais savoir. Toutefois, on avait l'impression que sa foi religieuse lui était d'un grand soutien et Anna enviait à Joseph ce sentiment qui lui permettait de dire et de croire réellement qu'il fallait louer Dieu, même pour nos souffrances. « C'est pourquoi nous récitons le Kaddish, la prière de louange à Dieu, au moment des funérailles », disait-il. Et d'expliquer sérieusement et longuement qu'il fallait prier afin que nous soit un jour donné de savoir pourquoi nous souffrons. Car chaque chose a sa raison. Si elle n'avait douté de sa totale sincérité exempte de toute hypocrisie, Anna se serait sans doute moquée de lui.

Joseph croyait au péché et au châtiment divin. Mais quel péché Maury avait-il commis pour mériter un tel châtiment ? Quel était le péché de ce petit enfant qui avait perdu ses parents ? Anna songea que, si elle avait cru au Jugement Divin, elle serait devenue folle. Car tous ces malheurs n'auraient été que le juste châtiment du terrible péché qu'elle avait commis.

Sa foi originelle avait été minée par ses trop nombreuses lectures sur la religion primitive et les écrits de Freud sur la quête de l'image paternelle. Si bien qu'à présent, elle ne pouvait plus se présenter honnêtement comme une personne ayant la foi, mais elle ne pouvait pas davantage se dire athée. Elle avait seulement envie de croire et y parvenait parfois, mais sa foi était bien différente de celle de Joseph.

Combien de choses, pourtant, lui avait-il cachées et lui cachait-il encore ? Elle se souvenait d'une nuit, quelques semaines ou quelques mois après la disparition de Maury. Allongée dans le lit, elle fixait la longue bande de ciel visible à travers la fenêtre. Ils habitaient tellement haut qu'ils n'avaient plus le réconfort de voir des arbres. Elle se rappelait son enfance, avec les branches et les feuilles poussiéreuses qui battaient contre les vitres de la lucarne du grenier. Dans cette ville on flotte dans les limbes, suspendu entre la terre et l'immensc ciel froid. Etrangement, elle ne s'en était encore jamais avisée. Après la mort de son fils, lors des longues nuits d'insomnie, combien de souvenirs anciens, combien de pensées lui avaient traversé l'esprit ! Cette nuit-là, dans le grand lit, elle per-

— Je souriais ? Je pensais seulement que tu avais une voix agréable. C'est un plaisir de t'entendre parler.

— Tu es drôle ! Tu as une fille de vingt-trois ans et c'est seulement maintenant que tu remarques cela ! répliqua Iris qui parut néanmoins flattée.

Son visage pouvait être vraiment charmant dès qu'elle était heureuse. Il réflétait alors l'intelligence et la douceur. Mais il lui manquerait toujours cette qualité mystérieuse qui attire les autres humains. Dans les cours de récréation, dès le jardin d'enfants, il y a des gamins qui se tiennent à l'écart tandis que les autres se bagarrent et s'amusent ensemble. Où situer la différence ? Quelle qu'elle soit, elle transparaîtra dans une timidité gênée, des sourires forcés, des bavardages incessants pour tromper l'ennui du silence.

Oh, mes enfants, ceux dont j'ai rêvés sans qu'ils naissent jamais, mes petits au sourire béat comme dans les contes de fées... Je ne peux rien pour toi, Iris. Je n'ai rien pu faire pour Maury, ni pour Eric.

Une rafale de vent secoua violemment la vitre et Anna se leva pour tirer les rideaux. Le carreau était froid comme de la glace. Elle pensa qu'il faisait encore plus froid là où vivait Eric. Cet endroit me déplairait, j'aime trop la chaleur. Mais peut-être que pour lui qui grandit là-bas, les choses seront différentes. Elle l'imagina emmitouflé dans des pull-overs, coiffé d'un bonnet de laine, en train de faire de la luge ou du ski. Elle voyait la silhouette, mais non son visage qu'elle ne connaissait pas.

« S'il vous plaît, ne lui envoyez plus de cadeaux, avaient-ils écrit, ce sera bientôt trop difficile de lui expliquer. »

Joseph avait dit qu'il se moquait bien de ce que ces gens pouvaient écrire.

Eric ne pouvait pas savoir encore quelle affection accompagnait les jouets qu'il recevait, mais plus tard, quand il serait grand, il se souviendrait de la joie que lui avaient procurée tel petit train ou tel chat en peluche, et il saurait alors qui les lui avait envoyés. Quand il serait en âge de lire, ils lui enverraient des livres pour qu'il apprenne quel genre de gens ils sont.

— Il faut que j'arrête de ressasser ces choses, dit Anna à haute voix. Encore une journée gâchée, et je n'ai pas le droit de me conduire ainsi. Puisque je ne peux rien y changer.

Elle alla dans la salle de bains pour se brosser les cheveux. Dieu merci, ils avaient toujours leur belle teinte acajou. Les gens disaient qu'elle faisait plus jeune que son âge — de toute façon, la quarantaine de nos jours n'est plus synonyme de vieillesse, pensa Anna. Elle examina l'auréole que ses cheveux dessinaient autour de son visage et se demanda si sa vie aurait été différente sans cette magnifique chevelure. Peut-être que personne ne l'aurait remarquée ! Idée qui la fit sourire. Heureusement que l'ironie et l'humour l'empêchaient de sombrer dans le romantisme absolu.

Puis elle se dirigea vers la cuisine pour se préparer du thé et des toasts. Assise, elle remua le sucre dans la tasse. Le cliquetis rassurant de la cuiller rompit agréablement le silence. Demain, c'était à nouveau le jour de la Croix-Rouge. Elle serait peut-être convoquée pour servir à goûter aux jeunes gens qui embarquaient pour la guerre. La dernière fois, c'était le *Queen Mary* qui levait l'ancre et Anna se souvenait du visage de l'un de ces jeunes gens. Généralement, elle tendait les tasses sans regarder ceux qui les prenaient, parce qu'il fallait se dépêcher et parce qu'elle ne voulait pas s'attarder sur le visage de ceux qui s'embarquaient pour un destin aussi incertain. Cependant, ce jour-là elle avait levé les yeux et, sidérée, avait découvert le visage de Maury : mêmes dents écartées, mêmes sourcils en accent circonflexe qui donnaient au regard un air mélancolique. Elle avait tenu un moment la tasse sans bouger, jusqu'à ce que le jeune homme la prenne en disant : « Merci, madame » avec un fort accent texan.

Assez ! réagit Anna. Elle se leva, vida le reste du thé dans l'évier, prit une pomme, un livre et se rendit dans la salle de séjour où elle alluma toutes les lumières. Elle était assise là, avec un trognon de pomme dans une main et un livre dans l'autre, quand Joseph entra avec Malone.

— Laissez-moi vous offrir un verre, dit Joseph à Malone.

— Un petit seulement, car Mary m'attend.

Il s'assit lourdement, pour se relever presque aussitôt d'un bond.

— Oh, j'ai pris le fauteuil de Joseph !

— Mais non ! Vous pouvez vous asseoir où vous voulez.

Malone était fondamentalement bon. Il commençait à grisonner sérieusement et paraissait nettement plus âgé que Joseph alors qu'ils avaient en fait presque le même âge.

— Vous semblez bien songeuse, Anna.

— Oui ? Je me rappelais notre première rencontre. Joseph vous avait fait entrer et il portait vos outils de plombier. Vous veniez de décider de vous lancer ensemble dans les affaires.

— Je me souviens parfaitement de ce jour.

— Et la guerre venait juste de se finir. Il y avait alors des chansons et des parades, alors que maintenant il semble n'y avoir que souffrances et désir d'en finir.

— Mes garçons sont dans des endroits dont je n'ai jamais entendu parler, dit Malone. Je regarde parfois sur une carte et je mets dix minutes avant de trouver.

Moi, je sais que mon fils est mort, se dit Anna et j'ai appris à vivre avec cette certitude. Il le fallait. Mais Malone est torturé chaque matin par la même question : Est-ce que mes fils sont encore en vie ? Le seront-ils encore ce soir ?

— Comment va Mary ?

— Elle est affreusement inquiète, comme tout le monde, répondit Malone avec un haussement d'épaules. Un seul point positif : Mavis va prononcer ses vœux au mois de juin. Mary a toujours prié pour que cela arrive et, Dieu merci, voilà que l'un de ses souhaits se réalise enfin.

— Je suis heureuse pour elle, dit sincèrement Anna.

Mary Malone avait toujours ardemment désiré que l'une de ses filles entre au couvent et que l'un de ses fils au moins devienne prêtre. Sa prière se trouvait donc à demi exaucée et Anna ne pouvait que s'en réjouir, même si elle comprenait mal ce souhait.

Joseph revint avec un verre.

— Vous savez à quoi je pensais sur le chemin du retour ? Je me souvenais de l'époque de nos débuts communs, Malone. Nous n'avions rien d'autre que notre énergie et notre espoir, et j'ai l'impression que nous en sommes revenus à la case départ.

— Sauf que nous avons appris un certain nombre de choses entre-temps, soupira Malone. Je bois à notre réussite ! ajouta-t-il en levant son verre. Si nous n'y arrivons pas cette fois...

— Que voulez-vous dire ? demanda Anna.

— Joseph ne vous a donc pas mis au courant ? Nous avons acheté un terrain, cent cinquante hectares de champs de patates.

— J'ai toujours cru que vous plaisantiez à propos de ces champs de pommes de terre.

— Ce n'est pas une plaisanterie, expliqua Joseph. En ce moment, on ne construit pas, mais après la guerre, pendant dix ans au moins, on va construire à tour de bras pour compenser. Vous vous souvenez quand le Bronx River Parkway a été ouvert en 1925, comment on s'est mis à construire et comment la ville a pris alors de l'extension ? Ce sera la même chose après la guerre, et ce mouvement sera encore plus important parce que la population est plus nombreuse. Les prix vont monter en flèche. C'est pourquoi nous investissons chaque sou que nous épargnons — je dis bien chaque sou — dans la terre... Je vise maintenant une ferme dans Westchester. Je veux que tu viennes la voir vendredi avec moi, Malone. Ecoutez-moi, ajouta-t-il avec une soudaine excitation, la vie va totalement changer : les gens vont quitter les villes. Il va y avoir une demande énorme pour des immeubles petits au milieu d'espaces verts. Il faudra aussi des magasins. Les gens refuseront de se rendre dans les centres des villes pour se ravitailler, nous leur installerons donc des commerces à domicile. Je vous prédis qu'avant la fin de la décennie qui suivra la guerre, pas un des grands magasins de New York n'aura ses succursales en banlieue.

— Tu parles comme si la guerre allait finir demain, fit remarquer Anna. J'ai l'impression que nous devrons attendre encore un certain temps.

— Exact, mais je veux être prêt. Comme ça, nous aurons du travail à offrir à vos gars quand ils rentreront, dit-il avec un large sourire à l'intention de Malone.

Les hommes se levèrent pour se diriger vers la porte.

— Mes amitiés à Mary. Je vous ferai savoir l'heure pour vendredi.

Anna éteignit les lumières de la pièce et ils gagnèrent leur chambre.

— Cet homme est le sel de la terre, dit Joseph.

— Je trouve qu'il porte en lui une indicible tristesse.

— De la tristesse ? Je ne sais pas. Bien sûr, il a beaucoup de préoccupations, mais ce n'est pas nouveau. Elever sept enfants n'est pas une partie de plaisir.

— Je le crois volontiers.

— Remarque, poursuivit Joseph en retirant ses chaussures, cela ne m'aurait pas gêné d'en avoir autant. Je crois que j'aurais su me débrouiller.

— J'en suis convaincue. J'ai parfois le sentiment que tu es capable de réussir n'importe quoi.

— Tu penses vraiment ce que tu dis ? C'est la chose la plus gentille que tu puisses me dire. Un homme aime pouvoir penser que sa femme lui fait une entière confiance. Et je t'avouerai, Anna, que ces derniers temps, je me sens revivre. J'ai l'impression que je vais accomplir de grandes choses, et rien ne nous arrêtera !

Anna éprouva une sensation difficile à définir, participant de la peur, peur de ce défi que Joseph lançait. Lui revint en mémoire cette course éperdue à la réussite, tout ce travail acharné que Joseph avait fourni pour se retrouver finalement au point de départ. Elle aurait voulu lui dire : Ne recommençons pas la même chose. Vivons tranquillement, simplement, sans nous lancer dans des entreprises grandioses. Mais faute de savoir exprimer autrement ce sentiment, elle lui dit :

— Joseph, ne te crois pas obligé d'accomplir de grandes choses. Je n'ai rien à redire contre notre mode de vie actuel.

— Allons donc ! Rien à redire ! Nous vivons comme des misérables depuis bientôt treize ans ! Nous n'avons pas pu faire mieux qu'Ashbury Park ! J'ai besoin de changement, géographique et social. Un jour, qui ne saurait tarder beaucoup, je veux posséder une maison entourée d'un jardin. J'ai dans ma tête une multitude de projets nous concernant.

— Une maison ? Maintenant ? A notre âge ? Ce n'est pas comme si nous avions une famille à élever. Que ferions-nous d'une maison ?

— Nous y habiterions ! Et puis que veux-tu dire en parlant de « notre âge » ? Regarde-toi ! Tu es une vraie jeune femme.

— Tu es sérieux à propos de cette maison ?

— Bien sûr. Pas maintenant, mais dès que cela sera possible.

— Iris ne voudra jamais habiter en dehors de New York.

— Iris viendra et si elle ne vient pas, qu'elle mène sa vie ! De toute façon, d'ici quelques années, elle sera probablement mariée.

— Je ne le pense pas. Je suis très inquiète à son sujet. J'évite de t'en parler trop souvent.

— Je sais à quel point tu t'inquiètes. Mais tu ne vas quand même pas jouer les mères poules toute ta vie ?

— Cela te va bien, de parler ainsi ! Tu n'es pas inquiet toi, peut-être ?

— Tu as raison, dit-il en riant. Nous formons un couple d'anxieux comme tous les autres parents, je suppose. Non, ce n'est pas vrai. Certains parents sont différents, et peut-être ont-ils raison. Il faut peut-être vivre pour soi et pas seulement pour ses enfants.

Elle le voyait dans le miroir de la coiffeuse devant laquelle elle était assise. Il avait posé son journal et, assis dans le lit, il la regardait.

— J'aime bien ta nouvelle coiffure.

Depuis le début de la guerre, les femmes s'étaient mises à porter une frange et friser leur cheveux coupés au ras de l'oreille. Anna se souvenait que sa mère se coiffait ainsi et elle avait le sentiment de lui ressembler.

— Je pensais que tu ne remarquerais rien.

— Est-ce que je te néglige à ce point, Anna ? Je ne m'en rendais pas compte.

— Tu ne me négliges pas, répondit-elle en posant la brosse.

— Je ne voudrais pas que tu aies cette impression, dit Joseph d'une voix sombre, car tu es l'amour de ma vie, même si je l'exprime maladroitement.

— Je suis heureuse, répondit-elle, car toi aussi, tu es l'amour de ma vie.

— Vraiment ? Je l'espère. Parce que je sais que tel n'était pas le cas au moment de notre mariage.

— Tu ne devrais pas dire cela !

— Pourquoi pas ? C'est la vérité, affirma-t-il d'une voix douce. Peu importe maintenant, mais ne nie pas l'évidence. Il ne doit pas y avoir de malentendu entre nous.

— J'étais alors une fille ignorante et très jeune qui ne connaissait rien de la vie ! Rien du tout, tu comprends ? Tu comprends ? répéta-t-elle en essuyant furtivement les larmes qui perlaient au bord de ses yeux.

— Puisque nous en parlons, je ne suis pas sûr de tout comprendre. J'ai senti — et je sens toujours — que certaines choses en toi m'échappent.

Un sentiment de panique s'empara d'Anna.

— Pourquoi ? Qu'est-ce qui t'échappe ?

— Bon, maintenant que j'ai commencé, autant continuer, annonça-t-il d'une voix hésitante. Sais-tu dans quel état de rage il m'est arrivé de me mettre ?

— Je ne crois pas, mentit-elle.

— A l'époque où ce Paul Werner t'a envoyé le portrait, celui qui était censé te ressembler. J'ai essayé de ne pas te le montrer, mais, au-dedans de moi, j'étais fou furieux.

— Cette histoire remonte à des années ! Je pensais que nous en avions suffisamment parlé et que la question était réglée !

— Je sais que nous en avons parlé et je pense qu'il est stupide de ma part de garder toujours ce doute qui me tenaille, mais je suis incapable de le chasser.

— Je trouve dommage que tu te rendes malheureux pour rien, déclara posément Anna.

— Tu as absolument raison. Mais redis-moi encore une fois, sans te fâcher : est-ce que tu l'aimais ? Je ne te demanderai pas s'il était amoureux de toi, parce qu'il me semble évident que la réponse est oui. Peu m'importe aujourd'hui. Je veux seulement savoir si tu l'aimais, Anna.

— Je ne l'ai jamais aimé, dit-elle après avoir pris une profonde respiration.

J'ai éprouvé un terrible désir pour lui, et ce désir n'est pas éteint, mais ce n'est pas la même chose qu'aimer, argumenta intérieurement Anna. Je me demande toujours ce que serait ma vie si j'avais épousé Paul. Aurais-je le sentiment de lui être nécessaire comme je suis nécessaire à Joseph ? La perfection — car il s'agit bien de perfection — est-elle faite pour durer ?

— Je te crois, Anna, dit Joseph en souriant.

— Tu n'en reparleras plus ? C'est vraiment fini et bien fini ?

— Fini et bien fini.

Oh, si seulement je pouvais en être vraiment certaine, Joseph ! pensa-t-elle. Je donnerais n'importe quoi pour que tu ne souffres jamais par ma faute. Tu ne peux savoir à quel point tu m'es devenu cher. Et c'est étrange, parce que nous sommes très différents. La plupart du temps, nous n'aimons pas et nous ne désirons pas les mêmes choses. Pourtant, je donnerais ma vie pour toi s'il le fallait.

Est-ce cela l'amour ? L'amour a fini par devenir un mot comme les autres. A trop être galvaudé, il perd son sens.

— Anna, ma chérie, éteins la lumière et viens te coucher.

Son peignoir tomba sur la chaise avec un froissement soyeux. Le vent se remit à souffler, les vitres tremblèrent. A tâtons elle avança dans la pièce obscure, perdue dans ses pensées, comme d'habitude.

Nous sommes poussés par des vents aveugles, écrasés au détour d'un chemin ou, au contraire, conduits vers un jardin inondé de soleil. Sans raison, apparente...

III
Verte campagne

27

Le grand-père d'Eric avait une Chrysler bleue décapotable et qui roulait décapotée la plupart du temps, lorsqu'il faisait aussi froid que par cette sale journée d'avril. Pour lui, rien n'était plus sain qu'un peu d'air frais. La voiture avait été spécialement adaptée à son handicap et pourvue d'un embrayage manuel. Quand il ne s'en servait pas, elle restait rangée derrière la maison dans ce qui avait servi de grange et d'étable aux générations passées. Quand son grand-père sortait, appuyé sur ses béquilles, Eric songeait qu'il lui faisait penser à un crabe à cause de ses gestes saccadés. Une fois qu'il était assis sur la banquette avant, il avait fière allure avec sa casquette et sa pipe, et personne ne pouvait deviner son infirmité. C'était peut-être pour cette raison qu'il aimait tant conduire.

— En route, mon jeune ami, dit-il. Vérifie si ta porte est bien fermée et appuie sur le bouton.

Il tendit la main pour tourner la clé de contact et, soudain, arrêta son geste. Un doux sifflement parvenait d'un bouquet d'arbres situé entre la grange et le lac.

— Chut... susurra-t-il en posant un doigt sur ses lèvres... tu sais ce que c'est ? C'est un vanneau.

— Comment est-il ?

— Gris avec deux lignes blanches sur les ailes.

— Est-ce que je pourrais le voir si je sortais maintenant ?

— Tu le pourrais probablement, si tu allais très très doucement sous les arbres et si tu restais assis là sans bouger — pas même le petit doigt ! Je me demande si tu saurais te servir de mes jumelles ? Pourquoi pas ? Je t'apprendrai peut-être demain comment.

La voiture descendit l'allée puis, la grille franchie, tourna dans la rue qui passait devant la maison de Teddy, l'ami d'Eric. Ils passèrent aussi devant la grande maison jaune du Dr Shane, ensuite devant celle des Timminse puis celle des Whitely qui élevaient des chevaux de selle. La Chrysler s'engagea dans la grand-rue de Brewerstown.

— Nous avons besoin d'essence, dit le grand-père d'Eric. Eric, peux-tu me sortir le carnet de rationnement de la boîte à gants, s'il te plaît ?

L'homme de la station-service regardait sous une voiture. Quand il les aperçut, il se redressa et essuya ses mains noires et pleines de graisse sur un chiffon.

— Bonjour, monsieur Martin. J'fais le plein ?

— S'il vous plaît, Jerry. Aujourd'hui, je suis dépensier. C'est l'anniversaire d'Eric et nous allons faire un tour.

— Joyeux anniversaire, alors ! Vous devez avoir neuf ans ou peut-être dix ?

— Sept ans, dit Eric, tres flatté de cette méprise.

— Sept ans ! Vous êtes sacrément grand pour votre âge !

— Dites-moi, avez-vous des nouvelles de Jerry junior ? demanda le grand-père.

— Il termine l'entraînement à Fort Jackson la semaine prochaine. Je suppose qu'il partira pour combattre peu de temps après.

Le grand-père ne répondit rien et l'on entendait le ronronnement de la pompe. Le plein terminé, il tendit le carnet de rationnement et quelques billets. Jerry déchira des timbres du carnet puis rendit ce dernier, l'air sombre.

— Eh bien, bonne chance, dit doucement le grand-père. Transmettez mon bon souvenir à Jerry junior. Dites-lui que j'espère bien qu'il reviendra bientôt.

— Merci. Je lui ferai la commission.

Le grand-père remit la voiture en marche et ils suivirent la grand-rue jusqu'à la route du lac.

— Où allons-nous, Grand'Pa ?

— Je m'occupe de la rédaction d'un testament pour Oscar Thorgerson. Tu sais, il habite la grande ferme de l'autre côté de Peconic. Je voudrais lui montrer ce que j'ai fait, pour savoir ce qu'il en pense avant de passer à la rédaction définitive. Cela lui évitera de perdre du temps à venir me voir en pleine période de labour et cela nous donne, à toi et à moi, une bonne excuse pour faire une sortie, ajouta-t-il en souriant.

La route longeait des bosquets et des villas d'été aux volets encore fermés. Parfois, entre les arbres, on apercevait le lac. Puis la route tourna et s'éloigna de ce dernier pour suivre la ligne de faîte d'une rangée de collines, avant de traverser en son milieu une large vallée où s'étendaient, sur chaque versant, des fermes et des champs. Le vent résonnait aux oreilles d'Eric comme un bruit de cascade. Un homme était en train de labourer un champ immense ; devant lui, la terre se hérissait du chaume de l'an passé et, derrière, elle apparaissait sombre et onctueuse comme du chocolat fondu. Les chevaux avançaient d'un pas lourd.

— Je n'avais pas vu des chevaux tirer une charrue depuis des années, dit le grand-père d'Eric.

— Quoi ? Comment peut-on labourer autrement ?

— Avec des tracteurs. Mais à présent, c'est la guerre et il n'y a plus d'essence. Alors, on utilise à nouveau les chevaux. Eh, regarde !

Une volée d'oiseaux tourbillonnait dans le ciel.

— Des hirondelles, précisa-t-il. Oh, les oiseaux ont été l'une des grandes passions de ma vie ! Quand nous vivions en France, j'ai dû apprendre tout un nouveau vocabulaire, pas seulement la traduction en français, mais aussi de nouvelles espèces que nous n'avons pas ici. Je me rappellerai toujours le plaisir que j'ai éprouvé en entendant, puis en voyant un rossignol pour la première fois.

— Dis quelque chose en français, s'il te plaît, Grand'Pa.

— *Je te souhaite une bonne anniversaire*[1].

— C'est joli à entendre.

— Le français est une belle langue, très mélodieuse.

— Est-ce que tu peux dire tout ce que tu veux en français ?

— Oh, oui, mais certainement pas aussi bien que quand nous habitions là-bas. Lorsqu'on ne pratique plus une langue, on l'oublie vite.

— J'aimerais bien aller en France. Est-ce que les arbres, est-ce que les maisons, est-ce que tout est comme ici ?

— Eh bien, oui et non. Les arbres sont toujours des arbres et les maisons des maisons, n'est-ce pas ? Mais il y a tout de même des différences. Un jour, tu découvriras cela par toi-même.

— Tu viendras avec moi ?

— Je crains que non, Eric. Ce serait trop difficile pour moi de voyager avec ces béquilles.

— Alors je n'irai pas non plus. Je veux rester avec toi.

— Je veux que tu voyages et que tu découvres de nouvelles choses. Et j'attendrai ton retour. Je t'attendrai, dit-il en retirant la main qu'il venait de poser sur celle d'Eric. Je voulais te faire une surprise, mais finalement, je ne peux pas tenir ma langue. Ta grand-mère et moi, nous avons une surprise pour ton anniversaire. Mais c'est un cadeau que tu ne pourras pas avoir avant le milieu de l'été, disons aux environs du 4 juillet. Oh, ne sois pas déçu ! Il y a des tas d'autres choses que nous t'offrirons ce soir à ton dîner d'anniversaire. Mais il faudra que tu attendes pour le plus gros cadeau... Voyons si tu devines.

— Non, je ne sais pas, répondit Eric en fronçant les sourcils. Qu'est-ce que c'est ?

— Quelque chose dont tu as très envie et que tu nous a demandé des tas de fois.

Un grand sourire illumina soudain le visage d'Eric.

— Un chien ? Un petit chien ? C'est ça, Grand'Pa, vraiment ?

— Oui, monsieur, un chien. Et pas n'importe quel chien. Un grand et beau retriever labrador comme celui du Dr Shane.

Eric bondit de joie sur son siège.

— Oh, où est-il ? Quand vas-tu l'acheter ? Est-ce que je peux le voir maintenant ?

— C'est l'une des raisons pour lesquelles je t'ai emmené avec moi. Lady, la chienne de M. Thorgerson, va avoir des petits d'un jour à l'autre. C'est d'ailleurs pourquoi il te faudra attendre quel-

1 En français dans le texte.

que temps : le chiot sera trop petit et trop jeune pour vivre séparé de sa mère. Mais dès qu'il pourra manger tout seul, nous viendrons le chercher.

— Oh, Grand'Pa, je veux un chien mâle et je l'appellerai George.

— Voilà la question réglée : ce sera George.

Ils s'engagèrent dans un petit chemin de campagne bordé de clôtures, et ils arrivèrent devant une ferme construite en L, les granges et les étables étant attenantes à la maison. Dans la cour, les poulets fouillaient sous la paille éparpillée et humide. Le grand-père arrêta la voiture. Quelques instants plus tard, M. Thorgerson, chaussé de bottes en caoutchouc qui lui montaient jusqu'en haut des cuisses, apparut au coin de la ferme.

— Je vous ai vu arriver par le chemin. J'étais en train de réparer ma pompe et je me suis pas mal mouillé, dit-il. Comment allez-vous, monsieur Martin ? Comment allez-vous, jeune homme ?

— Très bien, merci, monsieur Thorgerson.

— Je vous ai apporté ces papiers pour que vous les examiniez, dit le grand-père. Votre femme et vous-même pouvez y réfléchir pendant quelques jours et quand vous serez sûr qu'ils correspondent bien à ce que vous désirez, passez-moi un coup de fil. Je le rédigerai au propre et vous pourrez signer.

— Très bien. Laissez-moi le temps d'aller m'essuyer les mains.

Il se pencha et murmura quelque chose à l'oreille du grand-père d'Eric.

— Vraiment ? s'exclama ce dernier, apparemment ravi. Eh bien, je vais vous avouer que je n'ai pas pu garder le secret. Je l'ai dit à Eric en venant, et à présent il sait tout. Que dis-tu de cela, Eric : Lady a eu ses petits ce matin et si tu es très gentil et ne la déranges pas, M. Thorgerson te donnera la permission d'aller les voir !

La maman et ses petits chiots se reposaient sur une pile de couvertures installées dans un coin de la cuisine. Les chiots qui n'étaient pas plus gros que des souris, se bousculaient en grognant doucement.

— Ils commencent à avoir faim, chuchota Mme Thorgerson, en les regardant par-dessus l'épaule d'Eric. Ce sera une bonne mère, elle est si douce. J'ai travaillé toute la matinée dans la cuisine et elle ne craint pas que je m'approche.

— Elle sait que vous ne ferez pas de mal à ses petits, dit judicieusement Eric.

— Lequel voulez-vous ? demanda M. Thorgerson.

— Je ne sais pas. Ils se ressemblent tous.

— Ce petit a raison, Oscar. Il faudra revenir pour choisir d'ici deux à trois semaines, quand ils seront un peu plus vieux.

Je sais alors ce que je ferai, pensa Eric : je tendrai ma main et celui qui s'avancera vers elle, si c'est un mâle, je le prendrai parce que je saurai qu'il m'aime bien. Je le ramènerai à la maison et il dormira dans un panier dans ma chambre, ou peut-être même sur mon lit. Nous serons amis et je serai très gentil avec lui. Ce sera peut-être celui-ci ?

Ils rirent tous car l'un des chiots, une toute petite chose humide et aveugle, mais probablement un petit peu plus fort que les autres, roula par-dessus l'un de ses frères en poussant un couinement aigu, et l'écarta de la mamelle maternelle pour prendre sa place.

— Voulez-vous un beignet à la confiture ? demanda Mme Thorgerson.

— Oui, s'il vous plaît... je veux dire, merci, avec grand plaisir.

— Ils sont encore chauds... mais est-ce que votre grand-mère vous permet d'en manger ?

— Oh, oui ! Parfois, après l'école, je vais en acheter chez Tom, à la boulangerie. Mais Grand-Maman dit qu'ils sont très gras. Elle n'aime pas trop que j'en mange, à moins qu'ils ne soient faits à la maison.

— Ceux-ci le sont incontestablement. Asseyez-vous donc et prenez un verre de lait pendant que M. Thorgerson sort parler avec votre grand-père.

La cuisine sentait bon le sucre et la pâtisserie chaude. Des plantes vertes garnissaient le rebord de la fenêtre à côté de laquelle se trouvait la table où Mme Thorgerson avait posé un verre de lait et une assiette contenant deux beignets. Il était agréable de manger dans la cuisine, tout près de la glacière et du fourneau ; Eric s'y sentait plus à l'aise que dans la salle à manger de leur maison où il fallait toujours faire attention de ne rien renverser sur le tapis ou sur la table de bois cirée. Aucun des couverts ne devait dépasser des trop petits napperons garnis de dentelle placés sous les assiettes. Mais chez eux, seule Mme Mather, la gouvernante, mangeait à la cuisine.

— C'était bon ? demanda Mme Thorgerson qui ne l'avait pas quitté des yeux.

— Très bon, merci.

C'était bon, mais, à la vérité, Eric préférait ceux de la boulangerie. Il était bien sûr trop poli pour dévoiler le fond de sa pensée.

— Cela fait bien longtemps que mes fils ne se sont pas assis à cette table, dit Mme Thorgerson avec un soupir.

Ils quittèrent ensuite la cuisine pour se diriger vers la voiture. M. Thorgerson était appuyé contre la clôture et parlait avec le grand-père d'Eric.

— Il va ruiner le pays. Avec tous ces tire-au-flanc qui veulent tout avoir sans rien faire ! Et c'est ce petit gars qui va devoir payer l'addition, vous pouvez me croire. Les générations à venir vont avoir une sacrée note à régler !

— Encore Roosevelt ! s'écria sa femme. A chaque fois tu fais monter ta tension, à rabâcher sur cet homme !

— C'est la même chose pour moi, madame Thorgerson. Tout homme qui a travaillé dur et sait ce que représente un dollar ne peut s'empêcher d'être écœuré par un certain nombre de choses. Il est temps qu'il s'en aille, guerre ou pas, avant d'avoir ruiné le pays. Cela fait maintenant dix ans qu'il est au pouvoir et c'est dix ans de trop. Voyons, c'est de la confiture que tu as sur le visage ? Tiens, prends un mouchoir.

Il sortit un mouchoir blanc de sa poche de poitrine. Ce grand-père très soigneux n'aimait pas voir des taches sur son petit-fils, même de toutes petites taches de confiture.

— Il a mangé des beignets, dit Mme Thorgerson.

— Eh bien, dis-moi, Eric, quelle journée ! Des beignets et un petit chien !

— Grand'Pa, demanda Eric, tandis qu'ils roulaient à nouveau, que voulais-tu dire quand tu disais que Roosevelt allait truiner le pays ?

— Truiner ? répéta son grand-père, perplexe. Ah, tu veux dire ruiner ! Cela signifie gâter, abîmer.

— Oh, et pourquoi va-t-il faire cela ?

— Eh bien, je crois que tu aurais un peu de mal à comprendre. Disons simplement que je ne suis pas d'accord avec la manière dont cet homme s'occupe des affaires du pays. Nous pensons qu'un autre gouvernerait mieux.

— Quel autre homme ?

— N'importe qui d'autre, je dirais presque.

— Est-ce que tu le hais ? Je crois que M. Thorgerson le hait. Il était terriblement en colère.

— Nous ne le haïssons pas. Nous lui devons le respect, parce qu'il est notre président. Mais nous pensons qu'il profane sa fonction. Tu comprends ? Profaner, c'est comme... eh bien, c'est ne pas avoir de respect, comme lorsqu'on garde son chapeau sur sa tête ou qu'on rit tout haut dans une église. Tu vois un peu ce que je veux dire ?

Eric hocha la tête en signe d'acquiescement et repensa au visage familier, avec la cigarette au coin des lèvres, tel qu'on le voyait souvent dans le journal.

— C'est merveilleux d'être Américain, poursuivit le grand-père d'une voix solennelle. Une sorte de don sacré. Tu vois ce que je veux dire ? Cela signifie que tu possèdes quelque chose que tu aimes beaucoup, qui t'a été donné par ta famille. Tu dois donc en prendre le plus grand soin possible pour le transmettre intact à tes enfants.

Notre famille est une très vieille famille américaine, Eric. Nos ancêtres sont arrivés dans ce pays quand ce dernier appartenait encore au roi d'Angleterre et que les Indiens y étaient établis. Cette route sur laquelle nous roulons était une des pistes qui conduisaient vers ce que l'on appelle à présent le Canada. Quand nos ancêtres sont arrivés, on n'apercevait que des forêts à des kilomètres à la ronde, d'immenses forêts sombres, insista-t-il en accompagnant ses paroles d'un large geste du bras. Ils ont coupé les arbres, défriché les terres, construit des cabanes en bois, semé les champs. Ce fut un travail très dur, beaucoup plus dur que n'importe quel travail auquel tu peux songer maintenant.

— Est-ce que certains furent tués par les Indiens ? Avec des tomahawks ?

— Certainement. Il y a des tas de livres d'histoire qui rapportent ces faits, et de nombreux forts ont été construits dans cet

Etat, comme Fort Stanwyx, Fort Niagara. Les forts étaient des endroits où les gens venaient se réfugier quand les Indiens attaquaient.

— Mais il n'y a plus d'Indiens, maintenant.

— Non, ces attaques remontent à longtemps. Au bout d'un certain temps, le calme s'est installé dans cette région, et les gens ont pu construire de grandes et belles fermes comme celle de M. Thorgerson. A l'origine, les gens de notre famille étaient presque tous des fermiers, à l'exception de quelques fils qui, de temps en temps, s'engageaient dans d'autres professions. J'ai un ancêtre... laisse-moi réfléchir... oui, c'est cela, ton arrière-arrière-grand-oncle, qui était l'un des ingénieurs qui travaillèrent à la construction du canal Erié. Je me souviens de mon grand-père parlant de cet oncle. Il avait assisté à l'inauguration du canal, le 4 novembre 1825, quand le gouverneur De Witt Clinton jeta un petit tonneau rempli de l'eau du lac Erié dans l'océan Atlantique. Le canal joignait les eaux du lac à celles de l'Océan. Il s'agissait d'un ouvrage gigantesque. Notre famille compte aussi, bien sûr, des soldats : nous avons eu des combattants dans toutes les guerres. Et également, des professeurs, des hommes de loi...

— C'est ce que tu es, toi, un homme de loi ! s'écria Eric sur un ton triomphant.

— Oui, et j'ai toujours été fier de ma profession. Mais je n'oublie pas que mes origines sont terriennes et que la terre se trouve à la base de tout. L'ascendance de ta grand-mère est identique. Elle appartient aussi à une très vieille famille.

— C'est son père qui est représenté sur le portrait accroché dans sa chambre au-dessus de la cheminée ?

— Non, non, mon enfant, c'est son grand-père, et donc ton arrière-arrière-grand-père. Il a combattu pendant la guerre civile.

A ce moment, il prit un virage pour suivre une route qui s'étirait entre des vergers plantés de pommiers.

— Nous sommes à quelques kilomètres de Cyprus seulement, et je veux te montrer quelque chose, expliqua-t-il. Cette ville étant un chef-lieu, elle possède un tribunal et un monument aux morts de la guerre civile. Sous la statue érigée en l'honneur des hommes de la région qui combattirent dans cette guerre, on a écrit le nom de ceux qui sont morts au combat, et tu pourras lire le nom de cet homme.

— Quel homme ?

— Celui dont le portrait se trouve dans la chambre de ta grand-mère, expliqua patiemment le grand-père.

Une vaste pelouse s'étendait devant le tribunal et une allée bordée de tulipes rouges conduisait à une sorte de porche soutenu par de massives colonnes blanches qui en garnissaient la façade. D'un côté de la pelouse, s'élevait un grand mât au sommet duquel un drapeau claquait au vent. De l'autre côté, était érigée une statue représentant un soldat accroupi, fusil pointé et coiffé d'une casquette aux bords carrés. Sur les quatre côtés du piédestal qui supportait la statue, des noms avaient été gravés.

— Dirige-toi vers cette statue, dit le grand-père. Les noms sont inscrits par ordre alphabétique. Tu sauras trouver les B, n'est-ce pas ? Cherche alors un nom long, situé presque en haut des B : Bellingham. Va voir. C'est trop dur pour moi de sortir de la voiture.

Eric s'avança, trouva les B sans aucun problème et se sentit très fier de savoir lire les noms. D'abord venait Banks, puis Bean, et, en dessous, Bellingham. Il passa une minute à le regarder ; l'ombre du bras du soldat de pierre tombait juste au milieu du nom. Puis venait une virgule et un autre nom : Luke. Sa grand-mère lui avait appris que ce prénom était celui d'un des quatre évangélistes.

— Je l'ai trouvé ! Je l'ai trouvé ! s'écria-t-il en courant vers la voiture. C'est écrit Luke Bellingham, presque tout en haut.

— Bien. Je savais que tu le verrais. Ferme bien la portière, voilà, c'est ça. Oui, c'était le grand-père de ta grand-maman, dit-il, en faisant le tour de la place pour rejoindre la route par laquelle ils étaient venus. Il a participé à la seconde bataille de Bull Run, à celle d'Antietam et bien d'autres encore. A cette époque-là, Abraham Lincoln était président.

— Est-ce qu'il profa... profamait, comme Roosevelt ? Lincoln, je veux dire.

— Profaner ? répéta le grand-père en riant. Bien sûr que non ! C'est l'un des plus grands hommes de l'histoire, Eric. Quand tu seras un peu plus grand, je te parlerai de lui et je te donnerai des livres qui racontent sa vie. A présent, tu as vu le nom de ton ancêtre gravé dans la pierre. Le nom de ta grand-maman était Bellingham avant son mariage.

— Et ton nom est Martin.

Eric réfléchit pendant quelques instants. Il avait une question sur le bout de la langue, mais allait-il la poser ?

— Pourquoi est-ce que je ne m'appelle pas aussi Martin ? Pourquoi mon nom est-il Freeman ?

— Parce que. Parce que les gens prennent le nom de leur père.

— Pourquoi ?

— Parce que c'est la loi et que ça se passe toujours ainsi.

— Qui fait les lois ?

— Un groupe d'hommes qui a été choisi et qui forme ce que l'on appelle le Congrès. Ils se réunissent pour établir des lois, les discuter, puis votent pour décider.

Mais ce n'était pas ce qu'Eric avait envie de savoir.

— Est-ce que ce sont eux qui ont décidé quel devait être mon nom ? insista-t-il.

Une chose le harcelait : sans savoir exactement pourquoi, il avait le sentiment qu'un secret planait autour de ce nom.

— Pas seulement le tien, mais les noms en général.

Eric crut remarquer un changement dans le ton de Grand-Pa. Etait-il fâché ? Mais non, il regarda Eric et lui sourit. Puis, la pipe coincée entre les dents, il lui dit :

— Je vais allumer la radio pour entendre un peu de musique. Il y a une émission qui commence à quatre heures.

Un air de piano parvint à leurs oreilles tandis qu'ils roulaient sur une route toute lisse et qu'au-dessus de leur tête, les bour geons commençaient à se transformer en petites feuilles vert tendre.

Freeman. Son père s'appelait Maurice Freeman, songeait Eric Un jour, il avait demandé à sa grand-mère :

— Est-ce que mon père était français, Grand-Maman ?

— Non, il n'était pas français.

Et ses lèvres s'étaient alors serrées comme chaque fois qu'il demandait une chose qu'il n'obtiendrait pas, comme aller camper une nuit dans les bois ou reprendre une troisième part de tarte. « Non, je ne permets pas », disait-elle, et sa bouche se refermait comme le fermoir d'une bourse, sèchement.

— Je trouvais que son nom sonnait français, à cause de l'ami dont Grand-Père parle souvent et qui habitait en France. Lui aussi s'appelait Maurice.

— Non, il n'était pas français.

— Il était quoi, alors ?

— Quoi ? Américain, bien sûr ! Américain.

— Oh. Est-ce que je pourrais voir une photo de lui ?

— Tu le pourrais si j'en avais une.

— Et pourquoi tu n'en as pas ?

— Je ne sais pas. Je n'en ai pas, c'est tout. Oh, Eric tu me déranges et il faut maintenant que je recompte toutes mes mailles.

Elle était toujours en train de lui tricoter des pull-overs, comme le pull-over bleu marine qu'il portait aujourd'hui. Il ne les aimait pas, ces pull-overs. La laine grattait toujours. D'ailleurs, rien qu'à y penser, son cou le démangeait.

Ce jour-là, il s'était montré très têtu.

— Si tu n'as pas de photo, dis-moi alors comment il était.

— Je ne me rappelle pas. Je l'ai vu seulement une fois.

Il avait été sur le point de demander « pourquoi ? », mais, s'était subitement ravisé, certain qu'il ne recevrait pas de réponse. Il était confronté à un grand vide, ou à une chose hermétiquement close. Ce sujet ne lui inspirait aucune tristesse particulière, seulement une certaine perplexité.

La situation était très différente en ce qui concernait sa mère. Il y avait des photos d'elle, dans des cadres argentés, dans presque toute la maison : sur les bureaux, sur les commodes, et, au-dessus du piano, une peinture la représentait dans une robe blanche, avec un ruban dans les cheveux. Ses photos remplissaient également des albums reliés en cuir. L'une d'elles avait été prise sur le pont d'un paquebot, devant une bouée de sauvetage sur laquelle on pouvait lire : *S.S.Leviathan.* « C'est l'année où nous sommes partis vivre en France », lui avaient expliqué ses grands-parents, penchés sur la table de la bibliothèque sous la lumière d'une lampe, et tournant les pages, lentement, beaucoup trop lentement, ce qui ennuyait Eric autant que leurs explications dont il ne se souciait guère. « Voici la maison que nous avons louée un été en Provence. Tu vois ces oliviers et, derrière, ces terrasses où poussent les vignes. Ta mère avait acquis un parfait accent provençal cet été-là ; de toute façon, elle parlait déjà le français aussi bien que les autochtones. »

Il aimait particulièrement une photo qui la montrait bébé — elle devait avoir deux ans —, assise sur le seuil de la porte d'entrée en compagnie d'un grand colley blanc. Au-dessus de sa tête, on voyait le marteau en cuivre, avec la tête de lion. Parfois, quand personne ne le regardait, Eric allait s'asseoir au même endroit, sous le marteau de cuivre, et il frottait ses paumes sur le seuil de pierre, ce même seuil où elle, sa mère, s'était assise. Il avait le sentiment qu'un peu d'elle subsistait encore sur cette pierre. Il ne se sentait ni triste ni nostalgique, seulement curieux.

Eric ne se souvenait pas très bien dans quelles circonstances il avait appris que sa situation était différente de celle des autres enfants. Quelqu'un, sa grand-mère, son grand-père ou peut-être Mme Mather, la gouvernante, quelqu'un lui avait dit que ses parents étaient morts. Il était donc orphelin. Toutefois, ce devait être faux car, dans les contes de fées tels que *La petite fille aux allumettes* ou *Cendrillon*, les enfants orphelins étaient très malheureux. Ils ne mangeaient pas à leur faim et dormaient par terre, devant la porte. Comment était-ce possible, d'ailleurs ? On ne pouvait pas allonger ses jambes et les gens devaient trébucher sur vous quand ils entraient et sortaient ?

Mais lui, Eric, vivait dans une maison, il avait une grande chambre avec une cheminée et un bon lit recouvert d'un dessus-de-lit avec des motifs d'animaux, sans compter une étagère garnie de livres et un placard plein de jouets. Il mangeait tout à fait à sa faim, — on l'obligeait même parfois à finir ce qu'il avait dans son assiette quand il n'avait plus faim. Alors, comment pouvait-il être un orphelin ?

A cause de l'accident, voilà pourquoi. Une voiture avait eu un accident, quelque part loin d'ici, à New York, et ensuite, il n'avait plus eu ni père ni mère. Il était alors venu vivre avec son grand-père et sa grand-mère. « Après l'accident. » Eric avait l'impression de voir ces mots écrits en grosses lettres semblables à celles qui étaient gravées sur le monument de Cyprus : Luke Bellingham.

— Eh bien, nous voici arrivés, dit son grand-père en éteignant la radio. Eric, peux-tu prendre mes béquilles sur le siège arrière, s'il te plaît ?

Sa grand-mère sortit de la maison pour aider son mari.

— Eh quoi, je commençais à m'inquiéter ! Il est presque cinq heures et Teddy est là qui vous attend.

— Oh, nous avons passé un moment agréable. Eric a vu son petit chien né de ce matin et nous avons fait une jolie promenade en voiture. Je vois que tu es déjà tout habillée.

Elle portait un corsage de soie blanche sur lequel elle avait épinglé sa broche en or rehaussée de perles.

— Bien sûr, en l'honneur de l'anniversaire d'Eric.

— Regarde ce que tu as ! cria Teddy dès qu'ils se retrouvèrent dans l'entrée. Regarde !

Un énorme carton gisait dans l'entrée, à moitié défait, laissant apercevoir une splendide auto d'un rouge éclatant. C'était une voiture à pédales, assez grande pour qu'on s'assoie dedans, équipée de sièges baquets comme dans une voiture de course, de phares et d'un klaxon en cuivre.

Le cœur d'Eric s'arrêta de battre.

— Pour moi. Tu l'as achetée pour moi ?

— Mais non, idiot, ce n'est pas moi, dit Teddy. Mon cadeau est encore dans la salle à manger avec tes autres cadeaux.

— C'est de la part de Macy de New York, dit la grand-mère.

Elle se tourna vers son mari et ajouta :

— J'ai cru que c'étaient les chaises pliantes que tu avais commandées et j'ai donc ouvert le paquet.

— Est-ce que tu n'aurais pas pu...

— Teddy était avec moi. Nous avons ouvert le paquet ensemble, et ensuite c'était trop tard.

— Je comprends. Eh bien, je suis sûr que tu t'amuseras bien avec cette voiture. A présent, monte vite te laver les mains et te changer. Nous allons bientôt dîner.

— Je vais rentrer chez moi et mettre mon costume, dit Teddy. Ma mère m'a dit qu'il fallait que je mette mon beau costume parce que c'était l'anniversaire d'Eric.

— Bien sûr ! Sois de retour à six heures, Teddy, dit la grand-mère.

— Je n'arrive pas à y croire, déclara Eric en hochant la tête.

— Tu n'arrives pas à croire à quoi ? demanda sa grand-mère.

— Le petit chien et cette voiture, tout ça le même jour.

— Ah, mais tu n'as pas encore tout vu ! s'écria-t-elle gaiement. Monte te changer, mon chou, veux-tu ?

Son costume et des sous-vêtements propres étaient posés sur le lit, et ses chaussures du dimanche avaient été préparées par terre, à côté. Eric se sentit joyeux et excité. Le chien et cette voiture rouge avec les phares, envoyée par Macy de New York ! Il ne connaissait pas Macy mais c'était assurément très gentil de sa part de lui envoyer un tel cadeau. Youpiiiiii ! s'écria-t-il en faisant une série de galipettes sur le tapis jusqu'à ce que ses pieds atterrissent contre l'un des murs avec un bruit mat. Il se demanda soudain où il pourrait bien ranger la voiture. Dans le garage peut-être ? Il avait envie de le savoir tout de suite.

Les deux chambres contiguës de ses grands-parents se trouvaient au bout du couloir. Sa grand-mère lui demandait toujours de ne pas crier d'une pièce à l'autre, que s'il avait en tête quelque chose d'assez important pour qu'il prenne la peine de le lui dire, cette chose devait être aussi suffisamment importante pour qu'il ait le courage de se déplacer jusque dans la pièce où elle se trouvait.

Arrivé au bout du couloir, il se rendit compte que ses grands-parents parlaient à voix basse dans la chambre de son grand-père. Sa grand-mère éleva soudain la voix, et il l'entendit qui disait :

— Mais je ne pouvais pas la cacher ! N'oublie pas que Teddy

était là et qu'il aurait tout raconté à Eric. Je suis désolée, James, il était impossible de faire autrement.

— Je croyais que nous nous étions mis d'accord sur le fait que c'était justement pour le bien de l'enfant qu'il ne devait pas y avoir de contacts. Pour ne pas le dérouter, le perturber ! Ils étaient d'accord, non ? Alors pourquoi ne respectent-ils pas cet engagement ?

— Eh bien, en fait, ils le respectent. Je suppose qu'ils ont le sentiment qu'un cadeau n'est pas... oh, je ne sais pas, ils doivent éprouver le besoin de donner quelque chose...

— Avec une épouvantable ostentation ! Elle doit bien valoir une centaine de dollars.

— Certainement. Bon, je leur enverrai un accusé de réception et nous en resterons là. Mais je ne peux m'empêcher d'éprouver de la peine pour eux, James.

— Une seule chose importe pour moi, c'est Eric, répliqua son mari d'une voix ferme.

— Oui, bien sûr.

Puis un bruissement se fit entendre comme si quelqu'un se levait d'une chaise et Eric se précipita dans sa chambre.

Pourquoi étaient-ils contrariés par cette voiture envoyée par Macy ? se demanda Eric. Etrange ! Une si belle voiture, bien plus belle que n'importe quel jouet de Teddy. Eric trouvait que c'était bien fait pour Teddy, qui le faisait parfois enrager en lui demandant : « Tu ne trouves pas atroce de ne pas avoir de père et de mère ? » Non, il ne trouvait pas cela atroce du tout. Il avait tout ce qu'il voulait. Grand'Pa et Grand-Maman lui donnaient tout ce dont il avait envie et ils l'aimaient. Il tira la langue à un Teddy imaginaire en s'exclamant : « Tu n'as pas une belle voiture rouge, Teddy. Et tu n'as pas non plus un chien comme George ! »

L'incident Macy semblait décidément bizarre. Il se souvenait que l'hiver dernier, il avait reçu de sa part une paire de patins à glace alors que ce n'était même pas Noël. Son grand-père avait chuchoté quelques mots à l'oreille de sa grand-mère. Il avait eu le sentiment qu'ils n'étaient pas très contents à propos de ces patins, mais par la suite, cette histoire lui était complètement sortie de l'idée. De toute façon, il avait eu ses patins et, à présent, il avait la voiture, alors peu importaient ces réflexions bizarres.

Au menu, Eric découvrit tous ses plats préférés, dont le steak aux oignons frits. Teddy lui offrit un cerf-volant, et ses grands-parents un bateau à voile tellement grand que le haut du mât lui arrivait à la taille ; il pourrait le faire naviguer sur le lac. Mme Mather avait confectionné un gâteau au chocolat recouvert de sucre glace dans lequel elle avait planté sept bougies. Après avoir éteint la lumière, elle apporta le gâteau avec les bougies allumées et tout le monde chanta « Joyeux anniversaire ! ». Eric souffla les bougies et découpa la première part.

— Quel vœu fais-tu ? voulut savoir Teddy.

Mais sa grand-mère expliqua que si on le disait aux autres, il ne se réalisait pas, alors Eric ne dit rien. De toute façon, il ne savait pas vraiment ce qu'il souhaitait. Il se sentait très heureux et il désirait seulement que ce bonheur continue.

— Il faut que tu remercies Mme Mather pour le beau gâteau, dit sa grand-mère. Tu iras dans la cuisine après le dîner pour la remercier.

Il se rendit donc à la cuisine et la gouvernante se pencha vers lui pour l'embrasser en disant : « Comme vous êtes gentil ! »

Ensuite Teddy et lui essayèrent à tour de rôle la voiture rouge dans l'entrée, tandis que les grands-parents suivaient à la radio les nouvelles de la guerre commentées par Gabriel Heatter, comme tous les soirs. Chaque fois qu'Eric passait devant la porte, ils levaient les yeux et lui souriaient. Sa grand-mère était assise dans un fauteuil près de la fenêtre, avec un châle autour des épaules, car ils économisaient sur le chauffage — « comme tout bon citoyen doit le faire », avait expliqué son grand-père — et il faisait assez frais dans la maison. Attentif aux nouvelles, il se tenait très droit dans son fauteuil préféré qui fleurait bon le cuir, comme ses joues quand il venait de se raser.

Puis vint l'heure d'aller au lit. Le père de Teddy avait traversé la rue pour venir chercher son fils. Eric monta se coucher et sa grand-mère vint l'embrasser et le border.

— C'était un bel anniversaire, non ? dit-elle avant d'éteindre la lumière.

Il ne s'endormit pas tout de suite. Il ne faisait pas encore totalement sombre dans la chambre. Le crépuscule tardait encore. Eric revit le paysage familier qui s'étendait derrière sa fenêtre aux rideaux tirés : la pelouse, la pinède, les fourrés dans lesquels on pouvait jouer aux Indiens, et, plus loin, le lac. Les rainettes répétaient inlassablement leur coassement perçant. Un oiseau, pensant peut-être que c'était le matin, siffla une fois puis se tut. Demain, il découvrirait le vanneau caché dans les bosquets, il roulerait dans sa voiture et ferait naviguer le bateau. Il lui faudrait trouver une longue, très longue ficelle pour le voilier. Puis il terminerait ce qui restait du gâteau d'anniversaire. Sept ans. Aujourd'hui, j'ai eu sept ans. Sept...

28

Joseph descendait Madison Avenue. Il se rendait à son bureau. Chaque fois qu'il détournait son regard de la chaussée encombrée de taxis et d'autobus, les portes vitrées ou les glaces des vitrines contre lesquelles le soleil jetait ses rayons opalescents lui renvoyaient son image : celle d'un homme vigoureux, habillé d'un costume gris, qui marchait d'un bon pas en balançant les bras. Joseph ne s'était encore jamais rendu compte qu'il balançait les bras si vigoureusement.

Il se sentait en forme et ne paraissait pas son âge. Le matin, après s'être levé naturellement à six heures, il faisait de la gymnastique. Il surveillait son alimentation, sans trop de rigueur car il n'avait pas tendance à grossir, ce qu'Anna lui enviait. Elle se nourrissait uniquement de fromages blancs et de salades pendant des jours entiers afin de rester mince. Il disait toujours que quelques kilos supplémentaires ne lui feraient pas de mal, mais on lui répondait qu'il avait des goûts démodés. A cinquante-cinq ans, n'était-ce pas normal ?

Toutefois, par les temps qui couraient, être quinquagénaire n'était pas encore être vieux. Joseph avait du mal à s'imaginer que son père n'avait guère que deux ans de plus que lui maintenant au moment de sa mort. Il était complètement usé, marchait difficilement et n'avait plus de volonté. La volonté était essentielle ; dès qu'on la perdait, on devenait vieux.

Joseph se dit qu'il pouvait vraiment remercier le ciel de ne pas avoir perdu la sienne. Il avait pu reconstruire sur des ruines, ou du moins amorcer un départ prometteur. Tout le monde n'avait pas eu une seconde chance, en tout cas pas ce pauvre Solly. Ruth habitait à présent un trois-pièces dans cette maison de rapport située sur Washington Heights que Joseph avait achetée à ses débuts et pour laquelle Anna avait emprunté de l'argent aux Werner. Cette maison avait pour lui valeur de talisman. Il savait qu'il ne pourrait jamais la vendre. De toute façon, Ruth l'occupait. Elle lui payait un petit loyer. Il lui aurait volontiers cédé l'appartement pour rien, mais elle ne l'aurait jamais accepté et il admirait ce refus. Lui-même aurait fait la même chose s'il s'était trouvé dans une situation équivalente. Dieu fasse que cela n'arrive jamais !

En attendant que le feu passe au rouge, à la hauteur de la 56e Rue il éprouva un regain de tristesse en apercevant, exposée dans une vitrine, la photographie bordée de noir de Roosevelt, mort deux semaines auparavant. La mort de ce président représentait pour lui une peine personnelle, et une catastrophe nationale, si l'on repensait au train funéraire venu de Georgie, à la marche dans Pennsylvania Avenue, avec le cheval aux étriers relevés, symbole du combattant tombé. Un brave homme. Joseph avait le sentiment que cet homme dont il aimait entendre la voix rassurante à la radio lui manquerait.

Toutefois, il y avait des gens qui le haïssaient... et pas seulement des riches, mais aussi ceux qui le considéraient comme traître à sa classe. Joseph connaissait un ouvrier qui avait perdu deux fils à la guerre. Il en faisait retomber la faute sur Roosevelt, disant qu'il n'aurait jamais dû engager le pays dans cette guerre. Ce qui était absurde. Compréhensible, mais absurde. Malone avait perdu son gendre, le mari d'Irene, tué à Iwo Jima, et Irene était revenue vivre chez ses parents, avec ses deux jeunes enfants... ce qui n'était pas facile pour les Malone qui avaient encore la charge de leurs plus jeunes enfants. Mais ils ne se plaignaient jamais.

Le fils d'Irene ressemblait à Eric, ou du moins à l'image que Joseph gardait d'Eric quand celui-ci avait deux ans. Joseph sentit que sa bouche se tordait un peu — ce léger rictus qui se formait malgré lui chaque fois qu'il pensait à certaines choses.

Alors, n'y pense pas, se dit Joseph. Ne pense pas à ce contre quoi tu ne peux rien.

Le feu passa au rouge et une marée de gens traversa la rue. Les foules d'aujourd'hui étaient différentes de celles que l'on voyait autrefois dans le centre de New York. Elles étaient d'abord plus importantes. La ville avait atteint un tel chiffre de population qu'on ne trouvait plus de place dans les restaurants, plus de chambres dans les hôtels. Un architecte était venu la semaine dernière de Pittsburgh pour voir Joseph, et Joseph et Anna avaient dû l'héberger chez eux. Les mêmes foules se pressaient dans les boutiques. Des gens qui ne possédaient rien avant la guerre, entraient dans les boutiques de luxe et payaient comptant des fourrures, des pianos ou des montres en diamant, sans même se renseigner auparavant sur les prix !

Pour moi aussi, pensa Joseph, dans une certaine mesure, ce sont les années vingt qui recommencent. Le prix des terres qu'ils avaient achetées vers la fin des années trente en économisant sou par sou — quand Anna prétendait qu'ils étaient complètement fous d'investir à nouveau dans les biens immobiliers — avaient doublé et même triplé. Sur Long Island ils avaient construit trois cents maisons pour les ouvriers de l'usine Great Gulf Aviation. De simples rangées de maisons identiques à la place des anciens champs de pommes de terre, qui s'étaient toutes vendues en l'espace de huit semaines.

Puis ils avaient acheté ailleurs.

Oui, comme dans les années vingt, sauf qu'ils étaient bien décidés à se montrer prudents. Jamais plus Joseph ne se sentirait aussi confiant, et ignorant, qu'il l'avait été lors de ces premières années de prospérité. Il savait à présent ce qui pouvait arriver. Il savait aussi le prix de tout le sang humain versé avant que la richesse revienne.

C'était terrible et pourtant, le monde semblait ainsi fait. A présent, son bureau croulait sous les projets qu'ils mettraient à exécution dès que la guerre serait définitivement terminée. Ce n'était plus qu'une question de quelques mois, disait-on... Il voulait être le premier à construire des magasins à grandes surfaces dans les banlieues...

Malone et lui étaient à présent installés dans un bureau très convenable, sans être luxueux. Il est vrai qu'Anna y veillait, pensa-t-il en souriant. Elle lui disait toujours de limiter les dépenses, et elle avait probablement raison. De toute façon, ils n'auraient pas eu les moyens de s'offrir une décoration trop somptueuse, car le loyer était déjà très élevé. Mais pour ce prix, ils avaient un bureau situé dans un très bel immeuble, et une adresse prestigieuse près de Grand Central. La proximité de cette gare représentait une grande commodité maintenant qu'ils avaient la maison.

Joseph réfléchit qu'il restait encore trois mois avant les dernières formalités et qu'il faudrait ensuite compter deux mois pour les travaux. Ils emménageraient donc probablement à la fin du mois de septembre.

Anna n'avait pas demandé à vivre dans une maison, mais il est vrai qu'elle réclamait rarement quoi que ce soit. Elle avait des amies et, maintenant qu'ils pouvaient dépenser quelques dollars dans des sorties, elle s'était remise à fréquenter les concerts du vendredi après-midi. Elle faisait également partie d'une demi-douzaine d'organisations charitables. Et quand elle ne s'occupait ni de musique ni de comités de bienfaisance, elle lisait et ne demandait rien de plus.

Mais, depuis longtemps, Joseph avait envie de vivre dans une maison. Il y a un an, quand les Malone en avaient acheté une près de Larchmont, il s'était décidé. Ils avaient passé tous les dimanches de l'automne et de l'hiver dernier à chercher quelque chose dans les environs de Westchester. Joseph avait remarqué que, comble d'ironie, tant que l'on n'a pas un sou, on voit des tas de choses que l'on aimerait acheter et dès que l'on a les moyens de s'offrir une jolie maison, par exemple, il devient difficile de trouver. Peut-être parce qu'ils ne savaient pas exactement ce qu'ils cherchaient. Mais finalement, deux semaines auparavant, par une belle journée d'avril, ils avaient découvert une maison dont Anna était tombée amoureuse.

Joseph n'avait pas compris l'emballement de sa femme. C'était une grande et vieille bâtisse, dont la construction remontait probablement à quatre-vingts ans, avec douze pignons qu'il avait comptés avec étonnement et consternation, plus trois cheminées,

Elle était également dotée d'un escalier en colimaçon, d'une tourelle, de six cheminées en marbre sculpté, même dans les chambres, et d'un perron de style rococo. Dieu du ciel ! Cette profusion avait même semblé laisser perplexe le jeune homme de l'agence immobilière trop nouveau dans le métier pour être bon vendeur...

— De quel style s'agit-il, selon vous ? lui avait demandé Joseph.

— Eh bien, monsieur, on m'a dit que c'était du pur style victorien gothique. Pour moi, ce serait plutôt du genre rococo. Cette maison appartenait à la famille Lovejoy, l'une des plus anciennes familles de la région. Moi, je ne suis pas d'ici, je viens de Buffalo, avait-il ajouté tout à fait mal à propos, mais on m'a dit qu'ils possédaient autrefois une centaine d'hectares dans le secteur. Le dernier descendant des Lovejoy est propriétaire d'une maison un peu plus loin, derrière cette hauteur. On n'aperçoit que le premier étage. Il veut vendre cette ancienne maison avec un hectare de terrain.

Tandis qu'ils montaient les escaliers, Anna avait exprimé ses premières impressions.

— C'est comme dans un livre. Touche la rampe, avait-elle dit.

Le bois ancien de la rampe était usé et doux comme de la soie. A l'époque, on utilisait de bons matériaux de construction. Mais tous ces angles, ces coins et ces recoins !

— Regarde, s'était ensuite écriée Anna, cette pièce ronde dans la tourelle ! Cela te ferait un bureau magnifique, Joseph. Tu pourrais étaler tes plans et... regarde cette vue !

En contrebas, des jacinthes — c'était du moins le nom que leur avait donné Anna — commençaient à éclore sur la pelouse, émergeant du lit de feuilles mortes et humides de l'année passée.

— Une terrasse exposée au sud ! Au plein cœur de l'hiver, quand il y aura du soleil, tu pourras t'y tenir, enveloppé dans une couverture — comme nous faisions sur le paquebot — et lire...

Lui remarquait que le ciment s'effritait et que des briques tombaient en pourriture.

— ... et ces pommiers là-bas, qui fleuriront bientôt en blanc. C'est la première chose que tu verras à ton réveil, imagine !

Derrière elle, il avait descendu l'escalier, suivi de l'agent immobilier et d'Iris qui les avait accompagnés ce jour-là. La cuisine était dans un triste état, équipée d'un vieux fourneau noir monstrueux, et d'une énorme glacière marron qui avait dû connaître des jours meilleurs. Les placards étaient installés si haut qu'il fallait une échelle pour les atteindre. De toute façon, il faudrait les démolir... toute la cuisine était à refaire...

— Tu vois cette petite pièce indépendante avec son évier, je suis certaine que c'est pour arranger les fleurs ! s'était exclamé Anna. Mais oui, les vieux vases sont toujours sur l'étagère. Tu imagines, une pièce rien que pour arranger les fleurs !

Elle parlait comme une enfant un peu sotte, pas comme une femme de cinquante ans, ce qui était une attitude tout à fait nouvelle.

— Dans n'importe quelle maison, on peut installer un évier séparé pour les fleurs, Anna, avait-il rétorqué, agacé.

— N'importe quelle maison, mais aucune ne le possède déjà, avait-elle répondu.

— Il y a mille choses qui ne vont pas ! s'était-il écrié.

D'ordinaire, il aurait fait preuve de plus de tact face à un agent immobilier. Lui-même avait assez fait ce métier pour savoir ce qu'il avait de pénible. Désireux de trouver un appui, il s'était tourné vers Iris pour lui demander son avis, certain qu'elle aurait davantage le sens des réalités et un jugement plus pondéré que celui de sa mère.

— Sais-tu qu'elle a beaucoup de charme en dépit de ses défauts ? avait dit Iris.

— Du charme, du charme ! Quel drôle de vocabulaire ! Tu ne parles pas d'une femme !

— Très bien, si tu préfères un autre mot, disons qu'elle a du caractère.

— Du caractère ! Pour l'amour de Dieu, peux-tu m'expliquer ce que tu entends par là ?

— C'est une maison originale, avait patiemment expliqué Iris. On a le sentiment que les gens qui l'ont construite ont longuement réfléchi à ce qu'ils voulaient, à ce qui leur ferait vraiment plaisir. Pour eux, cette maison avait un sens. Elle n'a pas été construite pour être ensuite revendue à un tel prix, mais pour satisfaire les goûts de quelqu'un en particulier.

— Hum, hum, avait marmonné Joseph.

Il n'avait jamais su tenir tête à sa fille, ou, pour être plus exact, il n'avait jamais voulu.

— Oh, Joseph, cette maison me plaît énormément, s'était alors écriée Anna.

Le jeune homme attendait sans faire aucun commentaire. Il manquait peut-être d'expérience, mais il était suffisamment intelligent pour voir qu'il était en train de gagner la partie et ne pas gâcher ses chances.

Joseph était sorti seul dehors. Il avait fait le tour de la maison pour examiner l'extérieur, les buissons broussailleux, le garage qui, autrefois, avait servi d'écurie aux chevaux. Il était descendu dans la cave où il avait découvert une imposante chaudière à charbon qui semblait plantée là comme un gorille. La taille et l'obscurité de cette pièce lui avaient rappelé le donjon d'un de ces châteaux dans lesquels Anna l'avait traîné pendant leur voyage en France. Il était vite remonté content de retrouver la lumière du jour.

Les salles de bains devraient être entièrement démolies et refaites. Les pièces étaient très hautes de plafond et comme il y avait gros à parier qu'elles étaient mal isolées, il faudrait beaucoup de mazout pour les chauffer. Dieu seul savait dans quel état se trouvait la plomberie ! Probablement corrodée et chaque fois que l'on tournerait un robinet ou tirerait la chasse d'eau, les tuyaux émettraient des grondements sinistres dans toute la maison.

Mais Anna aimait cette maison.

Elle ne demandait jamais rien, pensa-t-il pour la centième fois. Elle ne dépensait pratiquement pas d'argent pour elle-même, sauf pour s'acheter des livres. Quelquefois, dans la 57e Rue, elle lui demandait de s'arrêter devant la vitrine d'une galerie et disait en riant : « Si j'étais riche, voilà ce que je m'achèterais. » Et elle montrait une peinture représentant un enfant ou une prairie. « Si le prix est raisonnable, je te l'offre », lui répondait-il. A quoi elle rétorquait en souriant : « C'est un Boudin », ou quelque autre nom étranger, probablement français, étant donné qu'elle aimait tout ce qui était français — « il vaut au moins vingt-cinq dollars ».

Anna aimait cette maison.

Certes, le toit d'ardoise était en excellent état et la maison devait garder la fraîcheur en été, vu l'épaisseur des murs. Des murs comme on n'en construisait plus actuellement ! Le prix incluait aussi un joli morceau de terrain. Il serait même possible de vendre un jour la partie située sur la hauteur, celle où poussaient les pommiers, et d'en tirer un bon profit. Le prix de la terre allait certainement monter en flèche, d'autant plus qu'on se trouvait très près de New York. En fait, le terrain à lui seul valait le prix demandé pour la maison

— Bon, je vais réfléchir, avait-il dit à l'agent immobilier. Je vous rappellerai dans quelques jours.

— Très bien, avait dit le jeune homme. Je dois vous dire, non que je désire vous bousculer ou exercer la moindre pression, qu'il y a un autre couple qui est également très intéressé, avait-il ajouté, ce qui était prévisible. Ils doivent donner une réponse cette semaine.

Naturellement, Anna n'aurait pas dû laisser transparaître son enthousiasme. On ne réglait pas de bonnes affaires de cette façon.

— Eh bien, je vous tiendrai au courant, avait répété Joseph avant de rentrer et se plonger dans de profondes réflexions.

La maison ne manquait pas d'une certaine élégance. Elle avait une solidité qui semblait appartenir à une autre époque. Dans une certaine mesure — petite mais indéniable —, elle lui rappelait ces grandes maisons de pierre de la 5e Avenue devant lesquelles il était passé et qu'il contemplait avec des yeux émerveillés au début de ce siècle. Ce serait un bon atout pour Iris, pensait-il. Cette maison correspondait tout à fait aux demeures que l'on voyait dans les magazines et où des familles distinguées donnaient des réceptions pour le mariage de leurs filles. La fortune personnelle s'accordait fort bien d'une certaine désuétude. Familles distinguées ! Fortune personnelle ! se répéta-t-il en riant de lui-même. Enfin, cette maison entourerait peut-être Iris d'une certaine aura que l'appartement de West End Avenue ne lui apportait certainement pas.

Ce genre de considérations l'embarrassaient et l'attristaient même un peu. Comme s'il s'agissait de caser sa fille comme on fourgue une marchandise ! Toutefois, une fille était faite pour se marier. Qui prendrait soin d'elle quand son père ne serait plus ?

Quelque chose le chiffonnait chez Iris, sa fille, si belle et si charmante. Il avait essayé d'en parler avec Anna, mais pour quelque obscure raison, ce genre de discussion plongeait apparemment Anna dans une telle tristesse, qu'il abandonnait rapidement le sujet. Elle parlait beaucoup plus facilement de Maury. Si seulement il trouvait le courage de parler ouvertement à Iris, mais il n'y parvenait pas. Il ne pouvait pas lui demander : comment te comportes-tu avec les garçons ? Est-ce que tu souris, est-ce que tu ris un peu ? Iris avait maintenant vingt-six ans et presque tous les hommes étaient partis. Il avait essayé de remédier à la situation. N'avait-il pas invité, l'hiver dernier, un jeune veuf dont la femme était morte d'une pneumonie et qui cherchait certainement une femme gentille et posée pour servir de mère à son bébé ? Mais ce dîner n'avait pas eu de suite.

Cette maison jouerait peut-être un rôle positif. Il était retourné la voir trois fois pendant la semaine qui avait suivi leur première visite, hésitant sans cesse entre le fait qu'il avait toujours désiré quelque chose de plus neuf et plus imposant et celui qu'Anna était tombée amoureuse de cette maison. Finalement, il avait signé le contrat de vente et, tandis qu'il apposait sa signature, il n'avait pu s'empêcher de penser, non sans une touche de sentimentalisme, qu'il était enfin propriétaire de sa chère maison.

Il pénétra dans l'immeuble et, en attendant l'ascenseur, chercha son nom sur la liste et relut avec fierté : « Friedman-Malone, Biens immobiliers et Constructions. »

— Il y a eu quelques appels téléphoniques, dit Mlle Donnelly. J'ai laissé les messages sur votre bureau. Un seul est urgent : un certain M. Lovejoy désire vous voir cet après-midi.

— Je vois le comptable à quatre heures. Quel Lovejoy ? Le propriétaire de la maison ? Que me veut-il ?

— Je n'en ai pas la moindre idée. Je lui ai dit que vous aviez un rendez-vous à quatre heures, mais il a répondu qu'il viendrait à la demie et attendrait que vous puissiez le recevoir quand vous trouverez un moment.

— Je ne veux pas vous faire perdre votre temps, ni perdre le mien, monsieur Friedman, dit un homme à la voix douce et aux cheveux gris. Nous sommes tous deux des personnes occupées, aussi irai-je droit au fait. Je suis venu vous demander de retirer votre offre pour la maison.

— Je ne comprends pas.

— Le jeune homme de l'agence a commis une erreur impardonnable. Il était censé donner la préférence à un autre couple, en fait de vieux amis qui nous sont très chers... Il leur a véritablement arraché quelque chose qu'ils étaient bien décidés à acheter.

— Je ne comprends toujours pas. J'ai donné un chèque et votre agent a signé le contrat de vente.

— J'étais à Caracas, dont je suis revenu seulement ce midi et c'est en rentrant chez moi que j'ai appris l'affaire. Je suis aussitôt revenu en ville. J'avais laissé une procuration à l'agent immobilier pour vendre la maison, étant entendu que, si mes amis décidaient d'acheter, c'était à eux qu'elle devait aller, vous comprenez ?

— Apparemment ils ne la voulaient pas, ou alors cet agent ne me l'aurait pas vendue, n'est-ce pas ?

— Il s'agit d'un jeune homme qui manque totalement d'expérience et qui remplace son oncle actuellement hospitalisé. Je crains fort qu'il se soit fait sérieusement blâmer pour son erreur. Je suis sincèrement désolé.

Et s'il s'agissait d'un présage, d'un signe que cette maison n'était pas faite pour eux ? A présent qu'il faisait beau, ils pourraient se remettre à chercher et peut-être trouver quelque chose qui correspondrait davantage à ses goûts ? pensa Joseph.

— Je suis prêt à vous rendre votre chèque avec deux mille dollars en plus, ajouta M. Lovejoy.

Joseph tambourinait sur son sous-main avec un stylo. Pourquoi cet homme se montrait-il à ce point empressé ? Joseph trouvait son attitude étrange et avait le sentiment qu'il existait une raison inavouée.

— Ma femme aime beaucoup cette maison, déclara-t-il en éludant la proposition de son interlocuteur.

— Ah, oui. Les autres personnes... la femme a fréquenté la même école que ma femme, et le fait que nous puissions être voisins représente beaucoup pour eux.

M. Lovejoy se pencha un peu en avant. Sa voix trahissait une réelle insistance et ses yeux semblaient inquiets. Pendant un court instant, Joseph fut en proie à la vague idée qu'il s'agissait d'une conspiration criminelle : la Mafia, peut-être, avait besoin de cette maison ? Absurde. L'appartenance de cet homme à une certaine classe — banquier ? armateur ? — ne faisait aucun doute. Il n'y avait qu'à regarder son visage, ses vêtements ou écouter son accent.

— Vous savez comment sont les femmes... une vieille amitié qui lie des familles depuis trois ou quatre générations... vous ne pouvez pas savoir tout ce que cela signifierait pour nous si vous vouliez bien renoncer à cette maison. Et je suis sûr que ce même agent pourrait vous trouver une maison que vous aimeriez autant si ce n'est davantage. Après tout, conclut-il avec un sourire d'excuse, celle-ci est affreusement vieille et son état n'est pas reluisant, comme vous l'avez sans aucun doute constaté.

— Oh, je vois. Oui, elle est en mauvais état, mais, comme je vous l'ai dit, ma femme l'aime bien.

Cet homme insistait vraiment beaucoup, en y mettant les formes certes, mais il insistait quand même et Joseph n'appréciait pas.

— Il y a peut-être certains éléments que vous n'avez pas pris en considération, dit M. Lovejoy en soupirant. Je veux dire que vous ne connaissez peut-être pas vraiment bien cet endroit... vous êtes étrangers à cette ville, n'est-ce pas ?

— Oui, nous sommes étrangers.

— Eh bien alors, voyez-vous, nous formons une communauté

très ancienne. Nous avons même formé une association dans la partie de la ville où nous résidons : la Stone Spring Association, vous en avez peut-être entendu parler ? Il s'agit d'une sorte de club à l'intérieur duquel nous nous occupons de nos intérêts communs, nos jardins, nos courts de tennis, l'entretien du bord des routes et, en général, de tout ce qui nous concerne et concerne la ville en même temps.

— Continuez.

— Vous savez ce qui se passe quand des gens ont vécu ensemble une grande partie de leur vie : des liens étroits se tissent. Il devient très difficile à un nouvel arrivant de s'intégrer, difficile pour tout le monde... Je crois qu'après tout, la nature humaine est ainsi faite, n'est-ce pas ?

Tout devint très clair pour Joseph.

— Je vois, dit-il, je vois ce que vous essayez de me dire. Pas de Juifs !

— Je ne formulerais pas les choses de cette façon, monsieur Friedman, répliqua M. Lovejoy dont le visage s'était brusquement empourpré. Nous ne sommes pas des fanatiques. Nous ne haïssons personne. Mais les gens se sentent plus à l'aise avec ceux qui leur ressemblent.

Malgré l'intonation interrogative de cette dernière remarque, Joseph s'abstint d'y répondre.

— Beaucoup de gens de votre religion sont en train d'acheter vers le Sound. On m'a même dit qu'ils faisaient construire une splendide synagogue. En fait, c'est beaucoup plus agréable dans ce coin, beaucoup plus frais pendant l'été.

— Ils sont en train d'usurper le meilleur endroit de la ville, n'est-ce pas ?

M. Lovejoy ignora la remarque.

— L'agent immobilier vous aurait rendu un fier service en vous fournissant tous ces détails. Il a vraiment fait un bien mauvais travail.

— Je ne dirais pas la même chose. Je lui ai seulement demandé de me montrer la maison, ce qu'il a fait, et de prendre mon argent, ce qu'il a fait également. C'est aussi simple que cela.

— Pas tout à fait, rétorqua M. Lovejoy en secouant la tête. On n'achète pas seulement quatre murs lorsque l'on acquiert une maison. Il y a tout un voisinage à prendre en considération, toutes sortes d'événements sociaux. Les gens donnent des soirées... Je ne crois pas que vous aimeriez vivre dans un endroit d'où vous vous sentiriez exclus.

Il avait totalement raison, pensa Joseph, qui jugeait impensable de faire marche arrière à présent. Personnellement, je m'en moque, se dit-il. Qu'il veuille de moi ou pas m'est parfaitement égal. Je pourrais certainement trouver mieux que cette vieille baraque. En fait, il y a même des gens qui pensent que je suis complètement fou de l'acheter, étant donné que je suis dans le bâtiment... Et je comprends bien cette histoire de gens qui veulent rester entre eux. Je suis le premier à tenir ce raisonnement. Seulement, j'entends choisir moi-même. Je ne supporte pas qu'on m'impose ce choix.

— Nous n'espérons pas être invités à vos soirées, ni vous convier aux nôtres d'ailleurs, répondit-il finalement. Nous voulons seulement vivre dans cette maison et c'est ce que nous avons bien l'intention de faire.

— C'est tout ce que vous avez à dire ?

— C'est tout.

— Je pourrais amener cette affaire devant les tribunaux, vous savez. Nous nous trouverions alors entraînés dans un inextricable imbroglio juridique qui nous coûterait à tous deux énormément de temps et d'argent.

Joseph était en train de penser qu'Anna n'avait jamais vraiment rien eu de ce qu'elle désirait sauf pendant les quelques années mouvementées qui avaient précédé la crise. Le voyage en Europe. Un solitaire qu'il avait mis en gage et venait seulement de récupérer, mais il savait qu'elle n'avait jamais désiré cette bague et que c'était lui qui tenait absolument à la lui voir porter. Un manteau de fourrure qu'elle avait porté quinze ans, quotidiennement, faute d'avoir les moyens d'acheter un autre manteau de lainage. Si elle savait, elle ne voudrait plus de la maison. Elle m'y ferait renoncer. Elle ne saura donc jamais ce qui s'est passé aujourd'hui.

— Monsieur Friedman, je n'ai pas envie d'une dispute devant les tribunaux. Je suis beaucoup trop occupé et je pense qu'il en est de même pour vous.

Oui, et puis il serait trop déplaisant d'étaler cette affaire au grand jour, pensa Joseph en son for intérieur. Il était terriblement fatigué et furieux contre lui-même de se sentir blessé. Quoi de surprenant ou de nouveau dans cette conversation, après tout ? Il aurait dû savoir.

M. Lovejoy aussi semblait réprimer sa fureur.

— Si deux mille dollars ne vous satisfont pas, nous pouvons discuter d'un autre prix, dit-il en haussant légèrement le ton.

Tandis qu'il parlait, Joseph voyait défiler des visages : celui d'Anna, celui d'Iris et même celui de Maury, et puis, étrangement, celui d'Eric : un visage qu'il pouvait seulement imaginer parce que ce petit garçon lui avait été ravi par un homme qui devait ressembler à celui qui se trouvait assis en face de lui : un homme mince au visage émacié et austère avec un foulard de soie bleue autour du cou.

— Je ne suis pas quelqu'un que l'on achète, dit-il doucement. Je veux la maison.

M. Lovejoy se leva et Joseph leva les yeux vers cette silhouette qui se dressait au-dessus de son bureau. Il n'avait jamais vu un homme aussi grand.

— C'est votre dernier mot, monsieur Friedman ?

— C'est mon dernier mot.

M. Lovejoy avança jusqu'à la porte puis se retourna.

— Je tiens à vous dire que, toute ma vie, chaque fois que j'ai eu à traiter avec des gens de votre espèce, je les ai trouvés déroutants, difficiles et entêtés. Vous ne faites pas exception, dit-il.

— Depuis deux mille ans que nous avons eu à traiter avec les vôtres, nous ressentons la même chose si ce n'est pas pire.

Je vais rentrer à la maison, raconter à Anna l'incroyable tension qui régnait entre cet homme et moi, pensa Joseph. Non, bien sûr, je ne vais rien lui dire du tout.

M. Lovejoy avait posé sa main sur la poignée de la porte. Ses yeux, gris comme l'océan en hiver, avaient un regard terriblement froid. Il s'inclina légèrement, sortit et referma la porte derrière lui, sans bruit, comme se devait de le faire un gentleman.

Joseph était encore à son bureau quand Mlle Donnelly entra, son chapeau sur la tête.

— Est-ce que je peux rentrer chez moi, monsieur Friedman ? Il est cinq heures passées.

— Oui, oui, bien sûr, allez-y.

— Est-ce que quelque chose ne va pas ? J'ai pensé que peut-être...

— Rien, rien du tout, lui répondit-il avec un geste de la main l'invitant à partir. Je réfléchissais seulement.

Les yeux d'Anna. Parfois il les observait à son insu et saisissait un étrange regard, comme si elle voyait des choses que les autres ne voyaient pas. Des yeux tristes et songeurs qui pouvaient devenir tout à coup rieurs. Son père avait l'habitude de dire que c'était une qualité. Et cet homme dit qu'il ne veut pas qu'elle vienne habiter dans sa rue. A cette idée, Joseph sentit la fureur monter en lui.

J'aurai cette maison coûte que coûte.

Les peintres et les maçons n'avaient pas encore achevé les travaux quand ils emménagèrent, au début du mois de septembre, afin qu'Iris puisse commencer son année scolaire. Elle avait eu la chance d'obtenir un poste d'institutrice dans une école qui, ils l'apprirent plus tard, avait la réputation d'être la meilleure de la région. Mais ce n'est pas ce qu'Iris désirait. Si elle avait pu faire comme elle l'entendait, elle aurait préféré enseigner aux enfants du bas d'East Side ou de Harlem qui avaient certainement davantage besoin d'elle.

— Et moi qui ai passé presque toute ma vie à faire en sorte que nous n'ayons jamais à revenir dans ces quartiers ! grommelait Joseph. Je peux enlever toutes les salles de bains de cette maison pour que tu aies un peu l'impression d'être dans Ludlow Street, si tu veux !

Il fut le premier à reconnaître que ce genre d'humour n'était pas très drôle, même s'il fit rire Anna. Mais Iris eut l'air agacée et le rire d'Anna se transforma en soupir.

Oh, Iris était tellement sérieuse ! Elle semblait ne jamais vraiment s'amuser, se tenant toujours à l'écart de tout pour observer et faire des commentaires sceptiques et acerbes. Elle n'aimait pas les gens trop raffinés du voisinage et pensait que les enfants auxquels elle enseignait reflétaient parfaitement le milieu dans lequel ils vivaient. Elle désapprouvait les transformations qu'Anna avait opérées dans la maison.

— J'aimais mieux la cuisine auparavant, dit-elle en contemplant l'évier en acier inoxydable. La céramique blanche et le carrelage rouge foncé donnaient une allure différente à cette pièce.

— Tu ne penses pas à ce que tu dis !

— Naturellement, je ne faisais pas allusion à la saleté. Mais tu es en train de transformer cette pièce en une vraie cuisine de magazine.

— C'est effectivement là que j'ai pris mes idées : dans un magazine, répliqua Anna d'une voix ferme.

C'était la première fois de sa vie qu'elle pouvait avoir ce qu'elle désirait. Les copies de meubles français au milieu desquelles ils avaient vécu pendant des années avaient été choisies par Joseph. Pourtant, paradoxalement, Anna avait ressenti un pincement au cœur après le passage des déménageurs quand elle s'était retrouvée sans les fioritures dorées, les fleurs peintes et les pieds galbés. Le départ du buffet que Maury avait abîmé avec un marteau d'enfant, il y a bien longtemps, lui avait été particulièrement douloureux. A l'insu de l'intéressée, Joseph et Anna n'avaient seulement gardé que le petit lit blanc qui se trouvait autrefois dans la chambre d'enfant d'Iris. Il se trouvait maintenant dans le grenier de la nouvelle maison, soigneusement enveloppé, car Iris aurait compris trop vite ce qu'Anna espérait encore. Joseph avait abandonné à Anna le soin de choisir leur nouveau mobilier et elle avait certainement dépensé beaucoup moins d'argent qu'il ne l'aurait fait. La salle à manger fut meublée grâce à une vente aux enchères du voisinage où elle avait acheté une table longue et très simple, en pin, et un énorme buffet gallois. A cause de la hauteur de plafond, les pièces exigeaient des meubles massifs, ce qui allait à l'encontre de la mode à cause de l'exiguïté des logements modernes. Il fallait avoir recours aux meubles anciens. Anna avait semé des fleurs dans toute la maison : le tapis de la bibliothèque s'ornait d'un large bouquet, des fleurs blanches et bleues parsemaient le papier peint des murs de l'une des chambres et des pots de géraniums encadraient la porte d'entrée.

La maison commençait à prendre l'allure qu'Anna essayait de lui imprimer et qui la rapprocherait d'une demeure familiale : lentement meublée et décorée au cours des ans et des générations. (Souvenir de la maison Werner où elle avait vécu ? A défaut de véritable authenticité, Anna réussit à trouver une décoration agréable et confortable.)

Elle fit toutefois deux concessions à Joseph qui était beaucoup trop occupé pour prendre part aux opérations. En premier lieu, elle accepta d'accrocher son portrait dans la salle de séjour, au-dessus de la cheminée, et, en second lieu, de placer la pendule dorée sous le portrait en question.

Après avoir objecté qu'elle n'aimait pas voir son image chaque fois qu'elle entrait dans cette pièce, elle avait capitulé.

Anna avait déballé les chandeliers d'argent qu'elle avait serrés dans ses mains pendant un instant avant de les installer sur la table de la salle à manger. Combien de lieux différents avaient-ils connus depuis le temps où sa mère les posait sur la table couverte d'une nappe blanche, chaque vendredi soir ? Mais que devenaient-ils le reste de la semaine ? Anna avait beau interroger sa mémoire, elle ne s'en souvenait pas. Avant cela, ils se trouvaient dans les maisons d'une grand-mère et d'une arrière-grand-mère inconnue.

Quand tout le reste fut installé, Anna déballa ses livres. Elle passa de longs après-midi à les ranger sur des étagères en les classant par sujets : art, biographie, poésie, romans, et par ordre alphabétique.

— On dirait une véritable bibliothèque ! s'exclama Iris qui, pour une fois, semblait approuver sans réserve. Je ne savais pas que tu avais tant de livres.

— La moitié est restée stockée dans des caisses pendant ces dernières années.

— Tu es vraiment heureuse, Maman, n'est-ce pas ?

Anna eut l'impression que sa fille la regardait avec curiosité en posant cette question.

— Oui, très heureuse.

Malgré elle, elle ne put s'empêcher de demander à son tour :

— J'espère que tu connais toi-même un peu de bonheur, Iris ? interrogea-t-elle presque sur le ton de la supplique.

— Ça va. Je suis mieux lotie que les neuf dixièmes du reste de la terre.

Ce qui était juste, mais ne répondait pas à la question que lui posait Anna.

Si seulement Iris pouvait se faire davantage d'amis ! Elle fréquentait autrefois deux ou trois jeunes femmes qui enseignaient dans la même école qu'elle, à New York. Elles allaient souvent ensemble au théâtre, ou au restaurant, pendant le week-end. A présent, Iris n'allait presque plus à New York et restait à la maison à jouer du piano, lire ou corriger des devoirs. Ce n'était pas une vie pour une fille de vingt-sept ans.

Elle évitait de parler à qui que ce soit. Anna l'avait très souvent vue se contenter d'adresser un signe de tête avant de poursuivre son chemin. Or, il fallait faire des efforts, les amis ne tombent pas du ciel ! Dans leur ancien quartier, Anna avait lié connaissance avec presque tout le monde, depuis les gamins en patins à roulettes, jusqu'au cordonnier, en passant par le boucher. D'ailleurs, ce dernier lui avait demandé le numéro de téléphone d'Iris pour le transmettre à son neveu qui venait juste d'être diplômé de l'université de droit de Columbia. Ce qui avait mis Iris en fureur.

Depuis qu'ils avaient déménagé, elle avait essayé d'entraîner sa fille dans ses activités. Il existait un groupe de femmes très actives à la synagogue, dont certaines étaient encore plus jeunes qu'Iris, mais, bien sûr, elles étaient toutes mariées. Anna appartenait aussi à la Ligue des électrices et au Cercle de l'hôpital qui s'occupait de collecter des fonds pour la construction d'un nouveau bâtiment. Anna aimait s'occuper de ce genre de choses. On disait d'elle qu'elle était douée pour l'organisation de réunions ou de journées d'action. Elle savait en effet attirer les gens et trouver les orateurs capables de capter leur attention.

— Tu gagnerais les concours de popularité, lui fit un jour remarquer Iris qui était rentrée de l'école au moment où l'une de ces réunions s'achevait.

Dans cette réflexion, qu'elle avait déjà faite à sa mère, pointait un mélange de critique et de question.

Anna avait souvent essayé de dire les choses simplement : « Si tu es aimable avec les gens, ils sont aimables avec toi. » Mais ce genre de remarque n'avait fait qu'irriter davantage Iris. Aussi préférait-elle prendre les choses avec humour et attribuer son succès à ses cheveux roux. Le charme des rousses...

Sans les nombreux amis et connaissances, la maison aurait semblé désespérément vide, ce qui était le risque habituel des demeures anciennes, surtout quand les oiseaux se sont envolés du nid... si toutefois, il y avait jamais eu un nid ?

Mary Malone était désespérée parce que son fils Mickey était retourné à Hawaii où la guerre l'avait amené à vivre un moment. Toutefois, ses autres enfants demeuraient auprès d'elle, sans parler de ses petits-enfants nés et à naître ! Tandis que moi, que nous... pensait Anna.

Plus d'une fois, elle avait envisagé de monter dans la voiture avec Joseph et de rouler jusqu'à cette ville lointaine. Puis elle irait frapper à la porte et annoncer : « Nous sommes venus voir notre petit-fils. » Et ensuite ? Ces gens étaient intraitables, et l'enfant aurait été le seul à souffrir. Ses amis lui répétaient qu'un jour, quand il serait plus âgé, Eric aurait probablement envie de les voir. Certes, mais toutes les jolies années de son enfance seraient envolées. Il ne serait alors qu'un étranger, poussé par la curiosité ou Dieu sait quoi d'autre.

Pour sortir de cette amertume, Anna avait besoin d'activité. Elle descendait alors dans la cuisine et aidait Céleste à faire la cuisine. Malgré ce qu'elle avait prétendu, les talents culinaires de Céleste n'avaient rien de mirobolant et Anna ne fut finalement que trop contente de conserver ses prérogatives de cuisinière.

Au début, elle n'avait pas désiré de bonne à demeure. Elle estimait qu'avec trois adultes, dont deux étaient partis pendant l'essentiel de la journée, une femme de ménage qui viendrait une ou deux fois par semaine aurait fait parfaitement l'affaire. Mais Joseph s'était fermement opposé à cette solution, objectant que la maison était beaucoup trop grande et qu'il fallait donc quelqu'un en permanence.

Céleste était donc venue habiter chez eux. On ne pouvait ignorer la présence de cette Noire corpulente qui, lorsqu'elle ne chantait pas des hymnes tristes, riait constamment. Elle n'avait jamais voulu dévoiler les raisons qui l'avaient incitée à quitter la Georgie pour venir s'installer dans le nord, laissant derrière elle une vague famille : des enfants ? un mari ? et chacun finit par l'accepter ainsi, sans poser de questions.

Un soir du second automne qui suivit leur installation, Joseph rentrait en voiture à la nuit tombante, quand il fut surpris par une chose insolite sur le bas-côté de la route.

Ayant fait marche arrière, il découvrit un petit chien qui gisait dans l'herbe. Quand il se pencha, le chien souleva faiblement la tête. Sa poitrine et ses pattes étaient couvertes de sang.

Joseph ne savait pas trop quoi faire. Laisser le chien et appeler la police quand il serait rentré chez lui ? Mais, entre-temps, une autre voiture pourrait ne pas le voir, le tuer ou l'estropier davantage ? Il frissonna et regarda l'animal à nouveau. Il reconnut alors, à cause de son poil blanc et de sa tête qui ressemblait à celle d'un mouton, le chien des Lovejoy. Lui-même ne connaissait rien aux chiens et ne les aimait pas beaucoup. Mais il se souvenait de celui-ci, car ils l'avaient aperçu une fois sur la pelouse des Lovejoy et Anna s'était exclamée qu'il ressemblait à un mouton. Puis Iris avait cherché dans un livre — on pouvait faire confiance à Iris pour toujours apprendre et s'informer — et elle leur avait dit que ce chien était un Bedlington terrier.

Allait-il le mordre s'il essayait de le toucher ? Il ne pouvait le laisser dans un tel état. Le chien fit une nouvelle tentative pour se redresser. Joseph n'eut pas le courage de le laisser là. Il descendit de voiture et se rendit compte qu'il n'avait pas de chiffons, rien sur quoi l'allonger. Alors, il enleva son manteau. Quelle autre solution avait-il ? Tant pis si les taches ne partaient pas. Le chien gémit à nouveau quand il le souleva avec des gestes maladroits, mais pleins de pitié.

Il monta la colline et avança sa voiture dans la double allée de la maison des Lovejoy. Une domestique vint lui ouvrir et il entendit une voix de femme demander :

— Qui est-ce, Carrie ?

— C'est Tippy, madame Lovejoy. Il est blessé.

— Je l'ai trouvé sur le bord de la route, expliqua Joseph. Je suis Friedman, votre voisin.

— Oh, mon Dieu ! s'écria Mme Lovejoy après avoir poussé un petit cri.

Joseph tendit les bras et elle prit le paquet que formaient le manteau et le chien.

— Carrie, dites à Bob de sortir la voiture et téléphonez au Dr Chase pour lui dire que nous arrivons chez lui tout de suite.

Puis elle se tourna vers Joseph.

— Comment est-ce arrivé ?

— Je ne sais pas, dit-il, avant d'ajouter, car il venait de comprendre ce à quoi elle pensait : Ce n'est pas moi qui l'ai blessé, je l'ai trouvé sur le bord de la route.

Elle lui tourna le dos, mais il eut le temps de voir qu'elle ne le croyait pas.

— Puis-je récupérer mon manteau, s'il vous plaît ?

Et de ramasser le manteau ensanglanté avant de sortir.

Pendant le dîner, au cours duquel il n'avait rien dit de cet incident à Anna, il se surprit à demander soudain :

— Dis-moi, tu ne trouves pas que cette maison est située loin de tes amis ?

— Oui, effectivement, tout le monde habite à vingt minutes environ de chez nous, répondit-elle, apparemment étonnée. Mais cela ne me dérange pas. Pourquoi cette question ?

— Pour rien. Nous habitons ici depuis un certain temps et je me demandais si tu t'y plaisais autant que prévu. Sinon, on peut toujours vendre et aller s'installer ailleurs.

— Oh, mais je me plais énormément ici ! Il faut que tu le saches.

Le plaisir qu'elle avait à se tenir sur le seuil ou à arpenter la maison en touchant ce qui l'entourait, ne laissait pas de doute sur cette question. Quand les nuits étaient chaudes, elle s'asseyait sur les marches pour contempler les étoiles. Elle faisait la même chose, en Pologne, quand elle était petite.

La sonnette de la porte d'entrée retentit et, quelques instants plus tard, Céleste entra en disant :

— Il y a dans l'entrée un monsieur qui veut vous parler.

C'était M. Lovejoy, un peu gêné.

— Je suis venu vous remercier. Ma femme était terriblement bouleversée à cause du chien et elle s'est rendu compte après coup qu'elle ne vous avait peut-être pas remercié.

— Non, effectivement, mais c'est sans importance.

— Il s'est grièvement blessé sur une bouteille cassée. Le vétérinaire a dit que si vous ne l'aviez pas ramassé, il serait certainement mort d'une hémorragie.

— Je n'aime pas voir souffrir, qu'il s'agisse d'animaux ou d'humains.

Anna arriva derrière lui.

— Que se passe-t-il, Joseph ? Tu ne m'avais rien dit.

— Je n'ai pas jugé cela nécessaire, répondit-il sèchement.

— Votre mari a été très gentil, intervint M. Lovejoy. Ce chien compte beaucoup pour nous, il est comme un membre de la famille.

— Alors je suis heureuse que mon mari ait pu vous aider, dit Anna. Ne voulez-vous pas entrer une minute ?

— Je vous remercie, mais il vaut mieux que je ne m'attarde pas. Vous avez fait des changements dans la maison, ajouta-t-il en s'adressant à Anna. Je la reconnais à peine.

— Venez voir quand vous voulez, vous serez le bienvenu.

— Je vous remercie encore, dit M. Lovejoy en s'inclinant et la porte se referma derrière lui.

— Eh bien, tu n'as pas été très aimable avec cet homme, Joseph. Je ne t'ai jamais vu aussi grossier.

— Tu voulais peut-être que je lui saute au cou ?

— Joseph, je ne sais pas ce qui te prend ! Un monsieur si gentil !

— Comment cela, gentil ? Tu peux juger les gens en une demi-minute ? Parfois, Anna, tu parles comme une enfant !

— Et toi, tu parles comme un fanatique ! Cela m'est égal, mais je pensais que tu souhaitais être en bons termes avec nos voisins. Qui sait, peut-être qu'un jour nous serons amis !

— Certainement ! Ils n'attendent que nous !

— Nous sommes bien amis avec les Wilmot qui habitent au bout de la rue...

— D'accord, d'accord ! Crois ce qui te plaît, après tout, dit-il en lui tapotant le dos.

Des amis ? Si peu. Des relations néanmoins. Joseph contempla un moment la salle de séjour depuis la porte : des flammes dansaient dans la cheminée au-dessus de laquelle était accroché le portrait d'Anna. Non, il ne voulait pas vendre. Il ne voulait pas quitter cette maison, sa maison.

29

Ses parents se rappelèrent à la dernière minute qu'ils étaient invités à dîner ; Iris recevrait donc seule Theo Stern. Ils auraient vraiment pu imaginer un subterfuge plus subtil !

Comme si cela pouvait changer quoi que ce soit ! Ce n'était qu'une humiliation supplémentaire et certainement l'une des pires, car Theo ne manquerait pas de comprendre immédiatement de quoi il retournait. Eux qui vantaient sans cesse son intelligence devaient bien se douter qu'il verrait clair dans leur jeu ?

Angoissée, elle se demandait ce qu'elle allait lui raconter pendant le dîner et durant toute la soirée. Il n'aurait sans doute qu'une idée en tête : rentrer au plus vite à New York. Theo venait voir ses parents, pas elle. Si l'on exceptait les quatre ou cinq invitations au théâtre, simples gestes de politesse destinés à remercier les parents d'Iris pour leur hospitalité, et le jour où ils avaient été à la plage avec deux des fils Malone et leurs femmes, jamais elle ne s'était trouvée seule avec lui.

Chantonnant, Céleste montait l'escalier. Iris sortit de sa chambre.

— Céleste, nous ne serons que deux à dîner.

— C'est ce que m'a dit votre Maman. Si vous voulez, je peux faire une tarte. J'ai encore le temps.

— Faites donc ce que vous voulez ! Je m'en moque. Je me passerais bien de ce dîner.

— Vous ne devriez pas dire ça, rétorqua Céleste d'un air espiègle. C est vraiment un homme bien, ce Dr Stern. Il m'a plu dès que je lui ai ouvert la porte. D'emblée. Faut se fier à sa première impression, n'est-ce pas ?

— Ce n'est pas le problème. De là à lui tenir compagnie pour la soirée...

— J'ai remarqué qu'il ne vous détestait pas, vous savez.

— Bien sûr ! Il nous aime tous. Et vous aussi, d'ailleurs.

— Bon, je vais faire ma tarte. Et des biscuits salés pour accompagner le poulet. La dernière fois, il en a repris au moins quatre.

Même Céleste était captivée par le charme viennois de Theo ! Iris avait cependant quelques scrupules à faire de l'ironie sur ce sujet : n'avait-elle pas affaire à un homme dont la courtoisie et l'esprit faisaient oublier qu'il avait été marqué par l'horreur nazie ?

Theo avait retrouvé leur trace l'année précédente en arrivant à New York. La dernière fois qu'ils avaient entendu parler de lui remontait à l'époque de sa lettre venue d'Angleterre, juste après l'entrée en guerre des Etats-Unis. Iris se souvenait que sa mère avait, une nouvelle fois versé des larmes au récit de l'anéantissement de la famille d'Oncle Eli, jeunes et vieux, y compris Liesel, la jeune femme de Theo Stern, et leur bébé... tous morts. Regarder Theo, c'était imaginer toute cette horreur. On aurait voulu lui prendre les mains pour lui signifier combien on partageait sa peine. Mais, pour un homme qui avait vécu pareille souffrance, c'était sans doute un piètre réconfort.

Theo ne parlait jamais spontanément de lui. Il avait finalement révélé son histoire à travers de vagues allusions, répondant indirectement à des questions détournées.

Des amis anglais qu'il avait connus lors de ses années d'études à Cambridge l'avaient accueilli et l'avaient aidé à retrouver un certain équilibre. Il s'était engagé dans l'armée britannique, mais pas en tant que médecin. Il voulait combattre. Prendre une revanche. Et c'est ainsi qu'il se retrouva dans la Résistance. Enfant, Theo avait vécu quatre ans en France, où son père avait installé une filiale de son entreprise. Là, il avait appris à parler couramment français, y compris l'argot. On put donc le parachuter en France avec des papiers d'identité français. S'il lui arrivait d'être arrêté par les nazis, il devait raconter que son père était instituteur dans une petite ville de province qu'il n'avait pas quittée jusqu'à son entrée à l'université. Et dire qu'il avait été au cœur de tous ces événements, songeait Iris.

Un jour, profondément ému par ce que Theo racontait, Joseph Friedman s'était levé pour poser une main affectueuse sur l'épaule de Theo. Ce dernier avait été très touché par ce geste. L'espace d'un instant, on eût dit que les deux hommes étaient père et fils. Comme si Maury était encore là, parmi eux.

Iris sortit de sa méditation, il fallait songer à se préparer. Elle choisit une robe et des chaussures avant d'aller faire couler l'eau dans la baignoire. Sa mère avait beau lui répéter qu'elle risquait facilement de s'endormir et de se noyer dans un bain trop chaud, rien ne remplaçait un tel réconfort.

Son père, lui, faisait des projets pour Theo ! Il était arrivé à le convaincre d'ouvrir un cabinet en banlieue plutôt qu'à New York. Il l'aiderait même à trouver un local.

— Je connais le propriétaire de Grosvenor Avenue. Pour moi, il vous consentira un loyer raisonnable.

Et si Theo se trouvait à court d'argent pour payer les frais d'installation, Joseph serait très heureux de lui en prêter. Bien qu'il n'eût besoin de rien, Theo fut très touché par cette offre. En somme, il avait retrouvé comme une famille, la seule qui lui restait.

Iris se dit que son père en faisait peut-être trop. Mais, apparemment, Theo ne semblait guère gêné.

C'était un homme au physique agréable, un peu trop maigre à présent et paraissant plus âgé que son âge. Iris cherchait parfois à éviter son regard pénétrant. Il devait plaire aux femmes. Celle qu'il choisirait ne lui résisterait certainement pas, et bien sûr ce serait une femme qui ressemblerait à Liesel. « Une beauté, avait dit Anna, aussi resplendissante que mon frère Eli. » Et donc que Maury, puisque Maury ressemblait à Eli.

Que voulaient donc les hommes ? « De belles filles », de préférence. Les mères des élèves d'Iris étaient très différentes les unes des autres, physiquement ou moralement. Mais toutes avaient quelque chose en commun : le fait d'avoir été choisies. Pourquoi ? Telle était la question qu'Iris ne parvenait pas à résoudre. Certains soirs, allongée dans son lit, elle essayait de chasser de son esprit les pensées qui l'obsédaient. Pourquoi fallait-il que tout se termine par des histoires de sexe ? Au cinéma, les étreintes langoureuses aboutissaient toujours à une scène de lit. Les magazines féminins, pour moralisateurs qu'ils fussent, publiaient des articles sur le sujet, dont le refrain était que les femmes cultivées devraient avoir davantage d'enfants. Existait-il une carrière plus valorisante que celle de mère et d'épouse ? Décorer la maison, faire partie de l'association des parents d'élèves, militer dans une organisation de quartier soucieuse de rendre la ville plus agréable pour les enfants, sans oublier les comités de bienfaisance, tel était le modèle de vie que l'on vous proposait. Mais quoi qu'il en soit, tout commençait dans un lit, avec un homme et une femme.

Parfois, j'ai terriblement honte, se dit Iris. Comme si les gens devinaient, rien qu'à me regarder, ce que je désire, ce que je n'ai pas et n'aurai probablement jamais. Maman est pleine d'attentions pour moi, surtout lorsqu'elle parle très sérieusement et dignement avec ses amies, mais avec moi également de ma « carrière ». Ce qui ne l'empêche pas de tâter le terrain, de tendre l'oreille dès qu'elle entend parler d'un homme seul. Papa a invité un jeune veuf à dîner : dans son esprit, il doit être question de lui trouver une mère pour son enfant, mais ce n'est pas de moi, Iris, qu'il s'agit, ce n'est pas l'individu que je suis qui intéresse, mais la mère potentielle...

Pourtant je ne me résigne pas. Je pourrais chasser définitivement cette idée de mon esprit. J'aurai bientôt trente ans. Il est temps que j'accepte les choses comme elles sont. D'ici un an, je serai titularisée, avec la perspective de quarante ans d'enseignement. Papa se dit qu'ainsi, je n'aurai jamais de soucis d'argent. J'aurai une jolie maison pleine de bons livres et, le soir, j'écouterai de la musique. Peut-être m'arrivera-t-il de faire un voyage en Europe avec un groupe de professeurs, de temps à autre...

Je n'appelle pas ça vivre.

— Quelle est cette plante ? demanda Theo. Elle sent un peu le parfum et le sucre caramélisé.

— Ce sont des phlox. C'est ma mère qui les a plantés sous la fenêtre.

Elle alluma la lumière extérieure afin d'éclairer le parterre de fleurs.

— Ma mère est devenue une vraie campagnarde. Là, près de la haie, ce sont des framboisiers. Et nous mangeons des framboises au petit déjeuner.

— Il y a bien longtemps que je n'ai pas rencontré des gens qui pouvaient se consacrer au jardinage et attendre tranquillement que ça pousse.

Cette phrase n'appelait pas de commentaire. Il n'en espérait d'ailleurs aucun car il reprit :

— Vous vous rendez compte que vous vivez dans une maison merveilleuse ?

— Oh, oui. J'ai connu les années de crise, vous savez. Il y a très peu de temps que nous vivons sur un tel pied.

— Je ne pensais pas à la maison en elle-même, mais à votre famille. Vous avez des parents merveilleux. Des gens chaleureux et gentils. Ils ne doivent pas se disputer très souvent, n'est-ce pas ?

— Oui, ma mère devine toujours les désirs de mon père. Il n'y a pas que cela, bien sûr, mais c'est une des raisons.

— Une femme européenne, quoi !

— Elle est née là-bas, certes. Mais je ne crois pas que l'on puisse encore la qualifier d'Européenne.

— Les Américaines sont si différentes, non ?

— C'est un pays d'une telle diversité... allez donc savoir ce qu'est une Américaine ?

— Dites-moi : ressemblez-vous à votre mère ou à votre père ?

Il la regardait avec des yeux... ! A croire que la question était d'une importance vitale.

Je ne sais pas exactement qui sont mes parents, se dit-elle, et encore moins qui je suis moi-même. Papa est relativement simple à comprendre. Maman est plus secrète et compliquée. Papa la taquine sans cesse sur son côté mystérieux ; en réalité, il en souffre certainement. Certes, ils s'aiment, se vénèrent même, et pourtant, on sent que tout n'est pas parfait entre eux. Il m'arrive de penser que Maman nous cache quelque chose. Il y a ce Paul Werner, dont le souvenir me tient, comme s'il avait quelque rapport profond avec nous. Avec elle. J'ai honte d'avoir de telles pensées. Maman est tellement honnête et respectable... Toutefois, je ne puis m'en empêcher.

Theo attendait toujours une réponse.

— C'est dur de se voir soi-même, n'est-ce pas ? Mais... disons que j'aime les livres et c'est ce qui me rapproche de ma mère. A l'instar de mon père, la religion compte beaucoup pour moi.

— Vous êtes croyante ! Je vous avouerai qu'il s'agit de quelque chose de nouveau pour moi. Nous ne pensions jamais à ça chez moi. Pas d'avantage d'ailleurs dans la maison de mon beau-père, Eduard. Oh, mais il est vrai que vous l'appeliez Eli, n'est-ce pas ? J'avais oublié. Votre Oncle Eli.

— Vous trouvez que c'est ridicule ?
— Non, bien sûr que non !
— Dites-moi la vérité. Je ne vous en voudrai pas.
— Eh bien, disons que je trouve cet attachement à la religion charmant, voire pittoresque. Peut-être suis-je même un peu désolé de ne rien ressentir moi-même.
— Mais vous devez ressentir quelque chose. Ce n'est pas parce qu'on ne pratique pas qu'on ne ressent rien. De toute façon, la pratique change. Papa qui était orthodoxe est maintenant du côté des réformistes qui, au début, le choquaient énormément. Ce que je veux dire, conclut-elle avec gravité, c'est que ce n'est pas la pratique, mais les sentiments qui comptent. Je suis sûre qu'au fond de vous-même vous trouveriez aussi les vérités auxquelles nous croyons.
— Quoi, par exemple ?
— Eh bien, vous avez vu mieux que moi ce qu'une nation sans religion, c'est-à-dire sans morale, est capable de faire.
— Vous avez peut-être raison. Jusqu'ici je n'envisageais pas les choses comme ça...
— Je crois que lorsqu'on vit... ce que vous avez vécu, il est bien difficile d'« envisager ». Il faut d'abord survivre, dit-elle doucement.
— On ne se préoccupe même pas tellement de survivre. Il arrive un moment où l'on se sent coupable d'être encore en vie.
— Je comprends.
— Puis quand tout est fini et que la vie reprend son cours, la fureur vous reprend. Toute cette horreur et ces années perdues ! Alors que vous auriez pu... faire pousser des framboises !
— J'espère que vous n'avez plus le sentiment que c'était du temps perdu... je veux parler de ce que vous avez fait.
— Non, mon opinion a changé depuis que je suis aux Etats-Unis Toute guerre est un gâchis criminel, mais, d'un point de vue strictement personnel, je n'ai pas gâché ces années. J'ai rendu coup pour coup.
Il se leva et marcha jusqu'au bout de la pièce, prit un livre sur une étagère pour le remettre aussitôt à sa place.
— Aussi ce que je veux maintenant, c'est vivre. Je veux travailler, écouter de la musique et au diable la politique ! J'ai envie de choses réelles : par exemple, regarder une femme qui a de très beaux yeux et porte une ravissante robe bleue. Vous avez une robe ravissante, Iris.
— C'est ma mère qui me l'a achetée, dit-elle timidement.
— Votre mère vous achète vos vêtements ?
— Oh, non ! Il s'agissait d'un cadeau. Elle savait que je ne me l'offrirais pas, car je ne vais faire des achats que contrainte et forcée. Je ne m'intéresse pas beaucoup aux questions vestimentaires.
— Ah bon ? Vous vous intéressez à quoi, alors ?
Ce qu'elle avait à dire lui paraissait banal et ennuyeux mais c'était aussi la stricte vérité.
— J'aimerais écrire. J'ai écrit quelques nouvelles qui ont été

refusées, alors j'ai abandonné. Je joue du piano, mais pas assez bien pour envisager une carrière. Reste l'enseignement c'est là que je réussis le mieux.

— Et vous êtes heureuse ?

— Oh, cela me plaît. On m'a dit que j'étais une bonne institutrice, et je veux bien le croire. Excepté que ces enfants n'ont pas vraiment besoin de moi. Ils sont déjà tellement entourés, choyés et ce que je fais pour eux n'est que...

Elle s'interrompit brutalement ; il lui semblait qu'elle en disait trop.

— Je suppose que j'aimerais faire quelque chose de plus important, seulement je ne sais pas quoi, conclut-elle.

— Enfant, dit Theo à brûle-pourpoint, vous deviez être une petite fille très sérieuse.

— En effet. Et je le suis encore. Sérieuse.

— Parlez-moi de votre enfance.

— Il n'y a pas grand-chose à raconter. Une enfance très tranquille. Je lisais seulement. Un peu comme une vie victorienne transplantée au XXe siècle.

Pourquoi parlait-elle tant ? Cet homme lui arrachait les mots de la bouche.

— J'aurais aimé vivre à cette époque-là, poursuivit-elle. Au début du siècle, avant les usines et les panneaux publicitaires. En ce temps-là on ne sacrifiait pas la nature, le monde ne semblait pas aussi hostile.

— Mais vous savez bien que sans les usines, cette jolie maison n'aurait pu exister. Il y a plus d'un siècle, vous auriez vécu dans un taudis ou, plus probablement, dans un ghetto polonais.

— C'est ce que dit mon père. Et, bien sûr, vous avez raison. Seulement, parfois, je me laisse aller à dire des choses ridicules.

— Il n'est pas ridicule de parler de soi. J'ai fait exactement la même chose tout à l'heure.

Theo posa sa tête sur le dossier du fauteuil. Elle n'aurait pas dû lui rappeler l'Europe et la guerre. La pluie se remit à tomber, éclaboussant les feuillages derrière la fenêtre. La pièce était silencieuse.

Theo quitta son fauteuil pour se diriger vers le piano.

— Je vais vous jouer quelque chose de gai. Est-ce que vous connaissez cet air-là ?

Il joua avec brio une petite valse moqueuse puis, pivotant sur lui-même, il se tourna vers elle :

— Je parie que vous ne devinez pas le titre de ce morceau.

— Et moi je parie que si. C'est du Satie. Il a composé trois morceaux dans cette série : « Sa taille », « Son binocle », et « Ses jambes ».

Ils éclatèrent tous deux de rire, mais Theo s'arrêta soudain pour la dévisager.

— Vous êtes vraiment une fille extraordinaire ! s'écria-t-il.

— Pas du tout. Il se trouve seulement que j'ai une mémoire incroyable.

Il se leva et avança vers le fauteuil où elle était assise. Il lui prit les mains et la tirant doucement vers lui, il l'obligea à se lever.

— Iris, j'irai droit au but, tant que j'en ai le courage. Marions-nous. Rien ne s'y oppose, n'est-ce pas ?

Elle n'était pas sûre d'avoir bien entendu.

— Parce que je crois que nous sommes faits pour nous entendre, ajouta-t-il. Je ne sais pas ce qu'il est en pour vous, mais moi, il y a bien longtemps que je ne me suis pas senti aussi heureux que ce soir.

Se moquait-il d'elle ? S'agissait-il d'une plaisanterie stupide ? Elle ne répondait toujours pas.

— Vous devez me trouver maladroit. J'aurais dû être moins direct. Je suis désolé.

Il la regardait droit dans les yeux. Elle vit bien alors qu'il ne s'agissait pas d'une plaisanterie : son regard était doux, plein d'émotion. Il lui embrassa le front. Iris sentit que des larmes lui venaient.

— Vous pleurez, Iris ? De bonheur ou de dépit ?

— De bonheur, chuchota-t-elle.

— Iris, ma chérie, je veux que vous en soyez sûre. Dites-moi...

— Oui, oui, j'en suis certaine.

Il sortit un mouchoir de sa poche et essuya les yeux d'Iris.

— Nous serons très heureux, je te le promets.

Elle acquiesça d'un signe de tête ; elle riait et pleurait en même temps.

Murmures et rires flatteurs emplissent toute la maison : Iris a annoncé la merveilleuse nouvelle. Céleste apporte les cadeaux, les couverts en argent et les verres de cristal, soigneusement enveloppés dans du papier de soie. La mère d'Iris passe son temps à son bureau ou au téléphone, s'occupant des menus, des invitations, du voile de mariée. C'est gênant, se dit Iris, d'être habillée comme une jeune mariée à un âge où les autres femmes conduisent leurs enfants à l'école. Sa mère a accepté de faire les choses assez simplement, mais peut-être pas autant qu'Iris l'aurait souhaité. Quant à son père, il aurait voulu qu'elle arrive sur le dos d'un éléphant blanc avec un palanquin entièrement décoré de diamants. Il est très heureux ; il se passionne pour les projets concernant le nouveau cabinet de Theo. Le grand bureau de la pièce circulaire est couvert de plans dont il discute avec son futur gendre après le dîner. Sa fille épouse un médecin, un médecin de Vienne, qui plus est ! Un fils est revenu dans la maison, un fils vigoureux, brillant et plein d'avenir comme l'était Maury autrefois. Notre Maury qui nous a quittés depuis si longtemps déjà. Pauvre Papa !

Parfois, Iris se dit que Theo est comme un trophée qu'elle aurait gagné. L'euphorie qui règne dans la maison est presque excessive, mais au nom de quoi irait-elle leur reprocher leur joie ?

Son cœur bat à tout rompre, il doit s'agir d'un rêve.

Iris et Theo sur une plage de Floride, par un merveilleux apres-midi.

Elle avait redouté la première nuit, craignant qu'elle ne se solde par un échec. En cachette, elle avait lu nombre de livres traitant du couple, y compris le manuel d'Havelock Ellis. Tout cela paraissait si compliqué alors que la chose existait depuis une éternité, bien avant qu'on en parle dans les livres !

Un peu gênée, sa mère lui avait, un jour demandé : « Y a-t-il quelque chose que tu veuilles savoir ? » Iris avait répondu par la négative, et sa mère avait paru soulagée. De ses lectures, Iris avait retenu qu'ils existait mille façons de plaire ou de déplaire, d'échouer ou de réussir.

Mais dans son cas, il était difficile de parler d'échec. Le plaisir avait été merveilleux et entier, communion parfaite du corps et de l'esprit qui dépassait tout ce qu'elle avait imaginé.

— Tu as l'air heureuse, dit Theo.

— Oui. Je suis même béate et fière.

— Fière ?

— D'être ta femme.

— Tu es un amour, Iris. Déconcertante aussi, mais de la façon la plus agréable qui soit.

— Comment ça ?

— Eh bien, vois-tu, tu donnais l'impression que tu serais craintive et timide au lit.

— Et je ne le suis pas ?

— Tu sais bien que non ! répondit-il en riant. J'ai beaucoup beaucoup de chance !

Il lui prit la main et ils se tournèrent pour exposer leur dos au soleil.

— Quand j'étais petite fille..., commença-t-elle.

— Tu es toujours une petite fille.

— Non, écoute-moi, je voudrais te raconter. J'avais alors sept ans et j'avais très envie d'une poupée avec de longues boucles brunes et un manteau rose en velours garni de fourrure blanche. Je m'en souviens très bien ; c'était une véritable poupée de rêve et j'en avais envie depuis très longtemps. Et puis, le jour de mon anniversaire, lorsque je l'ai trouvée assise sur ma chaise, j'ai éprouvé un étrange sentiment. Je n'étais pas vraiment déçue, mais je ne me sentais plus aussi enthousiaste... Elle était si parfaite ! J'aurais voulu la conserver à l'abri de la moindre poussière, de la moindre tache, et pourtant, je savais qu'à mesure que les secondes passaient, un peu de sa perfection s'en allait.

— Quelles tristes pensées par un si beau jour ! protesta Theo

— Je ne suis pas triste. Mais ce que nous vivons aujourd'hui est tellement merveilleux que je voudrais retenir le temps, m'en souvenir à jamais. Theo, un jour, dans quelques années, nous nous trouverons un hiver dans une rue humide et froide et nous nous souviendrons de cet instant ou, allongés au soleil, nous avions pressenti ce jour d'hiver...

— Tu penses à l'avenir lointain et moi a ce soir ! On mangera peut-être encore de la soupe de poissons, la meilleure que j'ai jamais mangée !

— Theo, mon chéri, dis-moi encore que tu m'aimes.

— Je t'aime, Iris. Je t'aime.

Des nuages avançaient lentement dans le ciel et le soleil déversait ses rayons sur leurs mains jointes.

— Il fait bon, je dormirais presque, dit Theo.

Iris aussi ferma les yeux, des points lumineux multicolores scintillèrent derrière ses paupières. La vie était belle. Sous elle, il lui semblait que la terre entière vibrait à l'unisson de son corps. Elle eût voulu que cet instant dure une éternité.

30

Chris ramena les rames et laissa le bateau voguer à son gré. Eric était préoccupé car il trouvait son cousin Chris changé : il avait perdu sa gaieté habituelle. Il ne venait pas les voir souvent ; il avait une femme, des enfants et un travail. Mais avec son allure sportive et son visage juvénile, on avait du mal à l'imaginer chargé de tant de responsabilités. Toutefois, il avait été le cousin préféré de la mère d'Eric et il ne devait donc pas être aussi jeune qu'il le paraissait. Ils avaient connu des tas d'aventures incroyables dans la maison du Maine, notamment ce jour où le brouillard les avait surpris dans la baie...

Mais aujourd'hui, Chris n'avait pas d'histoire à raconter. Il se pencha en avant ; derrière lui apparurent, dans le lointain, les hôtels et le terrain de golf qui, à l'autre bout du lac, ressemblaient à des jouets d'enfants posés sur un tapis de feutre vert.

— Nous avons eu hier soir une longue conversation avec ta grand-mère...

— Je vous ai entendus en bas, dit Eric.

— Et tu as entendu ce que nous disions ?

— Non, seulement le bruit des voix. Mais j'ai compris qu'il s'agissait de quelque chose de grave. J'ai pensé que vous parliez probablement de moi.

— Oui, c'est juste.

Chris avait un regard anxieux. Il se mit à parler très vite, comme s'il voulait se débarrasser de quelque chose :

— Tu as treize ans, tu es presque une grande personne. J'ai dit à ta grand-mère que tu étais assez grand pour affronter la vérité. Les femmes ne le croient jamais, mais...

— La vérité concernant Grand-Maman ?

— Pour commencer, oui.

— Tu n'as pas besoin de me le dire. Je sais que c'est un cancer.

C'était la première fois qu'il prononçait ce mot tout haut. Les gens le chuchotaient toujours très bas ou bien utilisaient diverses périphrases. Eric se demanda pourquoi ce mot ne le bouleversait pas davantage. Pourquoi était-il aussi indifférent ?

— Depuis quand le sais-tu ?
— Depuis l'hiver dernier, quand elle était à l'hôpital et que les gens se taisaient chaque fois que j'entrais dans la chambre. J'ai deviné.
— Je vois, dit Chris
— Grand-Maman a-t-elle peur ?
— Elle n'a rien dit. Mais je pense que oui. Et toi, qu'en penses-tu ?
La question demeura sans réponse.
— En réalité, je crois qu'elle s'inquiète surtout pour toi, ajouta Chris. Voilà ce dont je voudrais te parler. Elle m'a demandé de le faire à sa place.
— Elle n'a pas besoin de s'inquiéter, répliqua Eric. Je prendrais soin d'elle. Je m'occupais très bien de Grand'Pa et tu sais qu'il était infirme.
— Je sais que tu t'occupais bien de lui. Mais avec ta grand-mère, c'est différent.
— Pourquoi est-ce différent ?
Chris ne répondit pas tout de suite. Il reprit les rames, le bateau avança d'un bond. Ils baissèrent la tête pour passer sous le feuillage d'un saule. Abordant à la rive, Chris abandonna à nouveau les rames. Le bateau s'immobilisa, au sein de cet abri naturel.
— Pourquoi est-ce différent ? redemanda Eric.
Chris retira sa montre : une montre extraordinaire qu'il avait achetée à l'étranger, pendant la guerre, quand il servait dans l'aviation. Il l'avait montrée hier à Eric. Elle donnait la date, était munie d'un réveil, et on pouvait lire l'heure dans le noir. Chris examinait cette montre formidable. Il la secoua un peu, la porta à son oreille, fronça les sourcils, puis la remit lentement à son poignet.
— Elle ne marche plus ?
— Si, si. Je voulais seulement m'en assurer.
Il se décida soudain à parler et les mots déferlèrent comme un flot.
— Eric, la différence est que ta Grand-Maman va mourir. Je ne sais pas comment te dire les choses autrement.
— Mais Jerry... c'est un garçon de ma classe... son père a eu un cancer il y a longtemps, quand nous étions dans les petites classes, et maintenant il va très bien.
— Les choses ne se passent pas toujours comme ça.
— Je poserai la question au Dr Shane !
— Fais-le, si ça peut t'aider. Mais il te dira la même chose, Eric.
Si quelques instants plus tôt, son absence d'émotion l'avait surpris, il sentait maintenant des martèlements oppressants dans sa tête, dans sa poitrine et au fond de sa gorge, une boule chaude qui avait goût de sang.
— Ce n'est pas vrai ! hurla-t-il.
— Je comprends ce que tu ressens. J'ai éprouvé la même chose quand mon grand-père Guthrie est mort.
De l'autre côté de l'écran de verdure, un bateau à moteur passa

en trombe, agitant l'eau tranquille. Probablement Billy Noyes et son père, pensa Eric, ils s'amusent toujours à faire du raffut avec leur bateau.

— Je te comprends, répéta Chris.

Ils restèrent quelques minutes sans parler, puis une autre idée triste vint à l'esprit d'Eric.

— La maison semblera bien vide avec seulement Mme Mather, George et moi dedans.

— Eh bien, c'était justement là que je voulais en venir, dit Chris, qui semblait avoir des difficultés à sortir un paquet de cigarettes, qui dépassait pourtant de la poche de sa chemise. Il fouilla longuement dans une autre poche à la recherche d'une allumette qu'il eut le plus grand mal à craquer.

— Le problème est, expliqua-t-il finalement, le problème est que tu ne pourras pas rester ici. Je veux dire que Mme Mather ne fait pas partie de la famille et qu'elle ne peut pas être responsable de toi, comprends-tu ? Il faut donc que tu vives avec quelqu'un de la famille.

— Est-ce que je vais venir vivre avec toi ?

— Eh bien, non. Oh, ce n'est pas que je n'aimerais pas, mais étant donné les circonstances...

Il tournait autour du pot.

— Voilà : Grand-Maman avait cette idée en tête depuis longtemps. Elle m'en a parlé, ainsi qu'à mes parents et Oncle Wendel, et même au Dr Shane et au Père Duncan. Tous pensent sincèrement que, dans la situation présente, le meilleur foyer pour toi est celui de la famille de ton père.

La voix de Chris était tombée decrescendo, comme à la fin d'un discours ou d'un morceau de musique. Eric vit que Chris l'observait attentivement, visiblement sur ses gardes. Eric avait lui-même l'habitude d'observer attentivement les visages : celui des professeurs pour voir s'ils étaient contents de votre réponse, et celui des adultes en général pour découvrir s'ils disaient toute la vérité ou s'ils en cachaient une partie. Chris avait dit la stricte vérité.

— Je ne savais pas que mon père avait de la famille !

— Oh, si, dit prudemment Chris. Il avait des parents et une jeune sœur.

— Ils sont en vie ? demanda Eric d'une voix qui devint soudain très aiguë, comme cela lui arrivait souvent depuis quelque temps.

— Oui. Ils habitent à New York, ou, plus exactement, dans les environs.

— Mais pourquoi, pourquoi est-ce que tout le monde m'a menti jusqu'à présent ?

— Ce n'était pas exactement mentir. On ne t'a jamais dit que les parents de ton père étaient morts, n'est-ce pas ?

— Non, mais ils disaient toujours : « Tu es tout pour nous, Eric, et nous sommes tout pour toi. » Alors je pensais que...

— Oui, c'était une façon de parler, ou plutôt une façon de ne rien dire, pas un mensonge. Il y a une différence, n'est-ce pas ?

Eric était absolument abasourdi, sous le choc. Il ne savait plus que penser.

— Ils voulaient tout t'expliquer quand tu aurais été plus âgé, poursuivit Chris, et ils l'auraient probablement déjà fait si ton grand-père avait survécu. Tu aurais pu alors rencontrer tes autres grands-parents. Oui, c'était très exactement leur intention, conclut-il d'un ton plus assuré.

— Mais pourquoi ce secret pendant si longtemps ?

— Tu sais comment sont les gens, Eric, reprit Chris après un instant de silence, ils ne sont pas toujours du même avis. Pour dire les choses simplement, ils ne s'aimaient pas. Il y a eu beaucoup d'amertume quand tu es parti vivre avec les parents de ta mère et non avec ceux de ton père.

— Tu veux dire qu'ils me voulaient aussi ?

— Oh, oui, beaucoup. Ils aimaient leur fils et tu étais son enfant.

— Mais pourquoi ne s'entendaient-ils pas ?

— J'ai peine à le dire, Eric, même si je suis sûr que tu commences à comprendre combien le monde est compliqué... mais il s'agissait d'une question de religion.

— Ils étaient catholiques, alors ? C'est ça ?

— Non, pas catholiques. Juifs.

Juifs ! C'était la chose la plus insensée qu'il ait jamais entendue ! Comment était-ce possible ?

Juifs ! Comme David Lewin à l'école. Il ne connaissait pas d'autre Juif. Il se souvenait de l'année où David était arrivé à l'école. Tout le monde l'aimait bien, excepté un garçon, Bryce Henderson. Non, deux garçons : Phil Sharp aussi. Ils faisaient sans cesse des réflexions méchantes à David parce qu'il était juif et, une fois, David avait riposté par un coup de poing qui avait fait saigner le nez de Bryce. Le directeur avait alors convoqué David dans son bureau pour lui demander d'expliquer son geste. De son côté, le directeur avait rappelé qu'il était le premier à critiquer le fanatisme et les préjugés — c'est quelque chose que nous avons combattu dans cette guerre —, alors David n'avait pas dénoncé les deux autres et avait gardé tous les torts pour lui. Rudement chic de sa part, voilà ce qu'avaient proclamé la plupart des gars de la classe.

Oui, c'était un garçon sympa ce David. Une fois, Eric et Jack Mackenzie avaient été invités chez lui, dans une maison qui se trouvait près du magasin de confection que ses parents tenaient à Cyprus. Eric se souvenait qu'il s'agissait d'une sorte de fête, qu'il y avait un grand dîner avec du vin. Le père de David buvait son vin dans une timbale en argent et tout le monde chantait. C'était agréable, mais en même temps étrange. A son tour, Eric avait invité David, mais leurs bonnes relations en étaient restées là. David aurait probablement voulu devenir son ami, mais Eric ne voyait pas très bien pourquoi.

Mon père était donc comme ce David ! se dit-il. Comment arriver à le croire ! Son cœur battait à tout rompre. Non, il n'aimait pas cette idée. C'était vraiment trop bizarre, trop étrange. Différent.

— Ils auraient vraiment dû te le dire plus tôt, dit Chris comme pour lui-même. Du moins, c'est ce que j'ai toujours pensé. Ce que nous pensions tous... Mais ils croyaient faire pour le mieux.

— Connaissais-tu mon père ?

— Oui, bien sûr. C'était un type formidable. L'un de mes meilleurs amis à Yale.

— C'est vrai ?

Eric ne put retenir un sourire sur ses lèvres ; il ne savait s'il allait rire ou pleurer, à moins qu'il n'éclate de ce rire un peu fou qui vous surprend au beau milieu d'un film à suspense, tant vous avez peur de ce qui va arriver ensuite...

— Est-ce que... Je n'ai jamais su comment il était physiquement.

— Tu veux savoir si j'ai des photos ? Oui, nous jouions au tennis ensemble. Je regarderai dès que je serai à la maison et je te les enverrai.

— En attendant, dis-moi comment il était.

— Eh bien, un peu comme toi. Tu seras grand comme lui. Et comme toi il avait des cheveux clairs et des sourcils épais.

Chris cala son menton dans sa main, l'air pensif.

— C'est drôle, poursuivit-il, nous devions devenir tous deux avocats... nous avions tellement confiance en l'avenir. Et il n'est plus là et moi je travaille dans une compagnie pétrolière. La vie est pleine de surprises, Eric, comme tu viens de le découvrir toi-même. On ne sait jamais ce qui nous attend au détour du chemin.

Eric eut soudain le sentiment qu'il n'y avait rien à quoi se raccrocher, rien de ferme, pas même la terre qui se trouvait sous ses pieds. Une profonde angoisse le submergea.

— Et quand dois-je partir ? cria-t-il, pris de panique.

— A la fin de ce mois, quand le trimestre sera fini.

— Je ne veux pas aller vivre avec eux ! Je ne les connais même pas !

Chris déglutit et la pomme d'Adam qu'il avait proéminente au point qu'Eric n'avait pu s'empêcher de l'observer la veille au soir pendant tout le dîner, monta et descendit dans son cou.

— Ecoute, Eric, je me rends bien compte que c'est une situation extrêmement difficile et je ne voudrais pas être à ta place. Je n'en sais pas plus que toi et je n'ai nullement l'intention de te leurrer, j'espère que tu me crois.

— Oui, je pense.

— Mais tu le sais bien, alors écoute-moi. Ils sont certainement très bons ; sinon ils n'auraient pas pu avoir un fils aussi gentil et aussi bien que ton père. Ils vont t'aimer, d'ailleurs, je suis sûr qu'ils t'aiment déjà ! Ce n'est pas leur faute si tu ne les connais pas. Et ils sont aussi proches de toi que Grand'Pa et Grand-Maman, ne l'oublie pas.

Je ne veux pas y aller, je ne veux pas...

— Et George ? demanda tout à coup Eric. Je ne peux pas partir sans George !

Le chien dressa les oreilles en entendant son nom et regarda successivement Chris et Eric d'un air interrogateur. Puis il posa son énorme patte sur le genou d'Eric.

— Je suis sûr que tu pourras l'emmener avec toi.

— Mais pourquoi est-ce que je ne peux pas vivre avec toi, Chris ? Je ne te poserai pas de problème, je t'assure.

— Je sais. Mais, vois-tu, Eric, Fran et moi allons partir au Venezuela pour mon travail pendant quatre ou cinq ans. Et nous avons déjà trois enfants.

— Je pourrais vous aider à vous occuper des enfants.

Le visage de Chris se contracta.

— Eric, je souhaiterais vraiment pouvoir le faire. Mais Fran attend un autre enfant et elle ne peut pas... elle ne se sent pas capable d'accepter une responsabilité supplémentaire. Tu comprends ce que je veux dire, Eric ? Dis-moi !

Il ne comprenait pas, mais il n'avait nullement envie de discuter.

— Tu sais, mes frères sont célibataires, mes parents voyagent tout le temps depuis que mon père a pris sa retraite, Oncle Wendel a quatre-vingts ans passés. Mais l'endroit où tu auras un foyer et une éducation existe. Tu verras, Eric, tu seras heureux là-bas ! Je t'écrirai souvent et tu me répondras pour me raconter ce que tu fais, me dire si tu es heureux, ce dont je ne doute pas. Eric, tu comprends, n'est-ce pas ? Ce n'est pas du tout que nous ne voulons pas de toi. Eric ?

Il savait que s'il répondait, sa voix irait à nouveau se percher dans les aigus. Sa gorge était nouée ; non, il ne chialerait pas comme un gosse ! Il n'avait plus pleuré depuis des années.

Mais, soudain, il éclata en sanglots, hoquetant et s'étonnant lui-même du bruit qu'il faisait ; il avait honte. Affolé, il se sentit terriblement seul ; il cacha son visage dans ses mains.

Après un moment de silence, Chris reprit la parole, doucement, presque comme s'il se parlait à lui-même et se moquait bien qu'on l'écoute ou non.

— J'ai pleuré quand mon copain a été descendu au-dessus de l'Allemagne. Oui, je me souviens combien j'ai pleuré. J'ai vu l'avion tomber en flammes, striant le ciel d'une grande ligne rouge... J'ai souvent revécu cette scène dans des cauchemars et je me réveillais en pleurant.

Le bateau dansait sur l'eau. George quitta son banc pour s'allonger sur le fond du bateau, son museau appuyé sur les chaussures d'Eric. Au bout de quelques minutes, Eric sentit qu'on lui glissait un mouchoir dans la main. Il se moucha et essuya ses larmes avant de lever les yeux. Chris avait détourné son regard puis, attrapant les avirons, il se remit à ramer. Repassant de l'autre côté du rideau de verdure, ils retrouvèrent le soleil qui les éblouit. Ils voguèrent doucement en direction de la maison.

— Chris, faut-il vraiment que je parte si vite ? Est-ce que je ne pourrais pas rester ici jusqu'à la fin de l'été et partir à l'automne, pour la rentrée des classes ?

— Je ne crois pas que ce soit une très bonne idée, répondit gentiment Chris après l'avoir regardé pendant quelque temps.

Et Eric comprit ce qu'il voulait dire : ta grand-mère ne vivra peut-être pas jusqu'à la fin de l'été.

— Alors est-ce que tu vas leur dire ?... commença Eric. (Au fait comment devait-il les appeler ? Certainement pas « monsieur » ou « madame », mais pas davantage « Grand'Pa » ou « Grand-Maman ».) Est-ce que tu vas les appeler et leur dire que...

Il n'arriva pas à terminer sa phrase.

— C'est déjà fait. Pour tout te dire, à l'heure qu'il est, ils sont même en route pour venir te voir.

— Aujourd'hui ? Cet après-midi ?

— Oui... J'étais censé venir la semaine dernière pour te parler de tout ça, mais j'ai dû me rendre à Galveston pour mon travail ; voilà pourquoi je te dis tout maintenant, à la dernière minute. Je suis désolé.

— J'aurais préféré avoir le temps de réfléchir à tout ce que tu m'as dit.

— Ce sera peut-être mieux ainsi. Je veux dire que c'est peut-être mieux de ne pas trop réfléchir.

George remonta sur le banc, sa grosse tête arrivait presque à la hauteur de celle d'Eric. Le chien s'appuya tout contre lui, comme s'il comprenait. Eric était certain que George sentait quand il avait besoin d'être consolé. Il repensa à la seule et unique fois où il avait été très sévèrement puni. Il avait dix ans, et il avait mis la voiture en marche et même roulé sur la route. Peu de temps après, Grand'Pa avait eu son attaque cardiaque et était mort sur le seuil de la maison, après le dîner. Ces deux fois-là, il était monté dans sa chambre et avait passé toute la soirée avec George dans ses bras, exactement comme à présent. Il existait une complicité entre George et lui qu'il ne ressentait avec personne d'autre.

Le bateau heurta doucement le quai avec un bruit mat. Chris l'amarra.

— Grand-Maman va certainement vouloir te parler, dit Chris tandis qu'ils traversaient la pinède en direction de la maison. Vois-tu, elle est beaucoup plus préoccupée par toi que par sa maladie. Tout deviendra beaucoup plus facile pour elle, y compris retourner à l'hôpital, si elle sait que tout s'arrange pour toi. Souviens-toi que c'est difficile pour elle aussi.

Eric savait qu'il la trouverait dans le petit salon du premier étage, assise derrière son bureau. C'était là que, depuis quelque temps, elle passait le plus clair de ses journées, rangeant des papiers, réglant des factures et consultant des liasses de documents envoyés par des hommes de loi.

Il attendit dans l'encadrement de la porte, et, comme elle n'entendait pas toujours les gens monter l'escalier, il appela :

— Grand-Maman ? Grand-Maman !

Elle pivota sur sa chaise et il vit immédiatement qu'elle avait les yeux rouges. Il ne l'avait jamais vue pleurer auparavant ; quand Grand-Pa était mort, elle avait même dit d'une voix calme : « Il est mort sans souffrir, dans sa maison, à la fin d'une heureuse journée. Nous devons nous souvenir de cela et ne pas pleurer. »

Mais à présent, elle pleurait. Elle se leva et appuya sa tête sur l'épaule d'Eric qui était maintenant aussi grand qu'elle. Il la consola de la même façon que Chris avait essayé de le faire avec lui, quelques instants plus tôt dans le bateau.

— Tout ira bien, Grand-Maman, je te le promets. (Souviens-toi que c'est difficile pour elle aussi, lui avait dit Chris.) Prends seulement soin de toi et ne t'inquiète pas pour moi.

— Oh, mon petit, s'écria-t-elle en se redressant soudain, comme j'ai tort de me laisser aller ! Comme s'il y avait quoi que ce soit à redouter ! Tu auras un bon foyer, on s'occupera bien de toi. Ce n'est pas pour ça que je pleure, c'est seulement que...

Elle n'acheva pas sa phrase, mais Eric comprit ce qu'elle aurait voulu dire : la séparation, le déracinement... Comme cette nuit de violente tempête où le grand orme qui se dressait depuis près de soixante-quinze ans au-dessus du toit de la maison, avait été déraciné et jeté à terre. Eric se souvenait qu'il s'était demandé alors si les arbres souffraient.

— Assieds-toi, lui dit sa grand-mère.

Prenant sur elle, elle essuya ses yeux et ses lunettes, et montra le visage qu'il avait toujours connu. Son expression était presque toujours identique. Même si elle était heureuse, son visage avait quelque chose d'austère et résolu. Quand elle était fâchée — et il lui arrivait de se mettre très en colère — Eric la trouvait parfois détestable. Mais aujourd'hui, il n'en était rien. Il ne songeait qu'à une chose : ce visage allait disparaître de sa vie.

— Je suis sûre que tu as plein de choses à me demander. Des choses que ton cousin Chris ne t'aurait pas expliquées...

— Il m'a tout expliqué, mais je ne comprends toujours pas.

— Bien sûr. Comment pourrais-tu assimiler tous ces changements en quelques minutes ? J'aimerais tant que nous ayons plus de temps.

— Dis-moi, pourquoi ne sont-ils pas venus me voir avant ? Pourquoi un tel secret ?

— Nous étions d'accord, nous étions tous d'accord pour penser que cette situation était trop troublante pour un jeune enfant. Tu n'étais qu'un bébé... Nous voulions éviter que tu t'interroges sur tes origines, que cela nuise à ton équilibre. Oui, c'était sans doute la bonne solution, tu as toujours semblé si heureux... Toutefois, ajouta-t-elle d'un air pensif, toutefois un certain nombre de choses m'ont toujours désolée. M. et Mme Friedman — je voulais te dire à ce propos, Eric, que nous avons orthographié ton nom différemment, pour le simplifier, le rendre plus anglais. Mais ils disent « Friedman. I, E, D. » A la manière allemande.

Et comme Eric ne faisait aucun commentaire, elle ajouta :

— Je sais que ce doit être terrible pour toi de découvrir que même ton nom ne s'écrit pas comme tu le croyais.

Tu vas connaître une nouvelle vie, Eric, poursuivit-elle tandis que son petit-fils demeurait toujours silencieux. Tu découvriras des tas de choses dans cette grande ville. Tu te souviens comme nous nous étions bien amusés l'année dernière durant ce week-end où nous étions allés au théâtre, au planétarium et...

Mais Eric n'avait guère la tête à de telles évocations.

— Pourquoi est-ce que tout le monde se hait ? Est-ce donc si terrible d'avoir une autre religion ?

— La haine, dit sa grand-mère en soupirant, n'était pas seulement de notre côté. Crois-moi. Bien sûr, Grand'Pa avait des idées très arrêtées et je ne peux pas dire que je les approuvais toutes. Il était très fier d'être américain et en un sens, je comprenais ce qu'il voulait dire avec ses sempiternels : « Qu'ils aillent leur chemin et moi le mien. »

— Mais s'il... s'il les haïssait tant... comment se fait-il qu'il ne m'ait jamais parlé d'eux ?

— Parler d'eux, c'était parler de toi et il t'aimait tant ! Mais si les choses n'avaient dépendu que de moi, j'aurais agi différemment. Je ne reproche rien à ton grand-père. Il a fait ce qu'il jugeait le mieux pour toi. Il avait peut-être raison ; ballotter un enfant entre deux mondes différents, ce n'est pas bien...

— Tu les connais, les parents de mon père ? demanda soudain Eric.

— Je les ai rencontrés une fois seulement, à la mort de tes parents. Oh, Eric, ce sont des gens très bons, très gentils. Je suis sûre qu'ils te parleront de tout cela quand tu les connaîtras. J'ai été en contact avec eux au téléphone durant ces dernières semaines et...

Chris frappa à la porte.

— Puis-je me joindre à vous ou est-ce confidentiel ?

— Rien de confidentiel. Eric et moi poursuivions la conversation que tu as commencée. Je pense... j'espère qu'il comprend un peu.

— Tante Polly, tu devrais peut-être aller t'allonger, lui conseilla Chris d'une voix insistante.

— Oui, je crois que je vais aller me reposer pendant un petit quart d'heure.

Elle se leva et fit quelques pas chancelants avant de prendre appui sur le dossier d'une chaise.

Eric détourna les yeux et regarda par la fenêtre. Quand le vent agitait les feuilles des arbres, on distinguait entre leurs branches le lac argenté et étincelant. Voilà ce qu'il allait quitter aussi. Cette maison, ces arbres, ces visages — excepté celui de Grand-Maman ! — demeureraient et lui, Eric, ne serait plus là. Il serait ailleurs, dans un endroit où il n'était jamais allé.

— Grand-Maman ! Leur as-tu demandé si... je veux dire qu'il faut que je prenne George. Je ne peux pas partir sans George, tu sais.

— Je pense qu'il n'y aura aucun problème, répondit-elle en adressant un sourire à Chris. Eric, n'oublie pas qui tu es, ajouta-t-elle en arrivant à la porte. Nous avons essayé de t'enseigner les bonnes manières et je sais que tu les connais. Tu ne les oublieras pas, n'est-ce pas ?

— Je n'oublierai pas, dit-il. Et maintenant je pense que j'aimerais aller faire un tour. Oh, pas loin, précisa-t-il, en voyant leur regard interrogateur.

Il lui était venu l'idée d'aller discuter avec le Dr Shane. Mais quand il aperçut que la voiture n'était pas dans le garage, en un sens, il se sentit soulagé. Chris avait raison : le docteur lui aurait certainement répété ce qu'il savait déjà. Il revint sur ses pas pour aller voir son ami Teddy, mais Teddy était parti chez le dentiste et, encore une fois, cette absence le soulagea. D'un côté, il lui fallait se confier à quelqu'un ; de l'autre, il ne voulait voir personne

Les chevaux des Whitely étaient en train de paître près de la route. Eric s'avança jusqu'à la barrière, attendant que les chevaux le voient. Il se demandait si ces derniers le reconnaissaient vraiment ou s'ils sentaient seulement le sucre qu'il avait dans ses poches. Ils promenèrent leurs doux naseaux contre sa paume. Lafayette, le poney brun et blanc, avait l'habitude de poser sa tête contre l'épaule d'Eric. Comme il voudrait le monter, chevaucher à travers les bois déserts, se laisser entraîner au loin et ne plus penser à rien... Ni à Grand-Maman, ni à l'école, ni à son éventuelle admission dans l'équipe senior de basket, improbable dans son école, possible dans une autre, mais laquelle ? Ne plus penser à rien du tout. Les animaux — les chiens et les chevaux surtout — comprenaient, eux. Parfois, Eric se sentait mieux en leur compagnie qu'en celle des humains. Son grand-père lui avait promis de lui offrir un cheval pour ses douze ans mais Grand'Pa était mort et sa grand-mère lui avait expliqué qu'étant donné le coût de l'école et de bien d'autres choses, elle n'avait pas les moyens d'entretenir un cheval. Mais les Whitely, très gentiment, lui laissaient monter Lafayette quand il le voulait.

— Plus de sucre, dit-il tout haut en donnant le dernier morceau.

Puis, George sur ses talons, il poursuivit sa route, sans trop savoir où il allait.

Au sommet d'une petite côte, la route bifurquait ; l'une des branches rejoignait la route nationale un kilomètre plus loin. C'était la limite jusqu'où il avait la permission de se promener quand il était petit. Il se rappela l'époque où il n'avait pratiquement pas quitté Brewerston : souvent il restait là à contempler la route, se demandant où elle allait après le virage, qui habitait au-delà et ce qui se passait là-bas. Cette idée le fit sourire. Quel enfant, j'étais ! pensa-t-il. Il ne connaissait vraiment rien. Il n'en connaissait guère plus aujourd'hui, excepté le Maine, les chutes du Niagara qu'il avait été voir avec la famille de Teddy et New York qu'il avait découvert l'année dernière avec sa grand-mère. La curiosité, l'enthousiasme qui l'avaient animé à la vue de cette route menant vers l'inconnu ou d'hypothétiques promesses, allaient-ils renaître ? Pour le moment, il ne voyait qu'un grand trou noir. L'école, Teddy et tous ses amis, l'équipe de scouts, son bateau, sa chambre et Lafayette, tout cela allait disparaître de sa vie, être effacé comme lorsqu'on passe l'éponge sur un tableau noir.

Il revint sur ses pas. Sa grand-mère allait tout perdre et lui s'apitoyait sur lui-même. Elle disait qu'elle allait retrouver

Grand'Pa. En était-elle vraiment convaincue ou voulait-elle seulement le réconforter et se réconforter elle-même ? En tout cas, il espérait qu'elle ne souffrirait pas trop.

Un peu plus loin il reconnut la voiture du Père Duncan qui tournait dans l'allée des Busby. Le Père Duncan devait rendre sa visite hebdomadaire à la vieille femme qui s'était cassé la hanche. Eric allait s'éloigner, ne se sentant pas d'humeur à faire des politesses ou à entamer une conversation, mais le Père Duncan lui fit signe.

— Ainsi tout a été arrangé, n'est-ce pas, Eric ? J'ai parlé il y a un instant avec ta grand-mère au téléphone.

Il sembla à Eric que tout le monde, excepté lui, était au courant de ce qui allait lui arriver. On avait décidé de son avenir de la même façon qu'on vend un cheval ou un chien, sauf que lui ne vendrait jamais un cheval ou un chien.

— S'il y a des choses qui t'inquiètent, Eric, viens m'en parler. Demain ou quand tu voudras. Qu'en penses-tu ?

— Non, tout va bien.

Il y avait tant de choses dont il aurait voulu parler. Autant chercher une aiguille dans une meule de foin. Alors, à quoi bon !

— Laisse-moi te dire une seule chose, Eric. Tes grands-parents paternels ont une foi différente de la tienne : tu dois la respecter, tout en conservant la tienne. Si tu le veux, tu peux parfaitement concilier les deux choses : votre amour réciproque et ta foi. Tu comprends ?

— Oui, Père.

— Tu te souviens que le Christ a dit à ses disciples : « Et je serai toujours avec vous, jusqu'à la fin du monde. » Si tu te sens seul, pense à lui et tout s'arrangera.

— Je sais, répondit Eric, qui n'écoutait pas vraiment.

— Eh bien, je vais aller voir Mme Busby, dit le Père Duncan.

La voiture du Dr Shane n'était toujours pas dans le garage et Lafayette continuait à paître tranquillement près de la barrière. En approchant de la maison, Eric aperçut une longue voiture noire dans l'allée. Même de loin, il reconnut que c'était une Cadillac.

Il ralentit le pas. Oh, zut, pensa-t-il, pourvu qu'ils ne s'attendrissent pas trop, qu'ils ne se mettent pas à pleurer, à me serrer dans leurs bras et toutes ces niaiseries. La peur et la gêne le firent transpirer.

Sa grand-mère étaient sur le perron avec d'autres personnes. Regardant du côté de la route, elle le cherchait. Elle l'aperçut, enfin.

— Eric ! appela-t-elle.

Il sentit son cœur cogner, vraiment cogner contre sa poitrine. Pourvu qu'il ne se laisse pas aller à sangloter ou, pire, à vomir. Les mots de son grand-père à propos des guerres avec les Indiens et des glorieux ancêtres lui revinrent alors. Il savait que c'était absurde, qu'il n'y avait aucun point commun avec la situation présente. Pourtant, son grand-père aurait certainement attendu de lui qu'il arrivât la tête haute.

Tous se tournèrent vers lui. Eric vit un homme avec un costume de ville et une femme grande, vêtue d'une robe de couleur vive, qui semblait trop jeune pour être une grand-mère. Sa grand-mère. Peut-être était-il en train de rêver ? La femme avait de surprenants cheveux roux. Eric ne s'attendait pas à ça. S'attendait-il vraiment a quelque chose ?

Les gens descendirent les marches. Eric se redressa, et tenant George par le collier, il traversa lentement la pelouse.

31

Anna sortit la pâte tiède de la jatte avec d'infinies précautions et la posa sur la table, puis elle la farina et prit le rouleau à pâtisserie. Elle se sentait toujours envahie par une paix profonde quand la cuisine lui appartenait et qu'elle pouvait se consacrer sans hâte à sa besogne.

— Que fais-tu ? demanda Eric qui arrivait du jardin.

— Un strudel. Tu sais ce que c'est ?

Il secoua la tête en signe de dénégation.

— C'est une sorte de tarte, mais, à mon avis, bien meilleure. J'en ai déjà fait une fournée ce matin pour Tante Iris et sa famille. Va donc en prendre un morceau dans le garde-manger, tu m'en diras des nouvelles !

Quand la pâte fut étalée, elle l'imbiba de beurre salé à l'aide d'un pinceau et commença à l'étirer soigneusement afin de ne pas la déchirer et obtenir une pâte aussi fine qu'une feuille de papier. Eric observait ces opérations en silence. Il s'était coupé une petite part de strudel et mangeait, debout à côté de la table.

— C'est tout ce que tu prends ? Tu n'aimes pas ça ?

Il fit comprendre d'un signe de tête qu'il le trouvait bon.

— Eh bien, prends-en davantage ! Va t'en couper un gros morceau. Un grand garçon comme toi a besoin de se nourrir.

Elle lui sourit et il lui adressa à son tour un sourire pour ne pas demeurer en reste.

— Veux-tu du lait ? Quelque chose pour faire descendre ?

Il alla jusqu'au réfrigérateur et se servit un verre de lait. Il avait soif. Tout en coupant la pâte et en préparant la garniture, Anna l'observait du coin de l'œil.

Après quatre mois de vie commune, Anna ne s'était pas encore familiarisée avec la présence de cet étranger qui était néanmoins de son sang. Elle ne cessait de découvrir de nouveaux signes de cette appartenance : un grain de beauté sur la joue ou une cicatrice sur le coude. Ce garçon aurait beaucoup de distinction quand il serait grand. Ses beaux cheveux blonds épais étaient parsemés de mèches presque blanches, décolorées par le soleil. Le nez aquilin donnait à son visage une certaine élégance, de la race. Et ses yeux étaient d'une candeur charmante.

Anna se demandait s'il avait été plus communicatif, auparavant. Après l'école, une nuée de garçons bruyants envahissaient la maison, mais Anna avait remarqué qu'Eric se tenait toujours un peu à l'écart, assez silencieux. Pourtant, il n'était nullement rejeté ni boudé par ses camarades. De plus, sa grande taille et son physique agréable lui permettaient de franchir avec succès le cap difficile de l'adolescence. A cet âge, être trop réfléchi ne représente guère un atout, pensa-t-elle en se rappelant Iris, surtout lorsqu'on ajoutait à cette réserve des manières héritées de l'école privée. Les professeurs de l'école publique qu'il fréquentait désormais avaient, à sa grande confusion, appris à Eric qu'il ne devait pas s'adresser à eux en les appelant « sir ». Il l'oubliait parfois et utilisait aussi cette formule lorsqu'il parlait à des adultes.

Heureusement, Eric était un excellent joueur de basket-ball et son enfance passée au bord d'un lac avait fait de lui un solide nageur : tous ces dons sportifs jouaient en sa faveur. Iris, toujours préoccupée de psychologie, s'était rendue à l'école avant la rentrée pour parler d'Eric avec un conseiller pédagogique. Elle y était retournée la semaine dernière et on lui avait dit qu'Eric s'adaptait bien et même très bien, étant donné le bouleversement que représentait un tel changement de situation.

Quel courage il avait fallu ! Le trajet du retour, ce premier voyage depuis Brewerston, aurait été impensable si cet homme appelé Chris, le cousin, ne les avait accompagnés. Il était resté ensuite deux jours pour aider Eric « à s'installer ». Eric n'avait presque pas ouvert la bouche de tout le trajet. Qu'y avait-il à dire ? Joseph, de son côté, était si tendu qu'il n'avait pas davantage parlé. Aussi Chris et Anna avaient-ils bavardé pendant une heure ou deux au sujet du Mexique où Chris venait juste de passer six mois. Il avait décrit Mexico en long et en large ; il connaissait le quartier où vivait Dan et avait expliqué à Anna que c'était un quartier agréable avec de jolies maisons. Ils avaient ensuite parlé de Maury. Anna avait oublié que Chris était ce jeune homme que Maury avait tant admiré et qu'il était allé voir dans le Maine. Chris lui avait rappelé quel étudiant brillant Maury avait été et comment ils s'étaient tous deux rencontrés à cause d'un accident. Et Anna avait pensé : un étranger tombe une nuit d'hiver sur un sol verglacé et une demi-douzaine de vies s'en trouvent transformées. Le destin a des voies impénétrables...

Mais Eric s'en sortait bien, Dieu merci. Tout le monde le disait.

Anna ouvrit la bouche avec l'envie de dire : Eric, je t'aime. Quel bonheur de t'avoir avec nous ; c'est comme si ton père était revenu parmi nous...

Elle s'était une fois laissée aller à ce genre d'élan au cours du premier mois qui avait suivi son arrivée : émue, elle n'avait pu retenir des larmes de tristesse et de joie. Elle avait saisi les mains de ce petit-fils retrouvé et les avait embrassées. Il s'était écarté d'elle avec une expression si étrange (affolement ? dégoût ? gêne ?) qu'Anna n'avait jamais recommencé.

Elle expliqua d'une voix calme, autant pour lui que pour elle-même :

— Maintenant on met les pommes, quelques raisins secs et des amandes, et j'ajoute toujours des groseilles. La plupart des gens ne le font pas, mais je trouve que cela donne un très bon goût, ne trouves-tu pas ? demanda-t-elle en coupant la pâte roulée et fourrée en trois morceaux.

Eric acquiesça d'un mouvement de la tête.

— Tu ne m'appelles jamais par aucun nom et ton grand-père non plus, fit remarquer Anna, qui, cette fois, n'avait pas envie de cacher sa pensée. Bien sûr, tu ne peux pas nous appeler « Grand'Pa » ou « Grand-Maman », mais tu pourrais décider pour quelque chose, non ?

— Je ne sais pas quoi choisir, dit Eric.

— Quand tu étais tout petit et que tu commençais juste à parler, tu m'appelais Nany.

— Oh oui ? Je ne m'en souviens pas.

— C'est normal. Mais pourquoi ne m'appellerais-tu pas comme ça ? Et tu pourrais appeler ton grand-père tout simplement « Grand-Père », n'est-ce pas ?

— Très bien. Je vais commencer tout de suite, Nany.

— Eric ? Est-il très dur pour toi d'être ici ? ...Oh, je m'exprime mal, bien sûr que tout cela a été très dur pour toi... mais je veux dire : est-ce à cause d'*ici* ? Est-ce vraiment trop différent ?

— Non, non. C'est très bien. J'aime bien l'école, ma chambre et tout le reste. Honnêtement.

— Je me rends compte que nous sommes probablement très différents des gens que tu as connus auparavant. Ce n'est pas simple. Mais si tu n'oublies pas que nous t'aimons, les choses seront moins difficiles.

— Oui.

— Bon, assez parlé ! Que projettes-tu de faire par ce beau samedi ?

— J'ai plein de maths à terminer. Je pense que je vais aller m'installer dehors pour travailler.

Dès que c'était possible, il allait dehors. Peut-être se sentait-il confiné dans la maison ? Cette ville, cette demeure et ce jardin devaient lui sembler étriqués après les grands espaces qu'il avait connus.

— Je t'ai dit que la cousine Ruth venait passer quelques jours avec nous, n'est-ce pas ? Grand-père est parti la chercher. Peut-être qu'à leur retour, si tu as terminé ton travail, ton grand-père t'emmenèra avec lui pour acheter le casque de football et les autres affaires dont tu as besoin.

— Ce serait chouette.

Anna regarda Eric étaler ses livres puis monta dans sa chambre pour se changer, ravie que Joseph et Eric sortent ensemble cet après-midi. Joseph avait décidé de se charger de l'achat de l'équipement scolaire d'Eric, ce qui était une bonne chose ; Eric avait besoin qu'un homme s'occupât de lui — il avait vécu trop longtemps avec une femme âgée, malade de surcroît. Au cours de l'été, Joseph et son petit-fils étaient quelquefois allés ensemble au restaurant et à des matches de base-ball. Ils avaient l'air de bien s'entendre ; quel dommage que Joseph soit tellement pris et ne puisse s'occuper davantage de lui.

Ils s'étaient inscrits à un petit club de plage dans l'intérêt d'Eric. La plupart des gens avaient envoyé leurs enfants dans des camps de vacances et, à l'exception des fils Wilmot qui habitaient au bout de la rue et qui n'étaient pas partis parce que leurs parents n'en avaient pas les moyens, tous les jeunes de l'âge d'Eric avaient déserté le quartier. Mais, Anna n'ayant jamais appris à conduire, Iris s'était chargée d'amener chaque jour Eric et les Wilmot à la plage, ce qui était très généreux de sa part car, avec ses deux jeunes enfants, elle avait déjà fort à faire.

Deux petits garçons vraiment adorables, onze mois de différence seulement. Stevie, l'aîné, marchait à présent. Leur arrivée avait transformé Iris. La maternité lui réussissait à merveille. Très détendue, elle avait gagné de l'assurance, voire de la douceur.

Elle avait énormément grossi à chaque grossesse, mais n'avait pas fait le moindre effort pour l'éviter. Elle faisait même étalage de son ventre imposant, spécialement devant les femmes sans enfant, ou celles qui n'en avaient qu'un et ne pouvaient en avoir davantage.

Elle ne s'arrêtera certainement pas à deux. Je ne devrais pas, se dit Anna, mais je l'envie un peu.

Ce n'est pas gentil non plus d'être si fière d'Iris et de la vanter continuellement devant Ruth. Joseph lui aura déjà parlé de sa fille et de ses petits garçons, ne serait-ce que pour couper court à son babillage : « Cette femme a le don de me casser les oreilles », avait-il marmonné ce matin avant de partir.

Mais je suis tellement fière ! Quand je pense à toutes ces années où les gens se montraient « désolés » pour Iris ! Surtout, Ruth dont les trois filles s'étaient mariées jeunes. Maintenant, Iris est comblée...

Ruth ne manquera pas d'être étonnée par la nouvelle maison d'Iris. C'est Joseph qui l'a construite. Non pas selon ses goûts ni ceux d'Anna, d'ailleurs, mais selon ce qu'Iris désirait. Apparemment, Theo n'y avait vu aucune objection. Il s'agissait d'une sorte de boîte en verre avec une armature de bois sombre, qui se dressait au milieu d'arbres. Elle surprenait malgré sa simplicité, voire son austérité. Un magazine d'architecture avait publié un article à son sujet. Lorsque les gens passaient devant, ils ralentissaient souvent pour mieux l'examiner.

Anna regarda par la fenêtre. Eric avait changé de place pour s'installer en haut du mur. Ses livres étaient ouverts à côté de lui, et, George à ses côtés, il regardait en direction du verger. A quoi pensait-il ? Il était moins démonstratif et expansif que Maury. Il devait tenir de sa mère.

A l'enterrement de sa grand-mère, il avait fait preuve d'un sang-froid remarquable. Il n'avait pas du tout pleuré. Cette mort n'était pas inattendue, mais toute perte demeure bouleversante. Deux mois après l'arrivée d'Eric parmi eux, une voix sèche (celle d'un homme qui s'était présenté sous le nom d'Oncle Wendel) avait annoncé au téléphone que Mme Martin était décédée. Joseph et Anna étaient donc retournés à Brewerston en compagnie d'Eric.

— Quel calme ! avait fait observer Joseph un peu plus tard. Il ne tient certainement pas de notre famille, avait-il ajouté en pensant à Anna qui pleurait facilement.

Eric était resté tranquillement assis tout le temps de la cérémonie funèbre, puis il avait serré la main du pasteur et celle des gens de la ville avant de regagner la voiture où il dormirait durant tout le trajet du retour qui avait duré six bonnes heures.

— Cet enfant ne manque pas de courage ! s'était exclamé Joseph. Il accepte les choses comme elles viennent. Voilà ce qu'on appelle avoir du cran.

Pour moi aussi, c'est dur, se dit Anna, soudain agacée. Je me sens fatiguée. Je me croyais plus jeune que je ne suis. Les gens croient que je peux tout faire : aider Iris à s'occuper de ses enfants, élever un adolescent, m'occuper des inscriptions au collège et de toutes sortes de complications... L'agacement céda brusquement la place à la honte. Voilà que je m'apitoie sur mon sort à présent, se dit-elle avec consternation.

Elle entendit la voiture dans l'allée puis, un instant plus tard, les voix de Ruth et de Joseph dans l'entrée.

— Où est Eric ? demanda Joseph à Céleste.

— Il est parti se promener avec le chien en direction de la maison des Wilmot il y a seulement quelques minutes, monsieur Friedman.

— Oh, bien, tu le verras plus tard, dit Joseph à Ruth.

Il monta sa valise et la déposa dans la chambre d'amis.

— Bon, je vous laisse ensemble, mesdames, et je vais jeter un œil sur le journal en attendant le retour d'Eric.

En dépit de sa politesse, Anna savait qu'il était exaspéré : un flot de paroles avait dû le submerger pendant tout le trajet.

— Alors, comment vas-tu ? demanda Ruth. La vie à la campagne (pour elle c'était la campagne, ici) semble te convenir parfaitement ! ajouta-t-elle sans attendre une réponse. Tu sembles aller de mieux en mieux, Anna, chaque fois que je te vois et malgré tous tes problèmes.

— Mais je n'ai pas de problèmes ! répliqua Anna.

— Très bien, alors, je ne dis plus rien. Je ne sais pas ce que je ferais si Joseph ne m'avait pas laissé l'appartement pour un loyer si bon marché. Il est vraiment très généreux, Anna. Tu connais le vieux dicton qui dit qu'une mère peut nourrir cinq enfants mais que cinq enfants ne peuvent pas nourrir une mère. Ce n'est pas que je me plaigne. Après tout, ils ont leurs propres enfants à nourrir et les choses ne vont pas extraordinairement bien pour eux. On ne peut pas arracher du sang d'une pierre, n'est-ce pas ? Et cette chambre, elle est à qui ? Eric ?

— Oui, c'est sa chambre. Nous avons acheté de nouveaux meubles, clairs et gais, dès que nous avons su qu'il allait venir.

Ils avaient dû rendre le bureau parce qu'Eric avait apporté le sien. Il s'agissait d'un meuble sombre, imposant et austère qui n'allait pas du tout dans une chambre de jeune garçon, mais ils n'avaient pas osé lui en faire la remarque. Apparemment Eric semblait beaucoup tenir à ce meuble sur lequel il avait installé la photo de sa mère et de ses grands-parents. Au mur, il avait accroché une très vieille peinture qui lui appartenait, le portrait d'un homme aux favoris imposants.

— C'est mon arrière-grand-père Belligham, leur avait expliqué Eric. Non, mon arrière-arrière-grand-père. Un héros de la guerre civile, je crois bien. Avez-vous des portraits de gens de votre famille ? avait-il demandé à Joseph qui, un instant, avait cru qu'Eric plaisantait. Mais il était tout à fait sérieux.

— Les portraitistes n'existent pas dans le pays d'où nous venons, avait répondu gentiment Joseph.

A côté du bureau, Eric avait installé une rangée de livres qui traitaient tous des oiseaux. Anna lui avait demandé s'il s'intéressait particulièrement aux oiseaux, mais il avait répondu que non, ce qui la laissa perplexe. Elle ne l'interrogea pas plus avant. Céleste lui avait raconté qu'Eric avait voulu garder le bureau parce que sa grand-mère avait toujours travaillé dessus. Un souvenir similaire était probablement attaché aux livres d'ornithologie.

— Je me suis vraiment sentie malheureuse pour lui quand vous l'avez amené ici en juin dernier, faisait remarquer Ruth.

— Je sais.

On avait tendrement pris soin de lui à Brewerstown, cela ne faisait aucun doute, songea Anna avec une certaine jalousie. Et il avait dû être bien difficile à cette femme d'être finalement obligée de faire appel aux Friedman.

— Suivant son habitude, Joseph n'a lésiné sur rien, dit Ruth.

Anna sourit. En effet, son mari avait rempli les étagères et les placards de livres, de vêtements, d'un appareil photographique, de patins à glace, de raquettes de tennis. Il y avait aussi une radio et un tourne-disques. Il avait même voulu acheter une télévision pour la chambre d'Eric, bien qu'il y en ait eu déjà une en bas et que la plupart des gens n'en possédaient pas encore. Mais Anna s'y était fermement opposée. C'était trop. En outre, un garçon de cet âge devait faire ses devoirs et lire au lieu de passer son temps devant la télévision. Iris avait été tout à fait d'accord avec elle et le projet avait été abandonné. Anna se sentait parfois contrariée que Joseph se rangeât si facilement à l'avis d'Iris alors qu'il ne l'écoutait pas forcément quand elle disait exactement la même chose.

L'album de photos d'Eric était ouvert sur le lit.

— C'est l'endroit où il a vécu ? demanda Ruth, dont la curiosité n'était le moindre des défauts.

— Oui. Tu peux regarder. Eric n'y verra pas d'inconvénient.

L'album contenait les photos, soigneusement datées, de ses années passées à Brewerstown.

— Tu sembles t'être bien amusé avec la voiture que nous t'avons envoyée, avait fait remarquer Anna en voyant, un jour, une photo d'Eric, alors âgé de sept ou huit ans, assis dans l'énorme voiture à pédales.

— C'est vous qui l'aviez envoyée ?

— Tu ne le savais pas ? Nous t'avons envoyé beaucoup, beaucoup de choses : ton cheval à bascule, des patins à roulettes...

Mais elle s'était arrêtée net dans son énumération, car elle ne désirait pas en faire ostentation.

Joseph retrouva brièvement Ruth et Anna, au moment du déjeuner.

— Mon fils Irving m'a dit qu'on voyait partout ton nom et celui de Malone dans Long Island, lui dit Ruth. Il paraît que tu es l'un des plus grands entrepreneurs de tout l'Est. Eh bien, tu en as fait du chemin depuis que je te connais, n'est-ce pas, Joseph ?

— Oui, j'ai fait du chemin, approuva tranquillement Joseph et Anna sut que cette réflexion l'amusait.

Ah, à nouveau le péché d'orgueil ! pensa-t-elle. Mais elle ne pouvait s'empêcher d'être terriblement fière de la réussite de Joseph. Elle était parfaitement consciente de la rivalité qui existait depuis toujours entre Ruth et elle, une rivalité différente de celle qui existe ordinairement entre les femmes. La leur venait du fait qu'elles se connaissaient depuis si longtemps ; elles étaient parties du même point et avaient suivi des chemins parallèles.

Ruth parlait des réfugiés qui habitaient dans son quartier :

— Ils se donnent des grands airs et parlent toujours allemand ! Ils sont arrivés il y a seulement dix ou quinze ans. Moi je suis dans ce pays depuis bientôt cinquante ans !

Le repas terminé, ils allèrent sur la terrasse. Le soleil brillait et la température était très clémente pour un jour d'octobre. Une troupe de corbeaux se rassembla au-dessus des arbres en croassant bruyamment avant de s'envoler vers le sud.

— Il faudrait refaire ce mur de brique, fit observer Joseph. Du très mauvais travail. Où diable Eric est-il donc passé ? Nous devions aller acheter son équipement de football.

Anna vit qu'il s'ennuyait et qu'il ne tenait pas en place.

— Il va revenir bientôt. En attendant, pourquoi ne vas-tu pas porter à Iris et Theo le strudel que je leur ai fait ? Tu verrais les enfants.

— Bonne idée, approuva Joseph, apparemment soulagé. Et il ne se fit pas prier pour disparaître.

— Alors, tout va bien pour Iris ? Nous sommes passés devant chez elle en venant. Je ne peux pas dire que j'aime beaucoup le style de la maison. Ça a dû coûter une fortune.

Les remarques acides de Ruth ne touchaient plus Anna.

— Oui, tout s'est bien arrangé pour Iris, répondit-elle calmement.

— Elle n'a pas perdu de temps pour avoir une petite famille. Evidemment, à son âge, on ne peut pas se permettre d'attendre trop longtemps. Toutefois, je dois dire que j'avais vu juste, Anna.

Je suis la seule à avoir toujours affirmé qu'Iris s'améliorerait avec l'âge, et tu dois reconnaître que j'avais raison.

Pour Anna, trente et un ans ce n'était guère l'âge mûr, mais, s'abstenant de répliquer, elle dit :

— Pour ce soir j'ai préparé un rôti à la cocotte suivant la recette que tu m'as donnée quand je me suis mariée. Je n'en connais pas de meilleure.

— Pourquoi tu te donnes tant de mal alors que tu as Céleste ?

— J'aime cuisiner, voilà tout. Je fais porter des plats à Iris. Theo apprécie ma cuisine.

— Tu cuisines quand tu es préoccupée, dit Ruth. N'oublie pas que je te connais depuis longtemps. Tu cuisines et moi je couds. Je fais des robes pour mes petites-filles qui ne les porteront probablement jamais... Pourquoi est-ce que vous ne faites pas un voyage ? Vous ne partez jamais. Si j'avais autant d'argent que vous, croyez-moi, vous ne me verriez pas beaucoup. Pourquoi n'allez-vous pas voir ton frère au Mexique ? Tu ne l'as pas revu depuis des années.

— Oui, vingt ans. Mais nous ne pouvons pas partir maintenant, il y a Eric.

— Effectivement. Dis-moi, comment allez-vous l'élever ? Dans quelle religion ? voulais-je dire. La sienne ?

— A vrai dire, je n'en sais rien. Joseph et moi, je dois l'admettre, n'y avions pas pensé, mais Iris nous a dit que cet enfant voudrait peut-être aller à l'église. Alors Joseph a répondu que, dans ces conditions, il l'y conduirait lui-même. On pouvait se contenter de l'accompagner et de l'attendre dehors, mais Iris nous a fait remarquer qu'on ne pouvait pas laisser un enfant de cet âge aller seul à un office, alors... C'était vraiment étrange. On se demandait ce que nos amis diraient s'ils nous voyaient là, ou ceux qui se trouvaient dans l'église s'ils avaient su qui nous étions.

Anna s'interrompit pour rassembler ses souvenirs : une splendide musique d'orgue et la voix claire d'Eric qui chantait. Un décor impressionnant, une atmosphère intense.

— Et alors ?

— Joseph a dit que c'était une très jolie cérémonie. J'ai vraiment eu envie de rire et je ne m'en serais pas privée si la situation n'avait pas été si grave et troublante. Tu imagines : Joseph dans une église ! Il m'a même demandé si cela n'allait pas nous tuer ! Pour lui, l'important, c'est finalement qu'Eric croie en quelque chose. Alors, quand Eric n'a plus voulu retourner à l'église, et bien, le croiras-tu, cette décision a contrarié Joseph.

— Pourquoi ne veut-il plus y aller ?

— Il a dit qu'il n'avait plus la foi. Nous avons essayé de lui parler, mais sans succès.

— Il veut peut-être aller à la synagogue, non ?

— Nous l'y avons emmené une fois. Et Joseph lui a demandé s'il voulait en savoir plus sur notre religion, mais il a répondu que non, qu'il se moquait aussi de celle-là. Voilà où nous en sommes.

— Eh bien, je ne voudrais pas être à votre place ! conclut Ruth en soupirant. Que de problèmes !

— Des problèmes ? répéta Joseph qui venait juste d'entrer. Quels problèmes ? Il n'y a aucun problème. Eric est un gosse merveilleux, si c'est de lui que vous parlez. Il a du cran et c'est l'un des garçons les plus brillants que je...

— Etait-il chez Iris ? l'interrompit Anna.

— Non, ils ne l'ont pas vu aujourd'hui.

— Je me demande où il est allé. C'est bientôt l'heure du dîner.

Une heure et demie plus tard, Céleste vint à la porte et demanda :

— Est-ce que j'attends pour servir le dîner ? Eric n'est pas rentré...

— Non, il n'est pas encore rentré. Veux-tu attendre pour dîner, Joseph ?

— Autant manger. J'aurai quelques mots à lui dire quand il rentrera. C'est drôle : lui qui est si poli et si plein d'attention. Il n'avait jamais fait une chose pareille.

— Il y a toujours une première fois et il n'a que treize ans, dit Anna pour l'excuser.

Pourquoi plaidait-elle en sa faveur ? Elle savait bien que Joseph ne le sermonnerait pas. Il était toujours très indulgent envers cet enfant.

Céleste servit le dîner, Ruth fut la seule à manger. Anna se battit, comme d'habitude, contre l'idée d'un destin tout-puissant. C'était le côté noir de sa personnalité, elle avait essayé de le refouler toute sa vie durant. Pourquoi suis-je aussi angoissée quand un garçon de treize ans est en retard pour dîner ? Alors que cela doit arriver chaque soir de l'année dans des milliers de familles.

— Il est parti depuis ce matin, fit remarquer Joseph, interrompant le monologue de Ruth.

— Alors, pourquoi n'appelles-tu pas ses amis, si tu es aussi inquiet ?

— Qui s'inquiète ? Toi, peut-être ?

— Non, mentit Anna. Mais appelle donc le fils Arnold, le capitaine de l'équipe de basket-ball. Eric est peut-être allé le voir.

Elles entendirent la voix étouffée de Joseph qui parlait au téléphone de l'autre côté du couloir. Apparemment, il passait plusieurs coups de téléphone, les uns à la suite des autres. Céleste apporta le dessert, auquel Anna ne toucha pas. Elle essayait, sans résultat, d'entendre ce que Joseph disait. Même Ruth finit par se taire.

— Eh bien, personne ne l'a vu. Mais comme il y a soixante-quinze garçons dans sa classe, je ne peux quand même pas les appeler tous, déclara Joseph sur un ton enjoué quand il revint.

— Je me demande s'il n'a pas fait exprès d'éviter de dîner avec moi, ajouta-t-il quelques minutes plus tard. Ce que j'ai dit ce matin à propos du chien a dû le blesser.

— Mais non, penses-tu, répliqua Anna. Finalement, tout s'est arrangé, n'est-ce pas ? Joseph ne voulait pas que le chien entre dans la salle de séjour, expliqua-t-elle à Ruth, à cause de la moquette claire.

— Ce que je comprends tout à fait, approuva-t-elle. Ce genre de moquette vaut une fortune.

— Joseph est plus pointilleux que moi sur la propreté, admit Anna. De plus, j'ai pitié de ce pauvre chien qui a horreur de rester seul.

— Ah, ma femme et les animaux ! Si je l'écoutais, une nuit, on trouverait ici un cheval égaré à qui il aurait fallu donner asile, dit Joseph.

Puis il se leva et se dirigea vers la porte en expliquant :

— Un autre coup de téléphone à donner...

— Eric a dit que son autre grand-mère ne voyait pas d'inconvénient à ce que le chien dorme avec lui sur le lit, alors il a cédé, chuchota Anna.

— Sur le lit ! Ce n'est pas très propre ! s'exclama Ruth d'un air réprobateur.

— Quelle importance ? dit Anna en haussant les épaules. Nous avons pris le parti d'autoriser George à aller partout, tant qu'Eric s'engage à lui essayer les pattes dès que le chien vient de l'extérieur.

Joseph rentra dans la pièce.

— Cet enfant ! s'écria-t-il en se tournant vers Ruth. Tu sais, il a tellement d'amis, qu'on ne peut jamais savoir chez lequel il se trouve. Il est probablement en train de jouer aux échecs, et il a complètement oublié l'heure. Un très bon joueur pour son âge... Un garçon très brillant.

— Bien sûr, Joseph. Je l'ai d'ailleurs dit à Anna et tout le monde peut le voir.

— Bon, je monte dans le bureau regarder quelques papiers que j'ai ramenés à la maison et je vous laisse vous amuser, mesdames. Faites-moi savoir quand il rentrera. Je vais lui dire un peu ce que je pense. Vous êtes sûres que vous pouvez vous passer de moi ? plaisanta-t-il en lançant un clin d'œil à Ruth.

Cette jovialité, qui ne lui ressemblait pas du tout, inquiéta Anna.

— Monte donc travailler, Joseph, et ne te tourmente pas.

— Mais qu'est-ce que c'est que cette histoire ? Me tourmenter, moi ! Pour l'amour du ciel, il n'est que huit heures et ce garçon est un peu en retard. Franchement, Anna, je ne sais pas si...

Il secoua la tête, laissant sa phrase inachevée, prit son porte-documents et monta l'escalier d'un pas lourd.

— Veux-tu que j'allume la télévision ? demanda Anna.

— Non, ça me fait mal aux yeux. Mes enfants m'en ont offert une pour mon anniversaire, mais, me croiras-tu, je la regarde à peine. J'ai un magazine avec moi et je vais lire le dernier épisode de mon feuilleton.

Anna prit sur une étagère *La conquête du Mexique*. Joseph lui avait si souvent promis qu'ils iraient au Mexique, et elle était bien décidée à aller voir Dan. Peut-être pour les prochaines vacances de Noël ; ils pourraient même emmener Eric avec eux ! Ce serait une expérience merveilleuse pour lui.

Anna ne parvenait pas à s'absorber dans sa lecture. Elle reprenait plusieurs fois chaque phrase comme si elle voulait les retenir par cœur en vue d'un examen. Son fauteuil tournait délibérément le dos à l'horloge qui, bientôt, sonna neuf coups. Ou peut-être dix ? Elle était incapable de compter.

— J'ai l'impression que le temps fraîchit, fit remarquer Ruth. Tu entends, dehors ?

— Ces branches ont besoin d'être taillées, répondit Anna, d'une voix qui se voulait ferme. Elles frappent contre la fenêtre au moindre souffle de vent.

Elle se leva pour aller jusqu'à la porte d'entrée. Un courant d'air humide et froid s'engouffra dans la maison. Le sommet des arbres s'agitait violemment sur un fond de ciel blanc alors qu'à hauteur des yeux, l'obscurité était totale. Aucun lampadaire n'éclairait la rue dans cette partie de la ville ; cela faisait partie de son charme rural. Mais cette nuit, l'obscurité semblait sinistre. Le vent soufflait en rafales. Anna referma la porte.

Joseph descendait l'escalier.

— Il est dix heures et demie, précisa-t-il.

— Vous devriez peut-être appeler la police, leur suggéra Ruth.

— Quoi ? La police ? répéta Joseph en lui décochant un regard furieux. Et pourquoi ? C'est ridicule ! Que porte-t-il sur lui, Anna ?

— Une chemise écossaise, je crois. Je ne me rappelle pas bien...

— La radio a annoncé que la température avait baissé de douze degrés depuis six heures.

Anna se replongea dans sa lecture, relut pour la quatrième fois la même phrase, puis elle reposa le livre. Joseph préparait du thé dans la cuisine. La bouilloire sifflait et des portes de placard claquaient. Ruth, qui d'habitude ne pouvait rester plus de deux minutes sans ouvrir la bouche, demeurait assise sans rien dire.

Il se mit soudain à pleuvoir violemment. L'averse frappait dru contre les carreaux.

Joseph entra avec une tasse de thé.

— Il pleut, dit-il, en élevant la voix.

— Je sais.

Ils se regardèrent.

— Cette fois-ci, ce garçon va m'entendre ! cria Joseph. Vous savez, il n'est pas bon de tout passer à un enfant, il a besoin qu'on lui impose des limites, dit-il comme s'il venait de faire une découverte ou comme s'il faisait une conférence. Oui, un enfant est plus heureux quand il sait ce qui est permis et ce qui ne l'est pas. Je parie qu'il s'amuse bien, quelque part avec l'un de ses copains, nous oubliant complètement, sans penser que...

La sonnette de l'entrée retentit. Ils sursautèrent, le cœur battant la chamade. La sonnerie ne s'arrêtait pas : quelqu'un devait s'appuyer de tout son corps sur le bouton.

— Mon Dieu, s'écria Joseph en se précipitant vers la porte.

Il l'ouvrit et les faisceaux lumineux de torches électriques se détachèrent dans la nuit noire et pluvieuse. Deux policiers se tenaient derrière Eric et le grand chien.

— C'est votre garçon ?

— Dieu du ciel, où étais-tu passé ? hurla Ruth. Ton grand-père et Nany étaient morts d'inquiétude, tu aurais dû...

— Je vous en prie, pas maintenant, madame, dit le policier. Vous êtes le grand-père ? demanda-t-il en se tournant vers Joseph. Nous avons trouvé ce garçon sur la grande route, en train de faire de l'auto-stop. Il était sur la route de Boston, en direction du nord-ouest, quelque part dans l'Etat de New York... comment s'appelle cet endroit, mon garçon ?

— Brewerstown, répondit Eric. C'est chez moi. Je voulais retourner chez moi.

Il tremblait et semblait soudain très petit dans le blouson qu'on lui avait prêté et qui lui tombait presque jusqu'aux genoux.

— Je ne comprends pas, dit Joseph. Tu t'enfuyais ?

Eric resta les yeux rivés sur le sol.

— Ça m'en a tout l'air, déclara le policier. C'est une chance que nous l'ayons trouvé. Ils avaient été pris, lui et le chien, par un gars qui... vous m'avez compris, dit-il en jetant un regard à Anna et Ruth. Heureusement qu'il a pu descendre quand la voiture s'est arrêtée à un feu. Et puis le chien a dû s'interposer.

— Pourquoi as-tu fait ça, Eric ? dit Joseph. Tu dois me répondre. Nous avons été bons pour toi, n'est-ce pas, Eric ? Pourquoi, mais pourquoi ?

— Parce que je hais cette maison, dit Eric en levant les yeux.

Joseph et Anna se regardèrent, désemparés.

— Ah, les enfants ! s'exclama le policier. Ne faites pas attention, monsieur Friedman. Il a seulement besoin d'une bonne correction comme on en donnait autrefois. Et puis, ça ira mieux, vous verrez. Mais pas ce soir. Il est exténué et mort de peur. Tu es plutôt verni de vivre dans une maison pareille, dit-il en s'adressant à Eric d'un ton bourru. J'aurais bien voulu être à ta place quand j'étais jeune ! Et tu l'as échappé belle ! A l'heure qu'il est, tu pourrais être dans un sacré pétrin, ne l'oublie pas.

Il remit sa casquette. Les Friedman se confondirent en remerciements, mais le policier refusa toute récompense.

— Buvez au moins quelque chose. Un café ?

— Non merci, madame. Occupez-vous du garçon. Et toi, désormais, écoute bien ce que dit ton grand-père, tu entends ?

La porte se referma, un silence pesant s'installa. Aux pieds d'Eric, une large tache d'humidité s'étalait sur le sol. Il n'avait sur lui qu'un pantalon de coton et une chemise légère.

— Eric, dis-moi, murmura Anna, dis-moi ce qui ne va pas.

— J'ai horreur d'être ici ! C'est triste et affreux. Je hais cette maison. Vous n'aviez pas le droit de m'arracher à la mienne, et je vais y retourner. Je m'enfuirai à nouveau. Vous ne pouvez pas me garder...

— Qu'est-ce que c'est que toutes ces absurdités ? cria Joseph. C'est ici *ta* maison. Tu sais qu'il n'y a pas d'autre endroit où tu puisses aller, personne d'autre pour prendre soin de toi. Tu devrais être content que...

— Joseph, tais-toi ! ordonna Anna. Eric, écoute-moi. Nous pourrons parler de tout ça demain. Mais ce soir il est tard et tu ne peux aller nulle part par un temps pareil. Il n'y a personne dehors.

Eric vacilla et se retint au dossier d'une chaise.

— Allez, viens, monte dans ta chambre, dit Anna d'une voix douce, en le poussant vers l'escalier.

Il était tellement épuisé qu'il monta en s'appuyant à la rampe.

— Je vais faire chauffer la soupe, chuchota Ruth.

Joseph les suivit jusqu'à la chambre d'Eric.

— Non, dit Eric, je ne veux personne ici. Laissez-moi tranquille. Je vous hais tous.

Et il leur claqua la porte au nez.

— Je ne comprends pas, se lamentait Joseph en se tordant les mains. Il était si joyeux, si agréable à vivre. Aujourd'hui, nous devions aller acheter son équipement de football. Je ne comprends pas...

Ruth les rejoignit avec un bol de soupe chaude devant la porte fermée qui semblait les défier.

— Je ne sais pas quoi faire, murmura Anna.

— C'est ridicule ! s'exclama Joseph. Trois adultes intimidés par un méchant enfant. J'y vais.

Il ouvrit la porte. Eric, en slip et en maillot de corps, était allongé sur le lit. Sa chemise et son pantalon mouillés gisaient sur le plancher. Il pleurait.

— Eh bien, pourquoi pleures-tu ? dit Joseph en posant une main sur son épaule. Un grand garçon comme toi, champion de basket-ball, joueur de football ?

— Joseph, sors ! s'écria Anna avec violence.

Pourquoi lui parle-t-il comme à un enfant de trois ans qui vient de mouiller sa culotte ! Il oublie que lui aussi il a pleuré, nous avons pleuré ensemble, le jour où le père de cet enfant...

— Qu'est-ce que tu as dit ?

— J'ai dit : sors !

— Qu'est-ce qui te prend ? Ruth a monté un bol de soupe, nous voulons l'aider, voilà tout.

— Vous l'aiderez bien mieux en le laissant tranquille. Si, il y a une chose que tu peux faire : prends une couverture dans le placard, la bleue qui se trouve sur l'étagère du haut, donne-la-moi et puis va-t'en, dit-elle en lui lançant un regard si déterminé qu'il en parut troublé.

Après avoir couvert Eric et fermé la porte, Anna vint s'asseoir au bord du lit.

— Et maintenant pleure, dit-elle. Dieu sait combien tu as de bonnes raisons de pleurer...

Elle entrevit un instant le visage angoissé qui disparut bientôt sous la couverture. Puis, le corps secoué de sanglots, il se laissa aller.

Il est encore très jeune, pensa Anna. Parce qu'il est grand, intelligent et parle avec aisance, on a l'impression qu'il peut affronter n'importe quoi, et Dieu sait si c'est déjà assez difficile pour nous qui sommes vieux. Un bras émergea de la couverture. Un bras d'enfant qui se terminait sur une large main d'adulte...

— Oui, pleure, répéta-t-elle. Comme je te comprends...

Sur le mur opposé, au milieu d'étagères garnies de livres et de photographies, le visage hautain et distingué de Bellingham semblait les toiser ; cette pièce était le sanctuaire d'Eric. Oui, les hommes ont toujours eu besoin de sanctuaires.

De longues minutes s'écoulèrent avant que le visage baigné de larmes ne vînt se poser sur l'épaule d'Anna. Elle entoura Eric de ses bras et posa sa joue contre la sienne. Et ils restèrent ainsi, Anna berçant doucement le garçon, jusqu'à ce que les sanglots s'éteignent sur une succession de soupirs et de frissons, jusqu'à l'apaisement.

— Ah, oui, oui, chuchota Anna.

— Je ne dors pas, dit Eric. Tu croyais que je dormais ?

— Non.

— Où est Grand-Père ? Je veux lui dire quelque chose.

— Grand-Père, tel que je le connais, est en train de faire les cent pas dans le couloir devant la porte de ta chambre, les mains derrière son dos, comme il le fait toujours quand il est très bouleversé. Tu veux que je l'appelle ?

— Oui.

— Joseph ? appela-t-elle.

La porte s'ouvrit aussitôt.

— Tu me demandes ?

— Eric te demande.

Eric replongea sous la couverture.

— Je voulais seulement te dire que ce n'est pas vrai, murmura-t-il sans lever la tête, je ne hais pas cette maison, je ne vous déteste pas.

— Bien sûr, Eric, je le savais bien, répondit Joseph en se raclant la gorge pour vaincre son émotion.

— George a faim.

Joseph toussota à nouveau :

— Je lui ai donné à manger, il avait très faim, et très soif aussi. Il dort maintemant dans la salle de séjour.

— Moi aussi, je crois que j'ai sommeil.

— Oui, oui, dit Anna. Allonge-toi, je vais te couvrir convenablement.

— Il faudrait peut-être qu'il mange quelque chose ? demanda Joseph.

— Non, il vaut mieux qu'il dorme à présent. Demain matin, il prendra un bon petit déjeuner.

— Laisse-moi mettre la couverture, proposa Joseph.

Elle le regarda faire, border maladroitement le lit. Ce simple geste lui était nécessaire, comme s'il pouvait lui apporter à lui aussi quelque réconfort.

O mon Dieu, pour lui, pour moi, pria Anna, faites que nous ne perdions pas aussi cet enfant !

Nous avons tant de choses à apprendre sur lui et il nous reste si peu de temps avant qu'il devienne un homme. En chacun de nous, se cache un secret impénétrable. Un lieu inaccessible... Comme sur ces cartes anciennes qu'Iris amassait et sur lesquelles on pouvait lire : *Terra incognita.* Terre inconnue.

Ils sortirent sans bruit, refermant tout doucement la porte.

32

La lumière étincelante brouillait la vue. Le ciel, la mer et le sable se fondaient dans un même éclat blanc. Les silhouettes se détachaient telles les taches rouges et bleues d'une peinture pointilliste. En revanche, les sons étaient très distinctement perceptibles et, depuis la plage, on entendait clairement les voix des baigneurs.

Les petits garçons riaient dans l'eau, près du bord. Ou, plus exactement, Jimmy riait tandis qu'Eric le tenait pour lui apprendre à nager, bien qu'il n'ait que deux ans et demi. Steve criait et se débattait.

— Etrange que ce soit le plus grand qui ait peur, dit Anna.

— Jimmy est un petit bonhomme qui n'a peur de rien, fit remarquer Joseph avec un sourire.

Iris restait silencieuse. Elle posa son livre sur son ventre arrondi. Enceinte à nouveau, elle donnait l'impression d'être sur le point d'accoucher alors qu'elle n'était qu'à son cinquième mois de grossesse. Elle était songeuse. Tout le monde commençait à prendre Jimmy pour son aîné, car il était presque aussi grand que Steve, semblait plus costaud. Pas plus tard que ce matin, quand ils étaient arrivés sur la plage, Mme Malone était venue les saluer et elle avait fait la même confusion. Iris avait lu de nombreux livres sur la psychologie de l'enfant, mais aucun ne donnait de consignes précises. Chaque situation était particulière et nécessitait une analyse personnelle.

Steve se remit à hurler et Eric le relâcha. Le petit garçon retourna s'asseoir dans deux centimètres d'eau.

— Vous ne pensez pas... commença Iris, mais Theo, qui était allé faire un tour sur la plage en compagnie d'un collègue, arriva derrière elle.

— Tu n'as pas à t'inquiéter avec Eric. Il sait très bien ce qu'il faut faire.

Theo avait beaucoup de considération pour Eric, comme tout le monde d'ailleurs. Malgré son jeune âge, on pouvait lui faire entièrement confiance.

Eric porta Steve vers le demi-cercle que formaient les adultes, assis sur la plage. Jimmy marchait à ses côtés avec la démarche dandinante et mal assurée des bébés.

— Personne ne t'oblige, disait Eric d'une voix apaisante. Nous ne nagerons plus si tu n'en as pas envie !

— Que se passe-t-il ? Pourquoi a-t-il peur ? voulut savoir Joseph. Tu ne pourrais pas le ramener dans l'eau pour lui montrer qu'il n'y a rien à craindre ?

— Je ne peux rien lui apprendre tant qu'il sera contracté à ce point, Grand-Père. Cela ne servirait qu'à le dégoûter à jamais de l'eau. De toute façon, il n'a que trois ans et demi.

— Oui, trois ans et demi, répéta Anna. On a tendance à l'oublier parce qu'il sait déjà beaucoup de choses.

Steve les avait tous étonnés la semaine précédente en reconnaissant dans le journal quelques mots qu'il avait appris dans son abécédaire.

Steve se jeta sur les genoux de sa mère et voulut se blottir contre elle, mais il n'y avait pas de place. Il donna des coups de tête contre le ventre maternel.

— Non, non, dit Iris en le repoussant. Tu vas faire mal à Maman, tu vas faire mal aussi au bébé qui est dans son ventre.

Joseph eut un hochement de tête désapprobateur et grommela :

— Et quoi encore ? Tu crois qu'il peut comprendre ? Il serait plus simple de lui parler de la cigogne, le chapitre serait clos.

Anna approuvait en son for intérieur, mais, après tout, c'était l'affaire de Theo et d'Iris, pas la leur.

— Viens ici, viens voir Nany, dit-elle. Regarde ce que j'ai pour toi.

Anna se trouvait à l'ombre d'un parasol qui la protégeait des coups de soleil. A côté de la chaise de plage sur laquelle elle était assise, se trouvait un sac regorgeant de toutes sortes de choses : des mouchoirs, des foulards, des lotions solaires, des sparadraps, un sac de biscuits faits maison, un roman pour elle et des illustrés pour les enfants. Tout le monde se moquait gentiment de l'organisation d'Anna dont chacun profitait avec plaisir.

— Assieds-toi ici, Nany va te lire une histoire, dit-elle à Steve.

Tout couvert de sable mouillé, l'enfant rampa jusqu'à ses genoux. Il tremblait encore, sa frayeur passée. Eric était très gentil, mais il avait peur quand même. Et puis Jimmy l'éclaboussait et lui lançait de l'eau dans les yeux. Maman lui répétait constamment : « Sois gentil avec Jimmy, c'est encore un bébé. » Mais Jimmy l'agaçait et venait même le frapper.

Il appuya sa tête contre sa douce Nany qui lui lut *L'histoire de la petite locomotive*. Chaque jour, quelqu'un la lui lisait. C'était son histoire favorite et il la connaissait presque par cœur.

Anna sortit deux biscuits de son sac.

— Un pour toi, dit-elle, et un pour Jimmy. Viens chercher le tien, Jimmy.

Celui-ci prit son biscuit et alla se planter face à un couple qui était assis sur le sable, à quelques pas de là.

— Oh, quel amour ! s'écria la femme. Regarde, Bill, as-tu jamais vu un aussi mignon petit garçon ? Comment t'appelles-tu, poussin ?
— Pas poussin, Jimmy, dit-il.
— Eh bien, bonjour, Jimmy. Bill, regarde ces yeux !
Theo vint rechercher son fils et s'excusa.
— Il ne nous dérange pas... il est très sociable, ce petit.
— Assurément, approuva Theo non sans un sourire de fierté.
Jimmy alla près de sa grand-mère pour écouter l'histoire. Il n'écoutait jamais très longtemps et Anna disait qu'il était trop petit pour comprendre. Il n'avait toujours pas mangé son biscuit alors que Steve avait déjà fini le sien. Jimmy avait l'habitude de se promener avec ce qu'on lui donnait à manger comme s'il n'en voulait pas. Parfois, il oubliait même son goûter ou son gâteau dans un coin, mais il suffisait que Steve le ramasse pour qu'il se mette aussitôt à hurler. Le biscuit intact que Jimmy tenait à la main réveilla la gourmandise de Steve.
— Je voudrais un autre biscuit, dit-il.
Sa mère l'entendit mais répondit qu'un seul suffisait. Steve savait que sa grand-mère lui aurait donné ce qu'il demandait, mais à présent elle disait :
— Non, ta maman a dit non.
L'enfant ne pouvait détacher son regard du biscuit de son frère.
— Pourquoi tu ne manges pas, Jimmy ? demanda Anna.
Sans répondre, Jimmy posa son biscuit sur le sable et prit sa pelle. Steve tendit alors la main et s'en empara. Jimmy hurla et frappa son aîné avec la pelle.
— Non, non ! cria Anna.
Steve glissa des genoux de sa grand-mère et poussa Jimmy, qui, en tombant, se cogna la tête contre le manche du parasol et se mit à crier.
Theo se précipita et saisit Jimmy pour examiner sa tête. Il n'avait rien, mais il continuait à pleurer.
— Si tu frappes encore Jimmy, tu auras affaire à moi ! cria-t-il à Steve.
— C'est lui qui a commencé, avec sa pelle, répliqua ce dernier.
— Oui, c'est vrai, dit Anna.
— Je ne veux pas le savoir. Il est plus grand, il faut qu'il comprenne.
— Je veux mon gâteau, dit Jimmy en sanglotant.
— Steve a-t-il pris son biscuit ? demanda Iris.
— Je crois... je crois qu'il a cru que Jimmy n'en voulait plus.
— Mon Dieu ! Il manque le roi Salomon pour trancher cette question, se moqua Joseph.
— Rivalité fraternelle, expliqua Iris. C'est ennuyeux, mais parfaitement normal.
Eric revenait de se baigner.
— Venez, je vais vous construire un château de sable, dit-il aux deux petits en les entraînant vers le bord de l'eau. Il sera aussi grand que vous. Et regardez ce coquillage : si vous le serrez contre votre oreille, vous entendrez la mer.

— Vous avez vu sa collection de coquillages, Theo ? demanda Joseph. Demandez-lui de vous la montrer quand vous viendrez vendredi. Il les a tous méthodiquement classés et étiquetés dans une vitrine.

— Qu'il a construite de ses mains ! précisa Anna. Il est très adroit et très bricoleur.

— Croyez-vous qu'il soit heureux, Theo ? demanda Joseph avec une pointe d'angoisse dans la voix.

— Oui. Il a fait beaucoup de chemin depuis deux ans. Vous pouvez d'ailleurs vous en rendre compte par vous-même, non ?

— Bien sûr, acquiesça Joseph, satisfait. Mais j'avais besoin d'une confirmation.

La plage était essentiellement fréquentée par des jeunes gens. Ils plongeaient depuis le ponton et faisaient la course jusqu'aux flotteurs. D'autres se promenaient nonchalamment au bord de l'eau ou se regroupaient autour du petit abri du marchand de glaces. Le groupe des garçons et des filles évoluait et se modifiait au milieu de rires timides et dans une décontraction étudiée qui tenait du rituel ou de la répétition d'un ballet.

D'un pas nonchalant, trois filles s'avancèrent vers Eric. Leurs jeunes seins et leur peau parfaite évoquèrent à Anna la robe blanche immaculée tout juste sortie de son papier de soie.

Eric dit quelques mots aux trois filles puis se tourna pour revenir vers le cercle de famille.

— Pars avec tes amis, dit Iris. Tu n'es pas venu ici pour garder les enfants. Merci d'avoir joué avec eux. Bien ! s'exclama-t-elle après le départ d'Eric.

— Qu'est-ce qui est bien ? demanda Joseph qui s'était assoupi un instant.

— Qu'il n'ait pas demandé la permission. Il est simplement parti sans dire où il allait. A quinze ans, c'est à tout fait normal, ajouta-t-elle, tandis que les autres restaient silencieux.

— Oui, tu as raison, approuva Anna.

Iris avait le don de comprendre Eric. Elle avait établi avec lui une relation simple et ouverte. Eric passait souvent la voir en sortant de l'école ; il se sentait bien chez Iris et Theo, ce qui était compréhensible car il avait toujours vécu avec des adultes trop vieux, comme Joseph et moi-même, pensa Anna.

— Eric fait preuve d'une grande patience avec les petits, fit remarquer Iris. Il les aime vraiment.

— Je suppose que c'est parce que lui-même était fils unique expliqua Anna.

Non, pensa Theo, ce n'est pas pour cette raison. C'est parce que, comme moi, il est un orphelin de la tourmente et apprécie la chaleur d'un foyer.

La chaleur du soleil pénétrait la peau malgré une légère brise. Allongé sur une couverture, Theo somnolait, goûtant pleinement le bonheur de ne rien faire et de ne penser à rien. Il aimait beaucoup la plage, plaisir dont il avait été privé dans sa jeunesse, puisqu'il avait grandi en Autriche. Et à présent qu'il vivait au bord de l'Océan, il avait rarement l'occasion d'en profiter.

Il n'avait cependant aucune envie de se plaindre de sa réussite professionnelle qui lui valait d'être tellement occupé. Theo avait parfois peine à croire aux changements qui s'étaient opérés dans la vie depuis le moment où il était sorti de la clandestinité pour prendre part à la Libération de Paris. Seulement quelques années auparavant, il n'était qu'un étranger sans amis et, à présent, il avait une femme charmante, deux enfants, bientôt trois, et vivait dans une maison splendide. Il sourit intérieurement. En fait il n'aimait pas tellement cette maison, moderniste et austère, avec ses peintures abstraites et ses sols nus. Trop spartiate pour lui, comme la nourriture d'ailleurs, car Iris n'aimait pas faire la cuisine et ne savait pas davantage inculquer à une domestique l'art de cuisiner. Mais tout cela n'était pas très important, et puis, une nourriture simple était meilleure pour la santé. En outre, Anna leur envoyait des plats de sa confection et les invitait souvent. A sa table, on dégustait des sauces élaborées, des vins et des gâteaux à la crème chantilly. Après le repas, on se reposait dans des fauteuils aux motifs fleuris tandis qu'Anna apportait des fruits ou des chocolats et Joseph des liqueurs. Ils appréciaient les bonnes choses et aimaient en faire profiter les autres. Ses beaux-parents lui rappelaient Vienne. Theo ferma les yeux.

Il se réveilla en sursaut, le cœur battant la chamade. Avait-il crié au milieu de son cauchemar ? Non, personne ne s'était tourné vers lui. Il referma les yeux. Depuis quelques années, son sommeil n'était plus hanté par d'atroces visions : explosion au ralenti, comme dans un montage cinématographique, avec éclats divers volant dans l'air embrasé avant d'être réduits en cendres, casquettes nazies... le mur de son jardin, le lit en bois sculpté qu'il partageait avec Liesel, la tête duveteuse de leur bébé, la main suppliante et enchaînée de son père, les yeux de Liesel, ses hurlements...

D'un geste machinal, il s'apprêtait à faire tourner son alliance autour de son doigt, comme autrefois quand il voulait vaincre une angoisse, mais il se rappela que pour ce mariage, il ne portait pas d'alliance.

Ce mariage, cette nouvelle vie... Avant de s'endormir, il avait pensé qu'Anna et Joseph lui rappelaient Vienne. Bien sûr, par bien des aspects, ils ne ressemblaient ni à la vie ni aux gens qu'il avait connus là-bas. Il se souvenait par exemple des repas guindés dans la maison de ses parents. Personne ne haussait le ton, il n'y avait jamais la moindre discussion ou la moindre chamaillerie, même amicale. Cettte atmosphère était assurément différente de celle qui régnait chez les Friedman où tout le monde parlait en même temps pour se faire entendre ! Quand il y avait des invités, la confusion était à son comble, songea Theo en souriant. Son cœur avait repris son rythme normal. La paix était revenue en même temps que la réalité. Sa famille était avec lui et l'entourait.

Le dimanche matin, Joseph se levait aussi tôt que les jours de semaine et venait déposer des gâteaux frais devant leur porte. Le vendredi soir, quand Iris et Theo étaient invités à dîner, ils trouvaient immanquablement un paquet de jouets pour Steve et Jimmy. Inutile de dire au vieil homme qu'il gâtait trop les enfants. C'était son plaisir et il n'aurait tenu compte d'aucune protestation.

Généralement, après le repas, Theo rentrait à la maison tandis qu'Iris accompagnait ses parents à la synagogue. A son propre étonnement, car il n'avait guère mis les pieds plus d'une demi-douzaine de fois dans une synagogue, Theo les accompagnait de temps à autre. L'office l'ennuyait et n'avait pour lui aucun sens, mais il savait que sa venue faisait très plaisir à Iris ainsi qu'à ses beaux-parents. Joseph en particulier était terriblement fier d'être vu au côté de son gendre, le docteur.

Theo éprouvait une réelle affection pour son beau-père pour qui il remplaçait un peu, il le savait bien, son fils décédé. Peu importait, c'était un homme d'une grande bonté, qui se plaisait à répéter qu'il était un homme simple — ce qui, d'ailleurs, correspondait à la réalité. Aucune extravagance dans ses petits plaisirs, pas plus que dans son travail qui représentait probablement l'essentiel de ses préoccupations. A part cela, il appréciait les petits plats préparés par sa femme, les honneurs que lui valaient ses œuvres charitables et les parties de bésigue avec ses vieux amis qui étaient également des gens très simples. L'un d'eux était chauffeur de taxi et arrivait toujours chez Joseph dans son taxi jaune.

L'idée que ses enfants grandiraient au sein de cette famille sans complication comblait Theo. La tranquillité, la sécurité ! Cet immense pays paisible, cette ville bien ordonnée où ses enfants dormaient dans des lits confortables et propres. Cette maison, cette famille, ces gens — tout cela était à lui et faisait désormais partie de sa vie bouleversée par tant d'horreurs et de chaos. Un tel changement tenait vraiment du miracle, songea Theo, il n'y avait pas d'autre mot.

Il sentit le froid sur ses épaules. Le soleil était bas dans le ciel. Des groupes de trois ou quatre personnes rangeaient à contrecœur leurs serviettes et leurs affaires avant de se diriger vers le parking.

Theo se leva et aida sa femme à se mettre sur pied. D'un pas lourd, cette dernière avança sur le sable en tenant Steve et Jimmy par la main. Les enfants avaient sommeil. Arrivés à la voiture, ils se pelotonnèrent sur le siège avant, entre Theo et Iris, les jambes entrelacées, sans bagarre ni chamaillerie. Les grands-parents prirent place à l'arrière.

— Quelle belle journée ! soupira Anna.

Le calme descendait sur la plage. Les mouettes étaient parties Dieu sait où à l'exception d'une seule qui se tenait au bout de la jetée, petite silhouette immobile et sombre qui se détachait sur le ciel. Le soleil, en équilibre sur la ligne d'horizon, lançait une dernière lueur dans le ciel rosé.

— Il va faire chaud demain ! prédit Joseph.

Demain, après-demain, dans un mois, dans un an... le temps qui passe et les individus qui vivent et meurent... Chacun de ces petits groupes qui étaient là aujourd'hui, composés de trois, cinq ou douze personnes, se croit distinct des milliards d'autres personnes qui habitent sur cette planète. Nés du hasard, puis soudés par les liens du sang... pourtant, le groupe auquel il appartient représente pour chacun d'eux la terre entière, ou, du moins, ce qui compte le plus sur cette terre. Ce qui arrive à un, trois ou douze arrivera à tous. La douleur ou le triomphe qui touche l'un d'eux les atteindra tous, tandis que, sous le soleil resplendissant et terrifiant qui les nourrit, ils sont entraînés vers l'inconnu.

33

A l'origine, c'était la forêt encore vierge peuplée de frênes, de pins, d'érables, d'ormes et de chênes. Puis, vinrent les colons qui rasèrent les bois pour planter le maïs et faire paître les troupeaux. Des arbres furent replantés pour procurer l'ombre nécessaire en été. Pendant de longues années, deux cents ans ou plus, les terres furent exploitées de père en fils et l'agriculture prospéra.

Vers la fin du siècle dernier, des hommes riches vinrent de la ville réunir les terres des petites exploitations pour constituer de vastes propriétés, ils construisirent leur résidence campagnarde à l'abri de hauts murs et de grilles en fer forgé. Les arbres abondaient encore, car ces hommes se targuaient d'aimer la vie rurale et aimaient jouer les gentlemen-farmers. De leur terrasse, ils contemplaient leurs beaux troupeaux composés de bêtes sélectionnées, et des chevaux aux robes bien lustrées passaient leur encolure au-dessus des barrières qui les séparaient de jardins bien entretenus.

Après la seconde guerre mondiale, attirés par la pression démographique des villes, les promoteurs arrivèrent sur les lieux. A nouveau, les arbres furent abattus, sans discernement ni merci ; il fallait faire table rase. Un chêne dressait encore sa masse imposante contre le ciel et son feuillage bruissait encore dans la brise de l'été, tandis qu'une scie attaquait sa base dans un grincement sinistre. Le grand arbre s'inclinait légèrement avant de s'abattre brusquement au sol, frémissant, et il restait étendu sur cette terre d'où était sortie la timide et fragile pousse qu'il était il y a un siècle et demi.

Ainsi tombèrent les arbres, Puis les prairies furent divisées, subdivisées, et les bulldozers déchirèrent la terre. Des rangées de maisons identiques s'alignèrent sur des hectares et des hectares, tels des pions sur un damier, sous la lumière éblouissante du soleil. Les rues prirent des noms anglais d'aristocrates, de poètes ou d'amiraux. Les habitations étaient vendues comme « manoirs » ou « résidences », même si l'on pouvait serrer la main de son voisin en se penchant à sa fenêtre

Ces constructions envahirent la campagne. Puis vinrent les allées commerçantes et les réseaux d'autoroutes. De gigantesques échangeurs où les routes dessinaient de vastes arabesques et s'enroulaient sur elles-mêmes, obligèrent le voyageur qui voulait aller vers l'ouest à tourner vers l'est.

Développement, extension sans fin...

34

Eric attendait son grand-père, assis sur les marches du bungalow qui faisait office de bureau de vente. A sa gauche, de longues rangées de maisons identiques s'étendaient sous le ciel gris de mars. A sa droite, des charpentes s'élevaient et les marteaux cognaient. Des camions chargés de briques soulevaient des nuages de poussière rouge tandis que grondaient des bétonnières. D'énormes tuyaux, dans lesquels on aurait pu se loger, gisaient au milieu de rouleaux de fils de cuivre scintillants. Des bulldozers aplanissaient, des camions déversaient leur chargement. Une grande confusion régnait avant que ne s'érige un paysage très ordonné.

Eric vivait dans sa « nouvelle famille » depuis bientôt trois ans, ce n'était donc pas la première fois qu'il se rendait sur les chantiers, ce qu'il faisait volontiers, tant qu'on ne lui demandait pas d'y aller trop souvent. Aujourd'hui, son grand-père et lui avaient combiné cette visite de chantier avec des courses qu'ils avaient à faire. Ils devaient acheter ensemble des chaussures et un imperméable pour Eric, son grand-père ayant décrété que c'était une affaire d'hommes.

Eric n'avait pas vraiment besoin d'un nouvel imperméable. Grand-Maman aurait examiné l'ancien et déclaré qu'il pouvait encore très bien faire une année. Il se souvenait qu'elle avait l'habitude de dire : « Tu as déjà bien assez de pull-overs, tu n'as pas besoin d'un autre. » Ou encore : « Tu as déjà suffisamment mangé, Eric », déclaration parfaitement impensable chez les Friedman.

Ici, on vous poussait toujours à manger, plus parfois que vous ne pouviez avaler. Et on voulait toujours vous acheter quelque chose. « Ce pull-over te plaît ? Je vais te l'acheter. » Donner était une façon d'aimer. Toutefois, ces cadeaux ne servaient pas à compenser un manque d'attention ou d'affection. Eric avait rapidement compris que pour ses grands-parents, il n'y avait jamais trop de façons d'aimer. Si Chris et les autres membres de la famille avaient pu nourrir quelques inquiétudes sur l'amour qu'on lui portait, il pouvait les rassurer : il était entouré, enveloppé d'affection.

Chris lui écrivait régulièrement. Les autres Guthrie lui envoyaient des cartes postales au cours de voyages qui étaient parfois des croisières autour du monde. Bons vœux et petits cadeaux étaient expédiés depuis le sud du Portugal où les plus âgés des Guthrie avaient loué une maison. Chris écrivait de longues lettres avec des descriptions du Venezuela et des photos de ses enfants, afin qu'Eric se sente ni seul ni abandonné. Eric essayait de répondre aussi longuement, racontant qu'il avait été admis dans l'équipe de basket-ball de l'école, qu'il avait reçu une bicyclette neuve pour son anniversaire, que tout le monde était gentil avec lui, qu'il avait beaucoup d'amis et qu'il faisait partie d'une nouvelle troupe de scouts.

La réalité ne manquait cependant pas d'être plus complexe. Son nouveau foyer, en raison de la perpétuelle effervescence qui y régnait, était très différente de ce qu'il avait connu auparavant.

Cette impression d'activité intense, pensa Eric, tenait essentiellement à son grand-père qui passait son temps à courir de droite et de gauche. Aujourd'hui par exemple, alors que la Pâque commençait au coucher du soleil et qu'il était censé chômer, il avait encore trouvé quelque chose d'urgent à faire. Eric avait été surpris d'apprendre que ses grands-parents n'habitaient cette ville que depuis sept ans. On avait l'impression qu'ils y avaient vécu toute leur vie. Sa grand-mère faisait partie du comité de bienfaisance de l'hôpital entre autres organisations charitables dont il ne pouvait retenir tous les noms. Son grand-père avait construit une nouvelle synagogue à laquelle il avait fait une donation importante. (Il ne lui en aurait jamais parlé. C'était Tante Iris qui le lui avait appris, car elle était très fière de son père.) La semaine dernière, un policier s'était fait renverser en poursuivant un suspect et son grand-père s'était chargé d'organiser une collecte pour sa veuve et ses enfants. Il était également question qu'il devienne membre d'une commission gouvernementale chargée d'étudier les problèmes de logement. Non, il n'était pas le genre d'homme avec lequel un garçon pouvait passer de longs après-midi à rechercher des oiseaux, armé d'un livre et d'une paire de jumelles. Une telle activité ne l'aurait de toute façon pas intéressé, quand bien même il en aurait eu le temps.

Peut-être était-il injuste de le juger si vite, quand on songeait à la vie qu'il avait menée et à ses origines. Une fois, dans New York, ils étaient passés en voiture devant la maison où il avait grandi, dans Ludlow Street, et devant celle d'Hester Street où sa grand-mère, jeune immigrante, était arrivée. Eric avait subi le choc de ces rues étroites, grouillantes de monde et bordées de maisons misérables. Il n'avait encore vu ce genre d'endroits qu'en photo... Que peut-on savoir des forêts et des oiseaux quand on habite de tels quartiers ?

L'automne dernier, avant la rentrée des classes, son grand-père devant se rendre à Boston pour affaires, sa grand-mère avait suggéré d'en profiter pour faire un voyage de quelques jours à travers la Nouvelle-Angleterre. A la grande surprise d'Eric, son grand-père avait accepté. Ils étaient donc allés jusqu'au mont Monadnock, dans le New Hampshire. Ils faisaient étape dans de vieux hôtels aux murs de bois, avec des tournesols qui fleurissaient la cour et des piles de crêpes pour le petit déjeuner qui aideraient à affronter la fraîcheur du matin. Ils avaient marché dans des petites villes aux maisons blanches et sa grand-mère avait fureté dans les magasins d'antiquités où elle avait acheté un tas de bibelots anciens.

— Rien de tel que d'acheter des jouets pour rendre une femme heureuse, lui avait dit son grand-père avec un clin d'œil.

Eric et son grand-père s'étaient un jour arrêtés sur un pont qui enjambait une rivière. Deux garçons étaient en train de pêcher.

— Tu connais quelque chose à la pêche ? lui avait demandé son grand-père.

Quand Eric lui avait répondu qu'il avait l'habitude de pêcher la truite à Brewerstown, il avait porté son regard vers les champs couverts de chaume séché, puis vers les collines lointaines où s'imbriquaient les lignes bleutées des sommets. Après avoir très longuement contemplé ce paysage, il lui avait confié :

— Il y a encore tant de choses que je n'ai jamais vues, Eric.

Aussi, peut-être était-il injuste de dire que les bois et les oiseaux ne l'intéresseraient pas.

Sur la route du retour, comme si elle avait deviné ses pensées, sa grand-mère avait suggéré de passer par l'Etat de New York pour qu'il puisse revoir Brewerstown.

Ce n'était pas la crainte d'essuyer un refus qui l'avait empêché de poser la question lui-même. A cette époque, il savait déjà qu'il pouvait leur demander n'importe quoi, que sa demande serait toujours exaucée. Mais il n'avait pas voulu leur donner à penser qu'il avait le mal du pays ou qu'il était malheureux avec eux. Ils étaient terriblement susceptibles sur ce sujet ! Une fois, par hasard, il avait entendu sa grand-mère confier à cette vieille dame nommée Ruth :

— Eric est devenu plus proche de nous que ne l'était Maury au même âge. Joseph était sévère avec Maury, tu te souviens ? Mais Eric peut faire tout ce qu'il veut. Je ne crois pas qu'il ait la moindre idée de ce qu'il représente pour nous, avait-elle ajouté en soupirant.

Ses grands-parents auraient été surpris d'apprendre qu'il s'en rendait parfaitement compte et qu'il voyait beaucoup plus de choses qu'ils ne le soupçonnaient. Par exemple, il avait remarqué qu'après une longue et dure journée de travail, son grand-père se fâchait très facilement contre Nany. Un rien l'irritait : une paire de gants oubliée sur une chaise, l'obligation d'attendre... et Nany le laissait dire. En revanche, il ne s'emportait jamais contre Eric. Sa grand-mère se laissait parfois aller à des mouvements de colère, mais très rarement.

Eric savait qu'ils se montraient d'autant plus gentils qu'ils craignaient de ne pas être aimés. Pendant la première année qu'il avait passée chez eux, il s'était parfois apitoyé sur son propre sort.

Aucun des garçons qu'il connaissait ne se trouvait dans sa situation. Ce genre de complaisance le prenait encore de temps à autre, mais, sans savoir trop pourquoi, il se sentait surtout désolé pour ses grands-parents.

Ils s'étaient donc arrêtés à Brewerstown. En parcourant la rue principale pour se diriger vers la maison, Eric s'était tassé dans le fond de son siège, en espérant que personne de sa connaissance ne le verrait. Il s'était alors souvenu du jour où il avait quitté la maison de Brewerstown, quelque trois ans plus tôt. Sa Grand-Maman était retournée à l'hôpital pour y mourir. On avait dû la porter hors de la maison, tout amaigrie, le teint jaunâtre et toute sa personne exhalant une odeur étrangement désagréable qui ne lui ressemblait guère, elle qui fleurait toujours bon le savon au citron. Quand lui-même était sorti de cette maison pour la dernière fois, il avait pensé qu'elle serait bien vide sans eux. Dans le jardin, il s'était arrêté pour redresser une énorme fleur de pivoine afin qu'elle ne tombe pas dans la poussière de l'allée ; Grand-Maman prenait toujours grand soin de ses pivoines... Durant ces dernières minutes, il s'était efforcé de graver ce lieu dans sa mémoire : l'aubépine, une vraie aubépine d'Angleterre, aux épines méchantes ; le mûrier, sous lequel George et lui, quand ils étaient très jeunes venaient se glisser pour trouver de l'ombre. Il lui avait semblé que ces fleurs et ces arbres ressentaient son départ. Il avait descendu l'allée entre ses nouveaux grands-parents qui n'étaient alors que des étrangers, puis il était monté dans leur voiture et avait fixé la route qui s'étendait devant, s'interdisant de tourner la tête pour jeter un regard en arrière.

Ils étaient donc revenus l'automne dernier devant cette maison qui, étonnament, n'avait pas du tout changé. Un landau de poupée traînait dans l'allée et une voiture d'enfant, couverte d'une moustiquaire, se trouvait sous le porche. De la voiture, ils avaient aperçu les arceaux d'un jeu de croquet plantés dans la pelouse et du linge séchait au vent près du garage. La maison était vivante comme si Eric n'y avait jamais vécu...

— Veux-tu entrer ? lui avait demandé sa grand-mère. Je suis sûre que les gens voudront bien...

— Non, avait-il répliqué d'une voix ferme. Non.

Ils avaient compris et étaient aussitôt repartis.

Pour rompre le silence, Eric leur avait montré les chevaux qui paissaient dans le champ des Whitely.

— Le brun et blanc, c'est Lafayette. Je le montais presque tous les jours.

— Tu n'as jamais dit que tu savais monter à cheval ! Pourquoi ne nous l'as-tu pas dit ? s'était exclamé son grand-père. Je vais t'acheter un cheval. Il y a une bonne écurie à quinze minutes à peine de notre maison !

Eric avait refusé.

— Non, merci, je n'ai plus le temps maintenant avec l'école, le basket-ball et tout le reste.

Mais ce n'était pas la véritable raison. En réalité, il considérait la joie de faire du cheval comme appartenant à « l'autre vie ». La situation était déjà suffisamment confuse, il ne voulait pas embrouiller davantage les choses. Pour lui, une page était tournée, définitivement.

La porte du bungalow s'ouvrit et M. Malone sortit. Il vint s'asseoir à côté d'Eric, sur les marches.

— Votre grand-père aura fini dans quelques minutes, dit-il en s'épongeant le front. Laissez-moi vous dire qu'il s'agit d'un sacré travail. Et vous, est-ce que vous avez envie de rentrer dans notre entreprise ?

— Je ne sais pas, monsieur, répondit poliment Eric.

— Question idiote de ma part, n'est-ce pas ? Comment pourriez-vous savoir ? Un jour, vous le saurez. Mes fils ont magnifiquement pris la relève. Et votre grand-père sera au septième ciel le jour où vous suspendrez votre chapeau dans notre bureau. Savez-vous, Eric, qu'il est un autre homme depuis votre arrivée, poursuivit-il en baissant la voix. Ce n'est pas que les choses allaient mal auparavant, mais à présent, c'est comme s'il avait rajeuni. Je sais ce que je dis, je le connais depuis assez longtemps. Savez-vous depuis combien d'années ?

— Non, monsieur.

— Nous nous sommes connus en 1912. Alors, voyons voir, cela fait trente-neuf ans. Nous avons vécu beaucoup de choses en commun. Vous a-t-il jamais raconté comment je me suis trouvé complètement ruiné par la crise boursière en 1929 et comme il s'est occupé de moi ?

— Non, monsieur.

— Ah, bien sûr, ce n'est pas son genre de se vanter, mais moi je n'oublierai jamais ! Il m'a nourri moi et toute ma famille jusqu'à ce que je refasse surface. Eh oui, c'est le passé ! Vous me rappelez l'époque où votre père venait visiter les chantiers à New York. Il était plus jeune que vous actuellement. Cela ne vous ennuie pas que je parle de votre père ?

— Non, monsieur.

— « Monsieur ». J'aime bien votre façon de dire « monsieur » encore que je ne vous en voudrais pas de ne pas me servir du monsieur. Mais on voit que vous êtes bien élevé. La plupart des jeunes n'ont plus ces marques de considération. Sauf les gosse de l'école paroissiale. Eux connaissent les bonnes manières. Ils sont bien obligés sinon la sœur leur tape sur les doigts.

Eric s'amusa de tout ce qui séparait ces hommes qui travaillaient ensemble. C'était étrange. M. Malone semblait si profondément catholique ! L'un des ingénieurs était chinois, ce qui ne l'empêchait pas d'être très beau.

— Votre grand-père ferait bien de se presser s'il veut arriver chez lui pour le Seder, déclara M. Malone en regardant sa montre.

Parce que c'était M. Malone qui rappelait le Seder à son grand-père !

Celui-ci sortit du bureau de ventes et ils montèrent en voiture.

— Sacré projet, n'est-ce pas ? s'exclama-t-il tandis que la voiture cahotait au milieu des bulldozers et des grues. Il y en a pour trois millions de dollars ! Mais je ne crois pas que cette somme corresponde à notre bénéfice, précisa-t-il en riant. Ce que je voulais dire, c'est que nous avons besoin que les banques et les syndicats nous débloquent cet argent pour pouvoir commencer les travaux. Avec mille heures de migraine en prime, tu peux me croire. Enfin, le jeu en vaut la chandelle, Eric. Quand tout est terminé, on ressent une immense satisfaction en voyant les voitures garées dans les allées, les rideaux suspendus aux fenêtres et les enfants jouant sur le trottoir. Penser que ce qu'on... ce que nous avons conçu sur le papier est maintenant réalisé. Crois-tu que cela te plairait ? demanda-t-il comme M. Malone l'avait fait un peu plus tôt.

— Il faut savoir un nombre incroyable de choses, dit Eric.

— Ah, mais on apprend sur le tas, et toi tu apprendrais très facilement. Nous avons vendu dix-neuf maisons rien que ce dernier week-end. Qu'en dis-tu ?

— Mince alors !

— Dis-moi, c'est ton anniversaire, la semaine prochaine, n'est-ce pas ? Je suppose que tu ne vas pas vouloir me dire ce que tu veux. Tu ne me le dis jamais.

Il lui semblait en effet qu'il possédait déjà tout. Puis, tandis que la voiture tournait dans un virage avant de passer devant des grilles encadrées par deux piliers en pierre, Eric songea soudain à quelque chose dont il avait envie.

— Tu sais ce que j'aimerais, Grand-Père ? Si ce n'est pas trop cher, je pense que ce serait formidable si vous vous inscriviez au Lochmuir Club. Je pourrais jouer au tennis quand je voudrais, même en hiver.

— Le Lochmuir Club ? Comment le connais-tu ?

— Tu te souviens, j'y suis allé l'année dernière quand des amis de Chris sont venus ici rendre visite à leur famille. Chris leur avait demandé de venir me voir. Ils m'ont emmené dîner là-bas.

— Je ne savais pas c'était là que tu étais allé.

— C'est vraiment bien. Quelques garçons de l'école en font partie. Il y a aussi des salles de squash et une piscine couverte. C'est même dans cette piscine qu'on entraîne les nageurs sélectionnés pour les jeux Olympiques.

— Cela semble en effet très bien, dit lentement son grand-père.

— Alors, tu crois que nous pouvons nous y inscrire aussi ?

— Non, c'est impossible.

— Pourquoi ? C'est trop cher ?

En posant cette question, Eric songea que ce serait bien la première fois que son grand-père lui refuserait quelque chose pour des raisons d'argent.

— Ce n'est pas une question d'argent, dit son grand-père en détournant un instant son regard de la route. Tu ne devines pas pourquoi c'est impossible ?

— Non.

— Réfléchis, Eric.

Tout à coup, il comprit et sentit le rouge lui monter au visage
— Parce que vous êtes...
— N'aie pas peur des mots. C'est parce que nous sommes juifs que nous ne sommes pas admis dans ce club. Ni en tant que membres ni en tant qu'invités dans la salle de restaurant. Tu ne le savais pas ?
— Euh, il m'est arrivé de lire deux ou trois choses de ce genre, mais j'avoue n'avoir jamais beaucoup réfléchi à ce problème.
— C'est que tu n'avais aucune raison de le faire, n'est-ce pas ?
Eric eut l'impression que la bouche de son grand-père était déformée par un étrange rictus.
Ils roulèrent un moment en silence.
— Ces gens ont l'intention de revenir sur la côte Est cet été, dit finalement Eric, et ils doivent me faire signe. Je leur dirai que je ne peux pas aller dans cet endroit.
— N'en fais pas une obligation. Tu peux y aller.
— Je ne crois pas que j'en aurai envie.
— Comme tu veux.
Un second silence s'installa. Puis son grand-père lui adressa un sourire. Forcé ? se demanda Eric.
— Eh bien, nous voilà arrivés et nous avons encore largement le temps de nous changer pour le grand dîner préparé par ta grand-mère. Tu n'as pas oublié, bien sûr, qu'il faut s'habiller pour le Seder, Eric.
— Je n'ai pas oublié.

Recouverte d'une nappe de dentelle, avec les chandeliers en argent de chaque côté de la coupe de fleurs disposée au milieu, la table était dressée. Ce soir, on avait rajouté les objets religieux qu'Eric voyait pour la troisième fois, sans compter le dîner auquel il avait été invité, il y a très longtemps, chez David. Ce qui lui avait paru tellement insolite à l'époque lui était devenu nettement plus familier. Ce dîner célébrait la liberté, comme le lui avait longuement expliqué son grand-père. Eric reconnut le matza[1] sous une étoffe brodée, le plat de raifort, symbole de l'amertume de l'esclavage, et le persil vert célébrant les premières pousses du printemps. Il savait que le gobelet d'argent, déjà rempli de vin, avait été préparé pour le prophète Elijah qui devait annoncer la venue du Messie. Le gobelet était là « juste au cas où il viendrait ce soir », dirait son grand-père avec un clin d'œil.
Il y avait douze couverts cette année, car étaient invités des amis qui n'avaient pas de famille chez qui aller et un jeune homme du bureau de son grand-père qui venait de perdre tragiquement sa femme. Deux des places étaient destinées à Steve et Jimmy qui étaient assez grands maintenant pour assister à ce dîner.
Tout le monde avait fait un effort de toilette. Les dames sortaient de chez le coiffeur. Les invités papotaient. Tante Iris

1. Pain azyme.

s'inquiétait du bébé, Laura, restée à la maison. Elle craignait aussi que les petits garçons ne se tiennent pas bien. Mais quelle importance, dit quelqu'un, nous sommes en famille ! Le grand-père prit ses petits-enfants dans ses bras et les serra contre lui. Eric savait que c'était Jimmy qui poserait les quatre questions rituelles, parce qu'il était le plus jeune mâle de l'assemblée. Le repas serait délicieux ; sa grand-mère avait passé tout l'après-midi dans la cuisine à préparer de la soupe, du poisson, du poulet, et il y aurait un gâteau aux fraises et des macarons pour le dessert. Mais il faudrait attendre longtemps avant de pouvoir déguster le dessert...

Son grand-père s'installa dans son fauteuil et attendit que Nany bénisse les chandeliers. Ses yeux brillaient : cette soirée représentait pour lui l'une des plus belles heures de l'année. Il regarda tous ceux qui avaient pris place autour de la table avant de poser les yeux sur la Haggadah illustrée, dûment ouverte à côté de son assiette. Il souleva sa timbale et prononça quelques paroles de bénédiction. Les hommes présents autour de la table, à l'exception d'Eric et d'Oncle Theo, se joignirent à lui, récitant les paroles anciennes qu'ils avaient dû entendre pour la première fois quand ils avaient l'âge de Jimmy et de Steve, lesquels se tenaient étonnamment tranquilles et ouvraient de grands yeux ronds.

« Que signifie la Pâque ? Elle commémore la nuit où l'Ange Exterminateur a épargné la maison de nos ancêtres en Egypte et où nous avons été libérés de l'esclavage. »

Eric observait et écoutait. La beauté, voire la poésie, de ce rituel l'émouvait, mais il aurait trouvé artificiel d'y participer. Ce n'était pas le sien. Tante Iris lui avait raconté un jour que son père n'avait jamais été vraiment ravi de ses origines juives. (Eric avait souvent de longues conversations avec sa tante ; avec elle il pouvait parler en toute franchise.)

— Il souhaitait s'américaniser totalement, lui avait-elle expliqué. Mais moi je n'ai jamais vu d'incompatibilité. Nous avons une tradition vieille de quatre mille ans dans laquelle est inscrite une part de la tradition américaine. Tu sais que les Puritains sont aussi des gens de l'Ancien Testament.

— C'est étrange que lui et toi ayez vécu dans la même maison, avait fait observer Eric, et que la religion soit si importante pour toi. Pourquoi ?

— Je ne sais pas.

— Moi non plus, je n'ai pas spécialement envie d'être juif, lui avait alors confié Eric. Ce n'est pas que je refuse de l'être. Tout simplement cela n'a pour moi pas d'importance. Tu comprends ?

— Rien ne t'oblige à être juif. Tu as le choix entre deux religions. Ou tu peux même n'en choisir aucune ; mais je ne crois pas que cette dernière solution soit très bonne.

— Tante Iris, ne dis rien à Grand-Père ou à Nany.

— Je ne dirai rien, je te le promets.

— Tu sais, je me sens coupable de leur cacher certaines de mes pensées, avait-il ajouté.

Elle lui avait conseillé de chasser ce sentiment de culpabilité qui ne pouvait que le brider et le rendre malade.

— Tous les jeunes ont des secrets qu'ils cachent aux adultes. C'est tout à fait normal, Eric.

— Et toi ? Tu dissimulais des choses ? lui avait-il demandé sans la moindre gêne, tant il se sentait libre avec elle.

— J'ai souffert des années de savoir qu'ils voyaient en moi une fille sans séduction dont personne ne voudrait jamais, lui avait-elle répondu sans détourner les yeux.

— Je ne trouve pas que tu sois sans séduction, avait-il répliqué. Tu as un physique peu commun, mais je te trouve plutôt jolie. Ce n'est pas l'avis d'Oncle Theo ?

— Si, ce doit être son avis, autrement il aurait fait une mauvaise affaire, avait-elle répondu en riant.

Eric pensa que lorsque Tante Iris riant — ce qui n'arrivait pas très souvent — elle devenait vraiment jolie. Et en plus, elle était intelligente. Parfois, lorsqu'il séchait sur un devoir d'histoire ou de littérature, elle l'aidait et lui donnait des idées. Elle savait rendre les choses précises et claires.

Elle et Oncle Theo étaient aussi brillants l'un que l'autre ; ils apprendraient certainement beaucoup de choses à leurs enfants. Le nom d'Oncle Theo figurait dans le journal du mois dernier à l'occasion d'un article parlant de plusieurs chirurgiens de New York qui refaisaient les visages des victimes de guerre japonaises. « Un geste international », commentait le journaliste. Oncle Theo dirigeait un service de chirurgie plastique à l'hôpital qui venait d'être doté d'un nouveau bâtiment — pour la construction duquel son grand-père avait contribué en faisant une importante donation si bien que lui aussi était cité dans le journal.

Le temps passait et Eric commençait à mourir de faim. Le rituel se poursuivit en mangeant le pain azyme, « symbole des temps d'affliction », disait son grand-père.

Puis vint le tour de Jimmy. Pendant toute la semaine, il avait répété avec sa mère ce qu'il devait dire et, d'une petite voix douce et gaie, il posa la première question : « Pourquoi cette nuit est-elle différente des autres nuits ? »

Tante Iris passa sa main derrière la chaise de Jimmy pour prendre la main d'Oncle Theo. Elle était très amoureuse de lui. Un jour, Eric était allé leur rendre visite et ils ne l'avaient pas entendu entrer, si bien qu'il avait vu Tante Iris se précipiter dans les bras de son mari et l'embrasser avec fougue. Spectacle qui l'avait finalement embarrassé et gêné.

A présent, tout le monde entonnait un chant en hébreu. Eric ne comprenait naturellement rien aux paroles mais la musique semblait joyeuse. La voix douce et claire de sa grand-mère se détachait de celles des autres.

Elle aimait chanter. Elle chantait souvent dans sa cuisine et il l'entendait de sa chambre située au premier étage.

« Ma mère chantait aussi dans la cuisine », lui avait-elle confié et Eric avait essayé de s'imaginer ce qu'on pouvait ressentir en se souvenant de sa mère en train de chanter.

– Comment était ma mère ? lui avait-il demandé un jour en retenant presque son souffle.

Qu'allait-elle répondre ? Sans savoir, pourquoi, il avait le sentiment que Nany n'aimait pas sa mère.

Elle avait hésité, cherchant apparemment à rassembler ses souvenirs, avant de lui dire :

— Ta mère était une fille charmante. Elle était petite et gracieuse, intelligente et très vive d'esprit. Elle vous aimait beaucoup toi et ton père, vraiment beaucoup.

Ce jour-là, sa grand-mère était en train de faire des brioches et elle lui avait raconté que son père les adorait au point de pouvoir en engloutir une demi-douzaine à la suite.

Eric avait remarqué que Nany ne mentionnait jamais le nom de son père en présence de Grand-Père et quand elle en parlait avec lui, c'était timidement. Il s'enhardit à lui demander la raison de cette réticence.

— Grand-Maman racontait souvent des choses sur ma mère. Pourquoi Grand-Père n'aime-t-il pas parler de mon père ?

— Parce que cela lui fait trop de mal.

— Pas à toi ?

— Si, mais nous réagissons différemment.

Eric sentait planer une sorte d'obscurité pesante dans cette histoire. Son grand-père regrettait-il des paroles ou des actes dont il ne voulait plus parler ? Heureusement que Nany était là pour lui révéler des petits détails sans qu'il le lui demande.

— Ton père avait l'habitude de comparer tes yeux à des opales, lui avait-elle rapporté.

Et Eric avait senti un sourire se dessiner sur ses propres lèvres. Par ces remarques, sa grand-mère savait lui restituer la réalité de ses parents, de son père surtout. Jusqu'à présent, ils n'existaient pour lui que comme des silhouettes vagues. Même sa mère, dont on lui avait tant parlé à Brewerstown, avait pris l'aspect d'une poupée, trop parfaite pour être vraie. Les premiers renseignements sur son père, transmis par Chris, ne lui avaient rien appris. Chris lui avait raconté que son père était un gars très sympa, un étudiant brillant qui avait toujours de bien meilleures notes que lui, et en même temps un excellent tennisman.

En fait Chris lui avait tracé le portrait type du parfait étudiant de Yale. Mais *qui était vraiment* son père ? Apprendre de Nany qu'il raffolait des brioches lui était bien plus précieux.

Pourtant, Eric n'en saurait pas encore assez. Il commençait à comprendre que ce désir de connaître son père et sa mère ne serait jamais satisfait et qu'il était engagé dans une quête sans fin. Dès qu'il avait ouvert une porte, il tombait sur une autre porte qui le menait à une autre encore... conduisant finalement nulle part.

Son grand-père disait à présent d'une voix grave et impressionnante :

— *Ani ma'amin* : Je crois. Je crois en la venue du Messie et même s'il tarde, je ne cesserai pas de croire.

Le Christ a dit : « Je serai toujours avec vous, jusqu'à la fin des temps. » Les Egyptiens mettaient de la nourriture et des vêtements dans les tombes afin d'être parés pour l'autre vie. Tous étaient sûrs d'avoir raison.

La cérémonie s'arrêta un moment et l'on servit le poisson. Eric se sentait un appétit d'ogre et s'empara de sa fourchette avec soulagement.

Iris savait que ce serrement de gorge et ces picotements au bord des paupières étaient le signe qu'une joie immense l'envahissait. La coupe n'allait-elle pas déborder sous tant d'allégresse, voire se briser ? Comment la vie pouvait-elle tant donner ?

Vêtus de façon identique, les petits garçons dévisageaient leur grand-père assis dans un fauteuil en bois sculpté. Iris se souvenait qu'à l'âge de ses fils, ce grand fauteuil sombre lui faisait l'effet d'un trône majestueux et la voix de celui qui l'occupait s'en trouvait transformée. Elle devenait douce et grave à la fois et si quelqu'un osait l'interrompre, on lui imposait immédiatement et sévèrement le silence.

Elle souriait affectueusement à ses deux fils qui semblaient remplis de crainte. Bien que ce soit impossible, on avait l'impression que les deux enfants comprenaient les paroles prononcées par leur grand-père. Cette soirée resterait certainement gravée dans leur mémoire.

Eric semblait ailleurs, sauf lorsqu'il mangeait, auquel cas il semblait se concentrer uniquement sur la nourriture. Iris doutait qu'il ait entendu ce qui avait été dit durant le rituel. Alors, elle se revit soudain dans la cuisine de Maury et Aggie, après la naissance d'Eric. Ils parlaient de lui et l'un d'eux avait dit : « Laissons-le libre. Il pourra choisir quand il sera grand. » Iris n'avait fait aucun commentaire à l'époque. Jeune étudiante, comment aurait-elle pu savoir ? Pourtant, lorsqu'ils lui avaient demandé son avis, elle leur avait déclaré : « Un enfant doit savoir qui il est. » Et Maury avait répondu : « Un être humain honnête et bon, voilà ce qu'il sera. Ce n'est pas suffisant ? Faut-il absolument être étiqueté comme une boîte de conserve ? »

Pour Maury et Aggie, la question ne posait pas de problème, mais elle se rappelait que, déjà, elle pensait qu'ils avaient tort. Les choses n'étaient pas si simples.

A l'autre bout de la table, son père était en train de rire avec M. Brenner, d'une plaisanterie osée sans doute. En effet, ils chuchotaient derrière leurs mains et son père jetait de fréquents coups d'œil en direction des femmes pour s'assurer qu'elles n'entendaient pas. Mais ce que son père considérait comme une plaisanterie osée aurait certainement semblé bien fade à la majorité des collégiens. Il devait faire partie des derniers puritains de l'époque victorienne, hypocrisie en moins. Iris avait lu suffisamment d'ouvrages sur cette période pour ne rien ignorer de l'hypocrisie victorienne et de ses subtilités. Mais son père appartenait à cette race d'hommes d'une parfaite intégrité morale qui vivent conformément à leurs croyances.

Cet optimisme résolu, la certitude que tout peut s'arranger, que ferions-nous sans ces sentiments ? songea Iris. Papa ne s'est départi qu'une seule fois de cette assurance : à la mort de Maury. Mais il a vite repris le dessus. Je ne sais ce que nous deviendrons quand Papa disparaîtra. J'ai parfois l'impression qu'il nous porte tous à bout de bras.

— Iris, Mme Brenner te parle, lui fit remarquer sa mère avec autorité.

— Oh ! Pardonnez-moi, j'étais en train de rêvasser. Probablement à cause de tout ce vin, s'excusa-t-elle.

— Aucune importance, dit Mme Brenner. Je faisais seulement une remarque sur le nouveau saladier en cristal de votre mère. J'aime les Lalique, et vous ? Votre mère m'a dit qu'elle vous avait acheté exactement le même.

— Première nouvelle, protesta Iris.

Elle n'avait pas envie de ce saladier. Il ne s'harmonisait pas du tout avec le style de leur maison. Sa mère persistait à leur offrir des cadeaux conformes à ses goûts à elle qu'Iris trouvait trop sophistiqués pour ne pas dire tarabiscotés.

— J'ai oublié de te le dire, reconnut sa mère. Je voulais te l'offrir aujourd'hui.

Le regard d'Iris croisa celui de Theo et le message passa. Theo lui reprochait parfois de se montrer trop sèche avec sa mère. Certes, cette dernière l'agaçait ! Mais ce n'était pas une raison. Pourquoi leur était-il si difficile de se dire les choses les plus simples ? songea Iris.

— Merci beaucoup, Maman, il est très beau, disait à présent Theo. Vous êtes toujours bonne pour nous.

— Oui, merci beaucoup, Maman. C'est ravissant.

Et sa mère sourit, comme si c'était elle qui venait de recevoir le présent.

Le vin, auquel se mêlaient la chaleur de la pièce et le parfum des œillets, commençait à monter doucement à la tête d'Anna. Ses pensées se bousculaient, passant des fraises qui n'étaient pas aussi bonnes qu'elles auraient dû l'être, aux paroles de Joseph qui discourait sur la liberté dont on jouissait en Amérique, et qui ne devait cependant pas nous faire oublier que, dans d'autres pays, des hommes vivaient encore enchaînés.

Il parlait bien, les idées qu'il énonçait étaient ordonnées et claires. Dire que cet homme avait reçu si peu d'instruction ! Ces derniers temps, on lui avait souvent demandé de prendre la parole, au conseil immobilier municipal par exemple et, le mois dernier, à un dîner de bienfaisance. Anna ne pouvait s'empêcher de ressentir une immense fierté lorsqu'elle l'apercevait sur l'estrade. Et l'honneur que l'on faisait à Joseph rejaillissait sur elle, qui le contemplait avec admiration.

Il était difficile de reconnaître l'homme qui partait jadis travailler chaque matin avec ses pinceaux et sa salopette de peintre. Mais son caractère n'avait pas changé : il était resté simple et direct. Sans se donner de grands airs ni chercher à faire oublier qu'il avait vécu dans le bas d'East Side, connu Ludlow Street et qu'il comprenait le yiddish.

Bien sûr, il s'emportait beaucoup plus facilement qu'auparavant et souvent pour des bagatelles. Encore fallait-il lui concéder qu'il reconnaissait presque aussitôt ses torts et s'excusait. Il travaillait trop, ce qui expliquait sa mauvaise humeur, mais il était absolument impossible de le convaincre de ralentir le rythme.

Anna aurait voulu qu'il fasse faire son portrait. Lui refusait catégoriquement sous prétexte qu'il trouvait cela trop prétentieux. Quand Anna lui avait fait remarquer qu'il n'avait pas jugé prétentieux de faire peindre son portrait à elle à Paris, il avait répliqué : « Oui, mais pour les femmes, c'est différent. »

Anna tenait beaucoup à ce portrait. Elle savait déjà où elle l'accrocherait : au-dessus de la cheminée de la salle à manger. Ce serait un beau tableau qui le représenterait vêtu d'un costume sombre comme en portaient les diplomates du siècle dernier. Il faudrait qu'elle en parle à Eric. Si Eric le demandait à Joseph, ce dernier céderait, car pour Eric, il était prêt à tout.

Anna regarda autour de la table. Iris se penchait pour parler avec Eric. Ils avaient souvent de longues conversations, surtout au sujet d'Agatha et de Maury, elle le savait bien. Elle avait même redouté que, par mégarde, Iris ne dévoile à Eric des choses qu'il ne devait jamais savoir à propos de ses parents.

— Je ne lui ai absolument rien dit, lui avait assuré Iris. Mais, puisque tu en parles, avait-elle ajouté, pourquoi ne devrait-il pas connaître un jour l'entière vérité. N'est-ce pas cela grandir ?

— Toute vérité n'est pas bonne à dire. Certaines vérités peuvent être destructrices et, dans ce cas, il est préférable de mentir, avait-elle répondu.

Des secrets. Tant de secrets autour de cette table, songea Anna. Et pourtant rien n'a été détruit. Oh, mon Dieu, faites qu'il en soit toujours ainsi.

Elle se souvenait à présent du regard surpris qu'Iris lui avait alors adressé.

— C'est délicieux, Anna, proclama Joseph. On ne fait jamais appel au traiteur ici, ajouta-t-il à l'adresse des invités. Ma femme fait tout elle-même.

A l'autre bout de la table, Anna était en train de servir les deux petits garçons. Ses mains s'activaient et, à l'une d'elles, brillait le solitaire. Nous aurions dû avoir une famille nombreuse, comme les Malone, pensa Joseph. Anna était faite pour vivre entourée de beaucoup d'enfants.

Cette belle soirée ne devait pas marquer le temps des regrets, et pourtant... ceux-ci surgissaient au milieu de la joie. Si seulement la réussite de ces sept dernières années d'après-guerre était arrivée plus tôt ! Tant d'années de leur vie, exclusivement consacrées à survivre, avaient été tristement gâchées. Enfin, il avait mis maintenant suffisamment d'argent de côté, en sécurité : plus de crainte à avoir, même s'il lui arrivait quelque chose. Dieu fasse que ces terribles années trente ne se répètent jamais ! Les économistes affirment que ce n'est plus possible : toutes les clauses de sauvegarde ont été introduites dans le système. Mais sait-on jamais ?

Si seulement Eric était venu plus tôt, se dit-il, en observant le garçon qui acceptait d'être resservi. Solide appétit. Il se demanda ce qu'Eric pouvait éprouver. Cette cérémonie le touchait-elle, ne serait-ce que parce qu'elle réunissait la famille ? Peut-être était-il ému par la dimension historique de cette fête ? Probablement pas. Tout ceci était trop récent et brutal pour lui. Il avait déjà treize ans quand il était arrivé chez eux et Maury, qui avait pourtant grandi auprès d'eux, n'était jamais parvenu à comprendre ce que représentait cette religion.

Peu importe. L'essentiel est que ce garçon soit heureux et en bonne santé. Je n'aurais jamais imaginé que j'en arriverais un jour à tenir de tels propos, songea Joseph. Il semble heureux, réussit bien à l'école et parle même parfois comme un professeur ! Ses camarades l'aiment bien. De toute façon, il est sportif, qualité primordiale pour susciter l'admiration des gens de son âge. Il est aussi très adroit de ses mains. N'a-t-il pas construit pour Anna un abri pour les oiseaux avec un porche et une cheminée ?

Oui, j'ai bien des motifs de me réjouir, se dit Joseph, tandis que l'émotion lui serrait la gorge. Il remplit à nouveau sa timbale de vin.

— Récitons la troisième prière pour remercier Dieu, dit-il, croyant entendre la voix de son père sortir de sa propre bouche. Béni soit Celui de qui nous avons tant reçu et qui, dans sa bonté, nous a donné la vie.

IV
L'orage

35

L'ouverture de la nouvelle Maison de Repos fit grand bruit dans la presse. On écrivit que les architectes avaient été bien inspirés. Ils formaient une équipe jeune aux idées radicales sur « la dimension humaine », l'utilisation de la lumière, les courbes et la nécessité de la verdure. Les entrepreneurs avaient admirablement exécuté leur projet sans dépenses excessives, mais sans pour autant rogner sur la qualité. Bref, les journaux ne tarissaient pas d'éloges.

Joseph et Malone avaient été photographiés et interviewés. On avait interrogé Joseph sur son histoire personnelle. Sous la photo qui le montrait penché sur des plans, la légende disait : « Cet homme modeste parle avec gratitude de la chance qui s'est présentée sur son chemin. Nous avons appris que son ascension a débuté par l'achat d'un petit immeuble de rapport pour lequel il a dû emprunter deux mille dollars. » L'article précisait ensuite que l'inauguration officielle du bâtiment serait couronnée par un dîner en l'honneur des architectes, des entrepreneurs et des généreux donateurs.

Anna n'avait jamais accordé aucun crédit au don de double vue, à la perception extrasensorielle et autres sortilèges. Cependant, elle savait, elle avait l'absurde conviction que Paul Werner serait présent à ce dîner.

Aussi, quand peu de temps après le milieu du repas, elle le vit traverser l'immense salle à manger pour s'avancer vers la table où Malone était assis avec sa famille, ne fut-elle pas autrement surprise. Elle observa que Malone se levait pour lui serrer la main et faire les présentations. Elle regarda Paul s'incliner avec une courtoisie de bon aloi. Sa voix grave lui résonnait aux oreilles bien qu'elle fût trop loin pour l'entendre. Elle savait que, dans quelques instants, il serait à leur table.

Que vais-je dire ? Que va-t-il dire ? Vais-je rougir ? Cela m'arrive facilement et tout le monde le verra. Ils entendront sûrement aussi mon cœur battre à tout rompre.

Paul s'avança directement vers Joseph et lui tendit la main.

— Paul Werner, dit-il. Je suis venu vous féliciter, vous et M. Malone pour cette magnifique construction. Je viens d'en faire la visite.

Joseph demeura saisi quelques instants avant de se lever pour répondre avec dignité.

— Merci. Vous êtes très aimable. Je vous présente celui qui m'a permis de débuter, ajouta-t-il en se tournant vers les autres. Il...

— Je vous en prie, l'interrompit Paul. Ce que vous avez fait, vous l'avez réussi par vous-même.

— Vous connaissez ma femme, Anna. Voici notre fille, Iris. Et notre gendre, Theo Stern. Le docteur Theodore Stern.

Paul n'avait pas regardé Anna. Que ferait-elle quand il se tournerait vers elle ?

— Venez vous joindre à nous, monsieur Werner, proposa Joseph en approchant une chaise.

Paul s'assit. Anna sentit la tête lui tourner. Il ne fallait pas qu'elle soit prise d'un malaise ici, il ne le fallait surtout pas.

— Vous êtes seul ? demanda Joseph. Votre...

— Ma femme n'a pas pu venir. En fait, expliqua Paul, cette soirée fait partie de mon travail. J'appartiens au conseil d'administration du Parsons Trust, voyez-vous, et comme nous finançons cette maison de repos, il est de mon devoir de venir voir comment est dépensée une partie de notre argent. Je me ferai un plaisir de rapporter qu'il semble fort bien dépensé, dit-il en souriant. Ce que j'aime, voyez-vous, c'est qu'on trouve ici le côté fonctionnel du style Bauhaus, mais vous avez su en éliminer le côté austère.

L'un des autres convives de la table s'adressa à lui :

— En tant qu'architecte, je dois avouer que vous me faites plaisir. Notre intention était exactement celle-ci : la décoration extérieure devait ôter tout aspect d'usine désaffectée. Etes-vous architecte, monsieur Werner ?

— Non, seulement banquier. Mais je me mêle un peu d'architecture. J'ai peut-être raté ma vocation.

Il s'arrange soigneusement pour ne pas se tourner de mon côté, pensa Anna. Comment a-t-il osé me faire une chose pareille ? Son regard croisa celui d'Iris à qui elle adressa un pauvre sourire. Pourquoi Iris la fixait-elle ainsi ? Mais la fixait-elle vraiment ? Se rendant compte soudain qu'elle tripotait nerveusement les perles de son collier, Anna posa les mains sur ses genoux.

Elle se força à s'intéresser à ces perles : un splendide collier de trois rangs de perles. Paul verrait que Joseph la gâtait. Quelle pensée mesquine, se dit-elle en rougissant.

Paul remarqua sa détresse. Je suis bien cruel, songea-t-il, de la mettre dans une telle situation. Je savais qu'elle serait présente et je voulais la voir. Tout le monde a le droit à quelques moments d'égoïsme. Mon Dieu, qu'elle est belle ! Il y eut une époque où une femme de cinquante ans était une vieille femme. Mais Anna donne l'impression d'avoir traversé la vie sans un seul souci et sans avoir travaillé.

— Ma femme s'occupe aussi très activement du financement des constructions, était en train de dire Joseph. Elle dirige le comité de bienfaisance de l'hôpital de notre ville. Et ces dames du comité ont récolté une véritable petite fortune cette année. J'aimerais que les employés que je paye pour cette tâche, travaillent avec autant d'ardeur que ces femmes bénévoles !

— Etes-vous aussi de ces dames très actives ? demanda Paul à Iris.

— Je crains bien de devoir répondre négativement. Nous avons trois enfants qui m'accaparent presque totalement, dit Iris, tout en pensant que sa mère avait un comportement étrange. Elle a deux taches rouges sur les joues. Que se passe-t-il ?

— Mais ma femme a enseigné, fit savoir Theo avec fierté. Elle était très douée. La direction de son ancienne école ne cesse de lui demander de revenir.

— Peut-être que lorsque les enfants seront plus grands..., commença Iris.

— Ne dis pas de bêtises ! l'interrompit Joseph. Tu as déjà suffisamment à faire avec tes propres enfants.

— Quelle discipline enseignez-vous ? demanda Paul.

Il est en train de la sonder, se dit Anna. Pauvre Paul, il meurt d'envie de la connaître. Les gens doivent remarquer à quel point ils se ressemblent ! L'angoisse lui faisait la bouche sèche et les mains moites.

— J'étais institutrice dans une école très privilégiée. J'aurais préféré enseigner dans un quartier pauvre de New York, mais Papa n'était pas d'accord, expliqua-t-elle en souriant à son père.

— Ecoutez, dit Joseph, il y a trop peu de temps que j'ai quitté les bas-quartiers pour avoir envie qu'on me les rappelle. C'est peut-être de l'égoïsme. Mais celui qui n'a pas connu la misère ne peut savoir ce que l'on éprouve au rappel de ce passé douloureux. Voilà pourquoi je me suis opposé à ce qu'elle enseigne aux gosses des taudis tant qu'elle vivrait sous mon toit. Un cigare ? offrit-il, en faisant circuler la boîte autour de la table, avant de s'arrêter devant Paul.

— Non, merci, les cigarettes sont mon seul vice.

Et les longs doigts fins de Paul ouvrirent un étui à cigarettes.

Je n'ai pas honte de mes origines, songea Joseph, sur la défensive. De toute façon, cet homme sait. Il peut aussi constater l'ascension que j'ai réalisée. Bon Dieu, je sais qu'il n'est pas très beau d'en tirer orgueil, mais je crois que c'est tout simplement humain et que, à ma place, cet homme ne réagirait pas différemment. Ni lui, ni personne d'ailleurs.

— Mon associé vous a-t-il parlé de nos projets en Floride ? s'informa-t-il auprès de Paul.

— Il m'en a seulement dit quelques mots en passant

— Eh bien, il s'agit d'un projet d'envergure, le plus important que nous ayons jamais entrepris. Il comprendra des immeubles en copropriété et des villas, auxquels s'ajouteront un luxueux centre commercial, un terrain de golf et une marina. Notre architecte se trouve justement en face de vous.

Le jeune architecte, qui ne demandait qu'à se mettre en valeur, s'adressa à Paul :

— Etant donné l'intérêt que vous portez à l'architecture, monsieur Werner, vous devez certainement connaître les villes nouvelles scandinaves. Nous essayons de reproduire certaines de leurs caractéristiques propres telles que les rues piétonnes et ce genre de choses.

— Très novateur.

Et ils se lancèrent dans une grande conversation ponctuée de dessins griffonnés au dos des menus et de maquettes faites à l'aide de fourchettes.

Anna observait les mains de Paul. Elle essayait de ne pas les fixer, mais sous prétexte de s'intéresser à la discussion, son regard revenait sans cesse sur ces mains. Elles étaient puissantes et souples. Joseph avait aussi des mains puissantes, mais elles semblaient lourdes, différentes. Les deux hommes étaient différents.

La conversation ne passionnait pas Joseph : la théorie n'était pas de son domaine. Lui concrétisait des plans. Pendant que ses voisins exposaient leurs idées, il préférait regarder Anna qui les écoutait attentivement. Anna connaissait ce genre de problèmes et s'y intéressait vivement. Elle était absolument ravissante dans cette robe rose et grise aux reflets irisés. « Du taffetas moiré », lui avait-elle expliqué tout à l'heure, pendant qu'ils s'habillaient. « Tu aimes le bruissement de cette étoffe ? » lui avait-elle demandé en faisant de larges mouvements pour faire froufrouter sa robe. Je me demande ce que cet homme pense d'elle à présent ? se dit Joseph. Elle qui fut autrefois cette fille effarouchée qui gravissait timidement les marches de leur belle demeure. Voici ce qu'elle est devenue. Il n'y a qu'en Amérique qu'un tel changement peut se produire.

— ... rien ne vaut la simplicité reposante de l'architecture danoise, conclut quelqu'un.

Anna vit que Paul essayait de s'extraire de la conversation.

— Etes-vous déjà allée au Danemark ? demanda-t-il à Iris.

— Je ne suis jamais allée en Europe.

— Vraiment ? Vous devriez essayer d'y aller bientôt. Il faut profiter de la jeunesse de votre regard... et de vos jambes aussi.

— Theo n'a pas envie de revoir l'Europe, répondit calmement Iris.

— Je ne cesse de promettre ce voyage à Anna, lança Joseph. Elle meurt d'envie de retourner là-bas. Mais je suis terriblement pris et ne cesse de remettre à plus tard.

A nouveau, Paul se tourna vers Iris et Anna comprit qu'il essayait de la faire parler. Il avait simplement envie de l'entendre. Il ignorait qu'Iris ne se livrait qu'à ceux qu'elle connaissait depuis très longtemps. Elle se demandait quelles pensées pouvaient lui traverser l'esprit devant Iris devenue adulte. Et Joseph ne s'interrogeait-il pas sur le fait que Paul s'attarde si longtemps à leur table ?

— Non, j'ai décidé de ne jamais revoir l'Europe, déclara Theo J'ai perdu là-bas toute ma famille.

— Je comprends, répondit Paul. Alors vous devriez peut-être vous rendre en Israël, ajouta-t-il au bout d'un moment. Cette terre symbolise, après tout, le remède à cette maladie qui s'est abattue sur l'Europe.

— Vous y êtes déjà allé ? demanda Theo.

Anna sentit les mots venir sur ses lèvres : Bien sûr, puisqu'il est l'un de ceux qui ont participé à la création de cet Etat ! Que se serait-il passé si j'avais parlé tout haut ? songea-t-elle ensuite, stupéfaite.

— Très souvent, répondit Paul à Theo. Avant et depuis la création de l'Etat. Je vous recommande une visite, à vous tout spécialement.

— Nous irons peut-être quand les enfants seront plus grands, dit Iris. Mon père aussi a beaucoup fait pour Israël, pas sur place, mais en réunissant des fonds. Nous nous sentons tous très concernés.

— J'en suis heureux ! répondit Paul.

Il regardait Iris et se disait qu'elle était plus jolie qu'il ne le pensait. Peut-être le mariage avait-il opéré cette transformation. Elle possède en tout cas beaucoup de maîtrise et de dignité et parle très bien. Et ces yeux immenses et brillants ! Anna ne dit pas un mot. Je n'aurais pas dû lui causer un tel choc. Mais elle a des talents de comédienne et ne laisse rien paraître. A y réfléchir, je suis moi-même un assez bon acteur ; mon cœur bat la chamade, mais personne ne le sait. Sauf Anna, bien sûr.

— Pourquoi n'allez-vous pas danser, les jeunes ? demanda Joseph. Allez, ne vous occupez pas de nous !

Iris et Theo se levèrent.

Cet homme et Maman, pensait Iris. Cet homme ! Papa est-il aveugle ?

Quelques instants plus tard, Malone s'avança vers leur table.

— M. Hicks désire nous voir tous les deux, dit-il à Joseph. Il est dans le bureau.

Quand Joseph se fut excusé, les autres se levèrent pour danser et Anna resta seule face à Paul.

Alors, pour la première fois, il la regarda.

— Quinze ans déjà, Anna ! s'exclama-t-il finalement.

— Oh, Paul, vous auriez pu au moins me prévenir...

— Je sais. J'ai agi légèrement. Pardonnez-moi. Tout être humain est soumis à quelques défaillances.

Elle ne répliqua pas. Une chaleur suffocante lui brûlait la nuque.

— Quand j'ai lu les articles dans la presse, j'ai su que vous seriez là. J'espérais la voir, elle aussi.

— Et que pensez-vous d'elle ?

— Elle est ravissante et différente, compliquée aussi ; elle cache de nombreuses pensées. J'ai le sentiment qu'elle se pose des questions à mon sujet.
— Que voulez-vous dire ? demanda aussitôt Anna.
— Rien de précis, dit Paul après une courte hésitation. Ce n'est qu'une impression.
— Elle a fait un beau mariage qui lui a réussi.
— J'avais vu le faire-part dans les journaux.
— Une alliance que votre mère aurait approuvée. Socialement parlant, bien entendu.
— Dois-je voir là une allusion perfide, Anna ?
— Peut-être.
Oui, c'en était une. Elle n'avait pu s'en empêcher.
— Theo est issu d'une famille de la bonne bourgeoisie viennoise, poursuivit-elle. Enfin, si l'on peut dire, puisque tous les siens sont morts. Bourgeoisie riche. Il a fait ses études à Cambridge et...
— Très bien, n'en dites pas plus, je suis suffisamment impressionné. Quel genre d'homme est-ce ?
— Merveilleux et bon. Ils sont heureux ensemble.
— Alors, vous n'avez plus d'inquiétude pour Iris.
— Eh bien, j'ai le sentiment qu'elle a trouvé sa voie, ce qui me soulage d'un grand poids.
— Et ils ont trois enfants.
— Oui, deux garçons, très brillants, surtout Steve, l'aîné. Il est tellement précoce qu'il finit par poser quelques petits problèmes. Leur fille Laura est un ange. Une enfant adorable et resplendissante de santé.
Anna s'interrompit. Le visage de Paul s'était fermé. Elle sut que son récit, qu'il avait pourtant sollicité, avait touché un point particulièrement sensible et vulnérable.
— Continuez, dit-il.
— Vous le désirez vraiment ?
— Oui. Racontez-moi tout ce qui s'est passé. Remplissez ces quinze années.
— Eh bien, une chose merveilleuse est arrivée. Eric nous est revenu il y a cinq ans. Il va maintenant sur ses dix-huit ans.
— Eric ?
— Le fils de Maury.
— Je suis heureux pour vous, Anna, et pour Joseph aussi. Vous savez, dit-il avec regret, qu'il est difficile de ne pas aimer Joseph. Je me sens assailli ce soir par des sentiments très contradictoires.
— Je suis terriblement partagée, moi aussi, avoua Anna dont les lèvres s'étaient soudain mises à trembler.
— Anna chérie, dit Paul en détournant le regard, je vous cause de la peine. Ce n'est pas bien de ma part.
— Non.
Paul observa les danseurs et changea de sujet.
— Avec qui Iris danse-t-elle ?
— Avec l'un des fils Malone.

— C'est un beau garçon.
— Tous les enfants Malone sont sur le même modèle. Plus beaux et plus sains les uns que les autres.
— Vous auriez aimé avoir beaucoup d'enfants, n'est-ce pas ?
— Oui, dit-elle doucement.
— Vous les méritiez. Ce n'est pas trop demander pour une femme.
— Qui peut dire ce qui est trop, Paul ?
La question demeura sans réponse. L'espace d'un instant, elle eut le sentiment d'être en plein rêve. Il était impossible qu'ils soient assis ici ensemble ! Elle ne savait rien de lui après ces longues années, et pourtant il était toujours Paul, un être qu'elle connaissait bien et qui lui était cher. Elle eut soudain envie de tout savoir, de « remplir » ces quinze années, pour lui emprunter son expression.
— Que lisez-vous dans vos nuages, Anna ? Vous êtes à mille lieues d'ici.
— Non, je pense à vous. J'essaie d'imaginer votre vie et je ne vois que des bureaux, des salles de réunions, des bateaux et des avions. Vous passez de l'un à l'autre, toujours pressé. C'est tout ce que j'aperçois et je voudrais en savoir davantage.
— Eh bien, votre description correspond assez bien à la réalité. Je vais où je veux. L'année dernière, j'avais besoin de prendre des vacances : je suis allé au Maroc et j'ai parcouru l'Atlas. Quel pays fascinant !
— Cela ne m'apprend toujours rien sur *vous*.
— Oui, je ne cesse de me dérober, n'est-ce pas ? confessa-t-il avec gravité, tout en écrasant sa cigarette dans le cendrier. Voilà. Ma femme et moi... nos relations ne sont pas particulièrement mauvaises, ni particulièrement bonnes non plus. Sa famille est à Palm Beach et elle y passe la majeure partie de son temps. Comme j'ai cet endroit en horreur, j'y vais rarement. Je travaille et j'aime mon travail. J'ai des femmes où que j'aille et quand j'ai besoin d'elles. Mais elles ne signifient rien pour moi. Je ne peux parvenir à vous oublier, Anna, déclara-t-il en levant les yeux vers elle.
— Je suis triste, infiniment triste que vous soyez malheureux.
Il alluma une autre cigarette, s'éclaircit la gorge, comme si une boule la nouait, et poursuivit :
— Je crois que je pourrais philosopher et vous demander à mon tour ce que vous m'avez souvent demandé : « Qu'est-ce que le bonheur finalement ? » Et quelle qu'en soit la définition, pourquoi croyons-nous y avoir droit ? En réalité, Anna, je ne sais pas. Je ne sais pas où j'en suis, et je me sens à la fois animé d'un sentiment de culpabilité et de colère, mais j'ignore envers qui ou quoi. Le destin peut-être ? Ou moi-même ? Je pensais qu'après toutes ces années, je pourrais vous oublier...
— Je comprends, murmura-t-elle.
— Vous souvenez-vous de la dernière fois où nous nous sommes vus ? La maison au bord de la mer ?
— Je me souviens. Nous étions encore jeunes et...

— Mais vous êtes jeune. Vous le serez toujours. Voulez-vous savoir une chose ridicule ? demanda-t-il en se penchant vers elle : je n'ai pas perdu l'espoir qu'un jour, d'une manière ou d'une autre, vous et moi...

— Je vous en prie, l'interrompit Anna prise de panique, ne me regardez pas ainsi. Iris nous observe.

Paul se recula pendant qu'Anna se versait une autre tasse de café dont elle n'avait pourtant aucune envie. Elle avait seulement besoin d'occuper ses mains tremblantes.

— Je souhaite que..., commença-t-elle à dire quand la musique s'arrêta soudain.

Theo et Iris revinrent s'asseoir. Puis Joseph, accompagné de Malone. On échangea quelques plaisanteries et Paul prit congé. C'était fini.

— Mon Dieu, Maman, comme M. Werner et toi aviez l'air sérieux ! fit remarquer Iris tandis qu'ils rentraient en voiture. Je n'ai pas pu m'empêcher de le remarquer. De quoi diable parliez-vous ?

La demi-vérité fut facile à dire.

— Je suis désolée, mais je lui ai parlé de Maury et d'Eric et je crains de n'avoir su cacher mon émotion.

— Ce qui est bien compréhensible, dit Joseph.

Il poussa un profond soupir, mais retrouva rapidement son humeur joyeuse et déclara :

— C'est un gars plutôt sympathique, ce Werner. Pour être franc, je me l'étais toujours imaginé comme une sorte de snob, ce qu'il n'est pas du tout, hein ?

— Je ne pense pas, confirma Anna.

— C'est drôle que nous nous soyons rencontrés, après toutes ces années.

— Oui, en effet.

Il était tard quand ils rentrèrent chez eux et Joseph alla droit vers le réfrigérateur.

— Je vais me préparer un sandwich. La nourriture ne vaut jamais grand-chose dans ce genre de dîner. Tu en veux un, Anna ?

— Non merci, répondit-elle avant de sortir sur la terrasse.

La nuit était douce et fraîche et l'air sentait bon la terre mouillée. Des millions d'étoiles scintillaient dans un ciel limpide. De ce spectacle superbe émanait cependant une grande tristesse à la pensée de cet ordre merveilleux où chaque étoile avait sa place et dont le moindre mouvement était prévu d'avance, tandis que la vie humaine offrait une telle... telle confusion !

Tout ici-bas est question de hasard. Le lieu de votre naissance, la date, vos parents. Les gens que vous rencontrez et la personne que vous épousez. Le hasard uniquement.

— Que fais-tu dehors ? lui cria Joseph. Tu vas attraper froid !

— J'admirais le ciel, dit Anna en rentrant.

— Oh ! toi et tes étoiles ! Tu aurais dû te faire astronome. Viens donc te coucher.

— Ainsi, dit-il en s'asseyant sur le bord du lit pour retirer ses chaussures, ainsi j'ai fait la connaissance du grand financier.

Il fallait qu'elle fasse mine de s'intéresser tout à fait naturellement à ce qu'il disait.

— Est-il vraiment un grand financier ?

— Eh bien, il s'agit d'une petite banque privée, pas la banque Morgan, mais ils ont quand même un certain pouvoir et gèrent très bien leur affaire. Figure-toi qu'il a dit à Malone qu'ils se feraient un plaisir d'étudier le financement de notre projet de Floride qui représente huit millions de dollars !

— Tant que ça !

— Bien sûr ! Que crois-tu ? C'est l'un des plus gros projets de toute la côte Est !

Anna leva les yeux et croisa le regard brillant de Joseph.

— Tu sais, Anna, que je ne peux m'empêcher de penser à ce premier prêt, quand nous avions demandé humblement deux mille dollars. Aujourd'hui le même homme désire traiter avec moi des affaires qui se chiffrent à plusieurs millions ! N'est-ce pas incroyable ?

— Si, bien sûr.

— Werner a dû se faire la même remarque. Mais bien sûr, il n'en a pas dit un mot. C'est un monsieur qui sait vivre, assurément.

— Et vous allez traiter avec la banque Werner ?

— Non, Malone lui a dit que nous avions déjà obtenu pratiquement tous les prêts. Mais ce genre de proposition me fait rudement plaisir.

Les chaussures tombèrent lourdement sur le plancher.

— Imagine, une affaire vieille de trois, voire quatre générations ! Sapristi, c'est ça qu'il faut faire ! Choisir le bon grand-père, tout est là, hein ? Nous n'avions pas choisi le bon, n'est-ce pas Anna ? Toutefois, poursuivit-il, j'avance par mes propres moyens et je crois que nos petits-enfants pourront dire qu'ils ont choisi le bon grand-père.

Prise d'une soudaine panique, Anna s'élança vers lui et le serra très fort dans ses bras. Oh, aime-moi ! pensa-t-elle. Ne me laisse pas commettre un acte insensé qui nous détruirait tous ! Même si un jour j'en avais envie, ne me laisse pas faire !

— Tu étais très en beauté, ce soir, Anna, dit-il en l'embrassant. Tu ne peux pas savoir combien j'étais fier de toi ! Quoi, que se passe-t-il ? Tu pleures ?

— Pas vraiment. Seulement quelques larmes. Je me sens tellement comblée entre Eric à nos côtés et les enfants d'Iris tout près de nous. J'ai peur que cela ne dure pas.

— Toi qui as toujours été optimiste ! Que t'arrive-t-il ?

Et Joseph se mit à rire, avant de hausser les épaules et de lever les bras au ciel.

— La vie est belle et la voilà qui s'inquiète et qui pleure ! Pas étonnant que les hommes ne comprennnent jamais rien aux femmes !

Anna se rendit dans le hall pendant le dernier entracte. Les femmes étaient en nette majorité dans la foule qui peuplait l'Opéra, car le comité de bienfaisance de l'hôpital avait réservé un très grand nombre de places et les avait toutes vendues. Heureuse de ce succès, Anna s'avança dans le hall pour aller boire à une fontaine.

— Anna, dit quelqu'un.

Elle n'eut pas besoin de se retourner pour savoir qui l'appelait. Il se tenait debout contre le mur, comme s'il avait eu peur de l'effrayer en l'abordant de face.

— Ne soyez pas fâchée contre moi, je vous en prie.

— Je ne suis pas fâchée ! Mais j'ai peur. Paul, vous n'auriez pas dû venir.

— C'était la seule possibilité que j'avais de vous voir. Nous n'avons pas pu vraiment parler pendant ce dîner.

— Nous ne le pouvons pas davantage ici.

— Après, alors. Allons ensemble quelque part, après.

— C'est impossible. Il faut que je rentre chez moi, Paul.

— Quand alors ?

— J'ai peur que si je vous revoie, il n'arrive quelque chose.

— Possible, mais je ne crois pas.

Elle le fixa. Sa gravité lui rappelait celle d'Iris durant cette époque de solitude qui précéda l'arrivée de Theo. Elle posa sa main sur son bras et ils restèrent ainsi, incapables du moindre geste qui romprait ce fragile contact.

— Si je croyais à la réincarnation, Anna, je dirais que dans un siècle passé je vous ai eue, je vous ai perdue et depuis ce temps, je ne cesse de vous chercher.

Une femme passa et les dévisagea ostensiblement, ayant peut-être saisi leurs dernières paroles ou senti, ce qui était fort possible, l'intense émotion qui les étreignait.

Si je l'avais vu plus souvent, pensait Anna, qui sait ce qui se serait passé malgré mon attachement à une fidélité sans faille ? On peut refuser vingt fois de partir avec un homme et accepter la vingt et unième. La volonté peut-elle être toujours plus forte que l'attirance entre les sexes, cet ensorcellement qui fait oublier toute prudence...

Le désir !

— Vous êtes resplendissante ! proclama Paul, le visage empreint d'une expression de très grande tendresse. Cet éclat que vous aviez déjà quand vous étiez à peine sortie de l'enfance... vous ne l'avez pas perdu. En dépit de tout.

Ces mots rouvrirent une blessure ancienne.

— Je me suis sentie tellement déchirée, pendant si longtemps. J'aimerais ne plus me sentir tiraillée, écartelée.

Une sonnerie annonça le dernier acte. Les gens commencèrent à regagner leur place, frôlant en passant ce couple adossé au mur.

— Je comprends ce que vous voulez dire. Je ne veux pas

détruire votre vie de famille. Je ne veux pas non plus blesser Joseph, ni ma fille. Croyez-vous que je désire faire du mal à Iris ? Faites-moi confiance. Mais il faut que nous nous revoyions.

— Je déjeunerai avec vous.

— Dites-moi à quelle heure et...

Deux femmes corpulentes et endimanchées fondirent sur Anna. L'une d'elles cria d'une petite voix aiguë :

— Nous vous avons cherchée partout ! Dépêchez-vous, le rideau se lève dans une minute !

Et elle se trouva happée par un groupe d'amies en train de jacasser, sans pouvoir dire un seul mot.

Paul resta un moment à la regarder intensément, comme s'il allait la poursuivre. Puis, après un haussement d'épaules désespéré, il s'en alla rapidement.

Anna était portée par le flot de gens pressés de quitter le théâtre. Comme convenu, Joseph l'attendait à la sortie.

— Viens. J'ai garé la voiture au coin de la rue. Comment était-ce ?

— Merveilleux. De toute façon, j'ai toujours adoré cet opéra de Verdi.

La voiture se dirigea vers le nord, et sortit de la ville. A l'ouest, des nuages lavande et argent s'attardaient dans le sombre ciel d'hiver.

— Quel beau coucher de soleil, dit Anna. Les jours rallongent.

— En effet.

Joseph restait très silencieux. La journée de travail avait dû être rude. Mais c'était aussi bien, car Anna non plus n'était pas d'humeur bavarde. Depuis un an ou deux, le bonheur d'Iris avait eu l'heureuse conséquence de la libérer un peu de l'obsession qui l'habitait nuit et jour. Et voilà que la plaie était rouverte...

Anna sentait tous ses nerfs tendus tandis qu'une chaleur suffocante l'envahissait. Elle repoussa son manteau posé sur ses épaules.

— Qu'est-ce qui t'arrive ? Tu as des bouffées de chaleur en février ?

— C'est cette robe. Elle a été conçue pour un hiver en Laponie, pas à New York, se plaignit Anna.

Joseph ne fit pas de commentaire mais lui demanda un peu plus tard si elle ne se sentait pas bien.

— J'ai mal à la tête, répondit-elle. Je crois que je vais fermer les yeux.

Ils étaient presque arrivés quand Joseph reprit la parole.

— Tu as dû être entourée par une foule nombreuse, n'est-ce pas ? Rien que des femmes, je suppose ?

— Presque, à l'exception de quelques hommes âgés comme le mari de Hazel Berber. Il est pratiquement à la retraite.

— J'imagine que tu as vu beaucoup de gens que tu n'avais pas vus depuis longtemps.

— Bien sûr, comme toujours lors de ce genre d'événements.

Quelque chose dans le ton de Joseph l'inquiéta. Elle se redressa, comme pour remettre son manteau, et jeta un coup d'œil dans sa direction. Mais il regardait droit devant lui avec une expression qui n'avait rien d'alarmant.

Arrivée dans leur chambre, elle se changea aussitôt pour passer une robe plus légère. Cette impression de chaleur suffocante ne l'avait pas quittée. Puis elle entendit Joseph monter l'escalier, le pas lourd, ce qui l'avertissait de l'imminence d'une confrontation. Il entra dans la pièce et, d'un geste décidé, referma la porte derrière lui.

— Eh bien, Anna, j'ai attendu pendant tout le trajet. Je t ai donné toutes les occasions de parler et tu n'as rien dit.

La meilleure arme était celle de l'innocence.

— De quoi veux-tu parler ?

— Tu es excellente comédienne, mais ça ne marche pas. Parce que, vois-tu, j'étais là. Je suis arrivé en avance, avant le dernier acte, et j'ai tout vu !

— Voudrais-tu préciser de quoi tu parles et ce que tu as vu ?

— Allons, Anna, je ne suis pas né d'hier ? Tu as parlé avec cet homme pendant un quart d'heure.

— Oh, s'écria-t-elle d'une voix claire, tu veux parler de Paul Werner ! Oui, je l'ai rencontré par hasard alors que j'allais boire. Quel mal y a-t-il à cela ?

— Tu ne l'as pas seulement « rencontré par hasard », vous avez eu, pendant quinze minutes, une conversation très sérieuse, alors n'essaie pas de me faire croire que...

— Tu te promènes avec un chronomètre, à présent, lança Anna en se disant que la meilleure riposte était d'attaquer à son tour. Et pourquoi n'es-tu pas venu te joindre à nous, ce qu'aurait fait n'importe quel époux, au lieu de rester là à nous espionner ?

— N'importe quel époux à ma place aurait été bien curieux de savoir à quel jeu jouait sa femme ! Il est venu exprès pour te voir, Anna. Il savait que tu serais là parce que — je m'en souviens maintenant — j'ai moi-même fait allusion à tes activités au sein du comité de l'hôpital.

— Tu lui en as parlé dans le but de me tendre un piège ?

— Mon Dieu, Anna, comment peux-tu avoir des pensées aussi répugnantes !

— Parlons plutôt de *tes* pensées répugnantes à toi !

— N'essaie pas de me mettre sur la défensive, parce que tu n'y parviendras pas. Il est venu te voir et tu m'as menti. Voilà les faits. Je ne vois pas comment tu pourrais les contester.

— Je ne t'ai pas menti ! Je n'ai pas pensé à t'en parler, c'est tout.

— Et pourquoi ?

— Parce que...

Elle s'entendit balbutier et recommença sa phrase :

— Parce que cela ne m'a pas paru important. Une rencontre insignifiante. Est-ce que je te dresse chaque soir la liste des gens que j'ai croisés pendant la journée ?

— Ah, parce qu'il est très courant, pour toi, de « croiser » Paul Werner, n'est-ce pas ? Comme le laitier ou le postier ? Est-ce que tu me prends pour le dernier des imbéciles ? Mais, à y réfléchir, peut-être que tu le vois effectivement souvent, dit-il lentement, et que vous avez en effet l'habitude de vous rencontrer.

— Quelle accusation monstrueuse ! Tu as complètement perdu la tête ?

— Non, je n'ai pas du tout perdu la tête ! J'ai les idées parfaitement claires et je voudrais bien savoir pourquoi il est venu et de quoi vous avez parlé. J'attends tes explications.

Elle avait assez subi ses sautes d'humeurs ou ses fureurs contre les enfants quand ils étaient petits, ou les rages suscitées par des bagatelles ménagères, mais cette colère froide lui était inconnue. Elle rassembla ses pensées. Toute leur vie semblait remise en jeu.

— Nous avons parlé de... voyons voir, ah oui, de l'opéra bien sûr et du nouveau ténor. Puis il m'a posé les habituelles questions polies sur la famille, des choses comme ça. Vraiment rien d'extraordinaire.

Joseph cingla le dossier d'une chaise de son journal.

— Non, ça ne marche pas ! Il t'a pris le bras. Tu t'es dégagée. J'ai vu ton visage quand tu l'as quitté et j'ai vu le sien. Tu ne me feras pas croire que vous parliez du nouveau ténor ! Que voulait-il, Anna ? Il faudra bien que tu me le dises : que voulait-il ?

Anna pencha la tête et tout se mit à tourner comme si elle allait s'évanouir.

— Je me sens mal, murmura-t-elle.

— Alors, assieds-toi. Ou allonge-toi. Mais tu ne t'en sortiras pas de cette façon.

Elle s'assit, tenant sa tête dans ses mains. Dans la cuisine, Céleste avait allumé la radio. La musique beugla quelques instants avant que le poste ne soit rapidement éteint. Un klaxon retentit de l'autre côté de la rue. Le silence de la chambre lui bourdonnait dans les oreilles. Joseph demeura immobile, en attente. Elle ne sut combien de minutes s'étaient écoulées quand elle redressa finalement la tête.

— Eh bien ? demanda Joseph.

Elle avait envie de crier : Pitié ! Laisse-moi tranquille, je suis à bout. Mais elle demeura silencieuse.

— Eh bien ? répéta-t-il.

Elle sut alors qu'elle devait se soumettre. Elle humecta ses lèvres, poussa un profond soupir et parla :

— Il m'a demandé de déjeuner avec lui. Je ne te l'ai pas dit, parce que je savais que tu serais furieux. Et je sais que tu as des relations d'affaires avec lui. J'ai pensé que ça pourrait très mal se terminer et qu'il valait mieux que je règle la question toute seule.

Elle s'interrompit, tremblante.

— Et comment l'as-tu réglée ?

— Qu'est-ce que tu crois ? J'ai refusé, bien sûr. Et je lui ai dit de ne plus jamais me faire de proposition de ce genre.

Elle regarda Joseph droit dans les yeux. Celui-ci soutint longuement son regard, puis détourna les yeux.

— Le salaud, dit-il sur un ton glacial. Ce beau monsieur aux jolies manières est un beau salaud. Dans mon dos, il va arranger des rendez-vous avec ma femme, dans mon dos !

Il traversa la pièce pour lever les stores et regarder la nuit noire puis, au bout d'un moment, il retourna vers Anna.

— Il est amoureux de toi, n'est-ce pas ?

— Pourquoi ? Parce qu'il m'a invitée à déjeuner ?

— Tu n'es pas stupide à ce point ! Ou devrais-je avoir le tact de parler de naïveté ? Une femme de ton âge ! Mais bon Dieu, tu crois qu'il veut quoi ?

— Il m'a simplement invitée à déjeuner, c'est tout.

— New York regorge de femmes, bien plus jeunes que toi, avec lesquelles un homme peut déjeuner et faire ce qui s'ensuit généralement après. Il y a quelque chose d'autre derrière cette histoire.

— Peut-être que certains hommes agissent ainsi ? Je veux dire : il m'a vue à ce dîner et je suppose que... je lui ai plu, alors il a eu envie de me revoir...

— Quel Don Juan de bas étage ! La femme d'un autre ! tu ne l'as pas revu depuis ce dîner ?

— Non.

Joseph passa la main sur son front où perlaient des gouttes de sueur.

— C'est drôle, vois-tu, je ne te l'ai jamais dit, mais ce soir-là, j'ai cru remarquer qu'il te regardait. J'ai senti quelque chose. Mais je me suis dit que ce n'était rien, qu'il ne fallait pas que je fasse l'imbécile et j'ai chassé cette idée de ma tête.

— Tu sais, dit doucement Anna, ce n'est vraiment pas bien grave. Un homme qui tente sa chance. Il a dû me trouver... intéressante, parce qu'il me connaît depuis longtemps.

Anna n'était pas fière de ces cajoleries et de ces mensonges. Elle trouvait même ignoble de calomnier Paul de la sorte. Mais elle n'avait pas le choix. Elle devait se défendre et pas elle seulement. Le sort de tous dépendait des paroles qui seraient prononcées dans cette chambre.

En bas, dans la cuisine, une porte claqua et des voix retentirent. Eric arrivait certainement de l'entraînement de basket, trop affamé pour attendre longtemps son dîner. Quel désastre pour lui, si cette discussion se terminait mal.

Toutes nos vies sont tellement entremêlées, pensa Anna. Il n'existe aucun moyen d'isoler le mal, chacun sera touché par ses ramifications implacables : Joseph, moi, Eric, Iris, ses enfants. Et Paul, oui, Paul aussi. Nous nous faisons souffrir malgré nous.

— Anna, dis-moi, je dois savoir. Je te l'ai déjà demandé et tu l'as toujours nié, mais je tiens à te poser encore cette question : avez-vous été amoureux, autrefois ?

— Non, jamais.

— Et il n'y a jamais rien eu entre vous ?

Elle relâcha ses poings qu'elle tenait serrés et prit une profonde respiration.

— Non, jamais, répéta-t-elle.

— Le jurerais-tu ?

— Joseph, ce que je t'ai répondu ne te suffit pas ?

— C'est peut-être idiot de ma part, mais j'éprouverais un vrai soulagement si tu le jurais sur la tête d'Eric, sur celle d'Iris et de ses enfants. Je saurais alors que tu dis vrai.

Anna avait reculé dans un coin de la chambre. Elle avait l'impression que les murs se rapprochaient pour l'enserrer.

— Non, je refuse. Je ne jurerai pas sur leur vie.

— Et pourquoi ? Si je te le demande ?

— Tu m'insultes en me demandant cela, comme si tu n'avais aucune confiance en ma parole.

— Loin de moi l'idée de t'insulter. C'est seulement que...

— D'autre part, je suis trop superstitieuse.

— Quoi ? Tu as peur qu'il leur arrive quelque chose ? Il ne peut rien leur arriver si tu dis la vérité.

— Non, Joseph.

— Alors dis-moi simplement : je jure que je n'ai jamais rien fait avec Paul Werner que mon mari ne puisse savoir.

Anna sentit à ce moment-là que la terreur faisait émerger du plus profond d'elle-même une force implacable. Elle repartit à l'attaque.

— A mon tour d'être furieuse, Joseph ! Pourquoi veux-tu m'humilier ? Quel genre de mariage est le nôtre si nous ne nous faisons pas confiance ?

— Je ne demande qu'à te croire, dit Joseph, qui battait en retraite devant sa colère.

— Alors, crois-moi !

— Anna, je ne pourrais pas supporter de..., s'écria Joseph, les yeux pleins de larmes. Le monde est tellement changeant qu'on ne sait jamais où l'on en est... Alors on a besoin de quelqu'un qui ne change pas, quelqu'un de parfaitement sûr. Si je perds ce quelqu'un, je te le dis — tu sais ce que j'ai traversé et comment j'ai tenu bon — mais si je pensais que toi... je n'aurais plus envie d'ouvrir les yeux sur un jour nouveau.

— Tu n'as rien perdu. Tu ne perdras pas ce quelqu'un, dit-elle doucement.

— Je sais la chance que j'ai de t'avoir. Une femme comme toi aurait pu posséder tous les hommes qu'elle voulait.

La colère fit place à la pitié. Anna sentit la tension se rompre et se mit à pleurer.

— Anna, ne pleure pas. Tout va bien, c'est terminé. Je comprends maintenant ce qui s'est passé.

Joseph n'avait jamais supporté de voir pleurer qui que ce soit. Toute petite Iris l'avait déjà compris quand elle entendait cette phrase : « Papa te donnera tout ce que tu voudras si tu arrêtes de pleurer. »

— Quel salaud ! grommela Joseph. Te mettre dans une telle situation ! Il n'a pas intérêt à se représenter.

— Cela n'arrivera pas.

Quelqu'un frappa à la porte.

— C'est moi, Eric. Céleste dit que le dîner est prêt.

— Nous descendons tout de suite, répondit Joseph.

— Je n'ai pas faim, dit Anna. Va dîner avec Eric.

— Non, non ! Je ne veux pas que le petit pense que quelque chose ne va pas. Sèche tes yeux, il n'y paraîtra rien.

Les visages sont faits pour dissimuler, se dit Anna en poudrant ses paupières rouges. Qui paraît plus candide que moi ? Elle se pencha sur son miroir ; oui, un visage innocent et encore jeune capable d'exercer une grande attraction sur les hommes ! Parce que Paul m'aime, il me poursuit. Et Joseph m'adore, il me croit. Il me croit aussi, songea-t-elle avec pitié et tendresse, parce qu'il est un homme simple, et qu'en dépit de ses explosions de colère, il cherche toujours à croire en ce que chacun a de meilleur. Si les rôles avaient été inversés, Paul ne m'aurait jamais laissée me tirer de cette situation aussi facilement. Son esprit subtil aurait vu clair en moi.

Demain, elle raconterait à Paul où en étaient les choses et un long silence s'établirait à nouveau entre eux. Il ne pouvait en être autrement.

Si seulement elle pouvait parler à Joseph, se décharger de ce lourd fardeau de mensonges et en être à jamais délivrée ! Mais elle serait délivrée de bien autre chose, libre au milieu d'un effondrement total qui engloutirait tous ceux qu'elle aimait ! Non, jamais. Je vivrai et je porterai seule ce fardeau. Je le jure devant Dieu.

36

Iris court au milieu d'arbres gigantesques. Elle cherche, tourne, vire, marche, court, revient sur ses pas, puis tourne à nouveau... Cette forêt semble sans fin. Qui a jamais vu de tels arbres ? Leurs troncs se dressent comme des cathédrales tandis que, sur un fond de ciel, ploie leur cîme sombre. Elle sait où elle se trouve : au nord de San Francisco, perdue dans les séquoias géants des Muirs Woods. Elle sait aussi qu'elle n'y est jamais allée. Elle rêve.

Elle court plus vite, à perdre haleine. Il faut faire vite, car Steve est perdu. Il se trouve quelque part au milieu de cette forêt sans fin. Comment est-ce arrivé ? Comment est-il possible que personne ne l'ait vu ? Est-ce qu'un enfant, est-ce que quelqu'un peut disparaître ainsi ? Elle essaie de ravaler ses larmes. On ne peut plus penser si l'on se laisse assommer par la panique. Il faut rester calme, garder l'esprit clair pour retrouver le petit garçon. Est-ce que vous l'avez vu ? demande-t-elle d'une voix implorante, car finalement, ce ne sont pas des troncs, mais des gens, qui refusent de répondre. Quelqu'un l'a certainement vu, supplia-t-elle. Un si petit garçon.

Maman ! crie-t-elle à une femme dont le visage ressemble à celui de sa mère. Mais la bouche sévère reste muette.

Papa ! hurle-t-elle. Oh Papa, aide-moi, aide-moi ! Il se penche vers elle et tend les bras. Mais son visage est celui de Paul Werner. Triste, compatissant. Il parle, et elle ne comprend pas. Alors elle tend l'oreille, désespérément tandis que la silhouette se fond dans le brouillard. Papa ! Père ! appelle-t-elle sûre d'avoir perdu la raison.

La douleur qui lui étreint la poitrine et noue sa gorge a le goût âcre du sang. Une telle souffrance est-elle possible ? Son enfant la cherche, pleure, la réclame. Il ne peut pas être loin. Elle a cherché partout, à l'ombre des grands arbres et dans les rayons de lumière qui réussissent à filtrer. Introuvable, définitivement introuvable. Comment pourra-t-elle vivre avec ce désespoir et cette angoisse ?

Des ombres se profilent sur le plafond, traversées par un rai de lumière qui éblouit Iris quand celle-ci se tourne vers Theo. Elle se demande si elle a crié pendant son rêve, ou plutôt son cauchemar. Mais non. Theo a le sommeil léger et il n'a pas bougé. Pourquoi ce cauchemar alors que les enfants dorment dans leur chambre, au bout du couloir. Pourquoi ?

Il fait très froid, tellement froid que l'hiver arrive à s'infiltrer dans la maison. Elle n'a pas envie de se lever, pourtant il le faut. A pas feutrés, elle marche dans le couloir jusqu'à la chambre de Steve, veillant à ne rien heurter dans l'obscurité, car lui aussi a un sommeil léger. Elle marche sur le chat en peluche de Steve. Il ne se couche jamais sans le serrer dans ses bras, mais parfois, avant de s'endormir, il l'expédie sans façon hors du lit. Allongé sur le ventre, la tête tout contre le bois du lit, le petit corps forme une bosse ronde sous les couvertures. Tout doux et fragile, comme le bruit d'une respiration, est le souffle de la vie...

Sans faire de bruit, elle revient dans sa chambre. Theo s'est retourné et, dans son sommeil, posa son bras sur elle tandis qu'elle se glisse dans la chaleur du lit. Elle se rend compte qu'elle n'est allée voir ni Jimmy, ni Laura, mais elle sait qu'ils vont bien.

37

À la sortie de Carnegie Hall, ils furent accueillis par un vent violent contre lequel ils durent lutter pour atteindre le parking. Theo redressa la tête dans l'air froid. Quelque chose, dans ce temps d'hiver, lui rappelait la pureté et la majesté du *Requiem* de Verdi qu'ils venaient d'entendre et qui, pour lui, célébrait et célébrerait toujours une certaine mort.

Un petit groupe de gens stationnait au coin de la rue. En se frayant un passage parmi eux, Theo eut le regard arrêté par un visage qui se détourna, lui échappant provisoirement, avant de réapparaître. Alors Theo le vit nettement. Il hésita quelques secondes puis s'écria :

— Franz ! Franz Brenner !

— Theo ! *Mein Gott !* J'avais entendu dire que tu vivais à New York, mais je n'ai jamais réussi à te dénicher...

— Que fais-tu là ? Je te présente Franz Brenner, ajouta-t-il aussitôt pour Iris dont la présence lui revenait tout à coup en mémoire. Un des meilleurs juristes de Vienne ! Nous avons grandi ensemble. Iris, ma femme.

— Theo exagère, dit Franz en riant. Je suis d'ailleurs trop vieux pour avoir grandi avec lui.

— Nous n'allons pas rester là ! Venez, allons manger un morceau.

Dans la lumière douce d'un salon de thé russe, ils se dévisagèrent mutuellement.

— Theo, tu as l'air en forme ! Tu dois être heureux, tu n'as pas changé.

— Et toi...

— Ne me dis pas que je n'ai pas changé !

Les cheveux de Franz étaient devenus presque blancs et l'une de ses joues était creusée d'une sorte de ride profonde qui bougeait convulsivement quand il parlait.

— Que fais-tu ici ? redemanda Theo.

— Je suis venu pour affaires — une entreprise de tricots, mais j'habite en Israël.

— Fini le droit ?

— Israël croule sous les diplômés en droit, qu'ils soient allemands ou autrichiens, dit Franz avec un haussement d'épaules, alors... Mais toi, raconte-moi...

— Commande quelque chose, un dîner, l'interrompit Theo. Il nous faut du temps pour parler ! Ecoute, j'ai une meilleure idée ! Tu vas venir chez nous. Nous vivons à une heure d'ici, et tu pourras rester un jour ou deux.

— *Ich kann nicht, ich fahre morgen ab.* Excusez-moi, madame Stern, je ne suis pas encore très bien habitué à l'anglais. J'ai appris cette langue à l'université, mais c'est l'allemand qui vient spontanément si je ne fais pas attention. Je voulais dire que je dois reprendre l'avion demain matin. Il se pencha vers Theo assis de l'autre côté de la table. Alors, raconte-moi, Theo ! Tu as des enfants ?

— Deux garçons et une fille. Et toi ?

— Pas d'enfants. J'ai perdu Marianne... mais je me suis remarié avec une veuve, mère de plusieurs grandes filles. J'ai un assez bon travail. La vie est dure là-bas, mais c'est maintenant notre patrie à nous. Tu sais, j'avais appris par... le bouche à oreille, c'est l'expression que vous utilisez, n'est-ce pas ? — j'avais appris que tu étais à New York, mais je n'ai rien trouvé dans l'annuaire. Vous savez qu'à l'époque, un annuaire de New York valait une véritable fortune en Europe. Vous pouviez y trouver le nom d'un parent — un cousin éloigné de votre grand-père par exemple, voire le nom d'un étranger qui, par pitié, vous enverrait les papiers nécessaires pour fuir l'Europe et sa fureur.

— Je n'ai vécu qu'un an dans New York même. Je logeais dans une chambre quand je suis arrivé, en 46.

— *Ach, so!* Bien, Liesel a appris que...

— Que dis-tu ?

— Je disais que Liesel avait appris...

Theo se redressa sur sa chaise.

— Pour l'amour du ciel, que dis-tu ? De quelle Liesel parles-tu ?

— Eh bien, de Liesel, ta femme, bien sûr, murmura Franz interloqué.

— Franz, Liesel est morte.

— Je sais, je le sais.

— Elle est morte à Dachau avec toute notre famille. Je trouve pour le moins inconvenant de parler d'elle ! Tu devrais comprendre ! Nous ne prononçons plus son nom.

Franz demeura impassible.

— Elle n'est pas morte à Dachau. Je croyais que tu le savais. Je pensais que le comité, les gens de Tel Aviv t'avaient informé.

— Salaud, Franz ! Salaud ! Est-ce que tu vas parler, ou bien va-t-il falloir que je t'y force ?

— Theo ! Theo ! s'écria Iris en posant sa main sur son bras.

Un voisin de table les regardait.

— Je ne sais plus par où commencer maintenant, allégua Franz. Dieu du ciel, je...

Theo sentit la fureur passée se raviver.

— Commence par le commencement, ou tu ne prendras jamais ton avion demain. Que sais-tu ? Je n'ai pas de secret pour elle ajouta-t-il tandis que Franz lançait un coup d'œil vers Iris. Je veux *savoir* !

Franz fixa la salière posée sur la table.

— J'ai rencontré Liesel en Italie au cours de l'hiver 46. J'avais essayé de rejoindre la Palestine, mais les Anglais nous ont refoulés. Je m'apprêtais à faire une nouvelle tentative et j'attendais un vieux rafiot décidé à forcer le blocus. Nous étions deux ou trois cents candidats au départ, survivants des camps de concentration ou personnes ayant pu se cacher grâce à de faux papiers.

— Elle... avait des faux papiers ?

Theo sentait tout son corps chargé d'électricité et sa tête menaçait d'exploser. Il devait rêver ! Un instant, il crut même défaillir.

— Non, pas de faux papiers.

— Quoi alors ?

— Theo, elle est morte. Ça, je le sais, j'étais là, dit-il en levant les yeux. Mais à quoi bon en parler ? Pourquoi remuer le passé ?

— Je veux savoir, rétorqua Theo en tremblant, ou tu ne prendras pas ton avion, je t'en donne ma parole.

Franz soupira. Puis il respira profondément comme un enfant qui s'apprête à dire une récitation devant la classe.

— Bon, très bien... La toute première semaine qui suivit l'*Anschluss*, les Allemands sont venus à la maison chercher la famille. Ironie du sort : eux qui pensaient que leur influence et leurs relations leur serviraient, c'est exactement le contraire qui s'est passé. D'autres personnes, moins en vue, eurent souvent le temps de s'enfuir.

Ils sont donc venus, par un matin froid et pluvieux, de bonne heure. Le bébé était malade, avec de la fièvre. Elle les a suppliés de ne pas le sortir par ce temps. Ils lui ont rétorqué qu'elle pouvait laisser le bébé si elle le désirait. « Vous pouvez le prendre ou le laisser tout seul dans la maison, comme vous voulez. »

Pendant qu'ils quittaient leur maison, l'un des soldats fit tomber un tableau du mur, ce qui mit son supérieur en rage. « Pas de vandalisme ! C'est une maison de luxe et nous en aurons besoin ! » Ils surent alors qu'ils ne reviendraient pas.

Le bébé cria tout le long du chemin sous le regard de deux SS en uniforme. Il n'avait pas eu son biberon du matin.

Iris retint un instant son souffle, puis se mit à pleurer.

— Arrête ! s'écria Théo, furieux.

— Au bout de quelques jours, le bébé mourut d'une pneumonie. Les autres passèrent un certain temps dans le même camp avant d'être séparés et envoyés en Pologne. Theo, tu connais déjà cette histoire ! Tu sais ce qui s'est passé ! Le monde entier le sait, même ceux qui voudraient l'ignorer.

— Continue ! dit Theo.

Le regard de Franz retourna vers la salière.

— Les personnes âgées furent rapidement dirigees vers les

fours. Ceux qui étaient jeunes ou forts furent mis au travail. Elle aussi... il y avait un atelier où l'on fabriquait des ceintures et des gants de cuir pour l'armée... elle y a travaillé longtemps.

Il déglutit péniblement avant de reprendre sur le même ton monotone :

— Plus tard, mais je ne saurais dire combien de temps... un an, deux ans... plus peut-être...

— Peu importe *quand*, dis seulement *quoi*. Continue !

— Eh bien, tu comprends... un jour des officiers de la Gestapo sont venus dans l'atelier. Ils cherchaient des... tu sais comment c'est... des filles. Jolies et blondes, style aryen quoi, pour l'état-major.

Franz marqua un temps de silence. Puis, il releva la tête, effrayé, et poursuivit :

— Ils les ont emmenées et, sur leur bras, ils ont marqué : « Réservée aux officiers. »

Theo tressaillit violemment. Un verre d'eau tomba et se renversa sur la table.

— Je t'en prie, Theo, tu n'as pas besoin d'en entendre davantage, chuchota Iris. Monsieur Brenner, Franz, cela ne rime à rien, ça suffit.

— Franz, ne m'oblige pas à t'arracher les mots de la bouche. Je veux tout savoir, jusqu'à la moindre parole dont tu te souviennes. Toi, Iris, tais-toi !

— Elle m'a raconté que si elle n'était pas devenue folle, c'était grâce à une prostituée. Elle venait de Berlin et leur avait dit : « Ecoutez, ce n'est pas *vous* qu'ils touchent, pas votre être, mais seulement un peu de peau, de chair, vous comprenez ? Si l'on vous faisait nettoyer des immondices avec vos mains nues, vous ne mépriseriez pas vos mains pour autant, n'est-ce pas ? Vous ne couperiez pas vos mains. Eh bien, c'est la même chose. Ils sont tout juste des ordures, des porcs, de la merde... »

Excusez-moi, dit-il en se tournant vers Iris.

Elle essaya donc de ne plus penser et d'attendre... d'attendre que les Allemands perdent la guerre.

Des médecins leur rendaient régulièrement visite pour éviter les maladies. Elle... Liesel n'arrivait pas à croire qu'ils puissent être aussi froids, aussi durs. Elle s'était toujours imaginé que les médecins étaient hors du commun. Elle m'a dit avoir mesuré combien elle ignorait de choses sur le monde et les êtres humains...

Un jour un homme est venu, un juriste de Vienne, Dietrich, et il l'a reconnue.

— Je le connaissais, c'était un salaud. L'un des premiers à se mettre du côté du manche.

— Il l'a reconnue parce qu'autrefois il jouait dans un quatuor à cordes, et les musiciens se retrouvaient dans une maison viennoise... celle de ses parents, je crois.

— C'était chez mes parents. Mon père organisait chaque mardi une soirée musicale et elle... elle venait parfois jouer du piano.

— Eh bien, il se souvenait d'elle. Peu de temps après, elle fut renvoyée à l'atelier — à cause de lui, bien sûr. Pour elle, qui n'avait rien perdu de son innocence en dépit de tout ce qu'elle avait subi, il avait agi par pitié. En réalité, la guerre touchait à sa fin et un grand nombre de ces tortionnaires devenaient soudain plus « humains », dans l'espoir que certains des malheureux survivants pourraient dire quelques mots en leur faveur quand sonnerait l'heure des jugements.

Toujours est-il que nous nous sommes rencontrés en Italie. Elle ne m'a d'abord pas reconnu ; j'avais perdu près de trente kilos... Je ne l'ai pas reconnue immédiatement moi non plus... Elle avait vieilli. On lui aurait donné nettement plus de trente ans... mais, d'une certaine manière, elle était toujours... toujours ravissante. Même ces monstres n'avaient pas pu tout détruire...

Nous avons attendu des semaines à Gênes. Et ils ne cessaient d'affluer... ces cadavres ambulants à la chair meurtrie et aux crânes rasés. Ils s'étaient traînés à travers l'Europe, fuyant leur cachette, fuyant les camps, pour échapper aux Russes... Ils ne voulaient qu'une chose, quitter l'Europe et ne plus jamais y revenir. Le groupe avec lequel j'ai passé mes journées à Gênes attendait, comme moi, de gagner la Palestine. Nous avons dépensé les quelques sous que nous avions dans des cafés minables. En Europe, on pouvait — et je suppose que cela n'a pas changé — rester un temps infini devant un verre de vin ou une tasse de café. Assis au soleil, nous goûtions le bonheur de ne plus être terrifiés, de nous sentir en vie. Et nous parlions de l'avenir.

Quelques-uns d'entre nous persuadèrent Liesel de se joindre à nous. Vois-tu, nous te croyions mort. Il courait tant de rumeurs à cette époque. Dans tous les centres de rassemblements, on interrogeait chaque nouvel arrivant afin de recouper les informations. Tout le monde se promenait avec des listes, des dates, des noms et des adresses : avez-vous vu untel ?... Un jour, est arrivé à Gênes un homme qui avait entendu dire par un autre, qui était allé dans l'un des camps où l'on internait des Juifs français, que tu avais été pris dans une rafle et que tu étais mort. Information confirmée plus tard par un autre témoin qui était certain de t'avoir reconnu dans le contingent des déportés, immédiatement après la défaite de la France.

Pourquoi aurions-nous eu des doutes ? Tous les autres étaient morts : ses parents, ses frères, son enfant. Pourquoi pas son mari ?

Dieu du ciel, quel courage, quelle patience, quelle volonté chez cette pauvre petite !

Franz s'arrêta et fixa le mur. Puis, il reprit son récit :

— Alors, je me souviens qu'une chose terrible est arrivée... Dans notre groupe, qui attendait le bateau pour la Palestine, se trouvait un vieux docteur qui, après tant de souffrances et d'épreuves avait peine à croire à notre miraculeuse survie. C'était un homme équilibré, solide et gentil, qui parlait avec ceux qui ne parvenaient pas à se remettre du choc, les réconfortant avec beaucoup d'optimisme et de sagesse. Il était le bâton sur lequel on s'appuyait, la perche à laquelle on se raccrochait. Or, un jour que nous étions assis à une terrasse — je me souviens que je mangeais des pâtes car j'étais boulimique à cette époque-là — ce sage vieillard a subitement bondi de sa chaise et traversé la place en courant. Il y avait là quelques *carabinieri* en train de bavarder avec un commerçant. Le docteur s'est emparé de l'un de leurs fusils et s'est mis à hurler, devenu fou furieux sur cette place ensoleillée. Ils ont voulu récupérer le fusil... on lui a tiré dessus. Et nous avons vu notre cher bon vieux docteur étendu sur la place, mort.

Après cet événement, Liesel a changé, comme si — et je crois qu'elle s'est elle-même expliquée en ces termes — comme s'il était complétement illusoire de croire que l'on pouvait raccommoder des vies comme les nôtres et penser que l'on serait un jour capables de reprendre une vie normale. Il était beaucoup trop dur de croire encore à l'espoir.

Finalement, le bateau est arrivé : un vieux rafiot minable, à peine en état de naviguer, mais c'était le dernier de nos soucis. Notre réelle préoccupation était le blocus anglais. Nous devions naviguer de nuit sans aucune lumière. Sur le pont, nous chuchotions.

Nous avons donc glissé sur la Méditerranée, en direction de la Palestine. Le bateau était bondé et d'une saleté répugnante. Les gens avaient le mal de mer. Les enfants s'ennuyaient et pleuraient. Beaucoup d'adultes n'avaient plus la force d'être patients. Tout le monde avait peur et scrutait l'obscurité avec angoisse.

Au cours de l'une de nos interminables conversations, un homme raconta un jour sa rencontre avec un soldat américain qui était un réfugié juif allemand. Celui-ci était détenteur d'une liste de noms dressée par un certain Dr Weissinger qui avait quitté Vienne en 1934 pour se rendre aux Etats-Unis. La liste comprenait les noms d'autres Viennois se trouvant à New York et le nom de Theodor Stern y était inscrit. Vous voyez, à cette époque, il était important de tout noter et d'établir des contacts entre les gens afin de savoir qui était encore en vie. Theo, tu dois connaître le Dr Weissinger ?

— Il est mort il y a quelques années. Il faisait partie des personnes sensées qui émigrèrent en Amérique dès le début, quand personne ne voulait encore croire à la façon dont les choses tourneraient.

Theo entendit sa propre voix résonner d'étrange façon à ses oreilles, mais il faut dire qu'il faisait grand effort pour ne pas hurler.

— Cet homme avait recopié la liste du soldat. Nous avons donc vu ton nom, suivi de ton adresse à Vienne, mais aucune adresse à New York. Toutefois, il ne pouvait pas y avoir de doutes.

J'ai dit à Liesel que dès que nous serions à Haïfa, elle pourrait écrire, qu'il ne serait pas difficile de te retrouver. J'aurais pu moi-même retrouver ta trace après sa mort. Je ne sais d'ailleurs pas pourquoi je ne l'ai pas fait. Peut-être parce que l'on m'a dit que tu avais été informé par les autorités. Et puis, j'ai sombré dans une sorte d'immense léthargie après tant de confusions et de bouleversements. On ne sait plus par où commencer. Il faut pourtant bien se reconstruire une sorte de vie, la gagner...

Nous avons beaucoup parlé, elle et moi. Nous restions sur le pont jusque fort tard dans la nuit. En bas, il faisait très chaud et l'atmosphère était très bruyante.

— Dis-moi tout ce qu'elle t'a dit.

Theo avait l'impression qu'il ne pourrait pas supporter d'en entendre davantage tout en sachant qu'il lui serait aussi intolérable de ne pas tout entendre.

— Difficile de se souvenir. On parle de choses et d'autres, sans rien dire de très important... Je me rappelle pourtant qu'elle m'a dit plusieurs fois : « Je me souviens à peine de Theo. Je me souviens de choses que nous avons faites ensemble, comme le jour où nous avons descendu Mariahilferstrasse et acheté les alliances. Theo voulait les acheter tout de suite. Je lui ai demandé s'il n'allait pas parler avec Papa et il a dit que si, bien sûr, mais comme il savait que Papa dirait oui, il préférait les acheter maintenant. Je revois très bien la scène, disait-elle en riant, mais je n'arrive pas à me souvenir de son visage. »

Quelquefois, elle parlait aussi de ski. Elle disait qu'elle se souvenait particulièrement d'une journée dans les Dolomites où vous aviez skié du matin jusqu'au soir puis, après le dîner, vous aviez joué en duo pour tous les gens de l'hôtel. Elle concluait en disant : « Nous étions si jeunes ; comment avons-nous pu être un jour si jeunes ? »

Voilà ce qu'elle racontait. Elle observait aussi de longs moments de silence, moi aussi. J'étais plongé dans mes pensées, comme tout le monde d'ailleurs. C'était un bateau chargé de pensées... Etrange, toutes ces pensées lourdes et tristes par l'une de ces nuits merveilleuses et douces où l'air n'était qu'une chaude caresse.

Sauf la dernière nuit. Il s'était mis à pleuvoir et une forte houle secouait violemment le bateau. Beaucoup de gens étaient malades, plus que d'habitude. Nous sommes montés, tous les deux, sur le pont couvert. La pluie s'abatttait sur nous comme des embruns.

« Tout est si pur ici, a-t-elle dit, et moi, je me sens si sale, Franz. »

Je me souviens de mes protestations — banalités d'usage — auxquelles elle répliquait. « Qui voudra encore me toucher ? » Je lui ai dit qu'elle se trompait.

Plus tard, elle a ajouté : « Je me demande combien de gens sont passés par-dessus le bord du navire en marche, la nuit, sans rien dire ? »

« Quelle idée morbide ! » me suis-je exclamé. Mais j'étais très inquiet.

Elle m'a répondu qu'il n'était pas morbide de disparaître dans l'eau propre, que c'était une mort purificatrice... La notion de pureté revenait si souvent chez elle... c'était comme entrer dans une chambre où les couvertures avaient été rabattues sur le lit et les lampes baissées, pour un sommeil paisible.

Je ne savais trop quoi penser. Après ce que nous avions enduré, ce genre de discours était assez répandu. Nous avions tous nos moments de désespoir. Nous émergions progressivement de ce désir de mort purificatrice à mesure que pour nous l'espoir reprenait forme. Mais je tenais à être prudent et la pressai de redescendre parce qu'il était tard.

« Non, c'est sale et la chaleur est suffocante en bas. Au moins ici il y a de l'air et il est pur. »

Je lui ai alors dit que je resterais avec elle. Elle a protesté, mais je suis resté.

Franz leva les yeux.

— Seulement, je me suis endormi, Theo, je me suis endormi. Et, quand je me suis réveillé, elle n'était plus là...

Parmi les chemises du tiroir du milieu, il avait glissé les photos de ses parents, toujours enfermées dans le portefeuille en cuir qu'il avait pris avec lui lorsqu'il était parti pour Paris et les Etats-Unis. Quelle étrange impulsion de dernière minute l'avait amené à glisser ses photos dans sa valise ? S'il ne l'avait pas fait, il n'aurait à présent aucun souvenir de leur visage si ce n'est celui conservé par sa mémoire et qui disparaîtrait avec lui.

Iris était encore en bas. Ils étaient restés silencieux tout le temps du trajet. Elle n'avait même pas essayé de lui dire quelques mots de réconfort, ce dont il lui était reconnaissant car il n'existait aucun mot de réconfort... Tandis qu'il ouvrait le portefeuille, il se dit qu'elle avait certainement dû voir ces photos en rangeant ses affaires. Mais elle n'avait jamais fait aucune remarque et de cela aussi, il lui savait gré.

Les photos de ses parents avaient été prises à cette époque où la jeunesse cède la place à l'orgueil de la maturité naissante. Son père portait l'élégant uniforme d'officier de la première guerre mondiale et arborait l'allure sévère qui convenait aux circonstances. Sa mère était vêtue d'une robe en soie fluide à la mode de l'époque avec le bas bordé de dentelle et un sautoir de perles qui lui tombait jusqu'à la taille. Elle était mince et se tenait très droite. On apprenait aux jeunes filles de son temps à se tenir ainsi, disait-elle toujours. Avait-elle marché avec cette belle fierté jusqu'au wagon, au fourgon, ou au véhicule, quel qu'il soit, qui l'avait conduite vers sa mort ?

Il les étudia longuement. Pendant toute une période, il avait été incapable de les regarder. Puis il glissa la photo de sa mère hors de l'étui et retira celle qui était cachée en dessous et qu'il ne s'était jamais senti la force de sortir durant toutes ses années.

Elle levait son visage vers lui. Souriait-elle ? Difficile à dire car la bouche était naturellement gracieuse. Mais les yeux souriaient. Ils semblaient, ou bien était-ce son imagination, ou la façon dont ils étaient fendus... ils semblaient refléter une continuelle gaieté même quand elle était sérieuse ou en colère. Des yeux noisette, qu'il avait l'habitude de comparer à des yeux de chat. Le bambin était assis sur ses genoux et tenait dans sa main une balle en feutre à pois. Il se souvenait de cette balle. C'est lui qui l'avait achetée, un après-midi, sur le Graben. Fritzl l'avait faite rouler sous le canapé qu'il avait fallu déménager pour la récupérer. Theo se pencha davantage : oui, on distinguait une fossette sur le genou rond du bébé.

Liesel, Liesel chérie, quel mal as-tu commis ? Moi qui croyais que tu étais morte rapidement. Mon Dieu, comme es-tu parvenue à vivre si longtemps ?

La porte de la chambre s'ouvrit — Iris n'avait fait aucun bruit — et la lumière du couloir s'insinua par l'ouverture. Elle vint à côté de lui et examina la photographie pendant une longue minute. Il vit la frayeur inscrite sur son visage, comme si elle avait compris que quelque chose avait changé. Il était désolé pour elle : mais n'était-il pas fou de s'apitoyer sur celle qui était en vie ?

— J'ai rudoyé ce pauvre Franz, dit-il.

— Ça ne fait rien. Il a compris, répondit-elle d'une voix posée.

Puis il se mit à pleurer. Elle posa la tête de Theo sur son épaule et le tint très doucement sans dire un mot.

38

Theo était plongé dans l'affliction depuis plus de six mois et Iris n'en pouvait plus. La tristesse qui accablait son mari pesait douloureusement sur elle.

Cette première nuit, après avoir laissé Franz Brenner sur le trottoir de la 57e Rue, elle avait proposé de conduire jusqu'à la maison, mais Theo avait pris le volant. Elle revoyait sa bouche crispée en rictus. Elle se rappelait aussi sa propre peur terrible. Elle craignait moins l'accident — Theo conduisit à tombeau ouvert — que les effets irrémédiables de cette nuit atroce, et comment aurait-il pu en être autrement ?

La famille avait fait cercle autour de Theo, l'entourant d'affection. Son père était venu chez eux le lendemain et avait pris silencieusement Theo dans ses bras. Sa mère avait pleuré bien sûr — elle qui ne pouvait jamais réprimer ses larmes. Elle pleura donc une fois de plus la mort de son frère et de toute sa famille.

— Une si jolie petite fille, s'était-elle écriée après le départ de Theo. Je la revois encore dans le jardin d'Eli. Avec un ruban et un nœud de velours dans les cheveux, comme Alice au pays des Merveilles.

Et soudain, submergée par l'atrocité d'un ancien souvenir, elle avait chuchoté :

— J'ai vu une fille se faire violer en Pologne.

— Tu ne me l'as jamais dit ! s'était exclamé Joseph.

— On préfère ensevelir ce genre de souvenir, avait-elle répondu.

Eric avait été stupéfait. Bien sûr il avait entendu parler des atrocités perpétrées par les nazis, mais il avoua que, sans savoir pourquoi, celles-ci lui avaient toujours semblé exagérées.

Theo était retourné à son cabinet le surlendemain. Durant les premiers jours, Iris avait eu peur pour lui, sans pouvoir dire exactement ce qu'elle redoutait. Elle n'avait cessé de téléphoner à son bureau sous divers prétextes, sans demander à lui parler, simplement pour s'assurer, de manière détournée, que tout était normal.

La nuit, elle sentait qu'il ne dormait pas. Elle l'entendait ravaler un sanglot. Mais après cette première nuit, il avait repoussé tout geste de réconfort.

— J'ai un rhume, avait-il prétendu, et la stupidité de ce maladroit prétexte l'avait davantage touchée que n'importe quoi d'autre.

Il était devenu d'une exceptionnelle gentillesse avec les enfants. Sa voix se faisait tendre, même à table, pour dire des choses aussi banales que : « Steve, tu es bien sûr de t'être lavé les mains », ou : « Jimmy, mon petit, il faut que tu finisses ton lait si tu veux du dessert. »

Iris l'avait surpris avec Laura sur ses genoux, et un bras entourant chacun de ses garçons, comme s'il voulait tous les protéger. Son visage avait une expression farouche et triste. Quand elle lui parlait, il sursautait et elle devait répéter à chaque fois. Elle le voyait alors cligner des yeux et secouer la tête pour chasser les pensées qui l'absorbaient et revenir à la réalité.

Le soir à présent, quand elle n'était pas dans la chambre — parce qu'elle prenait son bain, par exemple — elle l'entendait ouvrir le tiroir, puis le refermer de longues minutes plus tard. Elle savait qu'il avait regardé la photo de Liesel et de leur enfant. Parfois, quand elle rentrait dans leur chambre à l'improviste, les mouvement précipités de Theo le trahissaient encore. Un jour, sans qu'elle sache pourquoi, ce geste cessa de lui inspirer de la pitié, mais l'irrita.

— Tu vas l'user cette photo, à force !

Réaction dont elle eut immédiatement honte et dans un élan de repentir, elle souhaita sincèrement être capable de soulager Theo de sa peine en la partageant avec lui.

Iris était très inquiète. Combien de temps un être humain pouvait-il supporter un tel fardeau ? Avec tout le travail qui l'attendait à son cabinet et à l'hôpital ? Avec une femme, trois enfants et, à présent, cette immense douleur qui l'égarait ?

Iris enrageait contre la pourriture de ce monde qui frappait toujours les meilleurs.

Elle n'aurait pas su dire à quel moment exactement le chagrin avait cédé la place au ressentiment. Etait-ce au terme du troisième ou du cinquième mois qu'elle avait su qu'elle ne pourrait plus réprimer son amertume ? Peut-être tout avait-il commencé le matin où l'une des secrétaires de Theo avait téléphoné pour dire :

— Nous venons juste d'apprendre — Iris s'était alors demandé comment les membres du cabinet avaient pu être mis au courant — ce qui est arrivé à la femme du docteur. Pareille chose est impensable au XXe siècle ! Nous sommes tous vraiment désolés et nous voulions vous faire savoir que nous ferons de notre mieux pour rendre les choses plus faciles au docteur.

Iris avait remercié poliment avant de raccrocher. *Ce qui est arrivé à sa femme*, cette phrase lui avait fait un choc terrible. Mais c'est moi, sa femme, à présent ! Combien de temps va durer cette désolation généralisée ? Tout le monde marche sur la pointe des pieds ou parle à voix basse en présence de Theo : mes parents, Eric, les quelques amis qui sont au courant. Une atmosphère de deuil, une maison funèbre...

Theo avait pris l'habitude de veiller tard. Elle comprenait ses insomnies et essayait de rester avec lui, mais ses paupières se fermaient malgré elle et il lui disait d'aller se coucher, qu'il la rejoindrait bientôt.

Une nuit, inquiète, elle avait regardé ce qu'il faisait en bas. Il était seulement assis dans un fauteuil, les yeux perdus dans le vague. Puis elle l'avait vu se lever et se diriger vers le piano. Il s'était mis à jouer, très doucement, afin de ne réveiller personne.

Chaque nuit, elle l'entendait jouer : essentiellement des nocturnes de Chopin, une musique nostalgique évoquant les nuits d'été, les étoiles et l'amour.

Une nuit, elle se redressa sur un coude et consulta son réveil : une heure et demie. Elle était allongée seule dans son lit depuis déjà plus de deux heures, pendant que son mari se perdait dans une musique qui le transportait ailleurs, vers une autre femme, une autre époque.

Quand il monta et la trouva encore éveillée, il s'avança vers elle. Elle sentit qu'il attendait d'elle une réponse ardente et prompte comme elle avait toujours su lui donner. Mais son désir était aux prises avec l'humiliation. Et si, depuis le début, tandis qu'elle se donnait passionnément à lui, il ne pensait qu'à elle... si ce n'était pas elle qu'il désirait ? Il pensait à...

Tout son corps le refusait. Elle avait envie de hurler : ne m'approche pas avec ce visage de deuil. Mais elle ne dit rien et le prit dans ses bras. Tu m'as exclue. Moi, oui, *moi*, tu ne comprends donc pas ? Ne t'approche plus de moi tant que tu n'es pas redevenu celui que tu étais. Mais le redeviendras-tu jamais ?

Elle connaissait les dangers de ce genre de sentiment dont on pouvait facilement perdre le contrôle. Mais comment y remédier ? Et le matin qui semblait ne jamais vouloir venir ! Après de telles nuits, des cernes creusaient ses yeux et, comme son teint était naturellement pâle, elle arborait au réveil un visage de tragédie. Elle était incapable de paraître fraîche et dispose, ce qui la déprimait davantage. Devant elle, à la table du petit déjeuner, elle retrouvait le visage hagard de Theo. Une silencieuse lassitude s'établissait entre eux, troublée seulement par le froissement des feuilles du journal.

Petit à petit, centimètre par centimètre, un mur s'édifiait entre eux deux.

Puis, un après-midi, il lui apprit leur inscription à un club. Elle en fut très étonnée car ils avaient toujours considéré, d'un commun accord, que les activités de club ne les attiraient pas suffisamment pour justifier une telle dépense. Theo était certes un bon joueur de tennis, mais il se contentait des courts publics qu'il trouvait en ville. Iris n'avait aucun don pour le sport et ne pouvait donc profiter d'aucun des avantages du club... La plupart de leurs amis étaient des Européens qui pratiquaient la musique les uns chez les autres et n'appartenaient à aucun club. Aussi comprit-elle mal la décision de son mari.

— J'ai envie de me trouver mêlé à des gens moins sérieux, lui expliqua Theo. Des gens qui aiment rire et danser.

Eh quoi ? Elle adorait danser ! Que voulait-il dire, songea-t-elle aussitôt. Elle eut un moment le sentiment qu'il l'accusait et sentit monter en elle une vive colère, qui s'apaisa presque immédiatement. Il voulait seulement sortir de ses habitudes pour essayer de tromper son tourment ! Elle qui se félicitait de la « compréhension » dont elle faisait preuve avec les autres devait bien comprendre cela, non ? Pauvre homme ! A tort ou à raison, il pensait que la foule, les visages nouveaux et la « gaieté » collective allaient lui apporter l'oubli et le bien-être.

Derrière ce désir de joyeuse compagnie, se cachait cependant autre chose. Colère ? Amertume ? Provocation ? Quelque chose nous a échappé, pensa Iris, quelque chose a glissé de nos mains.

Elle se souvint qu'au début de leur amour, elle s'était dit que Theo pourrait séduire toutes les femmes dont il avait envie : l'été dernier, à la plage, les femmes — depuis les toutes jeunes filles jusqu'aux dames nettement plus âgées qu'Iris — toutes succombaient au charme sans qu'il fît d'effort en ce sens. Son léger accent étranger, un peu britannique, y était sans doute pour quelque chose. Il ne faisait absolument rien dont elle pût le blâmer, mais il lui arrivait parfois de sérieusement ronger son frein...

Au nouveau club, c'était sans doute le même scénario. Il se tenait au bar, un verre à la main, entouré de femmes qui se pressaient autour de lui et tout ce petit monde devisait joyeusement. Mais dès qu'il se retrouvait à la maison, la tristesse resurgissait. Jamais exprimée par les mots, car Theo avait tenu à ce que le sujet soit définitivement clos, elle transparaissait dans le ton de sa voix, dans ses gestes et, surtout, dans son silence. Cette désolation s'insinuait partout, tel un filet d'air qui s'infiltre par une fenêtre mal fermée, refroidissant toute la pièce. Si ses amis du club avaient pu voir Theo chez lui, ils ne l'auraient pas reconnu.

Il y avait maintenant deux personnes en lui.

Si seulement elle avait eu quelqu'un à qui parler de ce qui se passait dans leur couple. Mais c'était trop intime. Elle se connaissait trop bien, elle et son immense orgueil — déplacé ? — qui lui avait toujours imposé une légendaire retenue. Peut-être, en dernière extrémité, pourrait-elle se confier à son père ? Il était la seule personne à qui elle pourrait parler. Mais elle ne pouvait pas lui dire combien sa vie était difficile et loin de la perfection. Il portait des œillères et avait une image idéalisée de la famille qui ne supportait pas le moindre accroc.

Iris se tenait au milieu de la chambre, essayant de réfléchir à ce qu'elle allait faire de sa matinée. C'était samedi et Theo était parti jouer au tennis au club. En bas, dans le jardin, elle entendait le grincement des balançoires. Nellie était dehors avec les enfants. Elle devrait descendre s'occuper d'eux pour laisser Nellie travailler un peu dans la maison. Il faudrait aussi qu'elle aille faire des courses avec Laura, dont tous les vêtements étaient trop courts. Et Steve l'inquiétait : il était trop solitaire. Après l'école, il se promenait seul, la tête rentrée entre les deux épaules, tandis que Jimmy était toujours entouré d'une nuée de camarades. Mais la force lui manquait pour prendre en charge tous ces problèmes. Elle se sentait terriblement lasse. Le moindre mouvement, la moindre décision lui demandaient un effort insurmontable.

Le téléphone sonna.

— Pourquoi ne venez-vous pas déjeuner, Theo et toi ? lui demanda sa mère. L'idée vient juste de me venir.

— Theo déjeune au club. De plus, vous rentrez à peine du Mexique ! Tu commences déjà à recevoir ?

— Vous avoir à déjeuner n'est pas recevoir. Eric doit arriver de Dartmouth. Il a téléphoné hier soir qu'il serait là vers midi. Alors viens, et Theo pourra passer après le déjeuner. Amène aussi les enfants.

— Non, ils sont en train de jouer tranquillement et Nellie peut les garder. Je viendrai seule.

Ces derniers temps, elle avait très peu de patience avec les enfants. Il lui semblait qu'elle avait perdu tout désir d'écouter, de comprendre et de consoler. Pour le moment, elle avait envie de recevoir, pas de donner. L'idée de la table qui l'attendait dans la maison de ses parents lui rappela ces moments de l'enfance où, après une journée désagréable à l'école, elle courait retrouver la chaleur du foyer familial. Elle avait besoin de ses parents — de son père surtout — et en même temps en éprouvait de la honte.

Tandis qu'elle traversait la ville au volant de sa voiture, le soleil brûlant distillait une mélancolie automnale. Il faisait plus chaud que pendant l'été, pourtant des feuilles jaunes tombaient, après avoir longuement plané dans l'air immobile. La rue principale regorgeait de breaks, chargés de chiens et d'enfants, et bardés d'autocollants portant les noms de prestigieux collèges : Harvard, Smith, Bryn Mawr. Sur le trottoir, devant la banque, des femmes assises derrière des tables branlantes vendaient des billets de tombola au profit des paralysés, des malades mentaux, des orphelins... Autant de choses qui lui semblaient maintenant d'une rare futilité.

Elle passa devant l'école où elle devait être la présidente de l'Association des parents d'élèves l'année prochaine. Puis devant la synagogue entourée de fleurs aux chaudes couleurs automnales : des soucis et des zinias. Sans importance.

— Je ne peux plus aller à la synagogue, lui avait déclaré Theo la semaine précédente.

Iris était restée figée au milieu de la pièce. Elle ne voyait guère d'inconvénient à ce qu'il ne veuille plus y aller, d'autant qu'il ne les y accompagnait plus depuis plusieurs mois. Si seulement il l'avait dit différemment, sans ce ton agressif ! Il avait jeté le gant qu'elle s'était empressée de ramasser.

— Ah bon, tu ne peux plus ? Et pourquoi ?

— Je me demande quel besoin tu as de me poser la question.

Penses-tu vraiment que je puisse rester assis à écouter patiemment tous ces laïus sur Dieu ? Dieu qui a permis l'existence de Dachau ?

— Ce n'est pas à nous qu'il appartient de juger ce que Dieu permet. Certaines raisons dépassent notre entendement.

— Balivernes ! Foutaises ! Je vois seulement que votre Dieu est un Dieu destructeur. Je suis plus miséricordieux que lui : je passe mes journées à reconstruire.

— On pourrait dire que c'est l'œuvre de Dieu qui te donne le désir de reconstruire.

— Allons, allons, tu es trop savante pour croire à cela ! Tes parents, je comprends, mais pas toi ! L'apparition sur le mont Sinaï et la Torah donnée à Moïse, gravée sur une pierre ! Tu ne crois tout de même pas à ces légendes !

— Non ? Alors pourquoi crois-tu que je me rende à la synagogue chaque semaine ?

— Tu y vas, parce que c'est une vieille habitude. Les gens bien sont censés aller à la synagogue. En outre, la musique est splendide, très émouvante.

— Je pourrais être furieuse, mais je ne le suis même pas. Theo, pour parler de choses plus précises, quand vas-tu surmonter cette crise ? Loin de moi l'idée de paraître insensible, mais après tout, Liesel n'est pas le seul être humain qui soit mort dans des circonstances cruelles. Pense à mon frère, tu ne crois pas que mes parents...

— Je ne veux pas parler de Liesel, avait-il répondu froidement.

— J'essayais seulement de t'aider.

— Ce n'est pas la peine d'essayer. « Nous naissons, nous souffrons et nous mourons. » Je ne sais plus qui a dit cela, mais c'est la plus grande vérité que je connaisse.

— Je ne connais pas cette phrase. Je sais seulement qu'elle est affreusement amère et que, quand on y réfléchit, elle est beaucoup moins profonde qu'il n'y paraît.

— Iris, cette conversation ne rime à rien. Je suis désolé de l'avoir provoquée. Va à ta synagogue si cela te fait plaisir. Ce n'est même pas très gentil de ma part de chercher à t'écarter de ce qui te rend si heureuse.

— Ce n'est pas toi qui pourrais m'en écarter. Mais merci quand même.

A quel propos, à partir de quand avaient-ils commencé à se parler sur ce ton, à manier froideur et ironie ? se demandait à présent Iris en revivant la scène. Depuis quand s'était installée cette distance, faite d'hostilité vaguement courtoise ?

Tandis que la voiture défilait dans des rues calmes, avant de tourner dans l'allée de la maison de ses parents, Iris était consciente du battement lourd et lent de son cœur et des frissons qui la parcouraient. Cette sensation ne lui était pas inconnue : c'était celle qu'elle éprouvait à l'école, chaque fois qu'elle devait entrer dans une salle d'examen.

Arrivée devant la porte, elle arbora le chaleureux sourire d'usage.

— Bonjour, Papa ! Bonjour, Maman ! Vous avez l'air en pleine forme ! Comment vas-tu, Eric ?

Baignée d'air frais, la maison exhalait une bonne odeur de meubles cirés. La table de la salle à manger était garnie de napperons roses et sa mère était impeccablement coiffée. Iris se rendit alors compte qu'elle ne prenait plus grand soin de ses cheveux ces derniers temps, et repoussa des mèches folles derrière ses oreilles.

— Dommage que tu n'aies pas amené les enfants, dit son père. Nous irons leur dire bonjour plus tard dans l'après-midi, après la sieste de Laura. Ma petite poupée a-t-elle encore grandi ?

— Je ne peux pas te dire, Papa, je la vois tous les jours.

La poupée aux cheveux roux de Papa. Heureuse Laura pour qui l'hérédité a sauté une génération et qui ressemble à Maman, songea Iris.

— Ainsi mon vœu s'est réalisé, dit sa mère en soupirant quand ils furent à table. J'ai vu Dan et je suis contente. Le Mexique est un pays fascinant. Ils nous ont emmenés partout.

— Avez-vous vu la pyramide du soleil à Teotihuacan ?

— Bien sûr ! Je me suis félicitée d'avoir lu *La conquête du Mexique*, sinon, je n'aurais vu que des pierres, qu'un chef-d'œuvre architectural qui ne m'aurait rien évoqué de particulier. Avec tout ce que je savais, j'ai vraiment pu me représenter comment vivaient ces gens avant l'arrivée de Cortez. Quelles brutes !

Iris écoutait à peine le récit du voyage. Dan. Dena. Leurs enfants et petits-enfants. Une maison de pierre avec une clôture en fer forgé. Un magasin dans la *Zona Rosa*. Une entreprise de vente en gros avec soixante-dix employés.

— Et Dan a dit que ta mère était très belle, qu'elle n'avait presque pas vieilli... Oui, confia son père, j'ai fait le bon choix. Oh, je connaissais plein de filles, mais à aucune d'elles je n'ai eu envie de consacrer plus de dix minutes de mon temps, jusqu'à ce que je rencontre celle-ci.

Iris buvait son café, les yeux fixés sur sa tasse. *Son* mari ne pourrait certainement pas en dire autant d'*elle*.

— Theo a-t-il meilleur moral ? s'enquit son père. Quand je pense à ce qui lui est arrivé ! ajouta-t-il en hochant la tête.

— Je suppose que le club lui fait du bien, fit remarquer sa mère. Prendre de l'exercice, avec le tennis, constitue une bonne thérapeutique.

— Je dois quand même avouer que j'ai été surpris d'apprendre votre inscription à un club, déclara Joseph en secouant à nouveau la tête. On y côtoie toute une foule de gens aux mœurs dissolues, très portés sur la boisson.

— Mais non, c'est absurde, intervint Anna. Nous avons de nombreux amis qui sont inscrits à un club sans que l'on puisse les accuser d'avoir des mœurs « dissolues ».

— Quand même, insista Joseph, il s'y passe des tas de choses louches. Je n'aurais jamais pensé que ce genre d'atmosphère plairait à Theo.

— Il joue au tennis, prend un bain et revient à la maison, dit laconiquement Iris.

— Tu n'aimes pas aller au club, n'est-ce pas ? lui demandait à présent son père, déterminé, pour on ne sait quelle raison, à continuer sur le sujet.

— Ça m'est égal, répondit-elle.

— C'est un bordel. Pardonnez-moi l'expression. On y couche à droite et à gauche.

Eric se mit à rire et Anna leva les yeux au ciel.

— Mon Dieu, Joseph ! Tu emploies des mots un peu forts !

— Peut-être. Mais j'ai déjeuné il y a quelque temps avec des hommes qui en font partie. Certains sont de mon âge et d'autres encore plus âgés. Je pense que, sur le lot, nous n'étions que trois à vivre avec nos premières femmes. Leurs histoires m'ont flanqué le tournis : des enfants de trois lits différents, un gars qui avait épousé une fille plus jeune que sa propre fille et un autre qui s'était mis en ménage avec une femme mariée. Fou ! Complètement fou !

— Eh bien, Grand-Père, que peut-on y faire ? demanda Eric.

— Je ne sais pas. En tout cas, je vais vous dire une chose : on est beaucoup trop indulgent là-dessus. A ce régime-là, plus aucune famille ne subsistera. Vous savez ce que la Bible dit à propos de la femme adultère ? Jetez-lui des pierres !

— Tu ne penses sûrement pas ce que tu dis, Joseph, dit calmement Anna.

— Je parlais bien sûr au figuré. Mais il est une chose que je ne ferai jamais : l'inviter à ma table et lui présenter ma femme. Des gens comme ça devraient être exclus de la communauté ! Toutes ces histoires et ces divorces ! conclut-il en grommelant.

— Tu parles comme Mary Malone ! s'écria Anna. Comme un bon catholique archi-traditionnel.

— Je me sens très proche des Malone sur beaucoup de sujets. Tu devrais quand même le savoir à présent. Ah, tiens voilà Theo.

Theo se tenait dans l'encadrement de la porte de la salle à manger, sa raquette à la main et un chandail négligemment noué autour des épaules. Il avait vraiment beaucoup de charme et Iris se demandait combien d'autres femmes pensaient comme elle. Il s'assit avec eux.

— Nous étions en train de parler du club, lui dit Joseph.

— Je sais. Je vous ai entendus en entrant.

— Oui. Eh bien, notre peuple est en train d'être assimilé, n'est-ce pas ? La boue de la civilisation moderne s'accroche à ses basques quand il la traverse.

— Ce qui ne semble pas leur déplaire, fit observer Theo en riant.

— Oh, bien sûr, ils s'amusent beaucoup, mais un jour, ils devront payer, vous pouvez en être sûr. Un gars a écrit un article sur Rome et sa corruption dans le journal la semaine dernière Eux aussi ont fini par payer.

Theo s'agita sur sa chaise, mal à l'aise. Il disait toujours que son beau-père n'avait qu'un seul défaut : moraliser comme un prophète de l'Ancien Testament. Il se tourna donc vers sa belle-mère.

— Votre voyage s'est-il bien passé ? Que pensez-vous de Mexico ?

Et Anna se lança dans une description exaltée de la Reforma qu'elle compara à la 5e Avenue, aux Champs-Elysées et à la Graben. Theo enchaîna en évoquant Vienne, lui qui n'avait plus voulu citer cette ville pendant des années, ni accepter que qui que ce soit y fasse allusion, pensa Iris avec colère. Oui, en ce qui le concernait, Vienne avait été rayée de la carte. Et maintenant, il parlait du Prater et du Grinzing avec sa belle-mère, qui faisait chorus comme si cette ville n'avait pas de secrets pour elle, après qu'elle y eut passé deux semaines, il y a un quart de siècle... Theo riait. On aurait dit qu'il faisait la cour à sa belle-mère, et Iris savait que Theo cherchait uniquement à l'exaspérer.

— Je vais rentrer prendre une douche, annonça-t-il en se levant soudain. Au fait, dit-il en s'adressant à Iris pour la première fois depuis qu'il était entré, j'ai réservé une table au club pour dîner ce soir avec d'autres personnes. Sept heures et demie.

— Très bien, dit-elle, en se rendant compte au même moment que les yeux de sa mère étaient posés sur elle.

Elle baissa les yeux et sentit le rouge lui monter aux joues. Sa mère comprenait certainement. Son regard était trop perçant.

Iris se tenait debout, un verre à la main qu'elle ne savait pas où poser. Confinée dans un coin, elle parlait avec une femme d'un certain âge, Mme Reiss, qui connaissait sa mère. Pourquoi finissait-elle toujours par se retrouver avec des gens âgés ! Elle devait bien reconnaître qu'il lui était plus facile de parler avec eux et qu'elle se sentait plus à l'aise. Sa bouche était crispée d'avoir dû tant sourire au cours de cette dernière heure, et elle espérait que le dîner allait être bientôt servi, qu'elle puisse enfin s'asseoir et ne plus parler.

Une foule de gens se pressait dans la pièce, exhalant des bouffées de fumée, de parfums et de whisky, bloquant désespérément toute tentative d'Iris pour sortir de son coin.

— ... il a toujours été un étudiant exceptionnel, mais la compétition est meurtrière, on ne sait jamais si...

— ... cent vingt-cinq mille pour la maison sans le terrain attenant, alors que le quartier est vraiment médiocre. Rays dit que...

— ... tout le monde reconnaît que les courts sont nettement supérieurs à Shavydale, à condition de pouvoir supporter les gens qui les fréquentent. Nous sommes très bien ici, à Rollig Hill...

— Ah, je vois qu'on sert des petits biscuits salés, fit remarquer Mme Reiss, en élevant la voix pour se faire entendre dans le tohubohu. Voulez-vous que nous allions en chercher ?

— Non merci, dit Iris.

— Bon, je crois que je vais essayer d'aller en goûter quelques-uns. Excusez-moi.

Même une vieille femme comme elle s'ennuie en ma compagnie, se dit Iris. Je n'ai pas de personnalité, pas d'assurance. Quand

Theo m'a épousée, j'ai commencé à en avoir. Je le sais, parce que cette question ne me préoccupait plus, ce qui est un signe. J'ai su que j'étais *quelqu'un* quand nous nous sommes mariés, et maintenant je ne sais plus où j'en suis.

Elle trouva Theo au milieu d'un groupe de gens enjoués qui lui étaient presque tous inconnus. Iris espérait qu'ils seraient assis avec Jack et Lee, leurs voisins, ou avec le Dr et Mme Jasper, qui étaient des gens aimables et pas trop futiles, avec lesquels on pouvait avoir une conversation.

Ils entrèrent dans la salle à manger où régnait une agitation frénétique. Tout le monde semblait... elle chercha le mot... fébrile. Chacun regardait vers la table voisine toujours plus intéressante. Comment me faire inviter à leur table la prochaine fois, devaient-ils se demander. Comment me faire présenter à M. Untel ? Il n'y avait pas de mal à vouloir plaire et connaître des gens, mais eux semblaient mettre toute leur énergie dans cette activité, sans parler des mesquineries cruelles, des flatteries et des rebuffades impliquées par ce sport sans pitié.

Seul Theo attirait sans se donner le moindre mal, pensa Iris. Il ne devrait pas avoir pour compagne une femme terne comme moi, mais quelqu'un qui lui ressemble.

Comme Liesel.

— Tu es à mille lieues d'ici, dit Theo en se penchant vers elle.

— Moi ? Non. J'observe seulement. Je m'amuse à regarder les gens.

Ses lèvres étaient sèches. Pourquoi ne puis-je pas lui dire que je me sens mal à l'aise et que j'ai envie de rentrer à la maison ?

— Qui est cette femme en rouge ? ajouta-t-elle. J'ai l'impression de la connaître, mais je n'arrive pas à la replacer.

— Oh, c'est Billie Stark, une grande joueuse de tennis. Nous avons joué en double mixte aujourd'hui et elle m'a donné du fil à retordre.

Oh, mon Dieu, encore une de ces femmes pleines de vivacité ! Et voici que ce fébrile oiseau rouge fond dans notre direction. On entend ses petits cris enjoués et sa gaieté jacassante de l'autre bout de la salle. Sa bouche ne cesse seulement de s'étirer en sourire que pour s'arrondir en une moue étonnée. « Oh, non ! Comment est-ce possible ! » Battement de paupières, sourcils dressés, clignements d'yeux qui se plissent en fines ridules ou s'écarquillent en un regard faussement ingénu. Elle secoue les cheveux, balance les bras, tortille des hanches. Quelle santé !

Billie Stark, la femme en rouge, pourquoi diable ne disparaissez-vous ou ne vous taisez-vous pas ?

— Bien sûr, je me souviens de vous, vous êtes Billie Stark. Comment allez-vous ? dit Iris en tendant la main.

Je me demande pourquoi je n'aime pas tout le monde. Pourquoi ai-je également le sentiment de n'être pas aimée des gens ? Autrefois, j'étais charitable, j'essayais de comprendre les autres. Maury me disait toujours que je comprenais très bien les problèmes d'autrui. Du moins, m'y efforçais-je. Je sais que j'ai été d'un grand secours pour Eric.

Quelqu'un vint inviter Billie à danser, puis tout le monde se leva pour rejoindre la piste.

— Tu ne t'amuses pas ? demanda Theo. Tu es terriblement silencieuse.

— Ça va, dit-elle.

Puis, ne pouvant retenir ce qu'elle avait sur le cœur, elle ajouta :

— Cette femme, Billie Stark, elle te plaît ?

— Eh bien, elle est pleine de vie. Et elle sait s'amuser.

— ... Je me demande s'il s'agit d'une insinuation perfide à mon égard... Je pourrais être enjouée, moi aussi, si tu étais...

— Tu ne te sens pas bien, Iris ? Est-ce que tu as attrapé quelque chose ?

Il savait parfaitement qu'elle n'était pas malade.

— Je vais bien. Mais je me sens étrangère à ce lieu. Je ne fais pas partie des femmes genre Billie Stark. J'essaie de découvrir ce qui te fait croire que tu appartiens à ce monde. Si tu y appartiens vraiment. Quelle personne es-tu ? Celle qui joue de la musique chez Ben le mardi soir ou celle qui se trouve ici ?

Elle se rendit compte que son ton était suppliant.

— Qui je suis ? Et pourquoi devrais-je être l'un ou l'autre ? Est-ce que je peux pas aller où je le désire quand je le veux ?

— Mais il faut vivre en accord avec une certaine éthique.

La musique avait un rythme endiablé, et elle trouvait absurde de se trémousser au milieu de la piste, étant donné le malaise qui l'habitait.

— Tu lis trop de mauvais livres de psychologie, lui dit Theo avec agacement.

A son tour, Iris s'autorisa une réaction d'énervement.

— Tu veux savoir ce que je pense vraiment de tes amis ? C'est une bande de « m'as-tu-vu ». Ils passent leur temps à rivaliser, à jouer au plus malin ou à faire mieux que le voisin. Ils attendent d'avoir vu ton compte en banque avant de décider si tu vaux la peine d'être salué.

Theo ne répondit rien. Elle savait qu'il ne la désapprouvait pas totalement. Lui-même avait souvent fait des remarques similaires. Mais ils rentrèrent chez eux sans dire un mot pendant tout le trajet. Il alluma la radio et ils écoutèrent les informations comme s'il s'agissait de la chose la plus importante de leur vie.

Elle savait que, pendant qu'elle prendrait son bain, il ouvrirait le tiroir de sa commode et sortirait la photo. Ce soir, elle sortit doucement de la baignoire et enfila une robe de chambre. Ouvrant brusquement la porte de la chambre, elle le surprit en train de tenir la photo à la lumière. Elle eut juste le temps d'entrevoir l'image familière : la pose de madone, les longues boucles libres, l'enfant sur les genoux.

Ils se regardèrent longuement dans un silence pesant.

— Tu n'aurais jamais dû m'épouser, Theo, dit finalement Iris.

— Pardon ?

— Tu ne m'aimes pas. Tu ne m'as jamais aimée. Tu es encore amoureux d'elle.

— Elle est morte.
— Oui, et si elle avait vécu, tu aurais été beaucoup plus heureux qu'avec moi.
— Au moins, ne m'aurait-elle pas harcelé de remarques continuelles !
— Ah, tu vois ! Eh bien, c'est vraiment dommage, n'est-ce pas ? Je pourrais peut-être te rendre service en mourant. Excepté que cela ne suffirait pas à la faire revivre, n'est-ce pas ?
Il fit résonner violemment son poing contre la paume de sa main.
— Oh, Iris, c'est stupide et puéril !... Combien de temps ce petit jeu va-t-il durer ? Je n'aurais vraiment pas dû faire cette réflexion au sujet des remarques continuelles. Je ne le pensais pas du tout. Mais je ne sais pas pourquoi tu es tellement anxieuse, pourquoi tu es si peu sûre de toi ! C'est navrant.
— Peut-être qu'en effet je ne suis pas sûre de moi. Si tu le sais, pourquoi ne m'aides-tu pas ?
— Dis-moi comment. Si je peux faire quelque chose, je le ferai.
Elle savait qu'elle jouait avec le feu, mais elle ne put s'en empêcher.
— Dis-moi que si tu avais su qu'elle était toujours en vie, tu m'aurais quand même choisie. Dis-moi que tu m'aimes plus que tu ne l'a jamais aimée.
— Je ne peux pas dire une chose pareille. Tu ne sais pas que chaque amour est différent ? Elle était une personne et toi tu en es une autre, ce qui ne veut pas dire que l'une soit mieux ou moins bien que l'autre.
— Tu te dérobes, Theo.
— Je te dis ce que je pense, dit-il assez gentiment.
— Très bien. Alors, réponds à l'autre partie de ma question : si tu avais appris qu'elle était en vie, m'aurais-tu quittée pour aller la rejoindre ? Je suis sûre que tu peux répondre.
— Oh, mon Dieu, pourquoi tiens-tu à me torturer ?
Mais Iris s'acharnait, incapable de reculer.
— Je te le demande, Theo, parce qu'il faut que je sache. Tu ne comprends pas que ta réponse est déterminante pour moi, pour mon existence ?
— Tu y vas vraiment fort ! Je ne peux pas répondre à une question qui ne rime à rien.
— Alors, nous en revenons à ce que je disais au début. Tu n'as jamais eu réellement envie de m'épouser.
— Pourquoi l'aurais-je fait alors ?
— Parce que tu savais que mon père attendait un peu que tu...
— Iris, si je ne l'avais pas voulu, dix pères n'auraient pas pu m'y obliger.
— ... et parce que tu étais seul, à bout de forces, et que tu trouvais un peu de réconfort auprès de ma famille. Aussi, parce que, après tout, je suis assez intelligente pour toi et que j'ai, ou plutôt que j'avais, les mêmes goûts que toi. Tes amis européens cultivés peuvent venir chez nous, je sais les recevoir et faire la conversation. Mais ce n'est pas de l'amour.

— Qu'entends-tu par amour ? demanda Theo après avoir réfléchi un instant. Peux-tu définir le mot amour ?

— Tu fais de la sémantique à présent ! Bien sûr que non, je ne peux pas. Personne ne le peut, mais chacun sait ce qu'il veut dire quand il utilise ce mot.

— Parfaitement. Chacun sait ce qu'« il » veut dire et c'est différent pour chacun.

— Oh, le beau modèle d'hypocrisie ! Tu me mets sur la défensive alors que tu sais très bien de quoi je veux parler.

— Très bien, essayons alors de trouver une définition. Dirais-tu que ne pas être égoïste et veiller au bien-être d'une autre personne fait partie de l'amour ?

— Oui, mais on peut agir ainsi pour son vieux grand-père.

— Iris, tu déformes ma pensée. Tu te fais inutilement du mal. Si au moins je savais ce que tu veux !

Ses lèvres se mirent à trembler. Elle les cacha derrière sa main.

— Je veux... je veux... quelque chose comme Roméo et Juliette. Je veux être aimée de manière exclusive. Tu comprends ?

— Iris, une fois encore, laisse-moi te dire que c'est... puéril.

— Puéril ? Tout le monde ne rêve que de ça, l'art, la musique, la poésie ne parlent que de ça. C'est la chose la plus intense et la plus merveilleuse qui puisse arriver à un être humain, et toi, tu dis que c'est puéril !

— Peut-être qu'une fois encore, je me suis mal exprimé, concéda Theo en soupirant. Peut-être pas puéril, mais, en tout cas, en dehors du réel. Tu parles d'émotions intenses, de grands sentiments. Combien de temps crois-tu qu'ils peuvent durer ? Voilà pourquoi je dis que c'est irréel.

— Je ne suis pas idiote. Je sais bien que la vie n'est ni un poème ni une opérette. Toutefois, j'aimerais vivre encore quelques-uns de ces « grands moments » comme tu les appelles.

— Et tu penses que tu ne les vis pas ?

— Non, je te partage avec une morte, sans parler de ta bande d'hurluberlus aussi snobs que stupides.

— Iris, je suis désolé pour toi. Désolé pour nous deux. Est-ce la photographie qui a suscité le drame de ce soir ? Très bien, je ne la regarderai plus. Le temps aurait de toute façon mis un terme à cette habitude, dit-il amèrement. Mais si ceci ne te satisfait pas encore... Il semble qu'il y ait en toi quelque chose qui refuse le bonheur, qui a envie de souffrir.

— Ah, nous voilà maintenant partis dans la psychanalyse !

— Il n'est pas besoin d'être analyste pour voir certaines choses. Tu *veux* avoir mal, sinon tu serais raisonnable et tu m'écouterais.

— La raison n'a rien à faire ici ! Il s'agit d'un sentiment que je suis incapable de raisonner. Sinon, toi aussi tu pourrais te raisonner à propos de Liesel, n'est-ce pas ?

Theo passa la main sur son front.

— Nous pourrions peut-être continuer cette discussion demain matin ? Je tombe de fatigue.

— Comme tu veux, répondit-elle.

Ils étaient tous deux allongés dans le grand lit. Le cœur d'Iris se mit à battre la chamade. Elle tenait ses bras tendus le long de son corps, les poings serrés, se demandant si le sommeil viendrait lui apporter l'apaisement. Elle sentit à la respiration de Theo qu'il ne dormait pas non plus.

Au bout d'un moment, la main de Theo se posa sur elle, glissa doucement sur son épaule dans un geste qui se voulait réconfortant. Puis la main vint sur sa poitrine.

— Non, dit-il. Je ne peux pas. Je ne sens plus rien. Le désir est parti.

— Que veux-tu dire ? Parti pour toujours ?

— Oui, mort, il s'est éteint en moi.

Elle se mit à pleurer. Des larmes froides glissèrent le long de ses tempes puis dans ses cheveux. Elle ne faisait aucun bruit, mais elle savait que Theo avait conscience qu'elle pleurait. Theo tendit à nouveau sa main, cherchant la sienne qui se déroba. Elle l'entendit ensuite se retourner dans un froissement de draps et comprit qu'il s'était éloigné d'elle, le plus loin possible.

Le lendemain matin, de bonne heure, après une nuit où il dormit moins de deux heures, Theo se leva et descendit l'escalier. Il trouva le numéro qu'il cherchait sans difficultés dans l'annuaire de New York.

Une semaine ou deux auparavant, en sortant de chez le dentiste, il avait dû attendre dans l'entrée de l'immeuble la fin d'une violente averse. Une fille, une prothésiste qui travaillait dans un cabinet voisin, était sortie au même moment et avait attendu avec lui. Elle devait avoir environ trente-deux ans ; Scandinave, elle avait l'allure franche, sportive et gracieuse des filles nordiques. Ils avaient parlé de New York, de ski et de sa Norvège natale, en attendant la fin de l'averse.

Il lui avait dit ensuite le plaisir qu'il avait eu à bavarder avec elle, et elle lui avait répondu : « Si vous avez envie de recommencer, téléphonez-moi. Je suis dans l'annuaire. »

A présent, son doigt faisait tourner le cadran.

— Allô, Ingrid ? dit-il doucement quand il entendit sa voix. Theo Stern à l'appareil. Vous vous souvenez de moi ?

39

Theo roulait vers le nord dans le glacial scintillement qu'il aimait tant. L'hiver avait toujours été sa saison préférée. La neige tombait en fine poudre dans l'air grisâtre, les silhouettes nues des arbres évoquant les élégants dessins japonais, les feux dans la cheminée et les soupes épaisses avaient pour lui un charme infini. Quand il entra dans le Vermont, il se dit que le paysage qui l'entourait lui rappelait l'Autriche.

Il se pencha pour régler la radio. Plus il s'éloignait de New York, plus la *Neuvième Symphonie* de Mahler était brouillée par des parasites. Il finit par capituler et éteindre. On n'entendait plus que le grincement monotone des essuie-glaces.

Il aurait aimé faire le trajet en compagnie d'Ingrid. Il se sentait toujours bien avec elle et ceci depuis près d'un an qu'il la connaissait. Ni ses rires ni ses silences ne comportaient d'exigences à son égard. Une fois par semaine, il allait donner des cours à New York et passait le reste de la journée avec elle. Dans son petit appartement de deux pièces, il avait le sentiment d'une absolue liberté. La radio ou l'électrophone diffusaient de la bonne musique, du pain cuisait dans le four. A côté des fenêtres où les plantes vertes à la douce humidité faisaient office de rideaux, se trouvait le lit. Il leur arrivait de passer l'après-midi allongés, à écouter la musique, tandis qu'Ingrid fumait des cigarettes blondes dont le parfum douceâtre était devenu indissociable d'elle. Quand il la quittait, il se sentait réconforté pour le reste de la semaine.

Mais il aurait été imprudent de voyager et d'arriver ensemble. On ne pouvait jamais savoir qui on allait rencontrer. Il avait pourtant choisi une petite station de ski dont personne, parmi ses connaissances, n'avait jamais entendu parler, et encore moins fréquentée.

Il avait suggéré à Iris de partir quelques jours ensemble aux sports d'hiver, sachant qu'elle refuserait de l'accompagner. « Tu trouveras des tas d'occupations pendant que je serai sur les pistes : tu pourrais par exemple te promener dans le village et rechercher des antiquités », avait-il précisé, mais elle avait décliné son offre.

« Pars. Cela te fera du bien », avait-elle répondu avec l'intérêt poli que l'on peut éprouver pour un vague ami car leurs relations en étaient à ce stade.

Il ne voyait pas comment y remédier. L'humeur d'Iris s'était progressivement assombrie. Comme des nuages envahissant un à un un ciel dégagé. Quand on relève la tête au bout d'une ou deux heures, on s'aperçoit soudain que tout est devenu gris. Elle n'avait pas déserté leur chambre parce que toutes les autres pièces étaient occupées, mais elle avait changé leur grand lit contre deux lits jumeaux. Elle avait attendu ses commentaires, mais il n'en avait fait aucun. Theo s'était seulement dit avec colère que si elle voulait que les choses soient ainsi entre eux, elles le seraient. De toute façon, tout ce qui pouvait se dire avait été dit. Il se souvenait d'avoir lu des histoires de couples des générations passées qui habitaient sous le même toit sans s'adresser la parole. Ce genre d'existence lui avait paru impossible, mais sa propre vie lui apportait à présent un triste démenti. Toutefois, Iris et lui ne restaient pas sans se parler : ils étaient des parents beaucoup trop conscients de leurs responsabilités pour infliger une telle chose à leurs enfants. A table, ils avaient des conversations polies et se rendaient ensemble aux réunions de parents d'élèves et aux soirées organisées par des amis qui ne se doutaient de rien. Il n'allait presque plus jamais au club. Iris avait gagné sur ce point. Ce n'était pas le genre d'atmosphère qu'il aimait vraiment, et sa journée hebdomadaire en compagnie d'Ingrid compensait largement cette perte, pensait-il à présent en souriant intérieurement.

S'il n'avait pu changer la façon de penser d'Iris, en revanche quelques-unes des idées d'Iris commençaient à avoir une certaine influence sur lui. Quelques-unes des inventions de son esprit tortueux semblaient comporter une part de vérité.

Peut-être n'ai-je pas vraiment voulu ce mariage ? Parfois je pense, avec un mélange de honte et de tristesse, que je cherchais seulement un peu de repos. J'étais si las, je me souviens. Peut-être avais-je uniquement envie de pièces ensoleillées, d'un piano près d'une grande fenêtre, d'arbres pleins d'oiseaux... J'aurais pu avoir tant de choses sans me marier ?

Et puis, je voulais aussi des enfants, un autre petit garçon — comme s'il était possible de remplacer le premier ! Mais j'ai de beaux enfants. Jimmy, coquin et intelligent, Steve, sensible et rêveur, difficile parfois, et Laura, aux joues roses et aux cheveux bouclés... Comment un père trouverait- il les mots pour décrire sa petite fille, unique et chérie ?

Si seulement tout cela avait pu satisfaire Iris ! Notre vie ensemble est... était agréable ! Mais ce n'est pas suffisant. J'ai, et j'ai souvent eu, le sentiment qu'elle désirait plus que je ne pourrais jamais donner. Elle veut que je l'adore, et je ne l'adore pas.

Avant leur mariage, le trouble d'Iris en sa présence lui avait clairement indiqué qu'elle était amoureuse de lui, sentiment qui l'avait ému. Il se souvenait alors d'avoir eu l'impression qu'il pourrait lui apporter beaucoup — après tout, avait-il vraiment voulu l'épouser ? — et, en retour, il aimait ses manières réservées, son visage délicat. Elle était distinguée et gracieuse, qualités périmées aux Etats-Unis, mais toujours prisées en Europe, du moins quand il y vivait, et cela constituait une raison suffisante, en fait la meilleure, pour épouser une femme.

Mais il ne s'était pas attendu à un amour aussi passionné de sa part. Ces yeux confiants ou brillait l'adoration ! Sous un tel regard, un homme se sentirait coupable avant même d'avoir rien fait. Il était mis à nu. Mais il était effrayant de se trouver ainsi responsable de la survie d'une autre âme !

Il fronça les sourcils. Ces méditations lui avaient donné la migraine ou peut-être son bonnet de laine le serrait-il trop ? Il l'enleva. S'il avait rencontré Iris en dehors de la maison chaleureuse où elle vivait — son premier foyer depuis bien des années — si, par exemple, il l'avait rencontrée dans un bureau devant un bloc-notes, avec ses yeux sombres et pensifs au regard fuyant, aurait-il été sous le charme ? Certainement pas, pour être franc. Pourtant, après avoir appris à connaître son intelligence subtile et sa volonté franche, après l'avoir vue se réjouir de ses visites, il avait fini par avoir envie de vivre avec elle. Ils se comprenaient, parlaient le même langage et une telle entente n'était pas si fréquente, surtout lorsqu'elle se prolongeait dans l'intimité de la vie sexuelle.

Et malgré cette belle harmonie faite d'estime et de confiance réciproques, ils ne pouvaient parler calmement de l'amour exclusif qu'elle lui portait, au point de ne pouvoir supporter l'existence d'une autre, fût-elle morte.

Ah, les femmes ! Enfin ! toutes les femmes n'étaient pas pareilles.

La première fois qu'il avait fait l'amour avec Ingrid, elle lui avait dit :

— Tu as un corps de danseur ou de skieur : épaules larges et hanches fines. Idéal pour le ski.

— Il se trouve que je fus un skieur honorable, avait répondu Theo, amusé.

— Tu vois ? J'avais deviné. Rien à voir avec un corps de boxeur par exemple.

— Serais-tu experte en corps masculins ?

— J'en ai vu pas mal ! Tu n'es pas choqué ? avait-elle ajouté comme il ne disait rien.

— Bien sûr que non. Seulement surpris. Tu n'as pas l'air d'être...

— Une putain ? Que tu es rétrograde ! Pour toi, c'est la maman ou la putain...

— Je ne sais pas. J'ai l'impression de réagir comme le commun des mortels.

— C'est un simple plaisir, comme un autre. Comme le vin ou la musique. Quand tu t'en lasses, tu changes de cru ou de disque.

— J'espère que tu ne te lasseras pas trop vite de moi, avait-il fait remarquer. Ils étaient en train de manger des *fettuccine* dans un restaurant italien. Elle avait bon appétit. Encore une chose qu'il appréciait chez elle : elle n'était pas toujours en train de pleurnicher sur les calories comme la plupart des femmes et elle ne jeûnerait pas le reste de la semaine pour compenser ses excès d'un soir. Les *fettuccine* ne cessaient de glisser de sa fourchette et elle s'était mise à rire. Puis il l'avait imitée et ils s'étaient amusés comme des fous. Il n'avait pas ri avec une aussi franche et folle gaieté depuis... combien de temps ?

— Je ne pense pas me lasser de toi, avait déclaré franchement Ingrid. J'aime toujours Beethoven et si tu ne crois pas que j'apprécie toujours le château mouton-rothschild, tu peux me mettre à l'épreuve.

— D'accord, c'est ce que je vais faire sur-le-champ, avait-il répondu en appelant le sommelier.

Elle était alors devenue sérieuse et avait ajouté :

— Mais quand tu seras fatigué de moi, sois gentil, dis-le-moi. Ne mens pas. Ne trouve pas des excuses polies pour te dérober à nos rendez-vous. N'essaie pas de rompre en douceur. Tu n'auras qu'à me dire : « Adieu, Ingrid. J'ai été très content de te connaître, mais adieu. » Tu me promets, Theo ?

— D'accord, mais je ne veux pas y penser. Notre histoire vient seulement de commencer.

Il était parvenu à lui parler de Liesel. Pour la première fois, il s'était senti libre de livrer toutes ses pensées sans retenue. Ingrid l'avait écouté attentivement. Il avait parlé pendant des heures tandis que, allongée sur le lit, elle fumait des cigarettes. Il lui avait expliqué comment, au début, il avait été absolument incapable de croire à la mort de Liesel et de leur enfant ; comment une fois, pendant la guerre, dans un restaurant londonien, il avait entendu derrière lui une femme parler avec un accent étranger, celui qu'aurait eu Liesel si elle avait su l'anglais, avait-il aussitôt imaginé. Il s'était même fabriqué une excuse pour se lever de table afin de regarder la femme. Voilà jusqu'à quel point il avait été insensé !

Il avait évoqué le souvenir de ce camarade de Londres dont la jeune femme venait d'être tuée lors d'un bombardement, et comment lui, Theo, en tenant la main de son compagnon désespéré, s'était juré à lui-même : non, il est vraiment fou d'aimer au point de se rendre si vulnérable. Plus jamais être cette vulnérabilité.

Il lui avait expliqué comment, après la rencontre de Franz, le visage de Liesel avait resurgi devant ses yeux avec une netteté incluant les moindres détails : la petite cicatrice blanche à l'endroit où un chat lui avait griffé le cou, les dents mal alignées dont elle se plaignait, les longs cils bruns et les sourcils blonds. Ce visage ne l'avait pas quitté un seul instant, pas un seul instant ! Parfois, il avait accueilli avec joie l'image qu'il avait tant recherchée ; d'autres fois, il avait fermé les yeux en criant : « Va-t'en ! Eloigne-toi de moi ! Va-t'en ! »

L'attention patiente d'Ingrid lui fut d'un grand soulagement.

Il ne parlait jamais d'Iris et Ingrid ne lui posait aucune question sur elle. Ils se comprenaient bien. Elle étanchait sa soif, apaisait sa faim et trouvait ainsi sa satisfaction. Ils pouvaient faire le vide dans leur esprit et s'abandonner au sommeil après le plaisir sans se soucier de ce dont l'autre avait besoin ou pourrait désirer. Heureuse femme, pleine d'insouciance !

Iris n'aurait jamais compris ce genre de femme.

Ni mon beau-père d'ailleurs, songea Theo avec une moue renfrognée. Il réclamerait la lapidation. Lui qui dispense un amour sans restriction et ne transgresse aucun interdit, ne fera preuve d'aucune pitié envers celui qui les enfreint. C'est uniquement parce que je suis chirurgien qu'il pardonne mon peu d'enthousiasme pour la religion. Cette pensée l'amusa.

« Vous faites un travail sacré », lui disait souvent Joseph.

La remarque n'était pas totalement dépourvue de vérité si l'on élargissait le sens du mot « sacré ». Theo contempla sa main sur le volant : une combinaison de petits os fragiles et compliqués, capables de tant de choses ! Il était fier du travail qu'il parvenait à faire. « Sacré », peut-être un peu.

Mais dans ce cas, tout travail est sacré et le corps est prodigieux. Quel beau mécanisme que l'homme ! Une brute dans le pire des cas et, dans le meilleur, un être égocentrique à la recherche de son plaisir.

Pourquoi pas ? Tant qu'on ne nuit pas à autrui ! (Je ne fais de mal à personne, n'est-ce pas ?) Il faut s'épanouir en profitant de la courte tranche de vie qui nous est impartie en acceptant avec résignation nos petits péchés et le moment où notre heure arrivera.

— Que veux-tu faire de ta vie ? avait-il demandé un jour à Ingrid.

— Je ne sais pas, et c'est cela qui me plaît ! Je profite de la beauté du temps présent ! J'aime mon travail. J'aime être jeune et en bonne santé et j'essaierai de le rester aussi longtemps que je pourrai. J'aime bien manger et écouter de la bonne musique. Et je t'aime beaucoup. Je t'aime vraiment beaucoup, Theo.

— J'en suis heureux, avait-il répondu.

— Mais je ne veux pas que tu m'appartiennes. N'aie pas peur. Tu peux t'en aller quand tu veux, parce que, vois-tu, je ne veux pas être liée non plus.

Et c'était précisément pour cette raison qu'il n'avait pas envie de partir. Sagesse de la femme et perversité de l'homme !

Il arrivait à présent à un croisement et s'arrêta pour regarder la carte. Encore trois kilomètres... Son cœur se mit à battre joyeusement à l'idée d'arriver bientôt. La voiture grimpa une petite route de montagne où les traces étaient rares : l'endroit était peu fréquenté et, par conséquent, bien choisi. Il s'arrêta devant l'auberge nichée dans un bouquet d'épicéas et aperçut sa petite voiture verte. Elle l'avait devancé ; elle conduisait à toute allure.

La neige était ferme, épaisse et il ne faisait pas trop froid. Avec un peu de chance, le soleil brillerait demain matin. En attendant il pouvait compter sur un bon dîner, un feu dans la cheminée, un lit et une fille délicieuse, énergique et gaie.

La faible lumière de février tombait sur le tapis proche de la fenêtre et sur les mains d'Iris qui tenaient un livre qu'elle ne lisait pas. Anna vit que sa fille était seulement assise et regardait fixement par la fenêtre. Elle frappa contre la porte ouverte. Iris se retourna.

— Bonjour ! s'écria joyeusement Anna. J'avais terminé mes courses, alors j'ai eu envie de faire une promenade.

C'était la seule excuse qu'elle trouvait pour justifier cette visite inhabituelle matinale. En vérité, les dernières conversations téléphoniques qu'elle avait eues avec Iris lui avaient laissé pressentir une nouvelle et inquiétante baisse de moral chez sa fille.

— Eh bien, assieds-toi. Tu veux déjeuner ?

— Non, merci. Je ne vais pas rester longtemps.

Anna s'assit sans savoir quoi dire ni quelles questions poser. Il était toujours très difficile de communiquer avec Iris.

— Si Nellie n'éteint pas cette radio dans la cuisine, je vais devenir folle, à moins que je n'aille briser ce poste en morceaux, s'écria soudain Iris.

— Dommage que tu ne sois pas partie dens le Vermont avec Theo. Tu aurais vraiment besoin de changer d'air, Iris. C'est mauvais pour les nerfs de rester constamment avec des enfants, sans s'accorder un peu de répit.

Faute de réussir à dire la vérité, elle débitait des platitudes qui ne reçurent aucune réponse.

— Iris, dit doucement Anna, on finit toujours par être obligé de sortir de sa réserve. Je sais depuis longtemps que tu as des problèmes, mais ma discrétion m'a interdit de te poser des questions. A présent, je te demande de m'expliquer ce qui ne va pas.

Iris releva la tête. Son regard semblait vide et son visage n'avait aucune expression. Même la voix était monocorde.

— Parfois, cela m'est égal de vivre ou de mourir. Voilà, tu sais.

— Qu'a donc fait Theo ?

La question frappa Iris de plein fouet. Sa bouche se plissa tristement.

— Qu'a fait Theo ? Rien, en fait. Il est seulement parti, il m'a quittée. Nous nous sommes quittés l'un l'autre. Nous vivons dans la même maison mais nous nous sommes quittés.

— Je vois. Peux-tu me dire les raisons ou peut-être ne les connais-tu pas ?

— Oh, je les connais parfaitement. C'est à cause de moi. Je ne corresponds pas aux normes... Je ne skie pas, je suis pas une blonde délicate, je joue médiocrement du piano. En bref, je suis médiocre, point final.

C'était donc cela, pensa Anna, j'aurais pu m'en douter.

Iris se leva et fit les cent pas dans la pièce avant de venir s'asseoir au bureau, en face d'Anna.

— Maman... j'ai honte de cette question, mais je dois la poser... Etait-elle aussi jolie que sur la photo ?

— Je n'ai jamais vu aucune photo, biaisa Anna.
— Je t'en prie, pas à moi. Tu l'as vue quand tu étais à Vienne.
— Tout ce dont je me souviens, c'est d'une jolie petite fille.. Iris, ma chérie, pourquoi te faire souffrir ainsi ?
— Je ne sais pas, je ne sais pas.
Il y a très longtemps, Anna s'était dit que si un jour elle avait une fille, elle ne la laisserait devenir ni vulnérable ni naïve.
— Tu vois, s'écria Iris, tu vois bien que je n'ai plus aucun amour-propre. Je suis méchante et mesquine. Etre jalouse de cette pauvre femme qui a subi la barbarie de ce siècle ! Lui envier la seule chose qui lui reste : être pleurée par celui qui l'a aimée ! J'ai tellement honte de moi ! Tu ne vois pas ma méchanceté ?
— Tu n'es pas méchante. Tu ne l'as jamais été. Tu réfléchis trop, sur tout, y compris sur toi-même.
Il existait certainement des mots plus naturels, plus réconfortants.
— C'est normal d'éprouver un peu de jalousie et de la culpabiliser.
— Non, l'interrompit Iris, tu ne comprends pas. D'ailleurs c'est normal, Papa t'adore. Lui n'a jamais eu personne d'autre que toi dans sa vie.
Le visage d'Anna se crispa comme si les mots l'avaient atteinte dans sa chair, mais elle essaya de prendre un air dégagé.
— Ton père est un homme. Comment sais-tu qu'il me dit tout ? Et je ne reste pas assise à me ronger d'inquiétude, tu peux me croire.
— Mais tu sais très bien qu'il n'est pas à un club, entouré de femmes, et qu'il ne passe pas la moitié de ses nuits à pleurer silencieusement, répliqua Iris avec agacement. Tu ne vois pas que je suis superflue ? rejetée ? Je ne sais pas combien de temps je serai capable de vivre ainsi.
— Tu veux le quitter ?
Iris la dévisagea.
— J'aimerais en avoir la force, mais je ne l'ai pas. Je ne crois pas que je pourrai davantage supporter de vivre sans lui.
— Je voudrais pouvoir t'aider.
— M'aider ! Tu aurais pu commencer par ne pas m'affubler d'un prénom aussi ridicule ! Iris ! Quelle idée, ce nom de fleur. Il fallait que tu espères une fille qui te ressemble...
— Je suis désolée. Nous avons pensé que c'était un joli prénom, voilà tout.
— Oh, mon Dieu ! dit Iris.
Elle frappa le bureau de ses poings serrés avant d'y poser tant de souffrance ! Anna voulut caresser cette nuque si fine et si fragile, mais se ravisa, craignant d'importuner Iris.
Oh, je l'aime de tout mon cœur, et pourtant cela n'a jamais été comme avec Maury. Je me souviens des premières années de mon petit garçon, les promenades sur le trottoir, les femmes sur les chaises pliantes, les bambins tirant des jouets à roulettes ; les éclats de rire de Maury, ses cheveux clairs. Une vieille grand-mère

lui avait même posé la main sur la tête en disant : « *Wunderkind.* » Merveilleux enfant.

Mais comment les choses auraient-elles pu être pareilles pour Iris ? Dieu sait que sa naissance ne m'a jamais causé la moindre joie. Le désespoir, la culpabilité n'ont-ils pas atteint l'enfant que je portais dans mon ventre ? Ensuite, quand je la regardais, je cherchais sur son visage des signes de mon châtiment, insensée que j'étais. Elle serait forcément — le Ciel me pardonne — retardée, infirme, marquée. Elle ne fut ni retardée ni infirme, mais elle est sans aucun doute marquée. Pâle, timide. Non qu'elle manque de courage ! Elle a la volonté d'atteindre le bonheur et peut y parvenir, mais au premier vent contraire, elle est terrassée. Ma faute. J'aurais pu d'une manière ou d'une autre, lui apprendre à être forte, à avoir confiance en elle. Je ne l'ai pas fait...

Mais le passé d'Iris se perd dans le vague, il m'échappe. Je me souviens d'une enfant sage. Elle n'a jamais été jeune et insouciante.

Sacré Theo ! Que lui a-t-il fait ?

Peut-être que si elle avait épousé ce terne et timide professeur qui lui tournait autour pendant la guerre, la vie aurait été moins difficile pour elle. C'était un homme humble et elle aurait été sa reine. A ce compte, tout le monde pourrait se demander ce qu'aurait été sa vie s'il avait épousé quelqu'un d'autre. Un couple aux cheveux grisonnants passe devant chez moi chaque après-midi. Qu'il pleuve, qu'il vente ou qu'il neige, ils sortent, vêtus d'imperméables. Ils marchent d'un même pas et bavardent ensemble. Qu'ont-ils donc à se dire ? « J'ai horreur des bavardages », affirme Joseph. Mais cet homme et cette femme se penchent l'un vers l'autre et se mettent à rire. Aurais-je été différente si j'avais épousé un homme qui aurait eu beaucoup de choses à me dire ? Si j'avais épousé Paul ?

Iris releva la tête et essuya ses yeux.

— Dis-moi, aurais-tu voulu mourir si Papa ne t'avait pas demandé de l'épouser ?

Mon Dieu, quelle question !

— Non, aucun homme ne mérite que l'on meure pour lui.

— Maintenant je suis sûre que nous sommes totalement différentes.

— Possible.

Sur l'étagère au-dessus du bureau se trouvait une reproduction d'une statue de Rodin : *Le baiser.* Il était étrange qu'Anna ne l'ait jamais remarquée auparavant. Très bien pour un musée, mais n'était-il pas saugrenu d'exposer ce couple nu et enlacé aux yeux de tous, particulièrement à ceux des enfants ? Iris doit être beaucoup plus « libre » que moi sur ce sujet. Je me déshabille encore à l'abri des regards de Joseph, ce qui l'amuse. Je ne sais d'ailleurs pas pourquoi je me cache. Je ne me suis pas sentie gênée de me montrer nue devant Paul.

Les pensées d'Anna tourbillonnaient lentement. Elle était dans le brouillard complet. Que dire ? Que faire ? Si j'étais à la place d'Iris... ? Je ne crois pas que je me sentirais aussi égarée qu'elle. Theo est le centre de sa vie. S'il disparaît, tout s'effondre. Je viens juste de lui dire qu'aucun homme ne mérite que l'on meure pour lui, mais si quelque tyran exigeait la vie de Joseph, je dirais : « Prenez la mienne. » Je me demande si je ferais la même chose pour Paul ? Que fait-il en ce moment ? Que dirait-il si je pouvais lui parler de la détresse de sa fille ? Mais ce sont les problèmes d'Iris que je dois régler, pas les miens...

— Tu devrais parler avec Theo, briser ce mur que vous avez construit. Tu découvriras peut-être qu'après tous ces mois, il est prêt à écouter et à changer.

Le débit d'Anna se fit plus rapide et elle se lança dans une série de clichés.

— Tu sais que le temps guérit tout, surtout si tu n'as rien à te reprocher. La seule chose qu'il ne guérit pas, c'est le mal que tu as fait à autrui.

— Qu'en sais-tu ? Quel mal as-tu fait ?

— Je suis un être humain.

— Je ne pense pas avoir de torts envers Theo, dit Iris au bout d'un moment.

— Peut-être pas. Mais ne peux-tu essayer d'oublier ce qu'il t'a fait ?

— Je ne sais même pas si l'on peut dire qu'il a fait quelque chose de « mal ». Il s'est tout simplement lassé de moi. Il ne peut rien y faire.

— Tu affirmes des choses sans en être sûre. Une fois encore, laisse-moi te dire que tu analyses trop. Tu finis par t'inventer des motifs qui n'existent pas, ou qu'en tout cas tu exagères. J'avais déjà remarqué cette tendance chez toi quand tu étais enfant.

— Tu passais ton temps à m'observer, à scruter mon visage comme si tu cherchais quelque chose.

— Vraiment ? Je ne m'en souviens pas du tout. Mais toutes les mères n'agissent-elles pas ainsi avec leurs enfants ?

— Toi, c'était différent. J'avais le sentiment que tu me regardais comme si tu ne me reconnaissais pas, comme si tu n'étais pas sûre de savoir qui j'étais.

Anna resta silencieuse.

— Sais-tu qui je suis ?

— Je ne comprends pas !

— Une exclue. Voilà ce que j'ai toujours été.

— Ne le sommes-nous tous pas dans une certaine mesure ?

— Bien sûr que non. Regarde toutes les amies que tu as. Tu ne restes jamais seule plus de cinq minutes, à moins de l'avoir désiré vraiment.

— Des amies ? Cela dépend ce que tu mets sous le mot amies. Je connais beaucoup de femmes sympathiques sans qu'elles soient de vraies amies. Il y a Ruth, bien sûr — Anna compta sur ses doigts — et Vita Wilmot, et j'aime beaucoup Mary Malone. J'oubliais Molly et Jean Becker... mais c'est tout. Les autres ne sont que des relations agréables. Tu attends trop des gens, Iris. Ils ne te donneront jamais autant que tu demandes et tu seras toujours déçue.

— Joli cynisme, venant de toi.

— Ce n'est pas du cynisme, mais du réalisme. Il ne faut pas demander trop, c'est tout.

— Je n'attends plus rien, déclara Iris avec une immense lassitude.

— Allez ! Tu es jeune ! Regarde plus loin et vois les choses de manière positive.

Me voilà qui parle comme une femme du Rotary Club, songea Anna, parce que je ne sais pas quoi dire.

La sonnerie de la porte d'entrée retentit et Iris sursauta.

— Ce sont les enfants qui rentrent de l'école pour déjeuner. Est-ce qu'on voit que je n'ai pas le moral ?

— Non, ça va, ils ne remarqueront rien.

Ils étaient trop jeunes pour remarquer le teint blafard, la jupe et le corsage froissés. Anna soupira.

— Je me sauve. J'ai un rendez-vous chez le coiffeur cet après-midi. Veux-tu que j'en prenne un pour toi ?

— Tu es pleine de tact, Maman. Je sais parfaitement que je me néglige complètement.

— Alors je n'ai pas réussi à t'aider ? Je voulais tant le faire !

— Mais si, Maman, merci. Comme je te l'ai dit quand tu es arrivée, j'ai dépassé ce stade. S'il n'y avait pas mes enfants, je me moquerais bien de vivre ou de mourir.

— Vous ne vous sentez pas bien aujourd'hui, madame Friedman ?

M. Anthony, qui coiffait Anna depuis des années, était encore assez jeune pour être son petit-fils.

— Une migraine, Anthony. Voilà pourquoi je ne parle pas beaucoup.

Elle ferma les yeux, puis les rouvrit, dérangée par un concert de voix sonores de l'autre côté de la pièce. Une femme couverte de bijoux était en train de geindre :

— Un peu plus haut, ici, sur la tempe. Leo, relevez cette mèche au-dessus de l'oreille, vous ne comprenez donc pas ?

Patiemment, Leo bougea une nouvelle fois la boucle d'un demi-centimètre. Anna observait ce petit manège. Voir cette femme se trémousser, poser, s'étudier dans la glace la divertissait des pensées qui l'obsédaient.

Une autre femme sortit de sous le casque et s'avança vers la dame aux bijoux.

— Comment se sont passés les sports d'hiver ?

— Très bien. Nous avons eu un temps merveilleux et les enfants s'y sont beaucoup plu. Nous étions dans une petite station à l'écart de tout. Et, pour changer, nous n'avons rencontré personne. Ah si, le Dr Stern, le chirurgien, mais personne d'autre.

— Theo Stern était là ? Avec qui ? Pas avec sa petite amie ?

— Je ne le connais pas, c'est Jerry qui le connaîs. Pourquoi, il en a une ?

— Bien sûr et cela dure depuis longtemps ! Je le sais, parce que mon fils Bruce a un appartement à New York et cette superbe Nordique habite de l'autre côté du couloir. Un soir, avant d'aller au théâtre, nous sommes passés nous changer chez Bruce et nous avons vu Stern entrer. Autrefois, il était souvent au club avec sa femme, quelqu'un de très effacé. De toute façon, je n'ai pas été choquée la première fois, mais quand nous sommes à nouveau tombés sur lui quelques semaines plus tard, j'ai dit à Bruce : « Eh, dis-moi, il se passe quelque chose de l'autre côté du couloir ? » et Bruce m'a répondu : « Ouais, c'est là qu'habite sa petite amie, et il vient la voir tous les mardis. »

— Une grande Nordique blonde ?

— Oui, je l'ai vue une fois. Blonde, avec une natte sur le côté. Un genre de fille qu'on n'oublie pas !

— Mon Dieu ! Elle était donc avec *lui* ! Il a essayé de nous faire croire qu'il venait de la rencontrer. Attendez un peu que je raconte cela à Jerry !

M. Anthony posa son peigne et traversa le salon. Quand il revint vers Anna, les voix s'étaient tues.

— Vous leur avez dit qui j'étais ?

— Non, je ne leur ai pas dit qui vous étiez, je leur ai seulement demander de changer de sujet. Je suis désolé, madame Friedman... Les mauvaises langues aiment toujours jaser...

Quand elle se retrouva dans la rue, le vent s'était levé ; un vent lourd de menaces, qui attisa sa colère contre cette femme qui, en révélant ce qu'elle ne voulait pas savoir, la forçait à agir.

Arrivée devant sa porte, elle se débattit contre la tempête. La maison lui était toujours un refuge : les rangées de livres et le vase de roses thé sur la table cirée lui permettaient d'oublier les agressions du dehors. Elle entra, regarda le décor familier qui l'entourait, et vit alors, pour la première fois peut-être, que les murs n'offraient aucune protection, qu'ils étaient aussi fragiles qu'une coquille d'œuf face aux agressions du monde extérieur.

Il faut que je me batte pour elle, se dit Anna avec terreur, il faut que je me batte.

Un décor de magazine, pensa Theo. Rien ne manquait : ni la marmite en fonte pendue dans l'âtre, ni, dans un coin, un métier à tisser sur lequel était resté un ouvrage inachevé. Décor plaisant mais factice ; peu importait, puisque le feu était vrai, ainsi que l'apéritif qu'il dégustait en attendant Ingrid. Que faisait-elle donc ? Comme toutes les femmes, elle mettait un temps fou à s'habiller.

— Stern ! Que faites-vous ici ? Je pensais être le seul à connaître cet endroit !

— Bonjour, Nelson, dit Theo qui se leva pour saluer l'épouse de son interlocuteur.

Quelle déveine ! C'était la première fois qu'il rencontrait

quelqu'un par hasard pendant qu'il était en compagnie d'Ingrid, et il fallait que ce soit Nelson qui travaillait dans le même hôpital que lui !

— Vous êtes ici en famille ?

— Non, je suis parti quelques jours tout seul. Ma femme trouvait que j'avais besoin de repos, répondit Theo.

— Nous sommes venus avec nos filles. Venez dîner avec nous, ne restez pas tout seul.

— Merci, mais je... cet après-midi, sur les pistes, j'ai rencontré une jeune femme, je pense qu'elle est professeur, et elle m'a dit qu'elle n'aimait pas manger seule, aussi l'ai-je invitée à dîner à ma table.

— Eh bien amenez-la, il y a de la place pour six.

— C'est très gentil. Ah, la voici.

Ingrid descendait l'escalier. Ses cheveux tombaient sur le côté en une natte dorée qui s'harmonisait avec son chemisier d'un jaune éclatant. Les gens la regardaient. Elle se dirigea droit vers Theo.

— Eh bien me voici ! Peut-être ai-je été un peu longue.

— Le Dr et Mme Nelson, dit Theo. Mademoiselle... excusez-moi, mais j'ai une très mauvaise mémoire des noms. Mademoiselle Johnson, n'est-ce pas ?

Elle comprit le message.

— Non, Johannes. Comment allez-vous ?

— Mlle Johannes est norvégienne et skieuse émérite. Vous devriez la voir dévaler les pistes.

— Je viens de dire à Stern que nous pourrions tous dîner ensemble. Ma femme et moi projetons une croisière vers le cap Nord et vous pourriez peut-être nous donner quelques petits tuyaux sur la Norvège.

— C'est très aimable de votre part, mais j'ai déjà réservé une table et je ne voudrais pas bouleverser les arrangements de la salle à manger, dit Ingrid en regardant Theo.

Lequel se sentait à la fois nerveux et furieux contre lui-même.

— Je suis désolé..., commença-t-il en s'adressant à Nelson.

— Ça ne fait rien, interrompit Ingrid d'une voix calme et agréable. Ne vous en faites pas, docteur Stern, je comprends que vous vouliez être avec vos amis.

A la façon dont elle s'avança vers le coin où était située la table pour deux, il vit qu'elle était furieuse.

— Eh bien, vous ne perdez pas de temps ! lui chuchota Nelson en se penchant vers lui. Regardez-moi un peu cette silhouette !

Theo l'ignora.

Heureusement, on ne lui demanda pas trop d'entretenir la conversation. Mme Nelson faisait partie de ces femmes dont le monologue incessant suffisait à meubler une soirée. Il n'eut qu'à avaler sa nourriture et à se débarrasser ensuite de ses hôtes qui avaient le projet d'aller dans une autre auberge où leurs filles voulaient entendre un chanteur venu tout droit d'un night-club new-yorkais. Theo se déroba à leur invitation insistante en alléguant la fatigue et monta dans la chambre d'Ingrid dès qu'ils furent hors de vue.

Elle était assise sur son lit, en train de lire. Il vit tout de suite qu'il ne serait pas invité à l'y rejoindre.

— Je suis désolé, dit-il. Mais je n'ai pas trouvé d'autres moyens de m'en sortir. Cet homme est une plaie ! Il travaille à l'hôpital et n'habite pas très loin de chez moi. Que pouvais-je faire d'autre ? demanda-t-il en levant les bras au ciel.

Elle ne répondit rien. Sentant sa fureur, il attaqua :

— Tu aurais pu faire un petit effort et dîner avec nous. Cela ne t'aurait pas offensée.

— Pas offensée ! s'exclama-t-elle en reposant son livre. Je ne me suis jamais sentie aussi humiliée de ma vie !

— Ce soir ? A cause de cet incident ? interrogea-t-il, sincèrement étonné.

— Ce soir. A cause de cet incident.

Il s'assit au pied du lit.

— Raconte-moi pourquoi, dit-il gentiment.

— L'humiliation est pire encore si je dois te l'expliquer.

— Tu me surprends. Tu me connais suffisamment pour savoir que faire souffrir les gens est la dernière chose que je souhaite. J'ai vu bien assez de blessures ; Dieu sait que je n'ai pas envie d'en faire davantage.

— Belles paroles, répliqua Ingrid avec amertume. Très belles, même. Je te les ai entendu prononcer un certain nombre de fois. « Eviter de faire souffrir est peut-être la seule chose en laquelle je crois vraiment. » N'est-ce pas ce que tu disais ? Oh, oui, et aussi : « Nous sommes comme des insectes. Notre vie peut être effacée en un instant. » Et c'est pourquoi tu crois à la joie du moment présent, au rire et à la bonté. Oh, tu sais te montrer éloquent, Theo, terriblement éloquent !

Sa raillerie le laissait perplexe.

— Tu ne m'as toujours pas expliqué le pourquoi de ces propos amers ?

— Le pourquoi de tels propos ? Notre rupture. Entre toi et moi, c'est fini.

— Tu ne parles pas sérieusement ! Qu'ai-je fait ?

— Tu devrais plutôt te demander ce que tu n'as pas fait ! Depuis quelque temps, un certain nombre de détails m'ont fait souffrir, sans que j'en dise rien. Cette soirée aura seulement été décisive.

— Tu aurais dû me tenir au courant de ce qui n'allait pas.

— Peut-être. Mais c'était assez vague, et j'ai préféré me montrer patiente. Je croyais que ces impressions finiraient par se dissiper, que quelque chose changerait dans nos vies. Mais ce soir, quand j'ai dû me cacher de ces gens sans importance, je me suis sentie sale. Tu avais honte de moi ! Je n'étais pas assez bien pour toi ! Tu ne pouvais pas prendre le risque de révéler que nous nous con naissions !

— Ingrid ! Quels mots ! « Pas assez bien », « honte de moi ». Alors que tu sais pertinemment que c'est uniquement parce que j'ai une femme que je ne pouvais pas...

— Justement ! Elle n'a pas besoin de se cacher, n'est-ce pas ? Mais moi, si !

— Mais tu savais depuis le début que les choses étaient ainsi ! répliqua désespérément Theo. Est-ce que tu n'as pas dit toi-même que tu désirais être libre, qu'il ne devait pas y avoir ces sentiments pesants...

— Pas de sentiments !

— Ce n'est pas ce que je veux dire... oh, tu sais bien ce que je voulais, ce que *nous* voulions dire. Pas de relations qui nous lient pieds et poings...

Il se leva et la regarda longuement, tout à fait déconcerté.

Elle ne répondit rien.

— Tu savais ce que nous voulions tous les deux, n'est-ce pas ? répéta-t-il.

— Je crois, dit-elle d'une petite voix, je crois que je n'ai pas été honnête avec toi. Tu as exprimé les choses clairement et moi aussi d'ailleurs.

— Alors ?

— Le fait est, Theo, que depuis quelque temps, je pense que moi aussi j'aimerais être « pieds et poings liés », comme tu dis. Je n'avais jamais pensé que je le désirerais un jour, mais tout à coup, j'en ai envie.

Il ne savait plus quoi dire.

— J'ai trente-quatre ans, et je veux quelqu'un bien à moi, qui soit avec moi dans la rue, dans les restaurants et au lit... Quelqu'un qui m'appartienne sans m'avoir été prêté par une autre femme.

Il se mit soudain à rire.

— Qu'est-ce qui te fait rire ? s'écria-t-elle en colère.

— Je suis désolé. Je ne me moque pas de toi. C'est seulement que... vous êtes toutes pareilles, n'est-ce pas ? Comment ai-je pu croire que tu serais différente ?

Elle sourit tristement, mais il vit des larmes dans ses yeux. Elle prit une cigarette, l'alluma, leva les yeux vers lui.

— Alors, que faisons-nous, Theo ?

— Je ne sais pas. Je suis très heureux de nos relations telles qu'elles sont et j'aimerais qu'elles durent ainsi.

— Tu ne veux pas quitter Iris ? Theo, si tu me dis que tu en as envie, je serai folle de joie. Sinon, vois-tu, cette histoire est sans issue pour moi.

Il alla jusqu'à la fenêtre et regarda dehors. Dans sa vie, à chaque moment de crise, il avait toujours éprouvé le besoin de sortir, de ne pas se sentir coincé entre quatre murs et si cela n'était pas possible, il regardait par la fenêtre. Il observait à présent le tourbillon des flocons de neige dans le faisceau de lumière de la porte d'entrée. Hypnotisé, il sentit que sa vue lui jouait des tours car il voyait les spirales de flocons s'élever au lieu de tomber.

L'heure des bilans et des décisions arrive inéluctablement. Rien ne demeure dans sa simplicité première. Ni le mariage, ni ce genre de relation. Il soupira. Derrière lui, s'exhalait une douce senteur de cigarette. Ingrid était allongée sur le lit, les chevilles croisées. Elle avait l'air vidée de toutes ses forces et il se sentit terriblement triste.

— Je ne veux pas quitter Iris, dit-il calmement. Je ne sais pas ce qui adviendra de nous plus tard, mais je sais que je ne me sens pas prêt à la quitter maintenant.

— Est-ce que tu le seras un jour ?

— Je ne sais pas.

Il prit la main d'Ingrid dans la sienne, et ils restèrent immobiles. Une grosse larme roula sur sa joue tandis qu'elle détournait la tête. Theo sentit ses yeux se remplir de larmes, à leur tour.

— Tout un monde s'offre à toi, Ingrid chérie, dit-il, alors prends-le. Et mille mercis pour tout ce que tu m'as donné.

Theo était assis derrière son bureau entre une rangée de diplômes et des photographies d'Iris avec les enfants. Adorable démon, pensa Anna. Ce qu'on disait de moi quand j'étais petite... Légèrement grisonnant, mais quelle souplesse encore avec tout ce ski et tout ce tennis ! Adorable démon, vraiment.

Surpris, il se leva.

— Eh bien, belle-maman ! Que me vaut l'honneur de votre visite ? Vous êtes bien trop jolie pour avoir besoin d'une opération esthétique.

— Merci. Pas cette fois en tout cas. Avez-vous passé de bonnes vacances ? Vous êtes vite revenu.

— Oui, la neige était mauvaise et j'en ai eu assez.

A présent qu'elle se trouvait dans son bureau, la colère qui lui avait donné l'audace d'aller lui parler s'était apaisée et elle avait peur de commencer. Theo l'aida.

— Vous n'êtes pas venue pour me demander comment s'étaient passées mes vacances.

— Non, en effet, répondit-elle en soupirant. J'étais hier chez le coiffeur...

Il leva les sourcils et attendit poliment.

Anna regarda par la fenêtre. Un pigeon était posé sur le climatiseur. Elle s'était assigné une tâche impossible, mais elle ne pouvait plus reculer.

— Vous savez ou vous avez certainement entendu dire que les salons de coiffure sont des lieux où les ragots vont bon train ?

Il se redressa légèrement sur sa chaise et, à nouveau, attendit.

— Il se trouve donc que j'ai appris quelque chose que j'aurais vraiment préféré ignorer... Theo, vous n'êtes pas parti seul. Vous avez, disons, une « relation » à New York ?

— Ah, oui ?

— Des gens — différents et à des moments différents — vous ont vu en compagnie d'une... femme. Une femme grande et blonde. A moins, bien sûr, qu'ils ne mentent. Si tel était le cas, pardonnez-moi pour ce que je viens de dire.

— Ils ne mentent pas.

— J'en suis bien peinée. J'espérais qu'ils mentaient.
— Je pourrais les accuser de mensonge, mais vous découvririez facilement la vérité. Et de toute façon, je me mépriserais pour ce manquement à l'honnêteté.
Il frotta une allumette, alluma sa pipe. Anna vit que ses mains tremblaient.
— Est-ce tout ce que vous avez à dire, Theo ?
— Que dire de plus ? Je pourrais dire que je ne suis pas le premier homme à agir ainsi et que je ne serai pas le dernier. Je pourrais même préciser que, probablement, deux hommes sur trois se conduisent comme moi. Mais je vous avouerai seulement que je ne suis pas très fier de moi.
D'un mouvement brusque, il poussa sa chaise en arrière et se leva. Il se dirigea vers la fenêtre derrière laquelle le pigeon lissait ses plumes et resta là, tournant le dos à Anna.
— J'admets que j'ai un peu perdu la raison à la suite de cette terrible histoire de l'année dernière. Et Iris n'a pas pu y faire face. Sans la blâmer, je ne suis pas sûr de ne pas lui en vouloir. De toute façon, les malentendus ont fait boule de neige jusqu'à atteindre le point de non-retour.
— Boule de neige, en effet, répéta sèchement Anna.
— Puis j'ai rencontré cette fille, et c'est arrivé juste au moment où nous...
— Seule Iris m'intéresse. Je ne veux pas entendre un seul mot sur qui que ce soit d'autre.
— Je suis sûr que vous voudrez bien savoir que tout est terminé entre cette fille et moi...
— Depuis quand ?
— Avant-hier. C'est vraiment terminé, sans la moindre équivoque possible. Fini et bien fini.
— Je suis soulagée de l'apprendre... Je crois que Joseph vous tuerait s'il le savait.
— Vous n'allez pas le lui dire ?
— Bien sûr que non. Mais pas par égard pour vous. Par égard pour lui et pour Iris.
— Et vous ? Avez-vous aussi le sentiment que je mérite la mort ?
Anna répondit lentement :
— Je ne veux pas porter de jugement. Je suppose que les gens font ce qu'ils estiment devoir faire.
Theo se retourna et la dévisagea.
— C'est un concept tout à fait libéral pour quelqu'un de votre génération.
— Peut-être. Mais je ne vous laisserai pas pour autant détruire ma fille, Theo.
— Maman ! Pensez-vous que je le souhaite ? C'était quelque chose d'entièrement... c'est vrai, vous ne voulez pas en entendre parler. Mais je dois vous dire que je suis très attaché à Iris. Je suppose que vous ne pouvez pas le comprendre.

— Si étonnant que cela puisse vous paraître, je comprends. Mais le problème est qu'Iris, elle, ne peut pas comprendre.

— Vous lui avez parlé ?

— Oui, avant-hier aussi.

— Vous a-t-elle dit que nous... ne vivions plus exactement ensemble. Elle a fait enlever notre lit commun.

Venant de Theo, cette révélation intime la fit rougir.

— Eh bien, elle a eu tort. Mais une femme ne prend pas ce genre de mesure sans raison, même si la raison est défendable, dit-elle avec quelque méfiance. Vous êtes resté plongé dans l'affliction pendant trop longtemps, c'est du moins ce qu'elle a ressenti. Et puis vous êtes allé noyer votre chagrin avec la foule « chic » d'un club. Je ne vous blâme pas, mais Iris est vivante, elle a sa vie propre. Vos souvenirs ne peuvent être les siens. (Des larmes commencèrent à monter aux yeux d'Anna qui ferma rapidement les paupières.) Certaines femmes supporteraient l'épreuve sans trop de dommage, mais elle, elle ne peut pas. Je vous demande de comprendre, Theo, c'est plus fort qu'elle ! Iris a toujours été ainsi. Elle se trouve peu séduisante, pas assez bien pour vous. Elle croit que pour vous, elle représente un échec. Elle a besoin de retrouver des bases solides, Theo. J'ai essayé de l'aider et je continuerai, mais ce n'est pas mon rôle, n'est-ce pas ? C'est le vôtre.

— J'ai l'impression, à vous entendre, de ne pas valoir bien cher, dit Theo d'une voix très basse.

— Telle n'était pas mon intention. Je veux seulement vous éclairer pour que vous sachiez où vous allez. Vous avez trois enfants et leur foyer est en train de s'écrouler. Ce n'est pas possible, Theo ! Vous me comprenez ? s'écria-t-elle avec une passion contenue. La famille passe avant tout ! Toujours !

— Je vous comprends, Maman et, je vous l'ai dit, c'est terminé. Je vais rentrer ce soir à la maison et dire à Iris que c'est bien fini.

Anna leva la tête, horrifiée.

— Theo ! Elle ignore tout de... cette femme ! Si vous ajoutez cette histoire à ce qu'elle pense déjà, vous signez sa perte.

— C'est que... j'aimerais prendre un nouveau départ, apporter un peu d'honnêteté dans nos rapports.

— C'est cela, et votre belle honnêteté vous donnerait le sentiment d'être héroïque, n'est-ce pas ? Peu importe ce qu'elle ressentira ! Theo, je vous jure de devenir votre ennemie implacable si vous ne me donnez immédiatement votre parole que jamais, au grand jamais, quelles que soient les circonstances, vous ne parlerez à Iris de cette histoire. Son moral est au plus bas, Theo, dit Anna, les lèvres tremblantes. J'ai peur pour elle.

— Je vous le répète, Maman, c'est terminé, et puisque vous le souhaitez, Iris n'en saura jamais rien.

— Merci et n'oubliez pas : je ne suis pas venue vous parler aujourd'hui.

Il acquiesça d'un signe de tête.

— Je vais essayer de tout arranger. J'en ai le désir. Croyez-vous que la vie que j'ai menée m'a comblé de bonheur ?

— Non, je ne pense pas. Mais je vous avoue n'être pas sûre que vous soyez capable de tout arranger. Il est déjà bien tard. Et je sais qu'Iris n'est pas facile à manipuler.

— Je le sais aussi, dit Theo avec un pauvre sourire.

Anna se leva, prit son manteau.

— Cela dit, ne croyez surtout pas que je ne me battrai pas pour ma fille, si entêtée et difficile soit-elle, parce que je serai toujours de son côté si vous ne parvenez pas à recoller ensemble les morceaux.

Theo la raccompagna à travers diverses salles où des patients attendaient déjà. En passant devant une glace, elle se regarda : des boucles brillantes se détachaient sur le col sombre de son manteau de fourrure. Elle vit qu'un homme levait les yeux pour la regarder. Pas trop mal, pensa-t-elle, pas trop mal pour une femme de mon âge et les ennuis que j'ai connus.

— Belle-Maman, ne le prenez pas mal, mais si j'avais été plus vieux ou vous plus jeune quand nous nous sommes rencontrés... Vous êtes une femme remarquable, est-ce que vous en avez conscience ?

Elle fit un geste réprobateur.

— Vous n'étiez pas mon type.

(... Mais je dois mentir, Theo, car votre charme me rappelle celui de Paul.)

Anna monta l'escalier qui conduisait au salon, car Nellie l'avait prévenue qu'Iris était à son bureau. Elle entra d'un pas décidé.

— Je ne t'attendais pas, dit Iris en levant la tête.

— Je le sais bien. Je suis venue voir comment tu allais aujourd'hui.

— Exactement comme la dernière fois que tu m'as vue, dit Iris d'une voix caverneuse.

Anna songea qu'elle ne pouvait s'empêcher de penser « ma petite fille » en voyant cette femme de trente-six ans. Son cou fragile et ses yeux tristes gardaient quelque chose d'enfantin.

— J'ai appris que Theo était rentre.

— Il est arrivé hier.

— Alors ?

— Alors rien. Il n'aurait jamais dû m'épouser, voilà tout.

— C'était et c'est à lui d'en juger, point final, répliqua Anna, consciente de s'être montrée maladroite la fois précédente et bien décidée à jouer le tout pour le tout. Suppose que tu dises vrai, je dis bien, suppose. Il est un peu tard à présent pour s'en rendre compte, non ? Comment peux-tu parler ainsi avec une maison pleine d'enfants ? C'est tout simplement idiot !

Anna avait haussé le ton mais, se souvenant de la présence de Nellie à l'étage inférieur elle baissa d'un registre sans pour autant refréner l'émotion et la passion qui l'emplissaient.

— Regarde un peu dehors, vers le ciel, vers les splendeurs de ce monde ! C'est magnifique ! Et toi, tu restes enfermée à te lamenter parce que les choses ne se passent pas exactement comme tu le désires ! Crois-tu que chacun vit comblé à chaque instant de sa vie ? Pour qui te prends-tu, pour ne pas accepter ton lot de souffrance, surtout quand c'est toi qui le crées ? Nous sommes tellement souvent l'artisan de nos malheurs !

Anna s'interrompit et partit dans ses pensées. Châtiment ? Punition ? Suis-je punie à travers Iris comme j'ai pensé l'être autrefois à travers Maury ? Absurdité. Superstition. Joseph ne penserait certainement pas de même. Lui dirait que nous devons payer pour nos actes.

— Tu sais combien j'étais heureuse, dit doucement Iris. Jamais aucune femme, je le jure, n'a été plus heureuse que moi.

C'était vrai, tout à fait vrai. Maudit Theo ! Sa petite fille se rongeait intérieurement à cause de lui. Sa douleur sautait aux yeux comme une plaie à vif.

Cette chose entre un homme et une femme... Maintenant, en présence de sa fille, elle sentait la souffrance de sa jeunesse ravivée.

— Combien de temps vas-tu continuer ainsi ? demanda abruptement Anna.

— Je ne sais pas. Je ne sais plus rien.

— As-tu parlé à Theo depuis son retour ?

— Non. Lui aussi est dans un état lamentable. Les vacances ne lui ont fait aucun bien, précisa Iris avec un petit rire cassant.

— Alors, tu pourrais avoir pitié de lui. Comment peux-tu avoir tant de compassion pour les pauvres et les déshérités et si peu pour lui ?

— Tu prends le parti de Theo ? demanda Iris, le souffle coupé.

— Je ne prends le parti de personne. Seulement, il semble... (Quels étaient les mots de Theo ? « Un petit peu fou », avait-il dit.) Il semble que vous soyez devenus tous les deux un peu fous. Je ne nie pas que Theo avait de bonnes raisons de perdre un peu pied, toi aussi peut-être. Je ne vois pas ce qui se passe en toi. Tout ce que je peux dire, c'est que nous ne devons pas nous laisser abattre par les épreuves de la vie. Les épreuves de la vie..., répéta-t-elle en se laissant à nouveau entraîner dans un tourbillon de pensées. Iris, les gens n'aiment pas les martyrs, poursuivit-elle au bout d'un moment avec un air songeur. Il faut que tu apprennes à jouer la comédie, si tu veux sauver quelque chose, y compris toi-même. Si tu ne te sens pas joyeuse, fais semblant de l'être. Au bout de quelque temps, tu finiras par y croire toi-même.

— C'est toi qui me donnes ce conseil ! Un vulgaire subterfuge ? C'est ce que tu as fait pendant des années : simuler ?

— Que veux-tu dire ? demanda Anna en la fixant avec un regard insistant qui troubla Iris.

— Je ne sais pas, si tu ne le sais pas toi-même.

Mais je sais ce qu'elle veut dire, pensa Anna. Elle a toujours eu d'étranges pressentiments à l'égard de Paul. Depuis l'envoi du portrait, il y a des années, et peut-être même avant, quand Joseph et moi nous disputions à propos des Werner. Peu importe, je ne peux rien contre ce qu'elle a pu penser de moi et elle a à présent assez de problèmes personnels.

Soudain, Anna se sentit à la fois envahie par la panique, la pitie, le sentiment d'un naufrage imminent, l'impatience, la fureur d'avoir joué un rôle dans ce gâchis... Des sentiments contradictoires affluaient, où dominait la panique.

— Ecoute-moi ! Sors un peu de ton cocon et regarde la réalite en face ! Que va-t-il se passer si tu perds Theo ? Toi, qui m'as dit il y a deux jours que tu ne pouvais supporter l'idée de vivre sans lui ! S'il finit par en avoir assez de toute cette histoire au point de s'en aller, est-ce que tu crois trouver une file d'hommes devant ta porte qui n'attendent que le plaisir de te prendre, toi et tes enfants ? Franchement ? Et s'il mourait ? dit cruellement Anna. Et si un matin, il partait comme d'habitude et qu'un peu plus tard, un étranger sonnait à ta porte, comme pour Maury, t'apprendre que Theo est mort ? Alors que se passera-t-il ? Dis-le-moi !

Le rythme de sa respiration s'était accéléré et malgré l'état pitoyable d'Iris, elle ne pouvait s'empêcher de prononcer ces mots affreux.

— Oui, en trois secondes, tout serait terminé. Pour de bon. Et tu resterais seule dans cette maison, avec ta dignité silencieuse, tes blessures, ton orgueil et tes enfants qui n'auraient plus de père. Oui, cela peut arriver !

Iris cacha son visage dans ses mains.

— Et ne viens pas alors me trouver, ne viens pas me demander de compatir ! Parce que je suis déjà passée par suffisamment d'épreuves dans ma vie. Je n'ai pas envie d'en supporter de nouvelles !

Quelle vilenie ! Elle prenait un certain plaisir à faire souffrir Iris ! (Tu manques de cran, Iris, voilà le problème, avait-elle envie de dire !) En même temps, elle avait terriblement peur qu'il lui arrive quelque chose. Iris, ma chérie, ma petite fille, pourquoi la vie est-elle si dure avec toi ? Tu ne le mérites pas.

— Je me moque que tu me haïsses. Je te dis seulement ce qu'il est nécessaire que tu entendes. Je me moque que tu ne veuilles plus jamais me parler ensuite... Mais non, bien sûr, je ne m'en moque pas...

Elle n'avait plus de souffle et se sentait faible. Elle s'appuya contre la porte.

— Simplement, si tu décides de ne plus me parler, je ne pourrai rien y faire. A présent, écoute-moi : sors et va te faire arranger les cheveux. Et jette les tristes guenilles que tu as sur le dos. Je ne veux plus les voir ! Mets un sourire sur ton visage quand Theo rentrera à la maison. Un sourire, que diable, même si tu n'en as pas envie ! Maintenant appelle-moi un taxi. Je veux rentrer chez moi.

— Excellente idée, dit Iris en relevant la tête. J'allais justement te prier de quitter cette maison.

— Parfait, mais j'en ai eu l'idée avant toi.

Pour la première fois de sa vie, Anna se mit au lit sans être malade, avec de la fièvre. Jamais elle ne s'était sentie aussi exté nuée. Elle avait l'impression d'avoir poussé le long d'une côte un gros rocher rond qui ne cessait de rouler en arrière dès qu'elle faiblissait un peu.

Heureusement, Joseph était parti à New York avec Eric. Ils devaient dîner ensemble et voir un match de hockey. Eric consacrait toujours une journée de ses vacances à son grand-père. Il faudrait vraiment qu'ils organisent une grande fête pour ses vingt et un ans, pensa-t-elle en s'appuyant sur deux oreillers tandis qu'elle réchauffait ses mains contre une tasse de thé. Une très belle fête, avec un orchestre de jeunes.

Nous avons parcouru un long chemin depuis ce jour où nous sommes allés à Brewerstown chercher un petit garçon courageux mais terrifié. Merci, mon Dieu, pour cela. Espérons que les problèmes d'Iris se règlent aussi bien. Mais je ne sais pas, les choses sont allées trop loin. Theo est terriblement indépendant et Iris est impossible.

Quand peut-on finalement cesser de se ronger d'inquiétude pour sa famille ? J'espère que les enfants n'auront rien entendu... Surtout Stevie. Je lui trouve parfois un visage anxieux, bien que ce soit probablement parce qu'il est l'aîné. Les aînés sont censés être plus sensibles, plus réceptifs à ce qui se passe dans le monde des adultes. Maury pourtant... Oh, si ! Je n'ai découvert que beaucoup plus tard ce qu'il cachait derrière ses allures toujours enjouées. Mais il est vrai qu'il n'était pas aussi compliqué qu'Iris.

Tout le monde est compliqué. Moi aussi, Dieu sait que je suis compliquée !

Je ne peux pas continuer à m'angoisser ainsi. Je voudrais une autre tasse de thé, mais je n'ai pas la force de me lever. J'ai fait ce que j'ai pu pour tout le monde et, ce qui compte le plus, ce qui doit compter le plus à présent, c'est Joseph et moi. J'espère une fois encore avoir sa confiance absolue. Pourtant, je le tiens à l'écart de tous ces problèmes. Pourquoi ? Il devrait être plus fort que moi et il l'est dans bien des domaines mais pas lorsqu'il s'agit d'Iris.

La porte d'entrée s'ouvrit.

— Anna, je suis rentré ! cria Joseph.

— Je suis en haut, au lit.

Elle l'entendit venir, montant les marches deux par deux, comme un jeune homme.

— Déjà au lit ? Que se passe-t-il ?

— J'ai attrapé froid et je commence un rhume. J'ai pris de l'aspirine, mentit-elle.

— Tu es toujours en train de courir à droite et à gauche à faire des courses et t'occuper d'œuvres charitables ! Tu ne pourrais pas penser un peu à toi et en faire moins ?

Il parlait sur un ton agacé et anxieux.

— Ne crie pas, Joseph. De plus, tu es mal placé pour parler d'en faire moins ! Vous êtes-vous bien amusés ?

— Oui, bien sûr. J'ai déposé Eric chez une fille qui donnait ce soir une surprise-partie.

— C'est bien. Je me disais justement que nous devrions organiser quelque chose pour son prochain anniversaire.

— Bonne idée ! Veux-tu une autre couverture ? Tu as froid ?

— Non, ça va, vraiment. Je me sentirai en pleine forme demain matin, dit-elle joyeusement.

— Eh bien, je l'espère. J'espère que tu as jugulé le mal à temps avant qu'il ne se transforme en quelque chose de pire.

— Oui, dit-elle, je pense que je l'ai peut-être jugulé à temps.

Theo rentra et vit que les deux petits lits avaient été enlevés. L'ancien lit, avec le dessus-de-lit jaune et blanc, avait retrouvé sa place. Iris sortit de la salle de bains. Elle était allée chez le coiffeur et portait une de ces robes que l'on appelle robes d'hôtesse, avec un joli ruché blanc autour du cou.

— Bonsoir, dit-il en sentant un petit rire de joie monter doucement dans sa gorge. Je vois qu'il y a eu quelques changements dans l'ameublement.

— Tu es content ? demanda-t-elle sans le regarder.

— Très content.

Il attendit un moment et, quand elle leva les yeux, il s'avança vers elle et lui offrit le creux de son épaule pour qu'elle y pose sa tête. Elle ne se rapprocha pas davantage mais ne s'écarta pas non plus. Ils restèrent ainsi et il se souvint de cette nuit, encore proche, où c'était lui qui avait posé sa tête sur son épaule pendant qu'elle essayait de le consoler.

Ses mains coururent sur son corps.

— Pas encore, chuchota-t-elle.

— Bientôt ?

— Oui, bientôt. Très bientôt.

40

Au début de l'automne, alors qu'il commençait sa dernière année au collège de Dartmouth, Eric se rendit à New York pour y déjeuner avec son cousin Chris Guthrie, qui, pour la première fois depuis trois ans, revenait du Venezuela.

— J'ai gardé toutes tes lettres, dit-il à Eric. Elles réveillent en moi une profonde nostalgie. J'ai l'impression de revoir le campus et de sentir la neige dans l'air. Tu écris extrêmement bien, tu sais ?

— On me l'a dit.

— Que comptes-tu faire après le collège ?

— Mon grand-père a une place toute prête pour moi dans son entreprise.

Chris remua son café. Lorsqu'il leva les yeux, son expression trahissait une intense réflexion intérieure. Eric se dit que tous les « hommes d'affaires » devaient avoir ce genre de regard. Il avait observé ceux de la table voisine, avec leur uniforme — costume sombre, chaussures anglaises — et leur air de profonde concentration. Pour eux, point de rêverie : la brume de septembre qui scintillait derrière la fenêtre leur demeurait invisible...

— Je te demande si tu penses vraiment que tu aimeras ce travail, répéta Chris.

— Excuse-moi, je n'avais pas entendu. Oui... C'est une chance inespérée, n'est-ce pas ?

— Commencer à un haut poste dans l'entreprise familiale ? Oh oui, bien sûr ! Tu sais, poursuivit-il, maintenant je peux t'avouer que lorsque je t'ai ramené de Brewerstown il y a sept ans, je te plaignais vraiment, au fond de moi-même. Mes enfants, qui sont grands aujourd'hui, eh bien, je ne voudrais pas qu'il leur arrive une chose pareille.

— Sur l'échelle des souffrances humaines, on ne peut pas dire que je me situe bien haut !

— D'accord, si tu veux parler de la faim, des besoins vitaux, mais il existe d'autres sortes de souffrances. Tu as eu énormément de courage et...

— Tout va très bien, Chris, je t'assure.
— En effet, je vois. Dis-moi, par simple curiosité, est-ce que ta vie est très différente de celle que tu avais avec Grand'Pa et Grand-Maman ?
— Eh bien, les personnalités sont très différentes. Mais pour l'affection et tout ça, c'est pareil.
— Voyons... Est-ce que tu as une petite amie ?
— Une petite amie ? répéta Eric en riant. Non.
— Bravo. Il ne vaut mieux pas s'attacher à quelqu'un trop vite. Mais, pour en revenir à tes projets, tu n'as même pas imaginé que tu pourrais faire autre chose que travailler avec ton grand-père ?
— Pas vraiment. Je n'ai pas d'ambitions particulières. Pourquoi tu me poses cette question ?
— Voilà, on vient de me faire une proposition fantastique : quatre ou cinq ans au Moyen-Orient, avec l'Iran comme pays de résidence.
— Ouah ! Lawrence d'Arabie ! Espionnage et tout le toutim... !
— Oui, oui... si tu veux ! Je suis chargé de constituer une équipe de jeunes gens brillants et dynamiques. Alors, j'ai pensé à toi. Je n'aurais aucun mal à faire accepter ta candidature...
Il alluma une cigarette et attendit un moment avant d'ajouter :
— Qu'en dis-tu ?
— Et ça consiste en quoi, exactement ?
— Vendre, prospecter, établir des contrats... tu vois le genre ? Je suis déjà allé là-bas. C'est formidable...
Un instant, le restaurant se métamorphosa en un souk chatoyant, mirage tentateur.
— Tout cela est si soudain ! dit Eric qui se méfiait de son subit enthousiasme.
— Bien sûr. Tu ne crois quand même pas que j'attends une réponse sur-le-champ ? Je reviendrai aux environs de Noël et nous pourrons en reparler. Réfléchis en attendant. Notre compagnie a un réel avenir. Et puis il y a ton ambition d'écrire.
— Quel rapport ?
— Il faut avoir quelque chose à raconter, non ? Connaître des gens, des cultures différentes... Pense à tous les matériaux que tu pourrais engranger. Et je veillerai personnellement à ce que tu aies du temps pour explorer le pays...
— Mes grands-parents considéreraient cela comme un échec pour eux, répondit lentement Eric.
— Ils ont mené leur vie comme ils l'entendaient. A ton tour maintenant ! J'ai presque quarante-deux ans, faudra bien que je cède moi aussi la place à mes deux fils, un jour ou l'autre.
Chris appela le serveur et sortit son portefeuille.
— Mon train m'attend, Eric. J'ai été très heureux de te voir. Chaque fois qu'on se rencontre, je me rends compte à quel point tu m'as manqué. Réfléchis à ma proposition ; rien ne presse, mais je pense sincèrement que ce pourrait être fantastique pour toi. Je te ferai signe. Oh, j'oubliais : transmets, bien sûr, mon bon souvenir à tes grands-parents.

Depuis un an, Eric sentait sa vie filer inexorablement vers l'inconnu. Certes, beaucoup de ses camarades de collège éprouvaient le même sentiment, à l'exception de ceux qui se savaient destinés au droit, à la médecine ou au métier d'ingénieur. Eric avait essayé de s'imaginer à son bureau, s'entretenant avec des banquiers, puis se rendant sur un immense chantier d'où surgiraient de nouvelles rangées de maisons alignées comme des boîtes. La perspective ne l'enthousiasmait guère, et la proposition de Chris lui trottait sans cesse dans la tête.

Il n'avait pas l'intention d'en parler, mais aux vacances de Thanksgiving, il ne put s'empêcher d'en toucher un mot à sa tante Iris.

— On dirait que j'ai besoin d'aventure.

— Il n'y a pas de mal à ça.

— Depuis que Chris m'a fait cette proposition, travailler dans une entreprise de construction ne me semble pas très excitant.

— Je me suis toujours doutée que tu voulais être écrivain, dit Iris... peut-être parce que ton père et moi-même avons tous deux flirté un peu avec les mots. Mais nous n'étions doués ni l'un ni l'autre, alors que toi...

— Il ne suffit pas de s'enfermer dans une chambre avec une machine à écrire pour être écrivain, répliqua Eric. Il faut vivre d'abord.

— C'est vrai. De toute façon, il s'agit de ça, si j'ai bien compris ton cousin.

— Dis-moi franchement ce que tu penses de sa proposition.

— Par rapport à mes parents, voilà ce que tu veux dire, non ?

— Désolé. Je sais bien que tu es trop concernée pour me faire une réponse objective.

— Je sais bien ce qu'ils vont éprouver. Mais tu as le droit d'être toi-même, pas seulement un petit-fils adoré. C'est à toi seul de décider.

Eric hocha la tête d'un air grave.

— N'en parle à personne, je t'en prie. Pas même à Oncle Theo. J'ai besoin de temps pour débrouiller la question tout seul.

— Tu as ma parole.

Chris et Eric se rencontrèrent à nouveau au même endroit peu de temps avant Noël.

— Je n'ai pas encore pris ma décision, annonça Eric.

— Quel est le problème ? demanda Chris, surpris.

— Grand-Père et Nany. Lui raconte à tout le monde que l'année prochaine je travaillerai avec lui ; il m'a déjà réservé un bureau. Et elle, elle a acheté les gravures anciennes qui le décoreront.

— Ecoute, dit Chris, reviens à la fin de la semaine, pour un rendez-vous avec les gens de la compagnie. Ils pourront répondre à toutes les questions que tu voudras leur poser et ainsi tu ne prendras pas la « grande décision » en te fondant uniquement sur ce que je te dis... Un détail, cependant, ajouta-t-il en baissant la voix et en jetant un coup d'œil vers la table voisine, quand tu donneras ton nom, il faudra l'épeler « Freeman », comme autrefois. Ça fait plus américain et c'est le nom que j'ai donné.

— Pourquoi ? Quelle différence ?

— Une grande différence, crois-moi. Particulièrement au Moyen-Orient où les Arabes et les Israéliens sont à couteaux tirés.

— Tu veux dire qu'il ne faut pas qu'on me prenne pour un Juif ?

— Tu n'es pas juif. On t'a élevé dans la religion épiscopale et tu es mon cousin.

— Je suis aussi le petit-fils de Joseph Friedman.

— Bien sûr, bien sûr. Mais écoute, Eric, nous vivons dans un monde impitoyable ; si tu veux t'en sortir, sois réaliste ! Je te conseille fortement de jouer cette carte dans le milieu des affaires, et surtout pour ce genre d'affaires.

Eric fit la grimace.

— C'est moche, malhonnête, voire cruel.

— Je ne te comprends pas. Tu ne feras rien de mal. Un simple oubli, voilà tout.

Et comme Eric ne disait rien, Chris poursuivit :

— Grand-Maman et Grand'Pa, les années que tu as passées avec eux, tu les oublies donc ?

— Chris ! Comment peux-tu penser une chose pareille ?

— Non, bien sûr. Après tout, tu n'es pas un vrai Juif croyant. Du moins, si ça n'a pas changé...

— A vrai dire, je ne crois à rien.

— Ça se fait beaucoup, de nos jours ! Bon, tu veux que je t'arrange un rendez-vous cette semaine ou tu préfères attendre mon prochain passage ?

— Je préfère attendre, puisque rien ne presse.

Après avoir quitté Chris, Eric descendit la 5e Avenue en direction de Central Park. Dans les vitrines, clignotaient et scintillaient les illuminations de Noël. Surmontant la porte d'entrée d'un grand magasin, un haut-parleur braillait. Citadelle brillant de tous ses feux, cathédrale du XXe siècle ! Un tel étalage tapageur déprimait Eric.

Sur une affiche, un jeune couple au sourire béat contemplait une voiture de sport, une banque vantait ses facilités de crédit. Une voiture luxueuse, un bateau à moteur, un diamant semblaient les seuls critères du bonheur. L'humanité s'identifiait aux gadgets dont elle aimait à s'entourer.

Eric pressa le pas. L'air était glacé. En dépit de sa mauvaise humeur, il se dit que le monde n'était peut-être pas si moche que ça... Juste un problème personnel à régler.

Si l'offre était venue de l'un des copains de son grand-père, par exemple M. Duberman, au lieu d'être formulée par quelqu'un appartenant à la famille de sa mère, elle aurait probablement été moins problématique.

Il essaya d'imaginer la scène : une fête peut-être, avec une foule de gens assis autour d'une table garnie de fleurs, de verres en cristal et d'une profusion de plats variés : des viandes, des poissons fumés, des salades, des condiments, des sauces relevées, des pains torsadés, des gâteaux de riz, des puddings, des fruits...

— Mangez, mangez donc. Passez la salade à Jenny ; elle a vraiment un appétit d'oiseau...

— Si vous ne goûtez pas à ce pudding, c'est ma femme que vous insultez, rugirait Grand-père.

Nany sourirait de plaisir et de fierté, ses bracelets tintant gaiement et ses pendants d'oreilles en diamant brillant de tout leur éclat.

— Savez-vous qu'Eric va partir à l'étranger l'année prochaine ? lancerait Grand-Père à la cantonade.

Tout le monde serait en train de bavarder : d'un côté de la table on discuterait âprement de politique et, de l'autre, on rirait jusqu'aux larmes d'une plaisanterie facile. Grand-Père ferait alors tinter son couteau contre une timbale et crierait :

— Avez-vous entendu ce que je viens de dire au sujet d'Eric ?

Avec tendresse et amusement, il imaginait la scène : le silence soudain, l'annonce de son grand-père, les cris de félicitations ; sa grand-mère se levant pour le prendre dans ses bras, froissement de soie, doux parfum.

— Quel brillant garçon vous avez ! Joseph, Anna, un vrai trésor...

Bien sûr, ils verseraient des larmes ; bien sûr, ils préféreraient que ce soit ailleurs qu'au Moyen-Orient où leur peuple était à nouveau menacé. Mais le plus dur serait sans doute d'accepter qu'Eric retourne ainsi vers la famille de sa mère. Le jeune homme se demandait comment son propre père avait pu se décider à les quitter.

Il retourna à Dartmouth la semaine suivante. A cinq mois de la remise des diplômes, il n'était encore sûr de rien.

Le grand-oncle Wendel mourut au début d'avril et fut enterré près de la maison qui appartenait à la famille Guthrie depuis son arrivée dans le Massachusetts, trois siècles plus tôt.

Sur son trajet, Eric rencontra les premières bouffées du printemps. Malgré la corvée qui l'attendait, il se sentait d'humeur joyeuse. Il roulait entre des murs de pierre ou des rangées d'ormes qui bordaient les grand-rues, passait devant les grandes maisons blanches de son enfance. Il savait parfaitement à quoi ressemblait l'intérieur de ces demeures : dans la salle à manger, les placards d'angle flanquant la cheminée, l'horloge sur le palier... Brewerstown...

Au retour du cimetière, Eric retrouva dans la maison des visages qui lui semblèrent familiers. C'est étrange comme on peut s'habituer à des choses, à des gens très différents.

Les généralisations s'avèrent souvent abusives car on trouve généralement de nombreuses exceptions qui contredisent la règle. Pourtant, dans cette pièce, il apparaissait immédiatement qu'il n'était pas dans la famille de son père. Moins de tension, peut-être, moins d'animation, de couleurs, de bruits ? Peu importe, c'était différent.

Tous ces gens appartenaient à la même espèce : minces, d'allure sportive, ils devaient pratiquer la voile, le ski et le tennis. Les femmes, même celles qui n'étaient pas jolies, étaient toutes vêtues de la même façon : une jupe et un corsage strict agrémenté d'une broche. Sur leur visage, un même air résolu et confiant. S'il avait rencontré l'une d'elles au fin fond de la Patagonie, il l'aurait immédiatement reconnue. Debout, Eric observait le groupe qui l'entourait, écoutant les voix posées, avec l'impression... l'impression qu'il était retourné chez lui après une matinée d'absence. Et tout à coup, il comprit ce qui l'émouvait tant c'était...

C'était la ressemblance avec Grand-Maman.

Chris était là avec sa femme et ses fils, entouré de ses frères qui étaient venus accompagnés de leurs jeunes femmes.

Hugh s'avança vers Eric pour lui présenter Betsey.

— J'ai entendu dire que vous alliez partager une aventure passionnante avec Chris, dit Betsey. Nous sommes tous si contents que vous soyez réunis.

Eric rougit.

— Je ne suis pas encore décidé, répondit-il.

— Qu'est-ce que tu attends ? dit Chris qui les avait rejoints.

Pour la première fois, il semblait agacé.

— Nous sommes au mois d'avril et si tu veux partir, il faut que tu voies les gens de New York avant la fin du mois. Je ne peux pas faire traîner les choses plus longtemps rien que pour toi.

— Je sais.

— Alors ?

— Il s'agit d'un engagement de cinq ans. Vaut mieux être sûr.

— N'hésite pas trop longtemps quand même.

Hugh lui présenta un vieil homme qui se tenait près de la cheminée.

— Cousin Jed, voici Eric. Vous ne vous êtes jamais rencontrés, je crois.

Eric serra une main parcheminée.

— J'ai connu votre mère quand elle était tout enfant. Je n'ai pas beaucoup fréquenté la famille de ma femme depuis sa mort. Aujourd'hui, j'habite à Prides Crossing, et je suis à la retraite.

Il radotait.

— J'ai rencontré une fois votre père. Je me souviens qu'il est venu à la banque pour demander du travail. Mais je n'ai rien pu faire pour lui. C'était la crise, vous savez. Pas d'emplois. Vous ressemblez à votre mère, déclara-t-il de but en blanc. Une jolie fille, charmante... morte trop jeune. Et moi qui ai quatre-vingt-sept ans !

Quelqu'un entraîna le cousin Jed plus loin. Eric se dit que tous ces gens en savaient plus sur lui que lui-même.

« Souviens-toi de nous », avait dit Grand-Maman.

Si je leur tourne le dos maintenant, ce sera définitif.

L'Arabie... Partir avec Chris ce serait concilier le passé avec l'espoir d'une vie nouvelle.

Des pommes de pin grésillaient dans la cheminée ; telle la petite madeleine de Proust, l'odeur lui rappelait les criques du Maine, les septembres dorés de Brewerstown et les feux de l'automne... Les oiseaux de Grand-Pa, les chevaux dans les pâturages... Tant de souvenirs !

Eric s'avança vers Chris et lui tapa sur l'épaule :

— Chris, je viens avec toi.

Pendant la semaine des vacances de printemps, Eric fut à plusieurs reprises sur le point d'informer ses grands-parents, mais chaque fois le courage lui manqua.

— Je vais t'acheter une nouvelle voiture, lui dit son grand-père. Ton vieux tacot, ça allait pour un collégien, mais maintenant il te faut quelque chose de mieux. Dis-moi celle qui te ferait plaisir et on s'en occupera aux grandes vacances.

Pourquoi ne prendrais-tu pas un ou deux mois de vacances avant de te mettre au travail ? Tu pourrais aller en Californie ou quelque chose comme ça.

— Veux-tu que je t'aide à t'arranger la pièce qui t'est réservée au bureau, lui demanda un autre jour Nany, ou préfères-tu choisir toi-même ce qui te convient ? Jerry Malone vient de remeubler son bureau, peut-être aimerais-tu voir ce qu'il a acheté. Ça te donnerait des idées...

Un jour, Grand-Père invita Eric à aller voir un nouveau centre commercial dont il venait d'achever la construction.

Eric accepta de l'accompagner et se promena d'allée en contre-allée, de niveau en niveau, s'efforçant de penser aux commentaires intelligents qu'on ne manquerait pas d'attendre de lui.

Mais, plus il avançait, et plus il se sentait envahi par une profonde tristesse. Tant de couples déambulaient dans ce labyrinthe pour essayer de se distraire, leurs enfants pendus à leurs basques. Des hommes aux traits tirés, des femmes fatiguées, tête hérissée de bigoudis, erraient avec des regards d'envie parmi cet étalage gigantesque de babioles qu'ils n'avaient pas les moyens de s'acheter et dont ils n'avaient pas besoin. Si Grand-Père avait pu deviner ses pensées, se dit Eric, il aurait été consterné.

Ils remontèrent en voiture.

— Eh bien, qu'en penses-tu ? lui demanda-t-il d'une voix réjouie.

— C'est très animé, c'est bien.

— Attends un peu de voir ce que nous construisons au sud de Jersey. C'est encore sur le papier, mais nous allons commencer les travaux en septembre. Peut-être te laisserai-je travailler dessus. Je pourrais t'envoyer là-bas avec Matt Malone. Matt est un garçon intelligent, tu apprendras beaucoup avec lui.

Son grand-père posa soudain sa main sur la sienne et baissa la voix. Eric l'entendait à peine : le vieil homme était gêné de dévoiler ses sentiments.

— Pendant des années, j'ai envié Malone. L'envie est un péché... mais je l'enviais quand même. Tous ses garçons venaient travailler avec lui, ils poursuivraient ce qu'il avait construit à la sueur de son front, tandis que pour moi, tout allait finir comme si rien n'avait jamais existé. Et puis, tu es venu et je me suis senti revivre...

(Mon Dieu, Mon Dieu, comment vais-je lui dire ? Comment ? Quand ?)

Un vendredi soir, sa grand-mère le prit à part.

— Eric, je voudrais te demander une faveur. Voudrais-tu nous accompagner ce soir à la synagogue ? C'est l'anniversaire de la mort de ton arrière-grand-père et ton grand-père va dire pour lui le Kaddish[1].

— Oui, bien sûr.

— Merci, je suis si contente. Bien que tu ne croies pas, cela lui fera du bien de te savoir à ses côtés.

Eric resta assis pendant le sermon, trop absorbé par son dilemme pour entendre ce qui se disait. Il percevait de temps en temps une musique plaintive. Le nom de Maurice Friedman fut prononcé au milieu d'une longue liste de noms ; le son de ces trois syllabes résonnèrent dans sa tête et il se prit soudain à penser que le sang de cet homme qui lui était totalement étranger coulait néanmoins dans ses veines. L'assemblée se leva et des centaines de voix murmurèrent à l'unisson. Sa grand-mère avait la tête penchée, le visage grave et les mains serrées. Son grand-père tenait un livre de prières à la main, mais ne le regardait pas ; il en connaissait le texte par cœur.

Après la bénédiction, chacun se tourna vers ses voisins, parents, amis ou étrangers. Tous échangèrent serrements de main et embrassades en disant : « Bon Sabbat. »

Joseph embrassa Eric et Anna et à son tour, Anna embrassa son mari et son petit-fils.

Comme ils descendaient l'allée avec la foule, Eric sentit la main de son grand-père se poser sur son épaule et vit que sa grand-mère avait remarqué le geste. Leur regard à tous les deux brillait d'une émotion intense.

A ce moment-là, Eric sut qu'il ne pourrait pas partir.

— Tu n'es pas fâché, Chris ? demanda-t-il quand il eut fini de raconter son histoire.

En principe, Eric était venu à New York pour son rendez-vous avec les gens de la compagnie.

— Je ne me le permettrais pas, dit Chris en souriant, mais ses yeux trahissaient sa colère. Je dirais seulement que tu es plutôt jeune pour ton âge, que tu manques totalement d'expérience et que tu es beaucoup trop sentimental. Tu es comme tes...

1. Le Kaddish est une prière récitée par les orphelins, exprimant leur confiance et leur soumission en la volonté divine.

— Comme mes parents, c'est bien ça ?
— Oui, effectivement. D'autant plus qu'il n'y a rien d'extraordinaire à ressembler à ses parents.
— Dis-moi auquel des deux je ressemble ?
— Aux deux. Ils étaient trop idéalistes et se faisaient mal à eux-mêmes.
Chris prit la main d'Eric.
— Désolé, mais je suis très pressé. Alors, bonne chance. Et si un jour tu as besoin de moi, tu sais où me trouver. Donne-moi de tes nouvelles, d'accord ? J'espère que tout ira bien pour toi.
Son expression se fit à la fois grave et tendre, comme ce jour où, dans le bateau, il lui annonça : « Ta Grand-Maman va mourir. » Pour chasser cette image, Eric s'empressa de dire :
— Merci pour tout, Chris.
Après un dernier adieu, ils s'en allèrent chacun de leur côté parmi la foule pressée de la 43e Rue.

Quelques jours plus tard, Eric informa Iris de sa décision.
— Je ne suis pas sûre que tu aies fait le bon choix, dit-elle. Du moins en ce qui te concerne. En tout cas, c'est très généreux de ta part.
Il ne répondit rien. S'agissait-il de générosité, ou bien était-il trop partagé ?
— J'aimerais aller faire un tour en Europe cet été, dit-il soudain, comme si cette idée impromptue venait le tirer d'embarras.
A la fin de l'année universitaire, il devait recevoir un petit héritage de son grand-père maternel. Ce legs était prévu pour assurer la tradition selon laquelle un jeune homme se doit de faire un voyage en Europe avant de « s'établir ».
— J'aimerais bien venir avec toi, dit Iris. Mais Theo dit que l'Europe est en pleine décadence. J'espère qu'il changera d'avis.
— De toute façon, pour toi le moment serait mal choisi, n'est-ce pas ?
En effet Iris, qui avait maintenant trente-sept ans, était à nouveau enceinte. Etait-elle vraiment contente ou s'agissait-il d'un « accident » ?
— Je pense que le bébé sera là quand tu rentreras. Il est prévu pour la mi-octobre.
— Je serai rentré, lui promit Eric.
A la mi-juin, Eric fit ses bagages. Sa grand-mère lui acheta d'élégantes valises, un parapluie de voyage et un joli peignoir.
La veille du départ, ils allèrent dîner chez Theo et Iris. Les deux garçons s'étaient cotisés pour acheter un rouleau de pellicules à leur cousin.
— J'aimerais avoir quelques photos de Stonehenge. J'ai lu un livre là-dessus et personne ne semble savoir qui a érigé ces blocs de pierre, lui dit Steve avec un air sérieux.
Jimmy lui demanda de se renseigner sur le rugby et de voir en quoi ce jeu différait du football américain. Laura avait aidé sa

mère à confectionner des caramels mous « pour manger au dessert dans l'avion ».

Anna ne put s'empêcher de verser quelques larmes tout en disant :

— Je ne sais pas pourquoi je pleure ! Je suis si heureuse à l'idée de cet été merveilleux qui t'attend. Il n'y a aucune raison de pleurer !

Nany pleurait si facilement ! Grand-Maman, elle, se serait interdit pareille complaisance. Voilà la différence qui habitait Eric et le déchirait. D'un côté, il se sentait plus proche de Nany sur le plan affectif, mais, de l'autre, Grand-Maman avait su lui forger le caractère, et il ne l'oublierait jamais.

Nany était peut-être consciente de cette dualité de sentiments, et elle pleurait.

Un après-midi, dans une petite ville près de Bath en Angleterre, il acheta un cahier sur lequel il se mit à écrire.

« Ce qui me trouble le plus, c'est de ne croire en rien. »

« J'ai passé la moitié de l'après-midi dans une église saxonne dans un village sorti tout droit d'un roman de Thomas Hardy. Eglise ô combien ancienne ! Malgré la chaleur de l'été, il faisait frais à l'intérieur de ses murs épais. Ensuite, je me suis promené dans le cimetière qui l'entourait. Il n'y avait personne, excepté quelques vaches qui ruminaient dans un champ d'à côté. Sur les pierres tombales, les noms n'avaient pas été effacés par des siècles d'intempéries. Thomas Brearley et Fils, cordonniers depuis 1743. La famille avait vécu ici toute sa vie, travaillant, chantant les hymnes le dimanche. Alternance sans cesse répétée. Jusqu'à la mort...

Dans le silence de ce lieu très ancien, frémissant d'humanité, je me suis senti proche de la foi. »

« Je me souviens de l'époque où, âgé de neuf ou dix ans, j'allais à l'église avec Grand-Maman et Grand'Pa, empli d'une crainte mêlée de respect. On revenait ensuite à la maison pour le repas du dimanche : un rôti et des tartes. Je portais mon plus joli costume et tout me semblait simple. Ah, comme je voudrais retrouver ce sentiment ! Eprouver ce que Grand-Père et Tante Iris ressentent dans une synagogue. Pour Nany, cela paraît plus compliqué, moins évident. Naturellement, elle ne l'admettrait pas, s'en doute-t-elle même ? Lorsque j'ai demandé à Oncle Theo s'il avait perdu la foi, il m'a répondu qu'il ne l'avait jamais eue. »

« L'Irlande. On y claque des dents, une humidité épouvantable ! Le brouillard et la pluie rendent les bas quartiers plus sordides encore. Dans certains villages, j'ai vu des femmes enveloppées dans de grands châles noirs faire le chemin de croix. Mon arrière-

arrière... et certainement plus encore... grand-mère est venue d'Irlande, m'a dit Grand-Maman. Ressemblait-elle à l'une de ces pauvres femmes ? L'Irlande, pays de superstitions, de légendes noires, d'elfes et de gnomes errant dans les bois.

Je suis retourné dans une église. Des fresques aux couleurs criardes représentaient le Christ sur la croix, une Vierge à l'Enfant... »

« Grand'Pa aurait voulu revenir en France. En vain. Maintenant, je comprends pourquoi. Les villages s'accrochant aux collines, les platanes sur les places, les vieilles oliveraies de Provence : ces paysages me rappelaient les photos de ma mère...

Il y a de nombreux vestiges romains, mais les Grecs sont venus avant eux. Marseille s'appelait Massalia. J'ai visité les ruines d'une ville grecque à Glanum. Quel héritage fantastique !

Dans un village médiéval, une rue s'appelle la rue des Israélites. La Judengasse de Salzbourg... Partout en Europe retentit l'histoire unique et tragique du peuple juif dont je fais un peu partie. Ils ont donné leur vie. Trouverai-je un jour une cause pour laquelle je veuille mourir ? Une raison de vivre ? »

« Plusieurs semaines plus tard...

Les Pays-Bas. Juliana est appuyée contre une fenêtre garnie de bacs à fleurs. Un canal coule devant la maison à pignon, haute et étroite. Juliana mange des chocolats. Je crois que je suis en train de tomber amoureux. »

« Je suis amoureux. Elle travaille dans un kibboutz au nord de Galilée et elle est rentrée dans son pays pour les vacances. Pourquoi Israël ? lui ai-je demandé. Pourquoi ? Elle m'a dit que les Néerlandais avaient été bons pour les Juifs (ce que je savais) et qu'elle avait envie de connaître le monde. Elle affirme que la vie est passionnante là-bas, que c'est vraiment un pays pour les jeunes. Elle aimerait bien que je parte avec elle, je me rendrais compte par moi-même. C'est d'accord. De toute façon, même si elle était partie à Tombouctou, je l'aurais suivie. »

« Adieu charmante Europe, avec tes fleurs, ton vin, ton pain, et ta musique. Nous survolons maintenant la Méditerranée. Je n'oublierai jamais la douce Europe.

Oncle Theo dit, lui, qu'il n'oubliera jamais ses camps de concentration. »

41

La pointe nord d'Israël est si étroite, qu'un géant sorti d'une légende ancienne pourrait facilement l'enjamber, un pied sur le sol du Liban, l'autre sur celui de la Syrie.

Contrairement à l'idée que s'en faisait l'imagination populaire d'Occident, le Jourdain n'était, comme le découvrit Eric avec surprise, qu'un ruisseau. Les chutes qui se trouvaient à sa source et qui emplissaient les autochtones d'une crainte superstitieuse, étaient bien maigres, comparées aux chutes du Niagara !

Mais la région n'en était pas moins ravissante.

Au sommet d'une colline peu élevée, se dressaient les bâtiments en bois du kibboutz : les dortoirs, le réfectoire, la bibliothèque, l'école. Les étables et les granges s'alignaient sur le flanc de la colline et, en contrebas, s'étendaient de vastes vergers et plus loin encore, des champs de céréales qui ondoyaient sous le vent.

Les moissonneurs s'activaient parmi ces flots dorés tandis que des jeunes gens et des jeunes femmes montaient aux arbres pour cueillir des fruits. Le bétail renâclait dans les étables. L'air sentait l'herbe fraîchement coupée. Du réfectoire, s'échappait le son d'un piano, et de l'atelier, parvenaient des bruits métalliques. Dans la grande cuisine, on préparait des repas du matin au soir. Des enfants barbotaient dans la piscine ; la seconde génération avait ajouté cette pointe de luxe à l'ensemble établi par les pionniers. De ce sol aride, négligé pendant des siècles, avait surgi — au prix d'un labeur formidable — un endroit où l'on pouvait vivre.

Et on se trouvait à portée de fusil du Golan.

— Les Syriens ont disposé des tireurs d'élite là-haut, dit Juliana en montrant vers l'est des hauteurs dont les flancs escarpés se dressaient telles des murailles. Tout ce qui bouge dans les champs ou sur la route peut devenir une cible. L'année dernière, peu après mon arrivée, le chauffeur d'un autocar a été tué et le véhicule s'est écrasé sur le bas-côté. Il y a eu huit morts dont deux enfants de moins de cinq ans... Viens, je vais te montrer autre chose. N'oublie pas que de l'autre côté nous sommes à moins de quatre kilomètres du Liban.

Ils traversèrent un verger de jeunes poiriers. Parvenue à l'autre extrémité, elle souleva un écran de feuillage, découvrant la gueule béante d'une série de canons.

— C'est notre seconde ligne de défense. Les barbelés et les sentinelles sont sur la frontière.

— Pas très réjouissant, tout ça...

— Question de sécurité, même si, de temps en temps, ils arrivent à passer. Tu as certainement entendu parler du raid sur une école ? C'était celle de la ville voisine, seulement à vingt minutes d'ici. Là-bas devant, au-delà de ce bouquet d'arbres, c'est la frontière. Tu n'as qu'à marcher tout droit si tu veux l'atteindre.

S'il était parti avec Chris, Eric se trouverait de l'autre côté. Il se demanda comment les gens vivaient là-bas. En l'espace de quelques semaines, il s'était accoutumé à la vie du kibboutz ; dès lors, il lui était difficile d'imaginer comment on vivait par-delà la frontière.

Il dormait dans le dortoir des hommes célibataires. En face de chaque lit, sur le mur opposé, était accroché un fusil. Pantalons et chaussures étaient posés sur une chaise à côté du lit. Il ne fallait pas plus de soixante secondes pour s'habiller et descendre.

Eric se remémora les histoires que son grand-père maternel lui avait racontées sur ses ancêtres qui s'étaient établis dans l'Etat de New York, quand celui-ci n'était qu'une contrée sauvage. Il vantait l'énergie et le courage qui leur avait permis de créer quelque chose là où il n'y avait rien. Etait-ce ce même esprit pionnier qui l'attirait ici... et puis la présence de Juliana, bien sûr.

— Tu es content d'être ici, Eric ? Ressens-tu un peu ce que je t'avais expliqué quand nous étions en Hollande ? demanda-t-elle.

— Oui, je commence à comprendre ce que tu as voulu dire.

Ils s'assirent sur un rocher ; le soleil déclinait. C'était le jour du sabbat et un calme profond régnait dans les champs et les vergers où personne ne travaillait. Seul le beuglement assourdi des vaches dans l'étable troublait le silence.

— Quand je suis venue pour la première fois — répondant au désir qui m'animait depuis des années — c'était par devoir. Maintenant je reste parce que j'aime ce pays.

— Que veux-tu dire par « devoir » ?

— Eh bien, dit Juliana en haussant les épaules, pendant ces années de guerre où j'avais neuf, dix, onze ans, nous avons vu de telles choses... Une de nos voisines, une femme déterminée, ferme dans ses convictions...

— Comme toi, l'interrompit Eric en souriant.

— C'était une femme courageuse. Dans son grenier, elle avait caché une famille juive. Comme Anne Frank. Tu as lu le livre ?

— Oui.

— La même histoire, donc. Seules quelques personnes étaient au courant. Quand ma mère parvenait à mettre un peu de nourriture de côté, elle la leur apportait. Nous, les enfants, n'étions pas censés savoir, mais j'ai entendu ma mère dire à mon père qu'il y avait deux frères avec leur femme et leurs enfants dont un bébé.

Quand le bébé pleurait, ils devaient le mettre sous la couverture pour étouffer ses cris.

Un jour, les Allemands sont venus et ils les ont pris. Ils sont allés directement vers le grenier. Et ils ont emmené aussi notre voisine. Des camions bondés les ont emportés vers les camps et la plupart sont morts dans des chambres à gaz. Les maris furent séparés de leur femme et les enfants de leur mère. J'entends encore leurs cris déchirants... Crois-tu, Eric, que je puisse oublier de telles choses ? Je n'oublierai jamais. Un jour, les nazis ont pris mes deux oncles, les deux jeunes frères de ma mère. Nous n'avons plus jamais entendu parler d'eux. Ils étaient dans la Résistance.

— Quelqu'un les a dénoncés ?

— Je suppose. Nous avions aussi très peur pour mon père. De cela non plus, nous n'étions pas censés être informés, mais tu sais comment les enfants finissent toujours par découvrir la vérité. Mon père aussi était dans la Résistance. La nuit, quand tout était sombre et calme, qu'on entendait un moteur ou des bruits de pas s'approchant de la maison, j'étais sûre qu'ils venaient pour l'arrêter.

— Existera-t-il jamais un endroit où les enfants pourront vivre en paix ? s'écria Eric.

— Oui ! sinon, le monde serait une véritable maison de fous ! Ton enfance a-t-elle été si dure que ça ?

Il lui raconterait peut-être une autre fois, ce n'était guère le moment.

— Non, en fait, j'ai été très gâté par le sort, murmura-t-il.

N'était-ce pas vrai à plus d'un titre ? Et à quoi bon s'apitoyer bêtement sur soi-même ?

Un air de musique parvint du réfectoire : une sonate jouée au piano avec cœur et ferveur. Eric leva la tête d'un air interrogateur.

— Chut ! fit Juliana.

Et ils attendirent dans le crépuscule violet que la musique s'achève, que la dernière note s'éteigne dans l'air du soir.

— C'était Emmy Eisen, dit-elle doucement. Tu sais, la femme qui m'aide parfois à la crèche. Elle était professeur de piano à Munich et elle est restée cachée là pendant toute la guerre. Elle était si blonde qu'elle a pu se faire passer pour aryenne. Des amis, des catholiques, ont certifié qu'elle était de leur famille et lui ont procuré de faux papiers. Elle a eu de la chance, mais pas son mari et ses deux fils. C'est pourquoi elle ne parle pas beaucoup. Tu as remarqué ?

— Bien sûr.

— C'est dommage qu'elle ne puisse pas avoir un bon piano pour elle toute seule. Les enfants ont abîmé celui du réfectoire. Eric, tu n'as pas écouté un traître mot de ce que je viens de dire.

— En effet.

— A quoi pensais-tu, alors ?

— Je pensais, si tu tiens vraiment à le savoir, que j'aime ta jolie bouche.

Il la prit par la main et l'entraîna à sa suite vers le bas de la colline.

— Viens, dit-il.

Eric avait choisi de travailler dans les étables. Il avait appris à se servir des trayeuses, s'occupait de changer les litières et de nourrir les animaux deux fois par jour. Ce travail lui rappelait Brewerstown où ses ancêtres avaient commencé par être fermiers. Mais, en ce pays aux couleurs vives, la ressemblance s'arrêtait là.

Au dîner, lorsqu'ils étaient tous rassemblés dans le réfectoire, Eric pouvait observer les gens dans leur infinie variété : les plus âgés, qui avaient quitté la Pologne russe, avaient appris à travailler la terre. Leurs enfants, nés ici, aujourd'hui femmes et hommes robustes, travailleurs sérieux et obstinés, savaient aussi rire et danser. Il y avait aussi les visiteurs, pour la plupart des étudiants, venus d'un peu partout par curiosité ou par conviction : une Australienne, de religion chrétienne, des garçons de Brooklyn, des Juifs anglais et des Allemands non juifs. Généralement, ils passaient ici un mois ou deux, le temps de leurs vacances, mais, contrairement à Juliana, très peu avaient l'intention de rester.

Juliana s'occupait des enfants, ayant appris en Hollande le métier de jardinière d'enfants. Elle dormait dans la crèche qui — Eric fut bouleversé de l'apprendre — était construite en sous-sol et constituait un abri antiaérien.

— Les petits ne se rendent pas compte, lui avait expliqué Juliana. Mais les plus âgés savent bien ce qui se passe ici.

Ceux qui avaient quinze ou seize ans avaient survécu aux camps de concentration et portaient tatoué sur leur bras un numéro, marque indélébile de l'horreur qu'ils avaient connue. Les garçons aimaient se bagarrer et les filles se pomponner. Ils commençaient à flirter comme le font les adolescents de tous les pays, mais leur regard semblait perpétuellement sur le qui-vive.

Tous s'entendaient bien avec Juliana : elle était assez jeune pour connaître les chansons à la mode et apprendre aux filles à mettre du rouge à lèvres, et assez âgée pour leur prodiguer un peu de cette affection maternelle qu'ils avaient perdue.

Et la voyant au milieu de ces enfants et de ces adolescents, Eric se disait : existe-t-il au monde une femme aussi merveilleuse ? Un homme amoureux idéalise toujours celle qu'il aime, n'est-il pas vrai !

Mais elle était si jolie avec sa peau tannée par l'ardent soleil et ses cheveux plus blonds que les blés ! Elle était presque aussi grande que lui, robuste et resplendissante de santé ; elle ne semblait jamais fatiguée. Eric n'aimait pas les femmes trop délicates. Avec Juliana, point de risque : rien ne semblerait trop dangereux ou trop aventureux pour elle.

Bien qu'il l'ait suivie si loin, aucune idée de mariage ne l'avait effleuré. A vingt et un ans, aucun de ses amis n'était marié et lui-même n'avait guère envie de s'attacher définitivement à un lieu ou à une personne, même si au fond il ne rêvait que de stabilité. Il serait toujours temps. Il avait suivi Juliana parce qu'elle était la femme la plus séduisante qu'il ait jamais connue.

Cependant, à mesure que l'été s'avançait, il sentait monter en lui l'angoisse de la perdre.

Un jour, deux mariages furent célébrés au kibboutz. Plusieurs fois, Eric avait assisté à ce genre de cérémonie, mais il n'avait jamais vu une telle émotion, tant de larmes versées, tant d'embrassades, tant de danses joyeuses et de vin. Au début, en simple invité, il avait observé avec curiosité et sympathie cette fête joyeuse sans se sentir concerné. Puis, tout à coup, comme il se trouvait au milieu de la foule qui saluait avec force cris et rires les jeunes époux qui se préparaient à partir au bord de la mer pour une courte lune de miel, le mariage lui sembla une chose merveilleuse et enviable. Dès lors, il se mit à y penser sérieusement.

— Dis-moi, demanda-t-il à Juliana quelques jours plus tard, penses-tu rester ici très longtemps ?

Ils étaient assis près de la piscine. Tout le monde était dans l'eau, mais il l'avait retenue, désirant lui parler.

— Eh bien, j'ai l'impression que mon foyer est ici.

— Oui, mais veux-tu y rester pour toujours ? insista Eric.

— « Toujours » est un mot que je connais pas. Je t'ai déjà dit que je n'aime pas penser à l'avenir.

— Moi, si. J'ai besoin de croire qu'il existe dans ce monde quelque chose de durable.

— Quoi, par exemple ?

— Tout d'abord, une maison : un lieu que je n'aurai pas à quitter, où je pourrai planter des arbres et les voir pousser.

— Dis-moi de quoi tu rêves encore, dit Juliana en lui caressant le nez et les joues avec un brin d'herbe.

— Je rêve... je rêve d'écrire un livre, un beau livre, une œuvre qui resterait après ma mort. Et j'aimerais l'écrire dans une maison comme celle où j'ai grandi.

Il était sur le point d'ajouter : « Avec toi à mes côtés », quand elle l'interrompit :

— Oh, pourvu que tes vœux se réalisent !

Eric fut très surpris par le ton fervent et sincère de sa réponse, car c'était le genre de phrase que les gens disent généralement par pure politesse.

— Tu l'espères vraiment ? demanda-t-il.

— Oui, de tout mon cœur... parce que je t'aime, Eric.

— Est-ce que... est-ce qu'il y a eu quelqu'un d'autre...

— Oui, un autre, répondit-elle en détournant le regard, seulement un autre, il y a très longtemps et c'était une histoire différente de la nôtre.

— Que s'était-il passé ?

Elle le regarda à nouveau, clignant des yeux comme si elle voulait chasser une image lointaine.

— Il voulait... il m'ennuyait trop avec le mariage. Alors nous nous sommes disputés et notre histoire s'est terminée.

— Et c'est tout ? dit-il, insatisfait.
— C'est tout ce qui vaut la peine d'être raconté.
— Mais pourquoi trouvais-tu l'idée du mariage si terrible ? Je croyais que c'était ce qu'attendaient toutes les petites filles depuis le berceau, ajouta-t-il pour paraître moins insistant.
— Oui, en effet et c'est navrant. Pauvres femmes ! Tu ne les plains jamais ?
— Non, répondit sincèrement Eric. Ou, plutôt, je n'ai jamais vu les choses sous cet angle-là.
— Eh bien, pense aux mariages désastreux qu'elles font parce qu'elles ont peur d'attendre trop longtemps et de passer pour celle qui a été laissée pour compte, pense aux enfants qui font les frais de ce désastre...
— Quelle vision sinistre ! Comme s'il n'y avait pas d'unions heureuses ! Ce que tu dis ne tiens pas debout !
— Pour moi, c'est très sensé. J'aime bien ma vie telle qu'elle est.
Ces mots lui firent très mal. D'ici un an ou deux, elle dirait à un autre homme : « Oui, il y avait un jeune Américain, mais il m'ennuyait trop avec le mariage et nous... »
— Et les enfants ? Tu es si merveilleuse avec eux. Tu veux sûrement des enfants ?
— Pour le moment, je trouve magnifique de m'occuper de ceux des autres.
— Tu sais très bien que ce n'est pas la même chose.
Juliana se leva d'un bond.
— Je crève de chaud ! Allons nager !
— Vas-y. Je te rejoins dans une minute.
Que se passait-il ? Elle l'aimait pour de bon quand ils étaient dans leur « nid de verdure » ; elle lui confiait librement ses joies et ses peines pourvu qu'ils ne parlent pas de l'avenir. C'était déconcertant. Eric aurait compris s'il y avait eu un autre homme. Autrefois, il avait follement aimé une fille avant qu'elle n'aille avec un autre garçon. Il lui avait dit : « C'est lui ou moi ! » Drôle d'histoire ! La fille avait opté pour lui, et peu après, c'était lui qui s'en était désintéressé.
Mais cela n'avait rien à voir avec Juliana. Il n'y avait pas de rival. Que se passait-il, alors ?

A la fin de l'été, les jeunes étrangers retournèrent travailler ou étudier dans leur pays. Seuls quelques-uns reviendraient ; pour la plupart, il s'agissait d'une aventure qu'ils iraient poursuivre ailleurs, au Népal, peut-être, ou en Suède.
— Tu ne dois pas rentrer aux Etats-Unis ? demanda Juliana à Eric.
— Je peux rester encore un peu. Il y a les récoltes. Vous avez besoin de bras, non ?
Il ne se sentait pas la force de la quitter. Pas encore.
Quand les récoltes furent terminées, les vacances arrivèrent. Eric n'avait jamais vu Jérusalem et comme Juliana lui avait dit

que c'était une ville merveilleuse, il lui vint à l'esprit qu'elle aimerait peut-être l'y accompagner pour deux ou trois jours. Il s'arrangea avec des gens qui s'y rendaient aussi et voulaient bien les prendre. A midi, il alla trouver Juliana pour lui annoncer que tout était préparé.

— Mais qui t'a donné le droit de disposer de mon temps ? s'écria-t-elle, indignée.

Il pensa tout d'abord qu'elle plaisantait, mais quand il vit qu'il n'en était rien, il demeura comme frappé de stupeur.

— J'ai pensé que tu serais contente..., bredouilla-t-il.

— Qu'est-ce qui te fait croire que j'ai envie d'aller avec toi ?

— Et toi, qu'est-ce qui te prend ?

— Je n'aime pas qu'un homme dispose de moi comme d'un objet.

— Eh bien, soit ! rétorqua-t-il, furieux. Il n'y a plus rien entre nous, la question est réglée !

Sur ce, il s'éloigna précipitamment.

La colère et la tristesse le tourmentèrent tout l'après-midi. Les femmes ! Il fallait « plaindre les femmes » ! lui avait-elle dit... Capricieuse, lunatique, puérile, ingrate, stupide... Il ne trouvait pas de mot assez fort pour dire sa fureur.

Y avait-il donc quelqu'un d'autre dans sa vie ? Tout était possible ! Ils étaient si souvent ensemble, comment aurait-elle pu parler à quelqu'un d'autre !

Au dîner, il s'assit délibérément loin d'elle. Mais, après le repas, quand il se rendit aux étables pour vérifier que tout allait bien, elle le suivit.

— Eric. Eric, je suis désolée, dit-elle en posant sa main sur son bras.

Il ne répondit rien.

— Je sais que j'ai tort et que ce mouvement d'humeur était stupide, mais cela me prend parfois. Ce n'était vraiment pas chic alors que tu étais si gentil.

— Oui. Mais pourquoi as-tu réagi ainsi ? demanda-t-il, radouci.

— Je ne sais pas exactement, mais j'éprouve un étrange sentiment quand quelqu'un me donne l'impression que je lui appartiens. Je suis trop jalouse de mon indépendance. Je ne peux pas bien t'expliquer.

— Bon, ça ne fait rien, dit-il gauchement, loin d'avoir compris.

— Et tu ne vas pas rester fâché ? S'il te plaît.

— Non, marmonna-t-il. Tu veux venir dimanche ?

— Oui, avec plaisir.

Le minibus était plein à craquer et résonnait des chants joyeux des enfants et des adolescents qui constituaient la majorité des passagers. La route serpentait entre des champs de terre brune qui avaient déjà été labourés pour les semailles d'hiver. Elle traversait aussi des villes nouvellement construites, avec leurs blocs de béton, nus et affreux.

— C'est tout ce qu'ils peuvent s'offrir pour le moment, expliqua Juliana. Ils n'ont ni le temps ni l'argent. La beauté viendra plus tard.

Pour le moment, la beauté était l'apanage du passé comme en témoignait Jérusalem. Le minibus s'arrêta au sommet d'une colline au pied de laquelle s'étendait la ville couleur d'ambre.

— Il y a une vieille tradition qui veut qu'on entre à pied dans Jérusalem. Qui veut descendre ?

Quelques garçons et filles descendirent aussitôt et Juliana les suivit, Eric dans son sillage.

Pendant trois jours, ils se promenèrent dans Jérusalem, toujours plus émerveillés. Eric se laissa guider par Juliana qui connaissait bien la ville.

— C'est dommage que nous ne puissions pas en voir davantage, lui dit-elle. La partie orientale de Jérusalem est entièrement arabe, et le vieux quartier juif qui se trouvait ici depuis plus de deux mille ans a été détruit lors de l'attaque de 1948.

Mais trois jours ne suffiraient pas pour tout le reste : les musées, les trésors archéologiques, les ruelles de la Vieille Cité, grouillantes de monde et pleines de vie, les boutiques étroites où les hommes martelaient le cuivre et coupaient le cuir, les femmes arabes voilées de noir. Ils suivirent le chemin de croix, entendirent la voix inquiétante du muezzin appelant à la prière tôt le matin puis à nouveau à midi quand ils entrèrent dans une mosquée et virent des hommes qui priaient tournés vers La Mecque.

Dans les champs rocailleux bordant la ville, les chèvres sautillaient en faisant tinter les clochettes accrochées à leur cou, tandis que des chameaux miteux demeuraient couchés sous l'aveuglant soleil, mystérieux derrière leurs yeux immenses et clos. Le soir venu, retentissaient les accents nasillards et mélancoliques de la musique orientale. Eric et Juliana dansaient des danses folkloriques jusque tard dans la nuit.

Un jour, Juliana amena Eric dans la rue des Yéménites, lui expliquant que ces derniers étaient pour la plupart joailliers et qu'ils fabriquaient des bijoux en argent.

— Je veux t'offrir quelque chose, lui dit Eric.

— Je voulais seulement te montrer ce quartier parce qu'il est intéressant. Ils sont venus du Yémen et...

— Choisis un bracelet, ordonna-t-il. Non, pas celui-ci, il n'est pas assez joli. Prends-en un gros.

Le propriétaire de l'échoppe tendit un ravissant bracelet, avec des filigranes d'argent fin comme de la dentelle.

— C'est celui-ci qu'il faut prendre, déclara Eric, si toutefois il plaît à la dame.

— Oh, oui, il plaît beaucoup à la dame !

Quand ils furent sortis de la boutique, elle lui dit :

— Eric, pour dépenser ainsi, tu dois avoir beaucoup d'argent.

Le bijou n'avait presque rien coûté !

— Pas vraiment, même si c'est beaucoup pour les gens d'ici.

Le dernier jour, Juliana lui annonça qu'elle avait réservé le meilleur pour la fin :

— Je vais t'amener dans une synagogue.

— Oh, dit-il amusé, j'y suis déjà allé souvent.

— Oui, mais tu n'en as jamais vu une comme celle-ci, du moins je ne crois pas.

Ils s'arrêtèrent au bout d'une longue ruelle.

— On dirait l'Europe médiévale ! s'exclama Eric.

— Ne t'avais-je pas dit qu'on pouvait tout trouver dans cette ville ?

Ils se séparèrent dans la synagogue aux vieux murs de pierre : Juliana monta les escaliers qui conduisaient au balcon réservé aux femmes. Jetant un coup d'œil à travers le grillage qui les dérobait aux regards masculins, Juliana aperçut les hommes, enveloppés dans leur châle, qui en bas psalmodiaient les prières. Eric devait se trouver au milieu d'eux, mais elle ne put le voir.

Ils se retrouvèrent devant la porte d'entrée.

— Que tous ces hommes ont l'air vieux ! dit Eric.

— C'est à cause de leur barbe et de leurs vêtements noirs.

— Quand on pense qu'ils prient de cette façon depuis trois mille ans !

— Peut-être plus.

— Mon grand-père a longtemps fréquenté un lieu semblable au sud de l'East Side. Je crois qu'il préfère toujours ce genre d'endroit, dit Eric en riant, mais ma grand-mère n'a pas le même point de vue.

— Te rends-tu compte que ces gens ne s'intéressent pas aux problèmes politiques, aux guerres ou à tout ce qui se passe à l'extérieur...

— Ils attendent le Messie qui viendra sauver le monde.

— Ils continuent à prier ainsi en dépit des raids, des guerres et des morts.

— Ils ont la foi. J'aimerais pouvoir en dire autant, soupira Eric.

— Tu ne crois en rien ? demanda-t-elle en le regardant avec curiosité.

— Et toi ?

— Je crois en la liberté et en la dignité de la personne humaine.

— Moi aussi.

— C'est peut-être la seule chose qui vaille la peine de vivre et de mourir.

— Oui. Sauf que je n'ai pas envie de mourir tout de suite !

— Moi non plus. Qu'est-ce que tu crois !

— Demande-moi ce dont j'ai envie, ordonna Eric.

— De quoi as-tu envie ?

— D'être toujours près de toi.

— Toujours, ça n'existe pas, répliqua Juliana d'un air sombre.

— Vraiment ? Je n'aime pas t'entendre parler comme ça.

— Je sais.

— Je veux me marier avec toi, Juliana.

— Ah, mais tu es très jeune, Eric !

— C'est monstrueux de dire ça ! s'écria-t-il en s'arrêtant net au milieu de la rue.

— Ne te fâche pas ! Je voulais seulement dire que... je suis plus âgée que toi. J'ai vingt-quatre ans.

— Et tu crois que je ne le sais pas ? Quelle différence cela fait-il de toute façon ?

— Aucune, je pense. Mais... tu es trop confiant. Tu me connais à peine et tu es prêt à m'offrir ta vie sur un plateau d'argent.

— C'est la mienne, marmonna-t-il. Je suis libre d'en disposer comme il me plaît.

— Allez, cesse de bougonner. Viens, on va s'acheter des glaces, proposa-t-elle en l'embrassant. J'ai mal aux pieds et j'ai faim.

Ils s'assirent sur un banc pour déguster leur petit pot de crème glacée. Des enfants, cartable sur le dos, rentraient de l'école en bavardant. Des autocars de tourisme défilaient dans la rue. Plus loin, dans la cour d'une maison, une famille était en train de préparer la fête des Tabernacles et décorait le toit d'un abri en bois avec de la paille et des calebasses. Eric suivit le regard de Juliana.

— C'est la fête des moissons, expliqua-t-elle. Ils prendront leur repas dans ce petit abri.

— Jolie coutume.

Deux hommes âgés avec de longues barbes passèrent devant eux, plongés dans un livre qui, à en juger par leurs gestes et leurs mines, les jetait dans une belle discussion.

— Mon grand-père serait ravi de voir ça, dit Eric. Avec une barbe et un grand chapeau noir, il ressemblerait tout à fait à ces deux hommes.

— Ah bon...

— Que se passe-t-il ? demanda Eric en constatant que Juliana s'était arrêtée de manger sa glace pour le regarder d'un air grave.

— Rien... Si... Il faut que je te raconte quelque chose.

Il attendit mais elle ne dit pas un mot.

— Ne dis rien, si tu ne veux pas, suggéra-t-il en se rendant compte de son trouble.

— Si, j'y tiens. Il faut que je dise ça à quelqu'un. J'ai trop attendu, je n'en peux plus ! Comme un feu qui me brûle de l'intérieur, me remplit de honte... sans que je puisse l'avouer...

Eric ne parvenait pas à imaginer ce qu'elle avait pu faire.

— Tu te souviens que je t'ai raconté que ma famille avait aidé de pauvres Juifs cachés dans un grenier et que mes oncles avaient été pris par les nazis ?

— Oui, tu m'as parlé de tes parents et...

— Non, pas de mes parents, l'interrompit-elle, de ma mère. De ma mère et de ses frères, précisa-t-elle en détournant le regard.

Elle se tut et Eric attendit. Une voiture de pompier, puis une voiture de police passèrent, toutes sirènes hurlantes. Puis le calme revint dans le petit parc, soulignant le silence de Juliana.

Elle avait fermé les yeux et tenait ses poings serrés.

— Mon père..., à la fin de la guerre, on est venu arrêter mon père. Il avait fait du contre-espionnage pour les Allemands. C'était l'un des chefs. Un homme important.

Elle ouvrit les yeux et regarda Eric bien en face.

— C'est lui qui avait dénoncé mes oncles, nos voisins, notre pasteur et tous les autres qui travaillaient dans la Résistance. Tu te rends compte ! Mon père !

Eric retint son souffle.

— J'ai pensé que ma mère allait devenir folle.

— Peut-être que ce n'était pas vrai ? Que l'accusation était fausse ?

Juliana secoua lentement la tête en signe de dénégation.

— Il n'a même pas essayé de nier. Il était fier ! Fier, Eric, tu entends ! Il croyait à la « race des seigneurs », au Reich de mille ans et tout ça !...

Eric se pencha vers elle et lui prit les mains.

— Oui, j'ai vraiment pensé que ma mère allait devenir folle. Avoir vécu et... aimé... un monstre qui a envoyé ses frères à la mort. Avoir vécu avec un tel homme sans savoir qui il était !

Il caressa ses cheveux, ne trouvant pas les mots qu'il aurait fallu.

— Et il était si gentil avec mes sœurs et moi-même. Il nous apportait des jouets, des bonbons... quand le pays n'avait rien. Nous allions ensemble nous promener dans la campagne. Il nous aimait et il a envoyé les enfants des autres dans des camps !

— Je suis désolé, désolé...

— Ma mère ne cessait de me répéter : « Peut-on croire en quelqu'un, avoir confiance en quiconque ? » J'avais quatorze ans...

— Elle ne l'entendait pas de cette façon, dit doucement Eric.

— Peut-être. Maintenant, elle s'en est remise, elle travaille, elle arrive à vivre. Elle a mes sœurs et moi. Mais quand même...

Sa voix s'éteignit.

— C'était donc ça, murmura Eric.

— Que dis-tu ?

— Rien d'important.

Il commençait à faire sombre, les lampadaires de la rue s'allumaient un à un.

— Je suis contente de te l'avoir dit, lui avoua Juliana. Je me sens mieux.

— Tu peux tout me dire.

C'était vrai, mais Eric ne put s'empêcher de penser que le rival qui venait de se révéler là serait extrêmement difficile à vaincre.

— Il y a un enfant qui m'inquiète, confia Juliana à Eric quelques semaines plus tard. Tu te souviens que je t'ai parlé d'un accident d'autocar survenu l'an dernier à la suite d'une embuscade ? Il y a quelques enfants qui ont survécu mais dont les parents sont morts.

— Je me souviens. Tu m'as montré l'endroit.

— Eh bien, cet enfant... tu sais, Leo, celui qui me suit partout ? Un petit garçon de neuf ans, avec des lunettes.

Eric acquiesça de la tête.

— Je n'aurais pas cru qu'il avait des problèmes.

— Il est beaucoup trop silencieux. Après l'accident, pendant des semaines, toutes les nuits, nous avons été réveillés par des enfants qui faisaient des cauchemars, pleuraient et criaient, mais Leo, lui, n'a jamais réagi.

— Tu te fais peut-être trop de souci. En as-tu parlé à quelqu'un d'autre ?

— Oh, oui. Et tout le monde dit qu'il a beaucoup de courage et une grande maturité. C'est vrai, mais il y a quand même quelque chose qui me tracasse.

— Je lui parlerai si tu veux. J'ai été moniteur dans un camp de vacances et peut-être que je sais encore parler aux enfants.

— Voilà ce que j'attendais de toi, dit Juliana reconnaissante.

Un après-midi, alors qu'Eric était en train de nourrir les veaux, elle lui amena Leo.

— Tu as besoin d'aide, il paraît, Leo pourrait te seconder. Il est grand et fort pour son âge.

— Ces veaux viennent juste d'être sevrés, expliqua Eric quand Juliana fut partie. Et j'essaie de leur faire boire du lait dans un seau. Mais ce n'est pas facile car ils ne comprennent pas et ils ne cessent de se cogner la tête contre le seau et de le renverser. Maintenant, tu vas tenir le seau pendant que moi, j'enfoncerai leur tête dedans pour les obliger à sentir le lait.

Il y avait cinq veaux qu'ils réussirent ainsi à nourrir.

— C'était amusant, non ? dit Eric, une fois la tâche accomplie.

Leo haussa les épaules.

— Tu aimerais revenir un autre jour ?

— Si vous avez besoin de moi, je viendrai. Ici, on est censé s'entraider.

— Ne t'occupe pas de ça. Je te demande si *toi* tu en as envie ?

— Oui, je crois.

— Je vais aller rentrer les vaches.

Cette fois, Eric ne demanda pas à Leo ce qu'il en pensait. Il ajouta seulement :

— Suis-moi.

Le garçon obéit et ils s'engagèrent sur un petit sentier. Les hautes herbes alentour ondoyaient sous la brise automnale.

— C'est beau, n'est-ce pas ? dit Eric. Tu as de la chance de vivre dans un si bel endroit !

— Oui.

Eric s'efforça de trouver autre chose à dire, mais tout ce qu'il lui vint à l'esprit fut cette question éculée que les adultes assènent inévitablement aux enfants :

— Que veux-tu faire quand tu seras grand ?

— Ce dont le pays a besoin. Soldat probablement.

Cette réponse prétentieuse surprit Eric.

— Leo, j'aimerais entendre ce que tu penses vraiment et non pas ce que tu crois que je veux entendre.

Le garçon s'arrêta, ouvrit la bouche comme s'il allait dire quelque chose, puis se ravisa et se remit en route.

Eric observa la démarche volontaire qui contrastait avec les fragiles épaules et les jambes maigres. Un petit enfant et un homme à la fois !

— Leo... tu dois beaucoup penser à ton père et à ta mère, n'est-ce pas ?

A nouveau, l'enfant s'arrêta, mais cette fois, il regarda Eric droit dans les yeux.
— Vous n'avez pas le droit de me parler de ça !
— Mais pourquoi ! Quel mal y a-t-il ?
— Le médecin et l'infirmière disent qu'il faut chasser tout ça de notre esprit. J'essaie de le faire et vous, vous me posez cette question.
— Allez, assieds-toi une minute et écoute. Tu es censé avoir chassé ce souvenir de ton esprit, c'est bien ce qu'on t'a demandé ? Mais tu n'y es pas arrivé, je me trompe ?
— La plupart du temps, j'y arrive, affirma Leo. Je ne suis pas un bébé, vous savez.
— Je sais bien, dit Eric gentiment. Moi non plus, n'est-ce pas ?
— Que voulez-vous dire ? demanda Leo interloqué.
— Que j'ai perdu mon père et ma mère presque dans les mêmes circonstances que toi. Un accident d'automobile. Et je pense toujours à eux, j'y penserai toujours.
Leo observait Eric, sans rien dire.
— Oui, et quand j'étais plus jeune, je pleurais souvent. De tous les garçons que je connaissais, j'étais le seul orphelin et je trouvais injuste qu'une telle chose me soit arrivée à moi.
— Ce n'est pas courageux de pleurer, déclara Leo.
— C'est courageux d'être honnête avec soi-même et d'accepter ses sentiments.
— Vraiment ? Et vous pleurez encore maintenant que vous êtes grand.
— Regarde-moi, dit Eric.
Ses yeux étaient remplis de larmes.
L'enfant le dévisagea avec étonnement puis il se jeta à genoux, enfouissant son visage au creux de l'épaule d'Eric.
Ce dernier tint longtemps Leo dans ses bras tandis que de douloureux souvenirs se bousculaient dans sa mémoire... Grand-Maman, Chris, Nany...
Les autres allaient se demander pourquoi il mettait si longtemps à rentrer les vaches, mais il ne bougea pas.
Finalement Leo releva la tête.
— Vous ne le direz à personne ?
— Non.
— Pas même à elle.
— Qui ? Juliana ? Non, pas même à elle. Je te le promets.
Leo se leva, se moucha et essuya ses yeux.
— Tu veux me dire autre chose, Leo ?
— Oui.
Eric se pencha et Leo chuchota :
— Je voudrais un grand bateau que je pourrais faire naviguer sur la mare.
— Je t'en fabriquerai un. Je suis assez doué pour ce genre de choses. Maintenant, il faut se dépêcher. Nous sommes en retard pour les vaches.

— J'ai remarqué une chose à ton sujet : tu ne parles plus beaucoup de ton pays, ces derniers temps, dit Arieh, qui dormait dans le lit jouxtant celui d'Eric.

— C'est possible, reconnut-il.

Arieh était né au kibboutz et avait toujours travaillé cette terre qui était sienne ; il avait l'aspect taciturne et la rudesse qu'on trouve souvent chez les paysans.

— Tout le monde ici t'aime bien, déclara-t-il abruptement.

— Oui ? fit Eric en sentant le rouge lui monter aux joues.

Les gens dont il partageait la vie depuis son arrivée au kibboutz n'avaient pas coutume de faire des compliments.

— J'en suis heureux, répondit Eric, parce que je vous aime bien moi aussi.

— Juliana dit que tu as été merveilleux avec le garçon. Personne ne savait comment s'y prendre. Tu as fait comment ?

— Je ne suis pas plus malin que les autres. Il s'est simplement passé quelque chose entre nous, voilà tout !

— C'est l'essentiel, dit Arieh en hochant la tête. Je peux éteindre ? ajouta-t-il en tendant le bras vers la lampe. La journée a été longue.

Allongé dans l'obscurité, Eric réfléchissait à sa nouvelle vie. A mesure que les semaines passaient, son corps devenait plus svelte et plus robuste, et le travail lui paraissait plus facile. Parfois, en allant de l'étable aux prés, il apercevait Juliana au milieu des enfants ou bien seule, marchant à grands pas, ses longs cheveux flottant sur ses épaules.

« Un esprit sain dans un corps sain. »

Plus rien ne lui paraissait impossible.

Si seulement elle voulait bien l'épouser !

Mais il fallait que s'apaise la peur qu'elle portait en elle.

L'automne s'acheva, et vinrent alors des températures nettement plus fraîches. Eric se dit que bientôt il ne pourrait plus emmener Juliana dans leur « nid de verdure ». L'hiver était rude en Galilée.

Le désir était si fort qu'ils ne s'embarrassaient plus de longs préliminaires. Juliana étendait son châle sur les hautes herbes et ils s'allongeaient côte à côte.

Un soir, ils étaient là, à l'abri des buissons, quand le vent apporta le son du piano d'Emmy jusqu'à eux. Cette musique nous parle, songea Eric. Elle nous dit l'espoir et le courage, les peines passées et les joies à venir, elle dit l'amour de l'homme pour la terre, sa peur de mourir et sa crainte mêlée de respect devant l'immense ciel étoilé.

Juliana, très émue, se tourna vers lui.

— Quand m'épouseras-tu ? demanda-t-il, oubliant soudain sa résolution.

Et, à sa plus grande surprise, elle répondit :
— Dès que tu voudras.
— Oh, dit-il sans parvenir à y croire, demain ?
Dans la faible lueur que dispensait le ciel, il devina son sourire.
— Tu voudrais bien attendre jusqu'à l'arrivée de ma mère ? Cela ne devrait pas demander plus de quelques jours.
Il éprouva un profond soulagement, semblable à celui qu'on ressent lorsqu'une vive douleur s'apaise soudain. Envahis par un calme absolu, ils sommeillèrent quelque temps dans les bras l'un de l'autre et quand ils se réveillèrent, la lune s'était levée. Main dans la main, ils rentrèrent lentement.

Une explosion déchira le silence de la nuit. Les hommes se réveillèrent aussitôt et sautèrent hors de leur lit. On eût dit qu'ils étaient prêts pour l'apocalypse.
— Ce sont les pompes à essence ! cria Arieh. Ils ont touché les pompes !
Les réservoirs flambaient, soulevant la terre par mottes et faisant jaillir une immense gerbe de feu. Un tapis de flammes tomba sur le toit de l'étable, puis sur les garages et les écuries ; mais déjà les hommes étaient dans l'escalier, habillés et munis de fusils et de grenades.
— Où allons-nous ? chuchota Eric. Je vous suis ?
— Oui, cria Allon. Baisse la tête !
Des balles sifflèrent alors, bruit de métal et de bois éclaté.
— Sortez par le côté, ordonna Allon, puis passez par-derrière pour rejoindre le réfectoire. En silence ! Baissez la tête ! Vite !
Eric avait compris. Depuis le réfectoire, ils domineraient la cour carrée autour de laquelle s'ordonnaient les bâtiments. Tous ceux qui essaieraient de la traverser se trouveraient dans leur champ de tir.
Ils se faufilèrent le long du mur arrière. Dans l'écurie, les chevaux hennissaient, affolés.
— Ne peut-on... ôh, ciel, ne peut-on les faire sortir ? dit Eric.
— Tu es fou ? Tais-toi donc.
Eric aperçut le toit de l'étable surmonté d'une crête de flammes. La paille avait pris feu et le toit s'écroula aussitôt.
Des balles sifflaient en tous sens tandis qu'ils couraient. Mais quelles balles, les nôtres ou les leurs ? Un homme qui courait devant eux fut touché et tourbillonna comme une toupie avant de s'écrouler en hurlant. Des cris sinistres parvenaient de tous les bâtiments. Où étaient les attaquants ? L'obscurité protégeait autant leurs ennemis qu'eux-mêmes.
Ils atteignirent le réfectoire et cherchèrent la porte à tâtons. Elle était ouverte de l'intérieur ; d'autres étaient arrivés avant eux. Accroupis, ils se faufilèrent en file indienne : Ezra, Arieh, Allon, Eric et les autres.
Saurai-je me battre ? se demanda Eric.
Les chefs se réunirent dans un coin et se concertèrent à voix

basse. La pièce était silencieuse. Dehors, les fusils tiraient toujours.

— Je veux un homme à chaque fenêtre, dit Allon ; les hommes de Zack défendent le dortoir sud, ils ne peuvent pas nous aider ici. Nous sommes vingt-neuf en tout, mais nous ignorons combien sont ces ordures. Il faut donc aller en ville chercher de l'aide. Ils ont coupé les fils téléphoniques... Ezra, peux-tu aller jusqu'au camion, descendre en roue libre jusqu'à la route pour ne pas faire de bruit et puis là, mettre le moteur en marche et rouler à fond de train ?

— J'y vais. Où est le chien ? Faites-le sortir de la cuisine.

— Il va faire du bruit.

— Qui, Rufus ? Je veux qu'il m'accompagne. S'il saute à la gorge d'un homme...

Ezra et le chien s'échappèrent par la porte de la cuisine.

La crèche se trouvait à l'angle opposé de la cour. Juliana devait être dans tous ses états.

— Et les enfants ? demanda Eric d'une voix faible, oppressé par la peur.

— Les hommes de Dan sont censés y être.

— Je ne les vois pas.

Eric scrutait en vain l'obscurité où flottait à présent une fumée jaunâtre qu'éclairait la lueur sinistre des incendies.

— Et pour cause ! répliqua Allon agacé, mais ils y sont.

Le réfectoire retomba dans le silence, on n'entendait que les respirations haletantes. Ils attendaient.

— Où crois-tu qu'ils sont ? chuchota Eric à son voisin.

— Qui ?

— Les Arabes.

— Je ne sais pas. Comment pourrais-je le savoir ? Partout, répondit Avram qui avait peur mais s'efforçait de ne pas le montrer. Ils vont essayer de nous déloger, ajouta-t-il sur un ton d'expert qui se voulait assuré. Mais s'ils avancent, nous allons les cueillir.

On entendit contre la porte un grattement presque imperceptible. Allon, brandissant son fusil, s'aplatit contre le mur et entrouvrit légèrement la porte. Le chien Rufus se traîna dans la pièce, gémit et s'écroula, son pelage couvert de sang : il avait été éventré.

— Ciel ! soupira quelqu'un. Ezra n'a pas pu...

Ils restaient là à se regarder, quand une voix cria depuis l'une des fenêtres du devant :

— Le dortoir sud est en flammes ! Oh, mon Dieu, ils sautent par les fenê...

La voix fut interrompue par de violents coups de feu. Arieh...

Allon se glissa vers lui à quatre pattes et le retourna.

— Il est mort, dit-il froidement. Il n'aurait pas dû se mettre debout.

— Qu'en savez-vous ? ne put s'empêcher de crier Eric. Peut-être qu'il...

— Il a été touché à la tête, répliqua Allon, venez voir vous-même.

Nous avons joué ensemble aux échecs hier soir, pensa Eric. J'ai envie de vomir... mais ce n'est pas le moment d'être malade !

— Ecoutez, dit Allon, il faut absolument que nous allions en ville. J'y vais et j'ai besoin de trois... non, quatre hommes avec moi. Qui vient ?

— Mais s'ils ont eu Ezra, ils doivent garder la route, objecta quelqu'un. Alors comment peut-on...

— On passera par les vergers et on rejoindra la route un kilomè tre après les grilles.

— Ça ne marchera pas, Allon ! C'est du suicide ! C'est le premier endroit où ils ont dû s'embusquer !

— Quelle autre solution ? demanda Allon. Alors qui vient ?

— Moi, dit Eric.

— Non, tu ne connais pas assez bien le chemin. Nous irons Ben, Shimon, Zvi, Max et moi. Si l'un de nous est touché, les autres ne s'arrêteront pas pour lui. Il faut que l'un de nous y arrive. Marc, tu te charges des hommes d'ici pendant que je suis parti.

En réponse, une autre fenêtre vola en éclats et des bris de verre tombèrent sur Arieh que personne n'osait regarder.

Ils attendirent à nouveau. Marc s'était aplati contre le mur, dans un angle d'où il pouvait surveiller l'extérieur.

— Ils traversent la cour, chuchota-t-il soudain.

— Qui ?

— Je... Il fait trop sombre. Pour l'amour du ciel, baisse ce fusil ! cria-t-il à Yigel. Ce sont peut-être les nôtres !

Eric se rappela avoir lu dans un livre sur la première guerre mondiale que les interminables attentes étaient ce que les soldats redoutaient le plus. La bouche sèche, l'envie de pisser...

Il rampa jusqu'à la fenêtre et leva légèrement la tête au-dessus du rebord pour jeter un coup d'œil. Oui, des hommes marchaient dans l'ombre, traversant la cour. Ils se dirigeaient vers la crèche. Etait-ce des hommes à Dan ? Des renforts ? Mais ils avançaient tout droit, sans se cacher ? Ils ne peuvent pas être des nôtres, se dit Eric, le cœur au bord des lèvres.

Les hommes s'arrêtèrent devant la porte de la crèche. Ils étaient... cinq... non, peut-être sept ? Difficile à dire...

Une balle claqua, puis une autre... et une autre encore... la fusillade éclatait. Marc, touché à la cuisse, poussa un cri de douleur David tomba : mort ou blessé ? Pas le temps de s'en préoccuper

— Ils sont sur le toit ! s'écria Avram.

Les salauds ! Ils les canardaient à travers les lucarnes sans qu'ils puissent riposter.

Les hommes indemnes n'étaient plus qu'au nombre de trois : Avram, Yigel et Eric. Ils rampèrent vers le fond de la pièce, traînant Marc derrière eux, hors de portée des balles qui, maintenant, crépitaient de toutes parts.

Les coups de feu cessèrent soudain. Dans un silence total, une voix retentit, parlant hébreu avec un fort accent.

— Eh, vous ! Nous avons une proposition à vous faire ! Vous entendez ?

Avram, Yigel et Eric se serrèrent l'un contre l'autre.
— Ecoutez, nous savons que vous êtes là ! Qu'Allon réponde ! pas besoin de vous montrer !
— Comment connaissent-ils Allon ? murmura Eric.
— Par des Arabes de la ville ou par des contacts de l'autre côté de la frontière. Comment savoir !
— Allon, vous feriez mieux d'écouter ! Ou nous mettons le feu partout ! Si vous nous donnez ce que nous désirons, nous vous laisserons en paix.
— Nous allons répondre, chuchota Avram.
— Non, répliqua sèchement Yigel.
— Oui, dit Eric. Pendant que nous discuterons, peut-être qu'Allon arrivera avec des renforts.
— Que voulez-vous ? cria Avram.
— Etes-vous Allon ?
— Oui. Que voulez-vous ?
— Six enfants. N'importe lesquels. Nous les emmènerons avec nous et les garderons jusqu'à ce que votre gouvernement libère les six combattants pour la liberté qui sont dans vos prisons.
— Ce sont ceux qui ont attaqué l'école il y a deux ans, précisa Yigel à l'adresse d'Eric. Dis-leur d'aller se faire foutre, Avram.
— Vous savez bien que nous ne ferons jamais ça ! cria ce dernier.
— C'est dans votre intérêt ! Sinon nous tuerons tous les enfants et tous ceux d'entre vous qui resteront. Regardez, nos hommes sont déjà à la porte de la crèche.
— Vous ne vous en tirerez pas comme ça ! hurla Avram. Nous sommes une centaine ici...
— Avant peut-être, mais plus maintenant.
Le silence retomba.
Sur les lits des petits, étaient peints des lapins et des canards. Des clowns et des bébés-éléphants dansaient sur les murs. Et Juliana dormait là... mon amie, ma femme...
On secouait la serrure de la porte de la cuisine.
Ils sursautèrent.
— Sois prudent. N'ouvre pas.
— Qui est là ? demanda Yigel en pointant son revolver.
— C'est moi ! Shimon ! Ouvrez !
Yigel entrouvrit la porte : un jeune Arabe entra, les mains en l'air, tenu en respect par le fusil de Shimon.
— Nous avons trouvé ce gars qui montait la colline avec un couteau à la main.
Shimon tendit le couteau à Avram.
— Zvi et Allon sont morts. Max et Ben ont continué ; ils ont peut-être réussi à atteindre la ville.
— Si nous savions combien ils sont, dit Eric, nous pourrions...
— Nous pourrions quoi ? demanda Avram sur un ton méprisant.
— Demande-lui combien ils sont de toute façon, insista Eric.
Yigel dit quelque chose en arabe, puis traduisit :

— Il dit qu'il ne sait pas.
— Donne-moi ce couteau, ordonna Eric en l'arrachant des mains d'Avram.
Il le pointa contre la gorge dénudée de l'Arabe. L'homme recula horrifié.
— Yigel, dis-lui que s'il ne répond pas, je vais lui trancher la gorge, comme il l'a fait pour le chien...
Yigel parla, l'homme marmonna une réponse.
— Quatre.
— Ils sont au moins six ou sept rien que devant la crèche et il y en a d'autres sur le toit. Dis-lui que nous voulons la vérité.
— Il dit cinq. Il avait oublié de se compter.
Eric entailla légèrement l'épaule de l'Arabe. L'homme poussa un cri et Eric retira le couteau ensanglanté.
— Réponds ! cria-t-il, ou la prochaine fois ce sera ta gorge !
Yigel traduisit une nouvelle fois.
— Il dit qu'il y a deux hommes sur le toit. Il ne sait pas combien sont à la porte de la crèche. Les autres sont morts.
— Très bien. Attachez-le, ordonna Eric, tandis qu'Avram et Yigel obéissaient sans discuter.
— Chef Allon, qu'attendez-vous ? Que nous mettions le feu à la crèche ?
— Vous n'êtes pas quittes ! répéta Avram.
Mon Dieu, où étaient donc Max et Ben ? Si par miracle ils avaient réussi, combien de temps leur faudrait-il pour arriver ici avec des renforts ?
Eric rampa jusqu'à la fenêtre de devant. Une torche avait été allumée devant la porte de la crèche, sans doute pour y mettre le feu. Dans la lueur vacillante, il put les compter : ils étaient sept. Juliana... Eric se sentit submergé par une colère folle, une terrible violence.
Il se leva et se mit à hurler, hors de lui :
— Je vais les tuer ! Je vais les tuer !
— Baisse-toi, cria Yigel. Eric, tu es fou, baisse-toi !
— Salauds ! Assassins ! Ordures ! vociféra Eric.
— Tais-toi ! Tu ne peux rien faire ! Ils sont sept, dit Yigel en l'obligeant à se baisser.
— J'ai une grenade...
— Mais ils sont trop loin ! Ceux du toit te tireront dessus ! Tu n'arriveras jamais assez près pour la lancer, ne sacrifie pas inutilement ta vie...
Emporté par la rage, Eric vit défiler sous ses yeux, en l'espace d'un éclair, toutes les cruautés et les injustices du monde : enfants perdus, violence, corruption, mort...
Sa chemise se déchira, laissant un morceau d'étoffe kaki dans la main de Yigel, lorsqu'il se précipita vers la porte pour dévaler l'escalier à toute vitesse, grenade à la main.
Les survivants racontèrent ainsi ce qui se passa ensuite : parvenu dans la cour, Eric fonça vers la crèche, comme un joueur de football courant vers le but. Il courait comme un fou, esquivant

les balles qui sifflaient tout autour de lui. Arrivé à environ cinq mètres du groupe d'hommes posté devant la crèche, une balle l'atteignit dans le dos et il tomba, foudroyé. Mais il avait eu le temps de lancer la grenade, et tous les assaillants avaient été tués. Les deux tireurs embusqués sur le toit tentèrent de s'enfuir mais ils furent capturés dans le verger. Quand les renforts arrivèrent de la ville, les incendies étaient éteints. Tout était tranquille, à l'exception des pleurs des femmes autour des morts.

De l'autre côté du monde, un câble apporta la nouvelle. En une semaine, Joseph avait vieilli de dix ans. Il était assis à table, pour le petit déjeuner. C'était son premier repas depuis plusieurs jours. Il finit de boire sa tasse de café et recula sa chaise, sans se lever. Il restait immobile, bouche ouverte, comme un vieillard. Anna n'osait plus se regarder dans une glace. Dieu sait à quoi elle ressemblait ! Mais quelle importance !

Ce matin-là, pour ajouter à leur accablement, Céleste apporta le courrier et parmi la pile des factures, des publicités et des lettres de condoléances, se trouvait une lettre écrite de la main d'Eric. Elle avait été postée dix jours auparavant.

La main d'Anna tremblait, mais elle parla d'une voix ferme :

— Il faut que je te dise, Joseph, il y a une lettre d'Eric.

— Lis-la, répondit-il d'une voix terne.

Elle avala sa salive avant de commencer.

« Chers Grand-Père et Nany, je viens d'aller semer l'avoine. De l'endroit où je vous écris, j'aperçois les champs qui s'étendent jusqu'à l'horizon ; c'est si beau. Je ne voudrais pas passer pour un prétentieux et encore moins pour une sorte d'excentrique, mais ici, je me sens bon à quelque chose, quelque chose d'utile. J'espère que vous me comprendrez. »

Joseph poussa un grognement désapprobateur et Anna s'arrêta.

— Continue, dit-il.

« Pour la première fois depuis que j'ai commencé à me poser des questions sur le monde auquel j'appartiens, je ne suis plus en conflit avec moi-même. Je sais qui je suis : simplement une paire de bras disposés à travailler et dont on a besoin... Je n'ignore pas que vous espériez me voir prendre la suite de vos affaires. Des milliers de jeunes gens seraient infiniment reconnaissants de cette chance que vous m'offrez et dont je suis moi-même profondément reconnaissant. Mais tel n'est pas mon destin. Depuis que je suis ici, j'en suis sûr. »

— Il n'allait jamais revenir, dit pensivement Joseph, jamais revenir...

Anna l'observa avec attention, mais il restait assis, impassible. Elle reprit sa lecture :

« Vous êtes tous deux bien placés pour comprendre ce que ce pays a d'unique. Ce n'est pas gracieux et charmant comme l'Europe, ce n'est pas riche et puissant comme notre pays que j'aime tant. Mais venez me rendre visite et vous verrez par vous-même ce que je veux dire et ce que je fais.

« Je veux vous dire aussi que j'ai rencontré une fille. Je ne sais pas comment notre relation évoluera, mais je l'aime. Elle est néerlandaise ; vous l'aimeriez tout de suite. Vous savez combien les Néerlandais ont été bons envers notre peuple pendant la guerre... »

Lorsqu'elle eut fini de lire la lettre, elle la reposa. Puis elle ouvrit une enveloppe « par avion » avec une écriture qui lui était inconnue.

— C'est la lettre d'une fille, Juliana. Ce doit être celle dont il parlait.

— Lis-la.

« ... il vous avait écrit seulement un ou deux jours auparavant. A ce moment-là, il ne savait pas encore que nous allions nous marier. Je sais bien que, pour vous, cela ne fait aucune différence à présent... »

Anna s'arrêta et s'efforça de poursuivre d'une voix posée.

« ... mais j'ai pensé que vous aimeriez peut-être apprendre comment il a vécu jusqu'à la fin. Il était très courageux, ce que d'autres ont dû vous dire ou vous diront certainement. Mais, plus important encore, il était heureux. Je voulais que vous le sachiez. Il parlait souvent de vous et vous aimait énormément.

« Ma première idée a été de rentrer au plus vite dans mon pays, de retourner auprès de ma mère, parmi les miens. J'ai réfléchi, je reste, et j'irai dans le Negev, vers le désert, un endroit plus dur encore. »

Il y avait encore quelques lignes, suivies de sincères pensees.

— Pauvre fille, dit Anna.

— Oui... la pauvre.

Dieu, Dieu, où êtes-Vous ? s'écria intérieurement Anna. Le monde souffre et se désagrège. Dites-moi pourquoi, dans Votre infinie sagesse, vous permettez tout cela ?

Et pourquoi, malgré tout, je crois toujours en Vous ? Theo dit que c'est parce que j'ai besoin de l'image du père. Je ne sais plus très bien. Et cependant, sans Vous, ma vie n'aurait plus de sens. Mais je vous le demande : quand cesserez-Vous de nous torturer ?

Le téléphone sonna. Anna alla répondre. Elle revint au bout d'une minute et annonça d'une voix calme :

— C'était Theo. Iris vient d'accoucher : c'est un garçon. Ils se portent bien tous les deux.

V

« Tous les fleuves vont à la mer... »

L'ECCLÉSIASTE.

42

Les médecins lui dirent qu'il s'agissait d'une petite attaque, d'un infarctus sans gravité. « Dans un sens il vaut mieux un petit avertissement, plutôt que de continuer sur la mauvaise pente sans le savoir. Eh quoi, vous avez encore de longues et belles années devant vous, lui avaient-ils assuré, tant que vous ferez de l'exercice et mangerez sobrement. »

Oisif, son esprit vagabondait. Joseph avait déjà parcouru deux fois le *Times* d'aujourd'hui et il se tenait dans le bureau circulaire devant ses plans étalés sur sa table. On regroupait des terrains pour construire un centre commercial en Floride. Il s'agissait certainement d'un bon filon ; la construction allait bon train dans cet Etat où venaient s'installer de très nombreux retraités. Penché sur les plans, Joseph retrouvait toute sa lucidité. Dès que les médecins lui donneraient l'autorisation de sortir, le premier du mois, avaient-ils promis, il ferait la tournée des magasins à succursales multiples. Ils installeraient certainement une grande surface, un drugstore, et tout un assortiment de petites boutiques. Il imaginait très bien une impressionnante allée de palmiers au milieu, on l'appellerait *Palm Walk*.

Il faisait les cent pas dans la pièce. Anna avait eu raison ; c'était un bureau parfait, qui, situé au deuxième étage, lui permettait tout en se sentant chez lui de ne pas être dérangé. De là, il entendait la rumeur familière de la maison et il plongeait sur les arbres du jardin.

Il avait repris le dessus, la forme revenait. Malgré ses soucis, il n'avait que quelques cheveux gris. Il avait insisté pour qu'Anna teigne les siens et elle avait retrouvé son brun-roux d'origine, ce qui la rajeunissait de quinze ans. Elle n'avait rien perdu de son dynamisme ni de sa démarche gracieuse. Quant à lui, il n'arrivait pas à croire qu'il avait soixante-treize ans. Cela faisait sept ans qu'Eric était mort... mais il préférait ne pas y penser... Il valait mieux se concentrer sur le présent ; il avait d'ailleurs fort à faire avec une immense entreprise de deux cents employés. Cependant, il arrivait à faire face à une telle responsabilité. Le goût de l'effort ne l'avait-il pas toujours aidé à vivre ?

Malone était très vieux ; ses lèvres tremblaient et ses yeux pleuraient. Reconnaissant qu'il n'arrivait plus à suivre le rythme exigé par le travail, il avait pris sa retraite. Il était certainement plus heureux en Arizona ; de plus, ses fils avaient pris la relève.

Nous aurions dû avoir plus d'enfants, se dit Joseph pour la centième fois. Les garçons d'Iris représentaient le seul avenir possible : le leur, bien sûr, mais il ne pouvait s'empêcher d'espérer que l'un d'eux prendrait sa suite et continuerait le travail qu'il avait commencé ! N'avait-il pas eu raison de penser que la terre est la source de toutes les richesses ? Mais Jimmy allait certainement devenir médecin comme son père. Ils disent tous que je tiens à Jimmy comme à la prunelle de mes yeux ; alors que dire de Philip, mon petit garçon chéri, la joie de mon cœur ? Il joue du piano comme un ange et c'est bien le premier musicien de la famille, excepté la nièce d'Anna, cette pauvre Liesel. Peut-être, de manière inexplicable, ce don lui vient-il d'elle. En tout cas, ce n'est pas lui qui voudra de mon entreprise.

Quant à Steve, ah ! Il jetterait plutôt une bombe pour la faire sauter, avec toutes ses idées socialistes, ou anarchistes, comme ils disent ! Je suis peut-être injuste ; il n'a pas encore seize ans, c'est l'âge des idées radicales. Ça lui passera...

Dieu merci, il n'y a rien à reprocher à Laura. C'est tout le portrait d'Anna, le même regard, le même rayonnement.

Anna me demande pourquoi je ne travaille pas moins. Elle pense que je devrais laisser plus de responsabilités aux fils Malone et n'aller au bureau qu'un ou deux jours par semaine pour voir ce qui s'y passe.

Ça ne me dit rien. Que ferai-je de mes journées, assis à écouter mes artères se scléroser ? Pour moi... le travail est réconfortant. Dès que je reste plus de deux jours sans travailler, je sombre dans une mélancolie qui m'effraie. C'est pourquoi je n'aime pas partir en voyage. J'ai beaucoup déçu Anna sur ce point ; elle aurait volontiers visité le monde entier si j'avais accepté. Le travail et la compagnie Friedman-Malone : voilà ma vie ! Anna le sait bien.

Il s'avança vers le poste de télévision et l'alluma. Une voix se fit d'abord entendre puis une image apparut progressivement sur l'écran. On montrait à nouveau les funérailles de Kennedy qui avaient eu lieu la semaine passée : le cortège funèbre qui traversait le pont en direction du cimetière d'Arlington et le cheval avec les étriers relevés.

Dix-huit années s'étaient écoulées depuis la mort de l'autre président... il se souvenait des vitrines de Madison Avenue arborant le portrait bordé de crêpe. Dix-huit ans ! Et cette fois-ci, c'était pire encore : un homme encore jeune assassiné. Il éteignit le poste.

Maury, Eric et... Benjie Baumgarten, noyé.

Oh, Maury, oh, mon fils, si tu pouvais me revenir, je te laisserais vivre comme tu l'entendrais. Peut-être que si je n'avais pas rendu les choses aussi difficiles pour cette jeune fille et toi, peut-être que... Vingt-cinq ans déjà ! J'ai essayé de me racheter à travers votre fils, comme si vous pouviez voir mon amour pour lui. Mais il a refusé ce que j'avais à lui offrir. Il ne savait pas à quel monde il voulait appartenir, Maury, peut-être à un monde où tous les hommes sont égaux ? Il se sentait sans cesse partagé, coupable d'avoir à choisir l'un ou l'autre côté. Il ne nous l'a jamais dit, mais nous le savions ; ta mère s'en était très bien rendu compte. Plus que tout, il se sentait coupable de tourner le dos à notre peuple parce que nous étions ceux qui souffrent, les opprimés. Le monde plus facile des Gentils l'attirait aussi. Qui pourrait le lui reprocher ? Il n'avait pas de racines. (Le mot est galvaudé de nos jours, mais je n'en trouve pas de meilleur.)

Eric n'était pas le seul à se trouver dans cette situation. Peut-être y attachait-il trop d'importance ? C'est l'un des traits de caractère de notre famille d'être trop sensible, trop compatissant, de trop réfléchir à nous-mêmes et au monde qui nous entoure.

Même mon père et ma mère, qui pourtant ne possédaient rien et ne savaient rien, ne se contentaient pas de vivre. Ma mère voulait que je devienne médecin. Je me souviens du temps où je l'aidais à étendre le linge sur le toit, portant son panier. Elle était plus jeune que moi actuellement, mais elle paraissait si vieille ! Ils avaient mené une vie dure, très dure, dans leur arrière-boutique exiguë et sombre, à s'inquiéter sans cesse de la nourriture... Oh, mon Dieu, quelle vie !

Et cependant, c'était simple. Il n'y avait qu'un seul problème : l'argent. S'ils pouvaient revenir sur terre, ils n'arriveraient pas à comprendre ce qui préoccupe les gens actuellement, par exemple ces problèmes psychologiques dont Iris parle si souvent : la rivalité fraternelle, les écoles permissives... et toutes ces balivernes.

Je suis content qu'Iris soit devenue enseignante. Au début, je n'étais pas d'accord ; pour moi, une femme ne devait travailler que si elle y était obligée. De plus, on aurait pu penser que Theo n'avait pas les moyens de nourrir sa famille. Mais finalement tout marche bien. Iris fait un métier qui lui plaît et elle semble plus sûre d'elle. Elle a même l'intention de reprendre ses études pour faire un doctorat en sciences de l'éducation. Une fille aussi brillante mérite mieux, c'est vrai, que de se consacrer uniquement à l'association de parents d'élèves, aux séances de dentiste, ou aux classes de danse.

— Vous voulez me voir, Céleste ?

— On a apporté ça. Voici la carte.

Encore un pot de chrysanthèmes.

— Où va-t-on le mettre ? Il n'y a plus de place ici !

En effet, ce maudit bureau avait déjà tout de la chambre mortuaire avec les innombrables fleurs et les plantes en pot qui l'encombraient, sans parler des piles de cartes de bon rétablissement auxquelles il fallait répondre. Il avait reçu tant de cadeaux, des livres, des bouteilles de liqueur et des lettres, y compris une lettre de Ruth. Elle avait plus de quatre-vingts ans à présent. Elle avait écrit d'une main tremblante, en pattes de mouche : « Cher vieil ami, nous t'aimons tous. »

Elle m'aime, et moi je n'ai pas aidé Solly. Je l'ai laissé mourir...
Céleste attendait.

— Je vais redescendre ce pot, Mme Friedman lui trouvera une place. Vous allez bien, monsieur Friedman ?

Elle était parfois agaçante avec ces questions, ses mines effrayées et sa façon d'entrouvrir la porte de quelques centimètres comme si elle s'attendait à le trouver mort, allongé sur le sol... Mais cette femme était si gentille, aussi il dit sur un ton chaleureux :

— Je devrais être malade plus souvent : tout le monde est plein d'attentions pour moi !

— Oh, ne dites pas ça. Nous prendrons toujours bien soin de vous, même si vous n'êtes pas malade.

— Je sais, Céleste. Je sais bien.

— Voulez-vous une tasse de thé ?

— Non, merci, je prendrai le thé avec ma femme quand elle rentrera.

— Elle ne va pas tarder. Voulez-vous que je ferme la porte ?

— Non, laissez-la ouverte, merci.

Il aimait entendre les bruits de la maison, la voix de Céleste parlant en bas avec des ouvriers. Une brave femme ! Elle faisait partie de la famille. Steve ferait bien de l'interroger et il verrait ! Elle lui dirait qu'elle se trouve très bien dans leur maison, qu'elle a une belle chambre à elle avec une télévision, des congés payés, de l'excellente nourriture à volonté...

Anna allait bientôt rentrer. Il avait dû insister pour qu'elle se rende au déjeuner organisé par le comité de bienfaisance de l'hôpital, car, depuis son attaque, c'est-à-dire depuis plusieurs semaines, elle n'avait pas voulu sortir de la maison et le laisser seul. Elle était partie, élégamment habillée, comme toujours. Anna lui avait appris que l'élégance n'était pas seulement une question d'argent : certaines femmes riches s'habillaient avec un goût tapageur et affreux.

Mais Anna lui avait appris et apporté bien d'autres choses encore : le charme, la douceur et la joie de vivre. Elle lui avait donné Maury et Iris...

Il fronça les sourcils, et grimaça : quoi, encore cette absurde et horrible pensée ! Il croyait l'avoir définitivement chassée de son esprit, mais elle revenait, marque indélébile.

Iris pourrait ne pas être mienne ! Ma fille chérie !... Je me souviens combien sa venue m'avait surpris : il s'était écoulé cinq ans depuis la naissance de Maury et, à cette époque, j'avais tellement de soucis que j'avais plutôt délaissé Anna. Et j'ai même pensé qu'Iris ressemblait un peu à ce Werner. Quelle idée, quelle idée absurde ! Je devrais avoir honte.

Pourtant il y a certainement eu quelque chose entre eux. Je ne connais pas la nature exacte de leur relation, mais je sais qu'il s'est passé quelque chose. Avant notre mariage ou après ?

Peut-être ce jour où je l'ai envoyée pour emprunter l'argent ? Dans ce cas, je n'aurais à m'en prendre qu'à moi-même. Je n'aurais jamais dû l'obliger à y aller, la mettre dans une situation où... Seule dans cette maison, avec tous ces escaliers sombres qui n'en finissaient pas de monter, le haut miroir sur le palier du premier étage. Je n'ai pas oublié cet intérieur cossu qu'Anna m'avait fait visiter ; c'était la première demeure de gens riches dans laquelle j'entrais.

A moins qu'ils ne se soient rencontrés par un après-midi d'hiver ? Dans un hôtel luxueux de la 5e Avenue ? Sur une table, des verres, ou plutôt des coupes et une bouteille de champagne, car Anna ne boit pas de whisky. Oui, une table... et un lit.

Il ferma les yeux pour chasser l'image obsédante.

Quant à moi, j'aurais pu avoir d'autres femmes. C'est facile quand on a de l'argent. Mais je n'ai jamais eu assez de temps pour ce genre d'aventures. Je crois surtout que je n'en ai jamais eu envie, sinon je serais certainement parvenu à trouver le temps, n'est-ce pas ?

Anna.

Quand je lui ai demandé de m'épouser, je ne pensais pas qu'elle y consentirait. Il n'y avait jamais rien eu entre nous, aucun regard, aucun geste ne laissant supposer que j'avais la moindre chance. Cependant, je lui ai demandé et elle a accepté. Je savais bien que les choses ne se passaient généralement pas ainsi entre un homme et une femme. Ce consentement inattendu devait cacher quelque chose.

Elle était si jeune, si naïve. D'ailleurs, elle a toujours gardé ce côté un peu irréaliste, mais je ne lui en ai jamais fait la remarque de peur de la blesser. De même que je ne lui ai jamais laissé deviner mes sombres pensées, parce que je ne voulais pas qu'elle souffre. Elle m'a tant donné ! Et nous avons partagé tant de choses, elle et moi.

Anna, mon amour.

Il entendit le moteur de la voiture, la porte du garage qui se refermait et les pas sur le gravier. Il regarda sa montre ; elle rentrait de bonne heure pour ne pas le laisser seul trop longtemps. Une autre voiture arriva et une porte claqua. D'autres pas retentirent sur le gravier.

Les voix de Theo et d'Anna résonnèrent dans l'escalier, puis celles de Jimmy et Steve.

— Bonjour ! Comment va notre malade aujourd'hui ? demanda Theo en parodiant le ton doctoral. Nous nous sommes vus à un feu rouge, et on a décidé de suivre Anna pour venir vous voir.

— Bonne idée. Comment allez-vous, Theo ?

Sous la formule rebattue se cachaient toute une série de questions : Comment marche le cabinet ? J'espère que vous avez assez de travail sans être surchargé. Est-ce que tout va bien à la maison ? Est-ce qu'il vous reste quelque chose une fois les factures et les impôts payés ? Y a-t-il des problèmes avec les enfants ?

Theo le rassura :

— Très bien, merci, et il y a une bonne nouvelle : Jimmy a été accepté dans l'équipe de tennis.

— Eh bien, félicitations ! dit Joseph. Et toi, Steve ? Tu as l'air contrarié ?

— Non.

— Vas-y, Steve, tu peux raconter à Grand-Père, dit Theo.

Et comme Steve demeurait silencieux, il poursuivit :

— Steve vient de passer à mon cabinet pour faire quelques photocopies et il a par hasard entendu une conversation que j'avais avec une patiente, une jeune femme qui n'aimait pas la forme de son nez et voulait le faire refaire. Il a été dégoûté non seulement par elle mais aussi par moi ! Il pense que j'aurais dû la flanquer à la porte et lui dire de garder son nez.

— J'ai dit, intervint Steve, que tu devrais avoir honte de perdre ton temps à travailler pour des bourgeois pourris, alors qu'il y a tant de souffrance dans le monde.

— Toute souffrance est relative, répliqua Theo. Si cette fille est malheureuse à cause de son nez, libre à toi de trouver cela ridicule, mais ce n'est pas du tout mon point de vue.

— Ce n'est pas le problème. Tu t'occupes de gens comme elle pour la simple raison qu'ils te font gagner de l'argent et c'est tout. Nous sommes en plein capitalisme.

— Qu'est-ce que tu as contre le système capitaliste ?

— Ce que j'ai contre ? Il détruit l'environnement et ruine l'homme moralement, voilà.

— Détruit l'environnement ! Bon Dieu, c'est ça qu'on vous apprend à l'école maintenant ?

— L'école ! répéta Steve sur un ton méprisant. Je pense par moi-même ! De toute façon l'école n'enseigne rien, sinon à bachoter pour avoir de bonnes notes.

— Bah ! Quelles balivernes ! Tous ces socialistes qui parlent d'égalité et qui veulent mettre tout le monde au même niveau, ne sont que des envieux. Ce sont ceux qui ne réussissent pas qui parlent ainsi. Ils ont beau enrober leurs discours de belles considérations morales, la vérité est qu'ils jalousent ceux qui ont de bonnes notes.

— Ce n'est pas mon cas, répliqua Steve sèchement.

En effet, il avait toujours été un excellent élève.

— Qui parle d'envie ! Je me sens coupable et vous devriez en faire autant.

— Allez, Steve, viens, ça suffit ! dit Jimmy en balançant sa raquette de tennis.

Mais, piqué au vif par les propos de Steve, Joseph continua :

— Coupable de quoi ?

— De vivre comme nous vivons, dans une maison comme celle-ci alors qu'il y a des millions d'êtres humains qui vivent dans des taudis !

— Oui, mais cette maison, je l'ai acquise à la force des poignets. Ne crois-tu pas qu'un homme mérite quelque récompense pour son dur labeur ?

— Il y a une grande part de chance dans le fait de gagner de l'argent. De la chance et, en outre, quelques petites escroqueries par-ci, par-là.

— Steve, tu dépasses les bornes, s'écria Theo, furieux.

— Laissez-le ! dit Joseph en levant la main. Escroqueries, dis-tu ? Je voudrais que tu saches que ton grand-père n'a jamais traité une affaire véreuse ! Jamais, tu m'entends ? Il n'y a rien dont j'aie à avoir honte, j'ai fait mon travail honnêtement. Les gens avaient besoin de logements et je les ai construits. La plupart d'entre eux n'avaient jamais été aussi bien logés auparavant. Et je suis censé être un salaud parce que j'ai gagné de l'argent en faisant ça ?

— Joseph ! Tu t'énerves beaucoup trop ! dit Anna. Il ne faut pas que... Les garçons, pourquoi n'allez-vous pas dehors jouer au tennis contre le mur du garage ?

— Ou plutôt, commencez à rentrer, dit Theo. Je vous prendrai en route.

Et quand les garçons furent descendus, il ajouta :

— Je suis désolé. Steve est impossible. Nous avons tout le temps ce genre de discussions.

— Au fond, il est insatisfait, déclara Anna. Peut-être que Jimmy est plus grand ? suggéra-t-elle pensivement. C'est peut-être difficile à supporter d'avoir un frère plus jeune plus grand que soi. Et pour ajouter à son malheur, le voilà couvert d'acné.

— Il faut toujours que ma femme trouve des excuses, grommela Joseph. Elle et sa psychologie !

— Mais, rassure-toi, nous ne pourrons jamais deviner tout ce qui se passe dans la tête d'un enfant, poursuivit-elle. Iris m'a raconté que le conseiller pédagogique lui avait dit que le QI de Steve était un peu plus élevé que celui de Jimmy et pourtant Jimmy réussit aussi bien et semble s'intéresser à davantage de choses : la philatélie, les animaux, le tennis et...

— Jimmy ! interrompit Joseph. Jimmy a toujours eu un caractère plus facile.

— Oui, Jimmy a une attitude beaucoup plus souple, dit Theo, et il sait profiter de la vie. C'est son caractère et il a de la chance, beaucoup de chance. Il semble avoir une vision sereine et lucide de la vie. Il y a deux ou trois jours, il nous a demandé : « Si maman et toi mouriez, que deviendrait cette maison ? » Sur le coup, j'en suis resté interloqué, puis je me suis rendu compte que c'était une question parfaitement censée. Mais Steve était fou de rage contre Jimmy jusqu'à avoir des larmes de colère dans les yeux. Non pas tant à cause de nous, de ce que nous éprouvions, — ce n'est pas tellement dans ses habitudes de se préoccuper des sentiments des autres ! A mon avis, ce garçon était terrifié par la mort, notre mort, avec la perspective de rester seul.

Theo soupira et tout le monde garda le silence pendant un instant. Puis il se leva.

— Eh bien, ils ne connaissent pas leur bonheur, n'est-ce pas ? Peut-être qu'à leur âge, nous ne connaissions pas non plus le nôtre. Mais cela leur passera. En attendant, j'espère que Steve ne va pas s'engager trop sérieusement dans un de ces mouvements contestataires. Il parle d'aller dans le sud cet été pour participer à une marche de protestation.

Joseph intercepta le signal de détresse qu'Anna adressait à Theo.

— Anna, quand cesseras-tu de me protéger ainsi ! Je ne suis pas mort, ni à l'article de la mort.

— Bien sûr que non ! Mais je trouve que tu te mets trop souvent dans tous tes états !

— Maman a raison. Je suis désolé d'avoir amené cette question sur le tapis, s'excusa Theo. Ne vous inquiétez pas, je saurai en venir à bout.

— Je sais bien, Theo, mais ce n'est pas facile. Quand je pense à tout ce que nous faisons pour nos enfants ! Nous donnons notre sueur et notre sang pour...

Anna raccompagnait Theo jusqu'à la porte où ils poursuivirent la conversation à voix basse. Mais les bruits et les voix montaient facilement par la cage de l'escalier, et Joseph entendit tout.

— Il a l'air d'avoir mauvais moral, aujourd'hui, disait Theo. Se mettre dans un tel état à cause de Steve !... Pour de simples bêtises d'adolescent ! Il doit y avoir autre chose...

— Oui, je le connais... Il pense à Maury et à Eric. Il ne peut pas supporter d'entendre prononcer leur nom. J'essaie toujours, quand vient le jour où leur nom va être cité à la synagogue, de trouver une excuse pour ne pas y aller. Je dis par exemple que je ne me sens pas bien.

— Et ça marche ?

— Bien sûr que non, dit Anna en riant. Mais j'essaie tout de même.

Anna ferait n'importe quoi pour m'épargner, songea Joseph. Elle croit que j'ignore les graves problèmes qui ont existé il y a quelques années entre Iris et Theo. Bien qu'ils ne m'aient rien confié, j'étais au courant. Je n'ai posé aucune question, parce que j'avais sans doute peur d'être confronté à la réalité. De toute façon, ils ne m'auraient rien dit.

Grâce à Dieu, à présent tout va bien. Theo est vraiment quelqu'un de bien. J'aime le voir revenir du tennis avec ses enfants, parlant français ou allemand avec eux. Et il est si gentil avec Iris.

Ma fille, ma chérie, mon cœur. Je me souviens d'elle bébé, petit être tendre et émouvant... Elle s'en est vraiment bien sortie. La petite fille fade qu'elle était est devenue une jolie femme, peut-être pas au sens où on l'entend dans les magazines de mode, mais jolie à cause de son charme et de sa distinction.

Steve ferait mieux de ne pas lui causer de chagrin. D'ailleurs, un de ces jours, je vais lui en toucher deux mots.

En un sens, je comprends ce qu'il veut dire, même s'il est persuadé du contraire. C'est un garçon intelligent, le plus intelligent de la famille. Mais je n'arrive pas à éprouver pour lui ce que j'éprouve pour les autres, pour mon petit Philip ou pour Jimmy C'est peut-être à cause de ses cheveux longs et peu soignés. J'ai toujours eu horreur de la saleté, je n'y peux rien. Maudit garnement ! Et cependant, il n'est pas heureux, ce pauvre Steve. J'aimerais pouvoir faire quelque chose pour lui.

Anna revint avec un plateau sur lequel étaient posées deux tasses de thé et une assiette de biscuits.

— Après le thé, il faudrait que tu fasses une sieste. Ne ronchonne pas, ce sont les ordres du médecin.

— Qui diable a besoin d'une sieste ?

— Toi, dit calmement Anna. Tu veux retourner travailler, alors, fais ce qu'on te dit.

Elle s'assit et remua son thé. Son visage était placide et plein de dignité. Quelle femme remarquable ! Mon père affirmait que les qualités se voient au premier coup d'œil et il n'aurait pas manqué d'être séduit par les siennes.

— A quoi penses-tu ? demanda Anna.

— A toi. Je n'ai absolument pas à regretter le jour où je t'ai vue assise sur les marches des Levinson.

— J'en suis heureuse.

— Vraiment, Anna ? Je me le demande parfois. Ces derniers temps, j'ai eu le loisir de penser, un peu trop peut-être... Tu te souviens de cette journée de bienfaisance pour les aveugles où nous sommes allés, juste avant mon attaque ? Quand je t'ai vue t'entretenant avec un éditeur de livres d'art, je me suis dit que c'était le genre d'homme que tu aurais dû épouser, un homme qui parle le même langage que toi.

— Tu veux te débarrasser de moi, ou quoi ?

— Ne plaisante pas, je suis très sérieux.

Il hésita quelques instants avant de lui dévoiler le fond de sa pensée.

— J'avais promis de ne plus en reparler, mais ces derniers temps, je n'ai pu m'empêcher de... toi et Werner... il parlait la même langue que toi, n'est-ce pas ?

— Oh, Joseph, tu ne vas pas recommencer ! s'écria Anna en poussant un profond soupir.

— Je suis désolé. Je sais bien que tu m'as juré qu'il n'y avait jamais rien eu entre vous, mais tant de choses disent le contraire : des mots, des gestes, des incidents... Je ne vais pas revenir là-dessus, parce que tu les connais aussi bien que moi. Mais le doute subsiste en moi. Mes sentiments, mon instinct me disent que...

— Les sentiments et les instincts ne prouvent rien, l'interrompit Anna. Je t'ai donné des réponses rationnelles et je ne peux rien faire de plus. J'ai l'impression de me battre contre des moulins à vent...

Sous le démenti, transparaissait le défi. S'il n'avait pas été affaibli par la maladie, elle se serait montrée plus véhémente encore. Il ne devrait pas insister, la pousser à bout. Pour la millième fois, il se répéta qu'il avait beaucoup de chance, après tout, de l'avoir eue à ses côtés pendant toutes ces années. Une femme comme Anna aurait pu avoir tous les hommes qu'elle voulait...

— Ne te torture pas, Joseph. Ne me pose pas toutes ces questions. Même si tu n'arrives pas à me croire, cesse de m'interroger.

Il ne saurait donc jamais *vraiment*. Que ne donnerait-il pour effacer tous les doutes de son esprit, pour être sûr qu'elle était totalement à lui et l'avait toujours été, que jamais, jamais, il n'y avait eu personne d'autre... Le temps qui lui restait à vivre, voilà ce qu'il sacrifierait volontiers.

— Je voudrais vivre en paix, dit-il tout haut.

— Mais tu peux, Joseph.

Anna finit son thé et se leva pour caresser le front de son mari. Sa main, qui avait tenu la tasse, était encore chaude et un effluve de parfum s'en exhala.

Joseph ne bougea pas, goûtant la douceur de cette main sur sa peau.

— C'est beau ici, n'est-ce pas ? dit-il.

— Oui, c'est notre maison... Tiens, regarde, voici George qui vient te rendre visite.

La porte qui était restée légèrement entrouverte fut poussée contre le mur, et l'énorme chien noir entra, se traînant péniblement sur ses pattes.

— Il fait très frais pour un mois de mai et il a horreur du froid.

— Il devient vieux, dit Joseph d'une voix triste.

Il s'agissait de George II, le fils de celui qui était venu avec Eric. Et George II avait eu un fils à son tour, Albert, qui était né peu avant le départ d'Eric.

— Oui, je sais, et Albert préfère rester dehors. Est-ce que tu veux bien que George fasse une sieste avec toi ?

— Apparemment, il en a fermement l'intention, que je le veuille ou non.

En effet, George s'était déjà étalé sur le divan, mais il avait tout de même eu la gentillesse de laisser juste assez de place pour Joseph.

— Bon, va t'allonger à présent. Philip va passer très bientôt et il se peut que Laura vienne aussi.

Il obéit docilement et Anna referma la porte derrière elle. Deux ou trois fois par semaine, Philip passait les voir avant de rentrer chez lui, après un cours de musique ou d'instruction religieuse. Quel emploi du temps pour un si petit gars, tout juste âgé de sept ans ! C'était déjà comme ça pour Maury et Iris, se dit Joseph. Nous poussons toujours nos enfants, désirant qu'ils excellent dans tous les domaines et qu'ils aient ce qu'il y a de mieux... Mais ils le déposent au coin de la rue, et il y a deux rues à traverser, avec toute cette circulation ! Bien sûr, il y a des feux, mais c'est un si petit gars !

Dès que je pourrai sortir, j'irai lui acheter le jouet le plus extraordinaire, le plus magnifique que je trouverai. Anna et Iris me donneront tort, mais, pour une fois, je m'en moque. Je veux vraiment le gâter, lui offrir un truc dont je n'aurais jamais osé rêver à son âge. Je n'ai pas encore d'idée précise, mais ça va venir.

Joseph n'arrivait pas à dormir. Pourquoi ne pas se lever et lire ? Anna avait laissé, l'autre jour, un livre dans la pièce. Elle lui avait parlé des très beaux essais d'un écrivain fameux et il lui avait demandé de lui en lire quelques pages. C'était très beau effectivement. Joseph avait alors compris pourquoi sa femme avait toujours aimé les livres.

Quel dommage qu'il n'ait jamais rien lu de toute sa vie ! Il admirait les gens cultivés mais, pour lui, le goût de l'érudition était inné, et ne pouvait s'acquérir. Les professeurs qu'Iris recevait souvent chez elle, des gens charmants, distingués et savants, n'avaient pas, eux, les moyens de s'offrir les livres à dix dollars qu'ils aimaient tant. Pauvres bougres. N'était-ce pas absurde ! Lui avait de l'argent et si peu de culture. Vivre avec Anna lui en avait donné pleinement conscience, même si elle refusait qu'il en parlât. A Mexico, ils avaient visité des chefs-d'œuvre d'architecture avec Dan. Anna savait tout sur le peuple qui les avait édifiés. Les Aztèques, n'est-ce pas ? Elle n'ignorait rien de leurs palais, de leurs prêtres et de la façon dont les Espagnols les avaient traités. Oui, Anna savait tant de choses.

Il chercha le livre qu'elle lui avait lu l'autre jour. Sa couverture était rouge ; elle l'avait laissé sur le fauteuil. Il l'avait feuilleté, une fois déjà, et avait remarqué un essai sur la vieillesse qu'elle éviterait certainement de lui lire. Maintenant il se souvenait : c'était page quarante-trois. Eh bien, Joseph, se dit-il, ta mémoire n'est pas trop défaillante. Tes artères ne doivent pas être trop sclérosées avec une mémoire comme ça !

Il ouvrit le livre à la page et lut : « Les cordes tendues se relâchent, les nœuds se dénouent ; les doigts s'ouvrent et laissent tomber ce qu'ils avaient si fermement tenu. Les épaules s'allègent débarrassées du fardeau dont elles s'étaient chargées. Partons, laissons-nous entraîner par le souffle du vent et le flot des marées, partons. »

43

Anna remontait la 5e Avenue que baignait la lumière changeante d'octobre, avec son alternance d'ombre et de soleil. Elle se sentait joyeuse comme une gamine.

Elle n'aurait jamais cru, une semaine plus tôt, que Joseph consentirait à prendre des vacances. On venait de planter les fondations d'un nouveau complexe d'immeubles au sud de Jersey ; le petit bureau circulaire était envahi de papiers et de plans tracés à l'encre bleue. Mais les Malone étaient revenus à New York pour faire la connaissance du dernier-né de leurs petits-enfants et la façon dont ils avaient parlé des vastes espaces de l'Ouest avait donné à Joseph l'envie d'y aller voir. Ils repartiraient tous ensemble.

Au seul mot d'Arizona, Anna imaginait par anticipation, la forêt pétrifiée, les réserves Navajo, le désert aux roches colorées... Réussirait-elle à persuader Joseph de continuer jusqu'à la Californie ?

Il était onze heures. Elle avait rendez-vous avec Laura à midi et demi au Lincoln Center pour le déjeuner. Ensuite ils iraient voir un ballet. Anna était arrivée en ville à neuf heures, ce qui était trop tôt pour Laura ; les jeunes aimaient bien dormir tard. Elle avait fait des courses : des chaussures de marche pour elle, mais rien d'autre étant donné que Mary Malone n'était pas femme à se soucier de la mode. Pas besoin d'être impeccable. Dans un grand magasin, elle s'était arrêtée au rayon homme pour acheter des chemises sport à Joseph. Il en avait besoin, même s'il prétendait que les vieilles feraient encore très bien l'affaire. Il aimait toujours aussi peu dépenser pour lui !

Grâce à Dieu, il se sentait en pleine forme ces derniers temps. Cette escapade en Arizona serait peut-être le prélude à d'autres voyages. Pourquoi ne reverraient-ils pas l'Europe, et ils iraient ensuite en Israël, aux endroits qu'Eric avait évoqués dans ses lettres. Joseph y faisait à peine allusion, mais l'idée faisait son chemin.

Elle s'arrêta devant la vitrine d'une bijouterie. Elle avait déjà acheté quelque chose de plus joli ce matin pour l'anniversaire de Laura. Il était difficile de trouver le bon cadeau. Laura n'était plus une enfant et pas encore une femme. On ne pouvait pas toujours offrir des livres. Anna avait essayé de se souvenir de ce qui lui aurait fait plaisir quand elle avait quatorze ans, mais sa vie chez l'oncle Meyer était bien différente.

Quelle belle journée ! C'est l'été indien et il fait encore chaud. Je vais traverser le parc pour rejoindre le Lincoln Center. Laura ne connaît pas encore *Le lac des cygnes.* Je me rappelle encore ce jour où j'ai vu *Tristan et Iseult*... Deux hommes jouent aux échecs sur un banc, assis sous les arbres aux feuilles poussiéreuses. Les enfants font du patin à roulettes. Ils ne sont pas à l'école, aujourd'hui ? Bien sûr, c'est samedi. Ma mémoire me joue de plus en plus de tours !

Anna sortit de Central Park du côté ouest et à la hauteur de la 72e Rue. Je suis allée trop loin, se dit-elle, il faut que je revienne sur mes pas... Voilà, c'est là. Juste un coup d'œil. Des enfants noirs jouent au ballon. Dans Hester Street aussi, les enfants jouaient dehors et la rue retentissait de toutes sortes de cris. Ah, voici la maison. Elle me semble si petite, haute et étroite, avec ses deux fenêtres sur la façade... Des gens sont assis sur le perron, profitant du soleil d'automne. Des rideaux de velours vert pendent aux fenêtres du « petit salon ». Entre les deux fenêtres, se trouvait la table basse sur laquelle on servait le thé à quatre heures. Et au-dessus, c'était la chambre de Paul, avec les bottes de cheval, la bannière de Yale et la merveilleuse bibliothèque.

Suis-je bien la même femme qu'à cette époque ? Si peu ! Et pourtant, j'ai l'impression que c'était hier. Je me souviens du jour où j'ai quitté Ruth pour venir habiter ici.

Je ne devrais pas penser à tout cela. A quoi bon se demander où Paul se trouve à présent ? C'est absurde, mais je ne peux m'en empêcher. Je n'arrive pas à croire que je ne le reverrai plus jamais, comme s'il était mort.

Je n'arrive pas davantage à me faire à l'idée que Ruth est morte ! Je ne savais pas qu'elle me manquerait tant, en dépit de son caractère et de sa jalousie. A vrai dire, on pouvait toujours compter sur elle. « Je vais prendre soin de toi », avait-elle dit dès le début, le jour où je suis arrivée avec mon balluchon et mon châle. Je lui ai fait confiance et j'ai eu raison.

Pauvre Ruth ! Perdre Solly, c'était tout perdre. Il aurait sans doute mieux valu qu'elle ne connaisse jamais cet appartement où ils avaient vécu quelques années, entourés de beaux tapis, un châle de soie posé sur le piano demi-queue. L'été dernier, après son enterrement, nous sommes retournés à Washington Heights. Le rez-de-chaussée avait été transformé : une laverie et un bar. Tout change.

Dan lui aussi est mort, au Mexique. Je l'ai vu seulement deux fois en cinquante-cinq ans.

Laura mangeait une omelette au bacon et ses longs cheveux roux tombaient dans l'assiette. Elle les repoussa et leva les yeux vers Anna.

— Je meurs de faim, dit-elle.

— Ça sent bon.

— Le bacon est délicieux. Tu n'y as vraiment jamais goûté ?

— Jamais. Je me souviens que lorsque je suis arrivée dans ce pays et que j'ai vu cuire du bacon pour la première fois, j'ai été dégoûtée.

— C'est parce qu'on t'a appris qu'il ne fallait pas en manger. Pourquoi n'essaies-tu pas ?

— Je crois que j'aimerais bien, mais ton grand-père...

— Tu n'as pas besoin de lui dire. Faut-il tout dire à son mari ?

— J'ai toujours pensé qu'il fallait. (Dieu me pardonne ce mensonge.)

— Eh bien alors, dis-lui. Mais une femme n'est-elle pas libre de faire ce que son mari désapprouve ?

— Soit...

— Mais, dit doucement Laura après avoir réfléchi un moment, ça ne vaut pas la peine. Si tu faisais quelque chose qui risquait de le contrarier, tu ne pourrais que le regretter ensuite, n'est-ce pas ?

— Tu as exprimé ma pensée mieux que je ne l'aurais fait moi-même, dit Anna en souriant.

Une enfant subtile. Plus proche de moi qu'Iris ne l'a jamais été.

— Papa nous a joué toute la musique du *Lac des cygnes* et il nous a expliqué l'intrigue. Tu sais, c'est le premier ballet auquel il a assisté. Ses parents l'avaient emmené voir danser la Pavlova à Vienne. Nous avons entendu toute la musique et toute l'histoire. D'un bout à l'autre. Tu sais comment est Papa, souligna-t-elle en riant. Quand j'étais plus jeune, environ huit ans, je voulais devenir ballerine. Je croyais qu'il suffisait de vouloir quelque chose pour que cela arrive.

— Mais maintenant, tu as mûri.

— Oui, du moins je crois. J'ai peut-être encore des réactions puériles sans m'en rendre compte. Mais parfois, je me sens adulte.

— Je comprends. Ce matin, j'ai vu une robe rose dans une vitrine et j'ai oublié un instant que j'étais une vieille femme.

Laura n'était pas du genre à s'exclamer bêtement : « Oh, mais tu n'es pas vieille... ». Au contraire, elle parut approuver.

— Ce doit être affreux d'être vieux, non ?

— Si on y pense trop, oui.

Laura cala son menton dans ses mains. Elles attendaient le dessert : un café pour Anna et une tarte garnie d'une double couche de crème glacée pour Laura. On ne pouvait jamais savoir, lorsqu'on amenait Laura au restaurant, si elle était dans une phase de régime draconien ou de boulimie. Cette semaine, apparemment, elle mangeait comme dix.

— Dis-moi, Nany, demanda-t-elle d'un ton sérieux, es-tu con tente de ta vie ?

— Oh, ciel, quelle grave question par un si beau samedi ! De plus, il m'est impossible d'y répondre, répliqua Anna.

Où cette fille allait-elle chercher toutes ces questions ?

— Essaie.

— Je ne peux pas. Si tu me demandes si je suis heureuse de la vie que j'ai eue, je répondrai : oui, très. Je vous aime tous. J'ai des amis, je fais des choses intéressantes, dont certaines ne sont pas inutiles, du moins je l'espère. Et je connais des moments très agréables, par exemple quand j'emmène ma petite-fille au ballet. Mais quant à savoir si j'aurais préféré vivre une autre vie, être, par exemple, la Pavlova ou Marie Curie... eh bien, dans ce cas, il m'est impossible de répondre.

— Je me sens parfois terriblement désolée pour certaines personnes, dit Laura en engloutissant une copieuse cuillerée de glace. Mon père, par exemple, je le plains vraiment.

— Pourquoi ?

— Il doit beaucoup penser à sa première famille, Liesel et leur petit garçon. Mais il n'en parle jamais.

Anna resta silencieuse.

— Il doit penser que ces souvenirs ne plairaient pas à Maman

— Pourquoi tu dis ça ? demanda Anna en esquissant un haussement d'épaules, comme pour dire : je te pose la question mais ce n'est pas très important.

— Je ne sais pas. Une impression...

Puis elle se jeta à nouveau sur sa glace.

— Il est temps d'y aller, dit Laura qui avait terminé. Tout le monde s'en va.

— Oui, oui, approuva Anna en regardant sa montre.

Elles se levèrent et s'avancèrent au milieu de la foule qui se déversait lentement dans le hall du théâtre. Anna se disait qu'on devait les regarder : deux grandes femmes rousses, une jeune et une vieille.

Les lustres scintillants s'élevèrent vers le plafond, plongeant la grande salle dans l'obscurité, et les premières notes de l'ouverture se firent entendre. Quand le rideau s'ouvrit sur la forêt du Prince Siegfried, Anna entendit Laura pousser un soupir d'aise.

— C'était merveilleux, merveilleux ! chantonna Laura. Oh, merci, Nany, cela m'a énormément plu !

Le taxi se trouva bloqué par les encombrements dans une rue minable, avec des dancings, des bars et des cinémas miteux. Les affiches des films annonçaient : *Miss Dawn La Rue et Miss April La Follette ; Passions Ardentes ; Amours Brûlantes...* Anna espérait que Laura regarderait de l'autre côté, mais non la jeune fille n'avait d'yeux que pour ces photographies.

Le taxi sortit enfin de cette rue pour se diriger vers la gare de Grand Central. Anna se dit que Laura voulait peut-être lui poser une question sur ce qu'elles venaient de voir. Peut-être qu'elle-même, en tant qu'adulte responsable, se devait d'en dire quelque chose. Mais quoi ? Toute sa vie, elle avait été terriblement gênée de parler de ce genre de choses, alors comment pourrait-elle le faire maintenant ?

Sur l'East Side, le décor changea : les rues étaient propres, des ménagères achevaient d'y faire leurs courses et de petits cinémas annonçaient sans tapage des films étrangers.

— Oh, as-tu vu ce film, Nany ? Je l'ai vu le mois dernier avec Joannie. C'est extra.

— Oui, et j'ai trouvé que c'est un très beau film.

— Tu sais ce qui m'a plu ? C'est le côté réaliste. Les films français sont souvent comme ça. Je veux dire que la fille n'était pas d'une beauté extraordinaire : elle avait un grand nez et ses cheveux étaient tout en bataille quand elle revenait de nager. Mais elle avait le plus beau sourire qui soit. Et le garçon aussi, quand il la regardait. Tu te souviens de cette scène où ils se promènent dans la rue, une baguette de pain français à la main, et où il s'arrête soudain pour prendre le visage de la fille comme s'il s'agissait d'une fleur ?

— Je me souviens, mentit Anna.

— A la fin du film, je pleurais. J'ai horreur de la brutalité avec laquelle les lumières se rallument, sabotant complètement l'état d'âme dans lequel on est plongé. Mon nez coulait et j'ai fouillé dans mon sac à la recherche d'un Kleenex. Ma voisine m'a regardée et s'est mise à rire sottement. J'étais furieuse. Je lui ai dit : « Occupez-vous de vos oignons ! » J'aurais voulu disparaître sous terre.

Parfois, elles ne se parlaient pas du tout. Elles ne « communiquaient » pas, selon l'expression d'Iris. Et à d'autres moments, Laura disait tout ce qui lui passait par la tête.

— Il faut vraiment que je prenne de bonnes résolutions pour cette nouvelle année scolaire, que je fasse des efforts en mathématiques, même si ça ne me sert à rien. Tu peux me dire à quoi ça peut servir de savoir résoudre une équation du second degré ?

— Comment veux-tu que je le sache ? Je n'ai jamais entendu parler de ça.

— Tu vois ce que je veux dire, alors. Et tu ne t'en portes pas plus mal. En tout cas, c'est ma première résolution. La seconde consiste à essayer de me débarrasser de tous ces bourrelets que j'ai autour de la taille, c'est répugnant.

— Je ne vois rien.

— On ne les voit pas quand je porte une robe. Mais je me suis acheté une nouvelle salopette la semaine dernière. Je me suis mise avec dans la baignoire pour la faire rétrécir, elle m'allait à merveille, seulement on peut voir que j'ai une taille affreuse. Il faut absolument que je fasse quelque chose pour que ça change. Tu as une belle silhouette pour ton âge. Je suis sûre que tu n'as jamais eu à beaucoup t'en préoccuper. Quel parfum tu utilises ?

— Rien de particulier. J'ai toujours utilisé ceux que ton grand-père m'offrait en cadeau, je n'en ai jamais acheté moi-même.

— Moi, je prends Calèche, c'est en même temps sexy et raffiné, si tu comprends ce que je veux dire.

Laura pouvait papoter pendant des heures, sans jamais lasser Anna.

— ... j'ai maintenant un immense poster de D.H. Lawrence qui couvre la moitié d'un mur de ma chambre... J'ai trouvé une crème efficace contre les boutons, mais quand je l'applique le soir, on dirait que j'ai la variole... On ne peut pas éprouver le même sentiment en écoutant Tchaikovski qu'en écoutant Haendel, par exemple. Je veux dire que ce n'est pas le même langage, n'est-ce pas ?...

Le train ralentit. Elles étaient arrivées.

— Tu sais, Nany, je me souviendrai de cette journée. Je dirai à mes enfants : la première fois que j'ai vu *Le lac des cygnes*, c'était avec ma grand-mère. C'était un bel après-midi et nous sommes rentrées ensemble par le train.

— Nous allons prendre un taxi, dit Anna. Je te déposerai et j'irai directement chez moi ensuite. Ton grand-père sera probablement rentré.

Dans le taxi, elle rassembla ses paquets, heureuse d'avoir rapporté des cadeaux : les breloques qu'elle donnerait à Laura le jour de son anniversaire et les chemises neuves pour Joseph.

La voiture de Malone, avec sa plaque d'immatriculation de l'Arizona, était garée dans l'allée. Joseph avait dû les inviter à dîner. Le rôti serait-il assez gros pour tout ce monde ? Elle paya le taxi. Avant même qu'elle arrive à la porte, Malone se présenta sur le seuil.

— Bonjour ! s'exclama-t-elle. Quelle bonne surprise ! Je ne m'attendais pas à...

Elle vit alors son visage et dit :

— Que se passe-t-il ? Qu'est-ce qui ne va pas ?

— Anna, restez calme. Joseph... son cœur... Il s'est simplement écroulé sur le bureau. Nous avons aussitôt appelé le docteur, mais...

— Oh, mon Dieu ! s'écria-t-elle. Où est-il ? Quel hôpital ? Vite, amenez-moi...

Malone la prit par les épaules, les yeux remplis de larmes.

— Oh, Anna, Anna, pas d'hôpital. C'est trop tard.

Iris chancelle, le visage blême.

— Je vais bien, dit Anna à Théo qui lui tient le bras. Occupez-vous d'Iris.

La synagogue est comble. Le soleil de midi filtre à travers les vitraux dont Joseph était si fier, parsemant le sol de taches rouges et dorées. Comment puis-je fixer mon attention sur de tels détails ? se demande Anna. Je dois faire attention à tous ceux qui sont présents, afin de les remercier ensuite comme Joseph l'aurait fait. Mais il ne faut pas que je pense à lui, allongé dans ce cercueil... Des visages, tant de visages ! Au second rang, se trouvent Pierce, notre représentant au Congrès, et cet homme du Comité national des chrétiens et des juifs dont j'ai oublié le nom. Tous les membres du comité d'administration de l'hôpital sont là. Cet homme qui entre appartient au syndicat des travailleurs du bâtiment ; Joseph a toujours essayé de négocier honnêtement avec les travailleurs et ils ne l'ont pas oublié. Tom et Vita Vilmot. Rhoda, l'amie de Céleste. Les fils Malone et leur femme. Les filles de Ruth qui sont toutes devenues si grosses ! Et Harry, le visage piteux et sombre, toujours chauffeur de taxi alors que Solly était si fier de ce fils qui était brillant élève ! Etrange...

Le rabbin me prend par le bras. Je suis fragile. Ils ont peur que je m'effondre. Mais il n'en est pas question, pas devant tous ces gens : Joseph aurait honte de moi.

« Il vit dans les cœurs de ceux qui l'ont aimé, disait le rabbin d'une voix douce. Très attaché à sa foi, il fut un exemple pour ses petits-enfants. »

Ces derniers sont assis les uns à côté des autres, visage dressé, la mine apeurée. Laura pleure doucement. Se souviendront-ils de ce qu'il leur a donné ? Seul le temps le dira.

Les mots, familiers et beaux, résonnent majestueusement :

« Craindre Dieu et respecter Ses commandements sont le seul devoir de l'homme. O Dieu miséricordieux, Esprit Eternel, accorde le repos à Joseph qui vient d'entrer dans l'éternité. »

Nous partons de la synagogue pour nous installer dans une longue voiture noire escortée par des motocyclistes. Qui a décidé une chose pareille ? Joseph n'aurait pas aimé ça. Même dans la mort, la notion de statut social demeure. Les gens pauvres ont des funérailles qui ne ressemblent en rien à ce qui se passe ici. Nous franchissons à présent les grilles du cimetière. Le mausolée de la famille Kirsch, semblable à ces tombes royales que nous avons vues en Europe, se dresse devant nous. Richesse et hiérarchie, même dans la mort. Joseph n'a jamais souhaité un tel faste... « Seulement une plaque », m'a-t-il dit une fois. Je la ferai installer l'année prochaine avec la mienne à côté, sur laquelle on pourra lire : « Anna, femme de Joseph ». Je suis certainement folle d'avoir de telles idées tandis qu'on m'aide à sortir de la voiture en me tenant par les épaules.

Eh oui, Joseph, nous avons élevé nos enfants, nous les avons aimés et nous les avons perdus ; tu n'as rien fait d'autre que travailler toute ta vie durant, même si tu disais que c'était pour toi un plaisir. Et pourquoi ? Pour que nous partions et te laissions à la terre ? La vie est peu de chose.

On murmure le Kaddish : « *Yit-ga-dal ve-yit-ka-dash she-mei ra-ba...* »

Iris sanglote, Theo la raccompagne jusqu'à la voiture. Pourquoi est-ce que je ne pleure pas moi aussi ? Joseph aurait été fier que je ne pleure pas.

Quelqu'un chuchote : « Elle sait prendre sur elle... elle a toujours eu beaucoup de dignité. »

Nous ne sommes pas encore à la maison et le ciel devenu hivernal déverse des torrents de pluie. La maison est tout éclairée. Les amis et les voisins sont venus avec des chrysanthèmes roses, des corbeilles de fruits et des gâteaux au chocolat.

— Venez, dit Céleste, buvez une tasse de thé, vous n'avez rien pris depuis ce matin.

Elle me conduit dans la salle à manger, je me laisse faire. En dépit de tout, le corps apprécie le confort : le thé, le feu dans la cheminée, les fenêtres qui protègent de la pluie. On me met un demi-sandwich au poulet dans mon assiette. Je ne proteste pas.

Je ne pleure pas, non plus.

Ce fut le chapeau qui provoqua les larmes, le vieux chapeau de pluie de Joseph, qu'elle aperçut à la fin de cette longue journée, oublié sur une chaise dans le couloir du premier étage. Elle regagna sa chambre, serrant le chapeau contre sa joue, et alors elle put pleurer.

Elle se déshabilla et fixa le lit trop grand. Elle revit soudain — venant de quel recoin de sa mémoire ? — Joseph jouant sur la plage et Solly à côté de lui... ils se lançaient une balle...

On poussa la porte. C'était le vieux chien, George II, qui avait toujours dormi avec eux depuis... depuis qu'Eric était parti. Il leva la tête, tournant ses doux yeux vers Anna, demandant où était Joseph... et, ne recevant pas de réponse, il s'installa à la place de Joseph.

On frappa à la porte.

— Je vous ai apporté quelque chose, dit Theo. Puis-je entrer ?

Il tenait un verre d'eau et un comprimé.

— Je ne prends jamais de tranquillisants, Theo, dit-elle malgré elle d'une voix sèche.

— Faites une exception. Vous avez été si courageuse, vous méritez un peu d'aide.

— Je veux affronter ce qui m'arrive avec mes propres forces.

— Je sais que vous êtes forte, mais vous êtes aussi entêtée. C'est le docteur qui vous demande de prendre ça.

— Très bien, très bien. Je croyais que vous étiez rentrés.

— Nous sommes en bas.

— Ramenez Iris chez vous... Cette journée a été très dure pour elle.

— Je sais. Elle est définitivement passée à l'âge adulte.

— Vous l'aviez compris, vous aussi ?

— Bien sûr. Elle était la petite fille chérie de son père, non ?

— Oui.

Au bout d'un moment, Theo ajouta :

— Laura dort ici, dans la chambre de l'autre côté du couloir.

— Oh, pour quoi faire ?

— Si, si. Elle reviendra demain après l'école et restera encore ici pendant quelques nuits.

— Vous ne devriez pas ennuyer cette enfant avec moi,

— Laura n'est pas une enfant, et je ne veux pas qu'elle soit la petite fille de son père. De plus, c'est elle qui a proposé de rester.
— Tant d'amour me bouleverse.
— Les familles sont faites pour ça, dit Theo d'une voix ferme. Et maintenant, dormez.

44

On fêtait Thanksgiving. Jimmy observait avec plaisir et fierté Janet qui était assise de l'autre côté de la table. Les vacances dans la maison familiale s'étaient jusqu'à présent merveilleusement bien passées, excepté qu'il regrettait beaucoup de ne pas pouvoir dormir avec elle comme sur le campus. La chambre de Janet était pourtant située en face de la sienne, de l'autre côté du couloir, mais sous le toit de ses parents, il ne pouvait songer à aller la rejoindre. Etait-ce hypocrite ? Peut-être, mais il ne voulait pas que ses parents aient la moindre chose à reprocher à Janet.

Elle riait, rejetant en arrière ses cheveux noirs et bouclés. Ses bras, sa poitrine et ses hanches étaient bien ronds (elle aurait certainement à surveiller son poids d'ici quelques années), et même ses yeux, d'un beau bleu, avaient une forme arrondie. Mais tant de gracieuses rondeurs abritaient un esprit vif-argent.

Jimmy songea avec amusement que Janet était pourvue des meilleures références, puisqu'elle était la petite-fille de Ruth, cette vieille cousine de Nany qui venait autrefois rendre visite à ses grands-parents.

— Comment vous vous êtes rencontrés sur cet immense campus ? demandait maintenant son père.

— Eh bien, expliqua Jimmy, étant donné que nous préparons tous deux médecine, nous avons beaucoup de professeurs en commun. Et un jour, à la sortie du laboratoire de zoologie, un certain Adam Harris m'a transmis un message me mettant au courant. Tu racontes la suite, Janet. Dans ces histoires de famille, je m'y perds toujours.

— C'est une histoire assez dingue ! commença Janet. Il se trouve que le grand-père du docteur Harris — qui est mort à présent — était aussi un cousin éloigné de ma grand-mère Levinson. Et à l'enterrement d'un autre vague cousin, tout un groupe de gens de la famille se sont mis à parler et ont découvert que Jimmy et moi étions dans la même université. Aussi ont-ils décidé que Adam Harris devait nous présenter l'un à l'autre. Tout cela dans un cimetière, imaginez !

— Adam Harris a trouvé que c'était une mission très drôle, ajouta Jimmy. D'ailleurs, laissez-moi vous dire en passant que c'est quelqu'un de très bien : un grand chercheur qui aime en même temps enseigner et qui est très humain. Ça se fait rare !

— On m'a dit que nos grands-pères, le vôtre et le mien, ont grandi ensemble dans le sud de l'East Side. Je n'en savais rien, et vous ? De toute façon, j'ai transmis le message et fait mon devoir, avait dit Adam Harris ce jour-là.

— Comment est-elle ? avait demandé Jimmy.

— Vous en jugerez par vous-même, mon ami, avait répondu Adam Harris. Je peux toutefois vous signaler que c'est une étudiante extrêmement brillante, mais je ne vous en dirai pas plus.

Jimmy, qui avait le sens des obligations sociales, n'avait pas songé un seul instant à s'esquiver. Il appellerait la fille pour l'inviter à prendre un café et on en resterait là.

Janet avait ri quand il le lui avait raconté.

— Tu sais, j'étais moi aussi censée voir qui tu étais. Ma mère ne cessait de me tarabuster avec ça. Elle et ta grand-mère s'écrivent toujours pour le Nouvel An depuis que ma grand-mère est morte, et je pense que c'est ainsi que ma mère a appris que nous étudions au même endroit. Elle est très impressionnée par ta famille. Vous êtes des gens importants, selon elle.

Il fallait être Janet pour dire les choses aussi directement. Au début, ses manières avaient surpris Jimmy, puis il avait appris à les apprécier. Elle ne tournait pas autour du pot ; on savait toujours précisément ce qu'elle pensait.

— Nous sommes assez pauvres, lui avait-elle dit sans ambages. Mon père possède un magasin de chaussures. « Pauvre » n'est peut-être pas le mot exact. Ce que je veux dire, c'est que je ne peux pas aller à la fac de médecine sans faire des économies de mon côté. Je travaille chaque été et j'ai obtenu une bourse.

— Tu me donnes l'impression que je suis un fils gâté et j'ai un peu honte, avait avoué Jimmy.

— Pourquoi ? J'aimerais bien ne pas avoir à me démener comme ça. Avoir des parents ou un mari qui puissent m'aider financièrement.

— Savez-vous que j'habite sur Washington Heights, tout près de l'immeuble où vous avez habité ? expliquait à présent Janet à Nany. Votre mari a été si bon pour ma grand-mère, poursuivit-elle. Elle parlait tout le temps de lui. Quand le petit-fils de mon oncle Harry a été malade, il a payé tous les frais médicaux. Elle disait toujours : « On n'en trouve plus, des gens comme Joseph Friedman ! »

Les yeux de Nany se remplirent de larmes.

— Vous l'admirez beaucoup, cet Adam Harris, dit-elle.

— Oh, oui, dit Janet. Il sait parler et écouter. Il est vraiment sensationnel.

— C'est étrange, dit Nany en hochant la tête, quand je pense à quel point le grand-père était différent...

— Différent ? De quelle manière ? demanda Jimmy.

— Eh bien, je n'ai jamais su grand-chose sur lui, sinon qu'il faisait partie des garçons que ton grand-père fréquentait dans sa jeunesse et qu'il a fini à la tête d'une des plus grosses compagnies de distribution d'alcool du pays.

— C'est drôle, parce que le docteur Harris est très simple, fit remarquer Jimmy. Il conduit une Volkswagen et porte toujours le même costume.

— Intéressant, commenta Nany.

Et Jimmy se demanda quelles pensées secrètes sa grand-mère gardait pour elle. Avec elle, on ne pouvait jamais savoir.

— Connais-tu aussi cet Adam Harris ? demanda-t-elle à Steve.

— Je ne fais pas de sciences. Mais je le connais un peu, je l'ai vu discuter avec d'autres types à l'heure du déjeuner. C'est un sentimental, un défenseur hypocrite du statu quo, comme la plupart de ces planqués de profs.

— Il me semble, dit son père, que personne au collège ne trouve grâce à tes yeux, n'est-ce pas, Steve ?

— Oui, effectivement. Ce sont des outils du système, des larbins payés pour préparer les jeunes à se tailler une place dans le panier de crabes qu'est la société capitaliste, et tu voudrais que j'approuve ?

— Je suis désolé pour toi.

— En fait, je m'en fiche pas mal... Et d'ailleurs, je m'en fiche d'autant plus que j'ai l'intention d'arrêter à la fin du trimestre.

— Qu'est-ce que tu dis ? s'exclama Theo.

— Je dis que j'ai l'intention d'arrêter, de laisser tomber.

— Oh, vraiment ? répliqua son père calmement, mais on voyait que la colère montait en lui. Et que comptes-tu faire avec seulement deux années d'études ?

Steve haussa les épaules.

— La première chose à faire, c'est d'arrêter cette guerre pourrie !

— Si tu abandonnes tes études, tu vas être appelé sous les drapeaux, tu le sais bien.

— Je ne ferai pas mon service, pas moi.

— Tu veux aller en prison ?

— C'est possible, répondit Steve sur un ton insouciant, ou, plus probablement au Canada ou en Suède.

Anna poussa un hoquet de surprise. Elle allait dire quelque chose mais d'un regard Iris l'en empêcha.

— Laissons la guerre de côté un instant, ou supposons que la guerre soit finie, ce qui j'espère, plaise à Dieu, arrivera bientôt (Jimmy avait remarqué que son père disait souvent « Plaise à Dieu » tout en professant l'athéisme). Dans ce cas, tu jugerais les études toujours aussi inutiles ?

— Les études telles qu'elles sont actuellement, oui. On ne nous enseigne rien qu'on ne puisse apprendre par soi-même si on en a envie. Mais ce n'est pas mon cas. M'intéresse pas de me préparer à amasser de l'argent.

— Que reproches-tu à l'argent ?

— La manière dont on l'exalte dans notre pays, on le fait passer avant l'amour.

— Tu parles bien, mais tes belles phrases ne résistent pas à une analyse un peu sérieuse. Penses-tu, par exemple, que lorsqu'un homme gagne de l'argent pour sa famille, ce n'est pas par amour ?

— Ce n'est pas ce qu'il a dit, Theo, objecta Iris.

Et Jimmy se rendit compte que, de si loin qu'il se souvienne, quand Laura embêtait Steve et que celui-ci lui tapait dessus, ils étaient tous deux réprimandés, mais, pour Steve, le ton était différent, comme si leur mère avait projeté ses propres angoisses sur ce fils-là

— Prenons un exemple personnel : il aurait été préférable que tu travailles moitié moins, et tu aurais pu nous consacrer davantage de temps.

— Et tu crois que vous auriez pu continuer à vivre dans cette maison !

Theo avait haussé le ton.

— Tu as de bonnes dents blanches, poursuivit-il, parce que j'ai pu payer une note de quinze cents dollars au dentiste... oh, je sais, c'est vulgaire de parler d'argent, mais c'est toi qui as amené le sujet sur le tapis. L'argent fait partie de l'amour, ne dis pas le contraire. Chaque fois que je fais un chèque pour quelque chose dont tu as besoin ou qui te fait plaisir, je suis content pour toi. Une partie de mon amour s'exprime dans chaque dollar que je donne, ainsi que ma reconnaissance pour ce pays qui me permet d'être généreux avec toi. Tu peux comprendre ça ?

— Je ne partage pas ton chauvinisme, dit Steve.

— Chauvinisme ! Parce que je parle de reconnaissance envers ce pays ? s'écria son père en repoussant sa chaise. Ecoute-moi bien ! Je dois tout ce que je suis à ce pays qui m'a ouvert ses portes. Des fous comme toi qui ont eu assez de chance pour naître sur ce sol ne connaissent pas leur bonheur. Et je déclare devant vous tous que j'embrasse cette terre à genoux. Oui, je pourrais aller sur le trottoir, devant cette maison, et embrasser le sol, tu m'entends ? Ton grand-père éprouvait la même gratitude.

— Mon grand-père était une machine à gagner de l'argent, rétorqua Steve. Je reconnais, tout à ton honneur, que toi au moins, tu as d'autres centres d'intérêt, comme la musique, le tennis et la lecture. Mais lui n'a rien fait d'autre durant toute sa vie que de gagner de l'argent, et vous le savez très bien.

— Oh ! s'écria sa grand-mère. Oh, je ne sais pas ce qui se passe ici, mais jamais à la table familiale...

Jimmy jeta un coup d'œil vers Janet qui restait, prudemment, le nez plongé dans son assiette.

— Steve, dit sa mère, peu importe ce que tu penses, mais j'ai honte que tu aies aussi peu d'égards et de sentiments pour...

— Ah, les sentiments ! l'interrompit Theo. Les sentiments ! Eh oui, ces gauchistes versent des torrents de larmes pour les opprimés et les mécontents des quatre coins du globe, mais ils n'ont pas la moindre larme pour la famille qui a sué sang et eau pour eux.

Rien. Ainsi tu vas abandonner le collège, sans te soucier de demander à tes parents ce qu'ils pensent ou ce qu'ils ressentent en te voyant ficher ta vie en l'air...

Plus tard, Jimmy retrouva Steve dans sa chambre.

— Mais, bon Dieu, qu'est-ce qui t'a pris ? s'écria-t-il. Je me fous que tu agisses comme un idiot et que tu quittes le collège si ça te fait plaisir, mais veux-tu me dire pourquoi tu avais besoin de gâcher ce dîner ?

— Tu es furieux parce que ta petite amie était là.

— Bien sûr que oui, pardi ! Tu aurais pu choisir un autre moment. Il n'y avait aucune raison d'annoncer ça quand tout le monde était réuni.

— Il n'y avait non plus aucune raison de ne pas le faire. Souviens-toi que ce n'est pas moi qui ai cherché la bagarre. J'ai dit calmement ce que j'avais l'intention de faire et c'est Papa qui est sorti de ses gonds.

— Oui, mais tu savais pertinemment que ça se passerait comme ça. Grand-Père aussi, tu le provoquais de son vivant.

— Grand-Père ! s'écria Steve sur un ton méprisant.

— Tu ne l'aimais pas ?

Steve haussa les épaules.

— C'est comme si tu disais que je n'aime pas Toutankhamon. Nous n'avons jamais rien eu en commun.

— Tu es dur, Steve.

— Non. Je veux seulement qu'on me laisse exprimer mes opinions comme tout le monde dans cette famille.

— Pourtant, je t'ai entendu plusieurs fois parler avec Papa de problèmes politiques et sociaux.

— OK ! J'admets que Papa essaie de temps en temps de se montrer large d'esprit quand l'humeur lui en prend. Il écoute et s'efforce — du moins, c'est ce qu'il prétend — de comprendre. Mais fondamentalement, et tu le sais aussi bien que moi, comme n'importe quel homme d'affaires il ne pense qu'à l'argent, à s'acheter une belle voiture, une nouvelle moquette ou ce genre de conneries. En réalité, il se moque éperdument des gens qui vivent à Harlem et qui doivent songer d'abord à survivre. Et le Vietnam ? Bien sûr, il pense que c'est mal, mais pourquoi ne fait-il rien alors ? Mon Dieu, toutes ces combines et tout ce fric puent, tu comprends ce que je veux dire ? Parfois quand je les entends parler de tous ces trucs d'assurance-vie et de ces obligations exonérées d'impôts, je te jure que cela me donne envie de vomir !

— Bon, très bien, je vois où tu veux en venir, mais quand même, c'est leur maison et ils peuvent parler de ce dont ils ont envie, n'est-ce pas ? La moitié du temps, je ne suis pas d'accord avec eux, mais je ne m'amuse pas à les provoquer. Ils pensent ce qu'ils veulent et je pense ce que je veux, bon sang !

— Tu appelles ça une relation vraie ? C'est pour ça que j'ai horreur de rentrer à la maison. Au moins sur le campus, je peux parler librement. Là-bas, j'ai l'impression de respirer.

— Je croyais que tu voulais laisser tomber !

— Ouais, et la plupart de mes amis aussi d'ailleurs. Je ne dis pas que tout le campus est libre, bien sûr que non ! Je parle seulement de ceux que je fréquente. De toute façon, je ne voulais pas revenir à la maison pour Thanksgiving, dit Steve. C'est toi qui m'as forcé.

— Je regrette, répondit calmement Jimmy. OK, j'en ai assez entendu pour ce soir. Je vais me coucher.

— Le sommeil du juste, se moqua Steve.

Ses sarcasmes étaient vraiment exaspérants, mais Jimmy savait depuis des années que c'était pour lui une façon de se protéger. Il se rappelait bien d'autres choses aussi.

Quand il s'était cassé la jambe, Steve s'était occupé de tous ses devoirs, avait emprunté des livres pour lui à la bibliothèque, avait tapé à la machine ses dissertations, avait nourri ses souris et s'était occupé de ses plantes.

Pour si pompeux que cela puisse paraître, Jimmy se sentirait toujours débiteur, ange gardien de son frère.

Le lendemain après-midi, au grand soulagement de Jimmy, et à la grande inquiétude de ses parents, Steve partit en Californie pour assister à un meeting pour la paix.

Anna invita Janet et Jimmy à déjeuner et ce dernier en conclut que sa grand-mère avait dû être séduite par la jeune fille. Ils s'assirent dans la spacieuse salle à manger ensoleillée et les deux femmes se mirent aussitôt à bavarder avec naturel, comme les femmes semblent toujours le faire. Jimmy les écouta distraitement : elles parlaient de la famille de Janet, du collège et de la longueur des jupes. Mais, en même temps, lui parvenaient d'autres voix, très lointaines. Combien de fois s'était-il assis autour de cette table ? Il se souvenait des chants et des prières, des fleurs, des bougies et des plats servis à profusion.

— Nous t'ennuyons, dit soudain sa grand-mère.

— Non, pas du tout. Je laissais seulement mon esprit vagabonder et je pensais à la façon dont nous étions endimanchés pour les repas de fêtes religieuses et comme tout semblait formaliste.

— Tu avais horreur de cela ? demanda Janet avec curiosité

— Oh, quand j'étais gamin, j'étais très impressionné. Mais à partir de quatorze ans environ, j'ai commencé à trouver horriblement ennuyeux ces repas qui n'en finissaient pas. Je passais tout mon temps à essayer de dissimuler tant bien que mal mes bâillements.

— On s'ennuie facilement à quatorze ans, fit remarquer sa grand-mère. Mais c'était beau, n'est-ce pas ?

Oui, très beau. Maintenant qu'il avait quitté la maison familiale, qu'il avait pris assez de recul pour juger les choses à leur juste valeur, il pensait à ces repas de fêtes comme à une coutume qu'il aimerait perpétuer quand son tour viendrait.

— Je me demande ce que pense Maman, dit Jimmy, elle qui était si attachée à Grand-Père et à ces repas de fêtes ? Il ne faut pas compter sur Papa pour qu'il y ait de telles fêtes chez nous

— Cela doit lui manquer. Moi, je regrette..., dit Anna tristement.

Puis, Jimmy fut surpris par la question posée par sa grand-mère :

— Etes-vous croyante, Janet ?

— Oui, la tradition a toujours énormément compté pour moi.

Nany sourit et dit d'une voix enjouée :

— Puisque nous en avons terminé, pourquoi ne fais-tu pas faire à Janet le tour de la maison ? Elle m'a dit qu'elle avait envie de la voir.

Ils entrèrent d'abord dans la salle de musique ; la partition des variations Goldberg était ouverte sur le pupitre du piano.

— Je suppose que Philip est passé par ici, fit remarquer Jimmy.

— Oui il est venu dimanche dernier et il a joué pour moi.

— Tu te souviens, personne n'osait faire le moindre bruit, pas même tousser, quand Philip jouait ?

— Bien sûr.

— Ce n'est pas lui manquer de respect que de dire que Grand-Père ne comprenait pas la musique.

— Il ne l'aimait pas, avoua sa grand-mère en riant.

— Sauf si c'était Philip qui jouait.

Ils montèrent les escaliers qui conduisaient au bureau circulaire de Grand-Père. L'humidificateur, bien que vide depuis longtemps, renfermait toujours la senteur des riches havanes. Des plans étaient roulés sur les étagères. Le bureau était garni d'un petit bouquet de soucis, les fleurs préférées de Nany, qu'on trouvait aussi dans le jardin, bordant la terrasse ou la pelouse.

— Quelle maison ravissante ! s'exclama Janet qui se tenait devant la fenêtre.

— Oui, approuva Jimmy. Parfois, j'ai l'impression que c'est la maison de mon enfance.

Plus bas, la vigne vierge grimpait le long des murs de l'aile où se trouvait la bibliothèque. Il fallait une génération pour faire pousser une vigne aussi haut.

— Je me souviens d'avoir couché ici quand j'étais tout petit, dit Jimmy. J'avais très peur du tonnerre. Tu savais que j'avais peur de l'orage, Nany, et tu es venue dans ma chambre. Je ne dormais pas. Mais je t'ai dit que, pour la première fois de ma vie, je n'avais pas peur et tu as été très surprise. J'ai ajouté que dans *cette* maison il ne pourrait jamais m'arriver rien de mal. Tu te souviens ?

— Non, mais je suis très contente que tu me racontes ça.

L'heure de se quitter arriva. Jimmy et Janet dirent au revoir à Anna en l'embrassant.

— Tu as une famille merveilleuse, Jimmy, dit Janet tandis qu'ils rentraient en voiture. J'aime énormément ta grand-mère. Elle semble aussi solide que sa maison. Elle me donne... oh, je ne sais pas comment dire... un sentiment de permanence. Je suis du genre à aimer les choses qui durent, Jimmy.

— Moi aussi, dit-il.

Dans sa chambre universitaire, Jimmy était affalé sur son lit au milieu d'un fouillis de couvertures, de vêtements et de livres. Il regardait Janet qui était en train de s'habiller. Comme cette pièce lui semblerait triste quand elle serait partie.

— Ne pars pas, dit-il.

— Jimmy, il le faut. Mardi, j'ai un examen de chimie.

— On travaillera ensemble. Je ne t'ennuierai pas.

— Tu sais très bien qu'on ne travaillera pas.

— Je crois que tu as raison, dit-il en riant.

— Maintenant, j'y vais, annonça-t-elle en enfilant sa veste. Tu peux venir chez moi vendredi. La fille avec qui je partage ma chambre rentre chez elle pour le week-end.

— OK. Attends. Laisse-moi le temps d'enfiler quelque chose et je te raccompagne.

Il fit le tour de la chambre en courant pour rassembler ses affaires, une chemise lancée sur la machine à écrire, un pantalon traînant par terre.

— Janet ?

— Quoi, mon chéri ?

— Je suis désolé qu'il y ait eu cette scène chez moi, un sacré tapage pour ta première visite ! Et honnêtement, je n'avais jamais vu une telle dispute. Généralement, ça ne va pas aussi loin...

— J'étais surtout gênée pour vous, pour ta grand-mère...

— Ouais, c'est dur pour elle depuis que Grand-Père est mort. Elle est vraiment merveilleuse ! On dirait qu'elle vient tout droit d'un conte de fées. Et, en même temps, elle comprend beaucoup de choses. Est-ce que je t'ai dit qu'elle adorait l'opéra ?

— Tu penses vraiment que Steve va abandonner le collège ?

— Ouais, c'est sûr. Tu sais, ajouta-t-il lentement, Steve est une espèce de génie. Je veux dire que, s'il voulait, il pourrait réussir n'importe où, aussi bien en langues qu'en mathématiques. Il a toujours eu d'excellentes notes sans jamais se tuer au travail comme moi. Il a une mémoire fantastique ; il lit une page une fois et hop, c'est enregistré !

— Il s'intéresse à quoi ?

— A rien. Il a été un mordu d'histoire, puis il s'est mis à dire que c'était de la foutaise, que tous les livres étaient un tissu de mensonges. Ensuite, il a choisi la philosophie comme matière principale, et c'est ce qu'il étudie actuellement, mais je ne sais pas si cela le passionne tellement, ni ce qu'il compte faire avec.

— Enseigner, y a pas le choix.

— Il n'en a guère envie. De toute façon, pour lui, les universités ne servent qu'à faire marcher la machine de guerre.

Jimmy se mit à rire.

— Je me souviens que Grand-Père lui avait demandé à quoi ces études de philosophie lui serviraient. Pour Grand-Père, tout devait avoir un débouché pratique. Et comme Steve ne répondait rien, mon grand-père avait ajouté en plaisantant : « Eh bien, tu pourras ouvrir une boutique avec pour enseigne : Steve Stern, Philosophie ». Tout le monde avait ri, sauf Steve.

— Il n'a pas beaucoup le sens de l'humour.

— Pas tellement, surtout en ce moment, à cause de ce maudit Vietnam. Il ne pense qu'à ça.

— C'est important, Jimmy, dit Janet d'un ton grave.

— D'accord. Mais est-ce une raison pour gâcher sa vie ? Personnellement, ça ne m'empêchera pas de poursuivre mes études et de devenir médecin. Et toi aussi, n'est-ce pas ?

— Bien sûr.

En ouvrant la porte, ils découvrirent que la neige qui était tombée durant toute la journée s'était transformée en torrents de boue grisâtre. Le vent claquait, faisait ployer les arbres qui déversaient sur le sol des flots de glaçons.

— Le monde est en colère, dit Janet.

La neige cinglait leur visage et les obligeait à fermer les yeux. Janet glissa et tomba. Jimmy l'aida à se relever et ils avancèrent tant bien que mal jusqu'à sa porte. La lumière du bâtiment fit scintiller la neige qui saupoudrait les boucles de Janet.

— Tu es mignonne avec tout ce blanc dans tes cheveux, dit Jimmy.

Elle caressa sa joue.

— Je t'aime, Jimmy. Tu es si gentil. J'espère que je n'en abuserai jamais.

— Je ne me fais pas de souci à ce sujet.

— Ne travaille pas trop tard.

Il revint sur ses pas, luttant contre le vent et la neige, la tête enfoncée dans son écharpe de laine. Il se sentait très fatigué. Il ne s'agissait pas d'une fatigue physique, mais nerveuse. Le week-end à la maison avait été trop tendu.

Certes, son père les avait traités avec beaucoup de considération. Il leur avait fait visiter l'hôpital où il travaillait. Puis ils étaient allés à son bureau et ils avaient déjeuné ensemble, parlant sérieusement pendant plus d'une heure des médecins et de la médecine. Au bout d'un moment, la conversation avait dérivé de manière inattendue sur la famille, peut-être parce qu'ils avaient vu dans le hall de l'hôpital, une plaque de marbre où était inscrit le nom de Grand-Père.

— Il me manque, avait confié Theo. Nous étions très différents et en désaccord sur de nombreux points, cependant je ne connais aucun homme pour lequel j'ai eu autant de respect ou d'affection. Sa famille était tout pour lui, avait-il ajouté, et, vous savez, c'est lui qui avait raison.

Jimmy n'était pas habitué à entendre son père parler de manière aussi grave. On aurait dit son grand-père. Il n'avait pas tout compris de ce que son père avait voulu dire, mais il avait été très touché qu'il se confiât à eux.

Jimmy aurait voulu parler de Janet à ses parents, mais il n'avait pas osé. Ils ne seraient certainement pas d'accord avec un mariage aussi précoce. Ils diraient qu'à vingt ans, on ne peut pas prendre une décision qui engage pour toute la vie. S'il était assez mûr pour savoir qu'il voulait être médecin, pourquoi ne le serait-il pas pour prendre une décision concernant Janet ?

De toute façon, il y avait un problème d'argent. Il ne pouvait pas leur demander de subvenir aux besoins d'une femme en plus des siens. Son père gagnait bien sa vie, mais il devait payer les études de quatre enfants et il travaillait très dur pour y parvenir. Non, c'était tout à fait impossible.

Il monta péniblement les escaliers qui conduisaient à sa chambre. Steve... Janet... et une immense somme de travail à fournir pour être admis en fac de médecine... mais surtout Janet.

Comme il l'avait prévu, la chambre était bien froide sans elle. Cinq ans ! Qui pouvait savoir ce qui se passerait pendant ces cinq années et ce qu'il adviendrait de leur engagement réciproque ? Leur relation résisterait-elle à des rencontres de quelques heures par-ci, par-là ? Cinq ans ! Autant dire un siècle !

— Toutes les guerres, répéta Steve, pas seulement la guerre du Vietnam, sont menées au profit d'une minorité, les plus riches, qui ne font que s'enrichir davantage. Les autres sont bons à crever sur les champs de bataille, pour rien.

Le groupe, assemblé autour d'une table de la cafétéria, était assez disparate. Jimmy et Janet, transis de froid, y étaient venus pour prendre une boisson chaude. Adam Harris les y avait rejoints. Peu de temps après, Steve avait fait irruption ; il venait juste de rentrer du meeting pour la paix qui avait eu lieu en Californie. Jimmy se dit qu'il devait être fauché car son manteau était déchiré et gisait par terre au milieu d'une pile de livres : Kafka, Fanon, Sartre...

— Toutes les guerres ? demanda Adam Harris sur un ton dubitatif. Vous me faites penser à ces étudiants qui ne juraient que par le pacifisme, alors qu'Hitler s'armait sous leur nez. Qu'en pensez-vous ?

— Il s'agissait fondamentalement de la même chose. Si les puissances financières internationales n'avaient pas encouragé Hitler, il n'y aurait pas eu de guerre. Ne voyez-vous pas que la guerre et le système capitaliste sont les deux faces d'un même miroir et que l'un ne peut exister sans l'autre ?

Exténué, il posa sa tête sur ses bras croisés. Les autres le regardèrent, mal à l'aise. Steve était avec eux depuis une demi-heure à peine et la tension qui l'habitait avait fini par les affecter eux aussi.

Il releva soudain la tête.

— En revenant, dans l'avion, je voyais tous ces gens et je me disais que si je leur avais parlé du Vietnam ou de l'Amérique latine, ils m'auraient répondu qu'ils n'en avaient rien à foutre. Ce qui les intéresse, c'est de savoir qui va gagner le prochain match de foot, comment ils vont pouvoir écarter les Noirs des syndicats ou comment ils pourraient bien s'envoyer l'hôtesse de l'air !

— Ça vous étonne ? dit Adam Harris. Les gens sont d'abord préoccupés par eux-mêmes. Les transformations sociales se font lentement, mais elles se font. A la longue, quand suffisamment de gens voudront se sortir de ce guêpier d'Asie du Sud-Est, nous en sortirons. C'est ainsi que fonctionne la démocratie.

— La démocratie ! Vous devriez consulter un psychiatre !

Adam Harris sourit faiblement.

— Connaissez-vous un meilleur système ?

— Non, c'est bien le problème. Il faut en créer un, entièrement nouveau. Commençons par arrêter la guerre, c'est la première étape.

Et pourquoi tu restes sur la touche ? dit-il en s'adressant à Jimmy. Nous tenons un meeting dans Loomis Hall dimanche après-midi. Tu pourrais venir te mettre au courant.

— Je lis les journaux. Ça me suffit. Et puis, le dimanche après-midi, je bosse. Tu oublies qu'il faut que j'aie de bons résultats.

— Mauvais prétexte..., objecta Steve. Si tu voulais, tu trouverais le temps.

— L'important pour moi, c'est de devenir médecin. A ma façon, je pourrai alors dispenser sur ce monde un peu de bien.

— Et par la même occasion gagner cinquante mille dollars par an. A moins que tu ne te fixes cent mille pour objectif ?

— Ecoute, puisque tu n'arrêtes pas de me harceler, je vais te dire la raison pour laquelle je n'ai pas envie de m'engager. Je ne suis pas d'accord avec les voitures renversées et les vitrines des banques brisées. Je sais bien que tu ne prends pas part personnellement à ce genre de choses... ou, du moins, je l'espère. Mais je veux me tenir à l'écart de tout ça. Si tu trouves que je suis lâche, dis-le, Steve, ça ne me gêne pas.

— Ce dont tu as peur, c'est de toi-même.

— Il se trouve que je suis contre la guerre, intervint Adam Harris, mais je ne pense pas que le fait de renverser des voitures ou briser des vitrines permettra de résoudre quoi que ce soit. La violence n'a jamais été une solution.

Steve se leva et enfila son manteau.

— Mais vous ne comprenez pas que la violence est justement ce contre quoi nous luttons. La vraie violence, ce sont les torrents de sang versés par la guerre, les conflits sociaux et la destruction de la nature. Le monde doit retrouver les valeurs véritables, en finir avec la compétition et l'envie.

Il ramassa ses livres. En regardant son frère, Jimmy se dit que, dès ses discours terminés, il retrouvait son allure timide de toujours.

— Eh bien, salut, murmura Steve.

Et, les épaules rentrées et les livres serrés contre lui, il se précipita dehors.

Les autres se levèrent et se dirigèrent aussi vers la porte.

— Votre frère est un jeune homme passionné, fit remarquer Adam Harris.

— Je sais, reconnut Jimmy. J'aimerais... j'aimerais qu'il pense un peu plus à lui, à son avenir. A la maison, on se fait beaucoup de souci à son sujet.

— Il n'y a pas de quoi. Tout ça, ça n'est que des mots. Certes, la violence est le symptôme le plus tragique de notre époque, mais elle ne mène jamais à rien, sinon à l'échec, tant au niveau des individus que des nations. Enfin, on a parlé d'autre chose que de zoologie des vertébrés, c'est déjà ça !

Quand il fut parti, Janet, qui n'avait rien dit depuis une demi-heure, sortit de son silence.

— C'est étrange qu'un esprit aussi brillant puisse être aussi naïf.

— Qu'entends-tu par « naïf » ?

— Mais, bon sang, Jimmy, tout pouvoir, que ce soit celui des nations ou celui des familles, est fondé sur la violence ! Tout, tu m'entends, depuis les dynasties pétrolières jusqu'à l'Empire britannique en passant par les fortunes privées. Je parierais que la fortune de sa propre famille n'échappe pas à la règle, même s'il n'en sait rien lui-même.

— Il a précisé que la violence conduit toujours à l'échec, objecta Jimmy.

Janet le dévisagea.

— Oui, bien sûr ! Si l'adversaire est plus ambitieux, plus rusé... et surtout, plus violent. Tu ne comprends donc pas ?

— Non, en ce moment, je ne vois pas où tu veux en venir.

— Je ne dis pas que c'est bien ou mal, je constate une réalité, c'est tout.

— Ce genre de discussion me dépasse. Je vais retourner dans ma chambre et m'attaquer à la zoologie des vertébrés. C'est plus facile.

Un camarade était venu regarder sa télévision portative et avait oublié de l'éteindre. Des hurlements hystériques auraient pu laisser penser qu'il s'agissait d'un accident horrible. Mais, non, seulement un jeu télévisé et le rideau venait de s'ouvrir sur les prix qui revenaient aux gagnants.

Des fous écarquillant les yeux et bavant devant un réfrigérateur, un aspirateur et toutes sortes de gadgets électriques ! C'est répugnant ! se dit Jimmy en éteignant le poste. Voilà que je deviens comme Steve. Il s'assit dans un fauteuil près de la fenêtre, oppressé et las de toutes ces questions insolubles.

Il reconnaissait que Steve avait en grande partie raison. L'Amérique était couverte de déchets, de détritus de métal, de boîtes en fer-blanc, de carcasses de machines défuntes et méconnaissables. Là où il y avait autrefois des marais où batifolaient les canards et où les mouettes prenaient leur vol pour rejoindre la mer, il n'y avait plus que des autoroutes s'élevant au-dessus de monceaux de voitures rouillées, des flaques graisseuses et des odeurs de caoutchouc brûlé.

Gris, tout était gris : la pluie, la boue, la cendre, les vieux pneus et les cartons détrempés. Tout baignait dans un brouillard âcre et sale.

L'Amérique était un gâchis, et elle imposait ce désastre à un petit pays de l'Asie du Sud-Est, excepté que, là-bas, les ruines étaient couvertes de sang. La colère de Steve le prenait à son tour.

Mais une profonde appréhension succéda à la fureur : ceux qui partageaient les convictions, la vision du monde de Steve pouvaient se montrer aussi aveugles et impitoyables que ceux contre lesquels ils luttaient. Pour justifiées qu'elles fussent, leurs idées pouvaient être détournées au profit du fanatisme le plus borné et le plus destructeur.

Bien qu'il fût près de dix heures et que tout le monde ait déserté le campus, en l'espace de quelques minutes des lumières s'allumèrent, des téléphones sonnèrent, des voix appelèrent, des portes claquèrent et les cours se remplirent soudain d'étudiants. Tout le monde courait vers le bâtiment des sciences dont tous les étages étaient éclairés et qui avait l'allure d'un paquebot illuminé pour une nuit de gala.

— Je n'ai rien entendu, dit Jimmy à quelqu'un qui se tenait à côté de lui. Vous avez entendu quelque chose ?

— Un bruit sourd, mais je n'y ai pas prêté attention jusqu'à ce que des gars débarquent chez moi en criant qu'il y avait eu une explosion dans le bâtiment des sciences...

D'autres voix s'élevèrent.

— ... le bâtiment était vide !

— ... toutes ces ambulances ?

— ... des contrats avec l'armée, bien sûr.

— ... pas le droit d'utiliser le campus au service de la machine de guerre.

— ... ne faisons-nous pas partie des Etats-Unis ?

— ... quel con !

— ... Mon Dieu, il y avait quelqu'un dans le bâtiment !

On demanda à ceux qui se tenaient près de la porte de reculer, afin de laisser le passage aux hommes qui descendaient avec précaution les marches glissantes. Ils portaient un brancard.

— Mon Dieu, qui est-ce ?

— Il est mort ?

— Non, mais non... !

Un bras dépassait de la couverture qui avait été jetée sur le brancard. Elle glissa, on la remit aussitôt en place, mais dans l'intervalle, on put voir qu'à la place des jambes, il n'y avait plus qu'une bouillie de chair, d'étoffe et de sang.

— ... le professeur Harris ! Oh, mon Dieu, c'est le professeur Harris.

— ... C'est qui ?

— ... biologie. Il s'était sans doute attardé dans son bureau.

— ... ciel !

Jimmy, sentant ses genoux se dérober sous lui, s'assit sur les marches. Il n'y avait personne de sa connaissance parmi la foule qui s'attardait autour du bâtiment, attendant qu'un événement nouveau se produisît. L'ambulance repartit, dans un hurlement de sirène stridente, lumière clignotante déchirant l'obscurité.

— ... le gardien a aperçu deux types ici, un peu plus tôt dans la soirée. Il dit qu'il peut les identifier.

— ... des rumeurs ! On ne peut s'y fier.

— ... j'ai entendu qu'ils ont trouvé un corps dans le bâtiment et que c'était celui de Danny Congreve.

(Jimmy reconnut là le nom du meneur dont Steve lui avait parlé.)

— ... vous êtes complètement malade !

— ... non, il a raison. J'ai entendu deux policiers dire la même chose.

— ... ils en ont trouvé deux. C'est incroyable qu'ils se fassent sauter eux-mêmes. On ignore le nom de l'autre type.

Dès que Jimmy put contrôler le tremblement de ses genoux, il se leva. Sa poitrine lui faisait mal, et la douleur lui soulevait le cœur. « Et dire que je veux être médecin ! » A la cafétéria, Adam Harris avait prétendu que ceux qui prêchaient la violence ne passaient pas à l'acte.

Il fallait qu'il voie son frère. Est-ce que... Non, non, bien sûr que non. Je devrais même avoir honte de penser une chose pareille, songea Jimmy. Il y avait un autre corps non identifié ; Steve aurait-il pu... ? Non, c'était impossible. Sans aucun doute, Steve était encore dans sa chambre, en train de rêver sur un livre, trop absorbé pour avoir entendu le tumulte. En outre, sa chambre était orientée de l'autre côté, vers le lac, il n'avait probablement rien remarqué. Et puis, il était minuit passé et Steve était un couche-tôt... il était certainement profondément endormi.

Steve n'était pas dans sa chambre.

Jimmy frappa, tambourina contre sa porte, réveillant les gens qui dormaient de l'autre côté du couloir.

— Qu'est-ce que vous voulez ? cria quelqu'un, furieux.

— Je cherche mon frère, Steve Stern.

— Il n'est pas là. Il est sorti il y a un bon moment.

Au rez-de-chaussée, une vieille horloge, don de la classe de 1910, sonna un coup. Une heure. Consterné, Jimmy s'assit dans le couloir, à même le sol.

Un jour, avec son père il avait regardé un film à la télévision sur les nazis et la Résistance en France. Les nazis torturaient une femme, lui arrachant les ongles des pieds. Elle n'avait pas parlé, se contentant de répéter d'une voix terrifiante : « Je n'ai rien à dire ! Rien ! » Jimmy s'était demandé pourquoi son père acceptait d'assister à pareil spectacle qui, nul doute, évoquait quantité de souvenirs insupportables.

Theo avait regardé le film jusqu'au bout et, à la fin, il était resté quelques minutes sans rien dire. Puis, du poing, il avait frappé la paume de sa main avec une violence inouïe. Jimmy ne savait que faire ni quoi dire.

Avec un profond soupir, Theo avait fini par lâcher ces mots : « La tempête fera trembler la terre. Commencée dans ma jeunesse, on la croyait calmée, mais elle va faire rage à nouveau. Le sable, la poussière s'infiltreront par les moindres fissures. »

Jimmy frissonna et regarda sa montre. Il était six heures. Il avait dû s'endormir. Ses muscles étaient endoloris. Steve n'était pas rentré. Que faire, se dit Jimmy, sinon retourner dans ma chambre, me laver, me raser, et prendre l'autobus de sept heures pour aller au poste de police de la ville ? De deux choses l'une, ou le corps identifié était celui de Steve, ou il fallait partir à sa recherche.

Il étira ses jambes engourdies, se mit debout et se dirigea vers sa chambre. Le bâtiment des sciences n'était plus qu'un grand trou noir, avec des vitres brisées, un amas de briques. Un voiture de police et quatre policiers montaient la garde. Jimmy s'arrêta devant eux :

— C'est bien vrai que Danny Congreve a été tué ?

— Ça vous intéresse ?

— Oui, le professeur Harris était l'un de mes amis.

— Ouais, c'était Congreve. L'autre est à la morgue. Jusqu'à présent, on n'a pas pu l'identifier, avec ce qu'il en reste !

Les yeux de Jimmy s'emplirent de larmes. Il eut beau les essuyer vivement de son gant, ceux qui l'entouraient les avaient remarquées.

— Le professeur vivra, d'après les médecins, dit l'un des policiers sur un ton gentil. Il perdra une jambe, peut-être même les deux.

— Les salauds, ajouta l'un de ses collègues. Et en plus, ils ne sont même pas fichus de faire le boulot correctement. Ils se déglinguent avec leur propre dynamite...

Jimmy s'éloignait... lui qui aimait tant le tennis, c'était un très bon joueur. L'autre est à la morgue... ou du moins ce qu'il en reste.

Mon frère. Un fils Stern. Nom de Dieu !

Il trouva Steve qui l'attendait devant la porte.

Ils se regardèrent.

— Tu croyais peut-être que j'étais mêlé à cette histoire, dit Steve.

— Mon Dieu !... je ne savais pas.

Steve était livide.

— Entre, dit Jimmy en tournant la clé dans la serrure. Entre et assieds-toi. Où étais-tu ? Je suis resté toute la nuit devant la porte de ta chambre.

— J'étais déjà déshabillé et je travaillais quand j'ai entendu du bruit et des gens qui se précipitaient dans le couloir, alors je me suis rhabillé pour aller voir ce qui se passait. Ton ami ! s'écria-t-il la tête dans ses mains. C'est terrible !

— Où as-tu passé la nuit ?

— J'arrêtais pas de vomir. Je suis allé à l'infirmerie, ils m'ont gardé. Jimmy, je n'aurais jamais pensé que... j'avais confiance en Congreve. Je suis un incapable, un pauvre type !

— Mais non, qu'est-ce que tu vas chercher là ! s'exclama Jimmy qui se sentait profondément soulagé. Tu n'es pas le premier à te méprendre sur le compte de quelqu'un.

— Tout ça n'a rien à voir avec ce que je dis et ce que je cherche.

— Je sais, Steve.

— Je vais partir. Pour réfléchir.

— Réfléchir ? Mais à quoi ?

— A tout. A moi-même principalement.

— Tu vas aller où ?

— Je ne sais pas. Un endroit désert. Je connais un type, un type bien tranquille, pas politisé, qui donne dans l'écologie. Il habite au nord de San Francisco et il m'a dit que je pouvais venir le voir quand je voulais. C'est ce que je vais faire.

— Tu pars quand ?

— Tout de suite. Demain. Tu me comprends ?

— Bien sûr.

En fait, Jimmy ne savait pas très bien quoi penser. Son frère lui faisait pitié ; il était triste pour lui. De là à comprendre...

— Tu appelleras les parents pour leur dire que je suis parti ? Ça m'embêterait d'avoir à leur parler maintenant.

— D'accord, Steve.

Ils arrivèrent à l'aéroport une heure en avance.

— Philip me manquera, dit Steve.

— Tu lui manqueras toi aussi. Tu vas nous manquer. A nous tous.

— Ne te fous pas de moi, Jimmy. La maison sera beaucoup plus tranquille sans moi... Papa et Maman se voulaient impartiaux, mais c'est toujours toi qu'ils ont préféré, Jimmy.

— Mais non, c'était différent parce que nous sommes différents, voilà tout.

Steve ne répondit pas. Une foule de touristes déferla dans le hall, se dirigeant vers la porte d'embarquement.

— Comment va le professeur Harris ? Tu as des nouvelles ? reprit Steve, un peu plus tard.

— Il vivra. On l'a amputé d'une jambe jusqu'à la cuisse et de l'autre jusqu'au genou.

— Mon Dieu ! soupira Steve, puis il se mordit la lèvre. C'est un type sympa et honnête.

— Oui.

— Je ne sais pas si je pourrai jamais me remettre de tout ça.

— Mais tu n'es pas impliqué dans cette histoire, tu n'as rien à voir avec !

— J'étais d'accord avec ces gens.

— Tu ne savais pas ce qu'ils allaient faire !

— J'aurais dû, voilà le problème. Tu vois pourquoi j'ai besoin de réfléchir ? Je ne comprends pas les gens. Ils ne disent jamais ce qu'ils pensent ni ne font ce qu'ils disent.

— Pour moi, tu penses que c'est pareil ?

— Non, c'est drôle, tu es la seule personne en qui je vois clair.

— C'est parce que je suis plein de vide !

— Je ne plaisante pas. Tu essaies de me rendre ce moment plus facile. Là-bas, en Californie, plus près de la terre et des réalités, j'arriverai peut-être à mettre de l'ordre dans mes idées, à savoir ce que je veux faire.

— Oui, oui, c'est certainement une bonne idée, dit Jimmy qui paraissait embarrassé.

Sa mère avait dit, un jour, en parlant de Steve, que pour certaines personnes, vivre est difficile. Elles voient le monde tel qu'il devrait être et non tel qu'il est. Comment s'y retrouver ?

On annonça le vol pour San Francisco et Steve ramassa son sac.

— Eh bien, Jimmy ?

Jimmy tendit les bras et ils s'étreignirent. Puis Steve s'éloigna rapidement. Parmi la foule qui se bousculait vers l'avion, Steve semblait être l'unique personne à voyager seule...

L'avion glissa sur la piste, disparut derrière un bâtiment. Jimmy attendit qu'il réapparaisse et le regarda avancer lentement jusqu'au bout de la piste où il s'arrêta, prêt à décoller.

Rentré chez lui, Jimmy attendit Janet. Les heures lui paraissaient bien longues ! Livres et cahiers, empilés sur le bureau, l'invitaient à ne pas rester inactif, mais une profonde apathie s'était abattue sur lui.

Il fallait qu'il appelle ses parents. Ils affecteraient probablement le plus grand calme en apprenant la nouvelle, sans doute pour le ménager, lui Jimmy. (Allaient-ils pendant toute leur vie le surprotégerait ainsi ?) Puis à l'heure du repas, ils retrouveraient Philip et Laura dans la salle à manger, à qui ils diraient que Steve était parti mais qu'il allait sûrement revenir.

Plus tard, dans leur chambre, ils pleureraient, et quand ils apparaîtraient au petit déjeuner avec des yeux gonflés, ils prétexteraient un rhume. Le téléphone sonna. Il se leva pour aller répondre, espérant que ce ne serait pas ses parents parce qu'il n'avait pas encore pensé à ce qu'il allait leur dire.

C'était sa grand-mère. Elle ne lui téléphonait jamais au collège et aussitôt il imagina avec effroi qu'un malheur était arrivé.

— Tout va bien, ne t'inquiète pas, dit-elle, comme si elle avait deviné son affolement, excepté que nous avons appris ce qui s'est passé sur votre campus.

— Oui, affreux !

— Steve est-il déjà parti ?

— Eh bien, oui. En fait, je reviens juste de l'aéroport. Pourquoi tu me demandes ça, Nany ?

— Un pressentiment. Je me disais qu'il n'aurait qu'une hâte : partir.

— En effet.

— Est-ce que tes parents sont au courant ?

— Non, je les appellerai demain. D'abord, il faut que je remette un peu d'ordre dans mes idées.

— Je comprends. Je ne dirai rien. De plus, ce n'est pas pour ça que je t'appelais, mais pour toi.
— Moi ?
— Toi et Janet. Tu sais, Jimmy, que je la trouve merveilleuse.
— Vraiment ? dit-il, n'osant y croire.
Des sanglots se pressèrent dans sa gorge. Il était exténué. La semaine avait été riche en événements, plus qu'il n'en pouvait supporter.
— Oui, sincèrement. Tu l'épouseras quand ?
— C'est qu'il y a les quatre années de médecine, expliqua-t-il amèrement.
— Beaucoup trop long ! Une perte de temps, une hérésie, de remettre à plus tard alors que vous êtes jeunes. C'est le moment de profiter pleinement de la vie.
— Quelle est la solution ?
— Accepter l'argent que je te donne.
— Je ne peux pas. C'est trop.
— Tu ne crois pas que je suis meilleur juge que toi en la matière ?
Ses parents ne seraient certainement pas d'accord. Ils n'aimaient pas — surtout son père — dépendre de qui que ce soit. Ils lui interdiraient même de toucher à cet argent...
— Jimmy ? Tu m'entends ? Eh bien, que dis-tu ?
L'espoir s'était envolé, mais une idée lui vint.
— Est-ce que tu voudrais... est-ce que tu penses qu'il nous serait possible de t'emprunter cet argent ? Nous pourrions commencer à te rembourser dès que nous aurons notre internat. Les internes sont plutôt bien payés.
— Ecoute, Jimmy, vous allez vous marier, et je vous donnerai je vous prêterai, si tu préfères, ce dont vous aurez besoin.
— Avec intérêts, alors ! déclara-t-il fièrement.
— Bien sûr, qu'est-ce que tu crois ? Un prêt est un prêt, d'accord ?
Elle jouait le jeu. Jimmy savait bien que sa grand-mère cherchait à ménager son amour-propre, mais que pouvait-il lui répondre ?
— Que sera le taux de l'intérêt ?
— Cinq et demi ou six pour cent. Le taux de la caisse d'épargne.
— Le taux normal des banques est beaucoup plus élevé.
— Je sais. Mais il s'agit quand même d'un prêt accordé par une grand-mère à son petit-fils ! Je n'ai pas envie de m'enrichir à tes dépens ! Alors, disons cinq et demi, tu es d'accord ? Tu vas calculer combien il te faut pour vos dépenses mensuelles, la nourriture, le loyer et les autres frais. Ecris-moi cette semaine. Tu m'entends ?
— Oui. Nany, Janet va arriver d'une minute à l'autre et quand je vais lui apprendre la nouvelle, elle n'y croira pas ! Je te suis tellement reconnaissant, je ne sais comment te dire...
— Alors ne dis rien. Ecoute, cet appel commence à devenir coûteux et j'ai déjà une affreuse note de téléphone ce mois-ci. Ecris-moi une lettre, Jimmy.

Elle raccrocha

Avant même d'entendre frapper à la porte, il avait reconnu les pas de Janet dans le couloir.

— Je suis désolée, s'écria-t-elle ! Oh, je suis vraiment désolée au sujet de Steve !

La seule présence de Janet vint apaiser le trouble de Jimmy et le nœud de sa gorge se dénoua dans la chaleur de ses bras.

Il pouvait lui annoncer la nouvelle maintenant, mais il n'avait pas envie de parler. Il déboutonna la veste, le corsage et dégrafa la jupe. Janet se laissa conduire sans résister vers le lit.

Il crut l'entendre soupirer dans le creux de son épaule : « Ne t'inquiète pas, ne sois pas triste, je suis là, je serai toujours là. » Puis plus rien. Seul le silence vibrant à l'unisson de son cœur débordant de joie.

45

— Pouvez-vous préparer du thé glacé, s'il vous plaît, Céleste ? demanda Anna en entrant dans la cuisine. Et sortir le gâteau aux amandes ? Je reçois un invité cet après-midi.

Céleste se retourna.

— Oh, quelle jolie robe ! Je disais justement à Mlle Laura la semaine dernière : « Votre grand-mère redevient comme autrefois. »

En effet, durant les années qui avaient suivi la mort de Joseph, elle ne s'était guère souciée de faire l'élégante. Elle avait porté le deuil pendant un an, bien que ses amies lui aient répété que cela ne se faisait plus et que Joseph n'aurait certainement pas été d'accord. Mais mieux qu'elles, elle savait combien Joseph était attaché aux traditions.

Ce jour-là, elle portait une robe d'été, de couleur claire.

— Nous prendrons le thé dehors, ajouta-t-elle. Ce serait dommage de rester à l'intérieur par ce temps.

— Un invité ! répéta Céleste. Un monsieur ?

— Oui, un vieil ami, répondit Anna en souriant.

Sur ce, elle quitta la cuisine, laissant Céleste à ses questions. Une voiture ralentit et s'arrêta devant la grille, avant de s'engager dans l'allée. C'était une petite voiture de sport étrangère, une voiture de jeune homme. La porte claqua et Paul Werner monta les escaliers conduisant à la terrasse.

Anna ne fit pas un geste, pas même celui de tendre sa main. Il la regarda.

— Vous n'avez pas changé, dit-il.

— Vous non plus, vous n'avez pas beaucoup changé.

Ses cheveux devenus gris étaient toujours lisses et épais et le teint hâlé de son visage en faisait ressortir les reflets argentés. Il avait le regard rayonnant d'un enfant.

Anna se sentit soudain en proie à une gêne terrible. Qu'avait-elle fait ? Pourquoi l'avait-elle autorisé à venir lui rendre visite ici ?

— Voulez-vous vous asseoir à l'ombre ou au soleil ? chuchota-t-elle.

Mais une fois qu'il eut opté pour l'ombre et qu'ils se furent assis, elle ne sut que dire.

Ce fut Paul qui parla le premier.

— Quel endroit ravissant ! Ça vous convient parfaitement. Si tranquille ! Une vieille maison comme vous les aimez, de vieux arbres...

— Oui, nous avons été très heureux ici.

— Je suis vraiment content que vous ayez répondu à mon petit mot. Je craignais que vous ne le fassiez pas.

— Et pourquoi ? Plus rien ne me l'interdisait.

— J'ai été désolé d'apprendre la mort de Joseph. C'était un homme bien.

— Oui.

« Un homme bien. » Expression banale. Tous ceux qui sont morts deviennent des gens bien. Cependant, dans la bouche de Paul, en cet instant, ces mots, prononcés avec un accent de sincérité, avaient une signification profonde.

— Savez-vous que j'ai perdu ma femme ?

— Non ! Je suis navrée. Quand est-ce arrivé ?

— Il y a presque trois ans.

Il croisa les jambes. Son pied se balança et elle vit qu'il portait des chaussures neuves, impeccablement cirées.

— Je vais voir où en est Céleste, dit-elle en se levant. Voulez-vous du thé glacé ou préférez-vous autre chose ?

— Du thé sera parfait, merci.

Servir thé, sucre, citron, couper le gâteau... lui permirent de masquer sa gêne.

— Cela fait si longtemps, Anna.

Elle leva la tête. Paul lui souriait et elle lui sourit à son tour.

— Pour des gens qui... se connaissent plutôt bien, nous sommes joliment muets, dit-il.

— Par où commencer ? demanda-t-elle en hochant la tête pensivement.

— Commençons donc par Iris. Comment va-t-elle ?

— C'est maintenant une femme d'un certain âge, Paul. Incroyable, n'est-ce pas ?

— Nos deux vies sont assez invraisemblables. Mais continuez, je vous en prie.

— Elle m'a vraiment été d'un grand secours après la mort de Joseph. Une âme forte, une femme très compétente. Joseph a laissé de très nombreuses propriétés : elle était la seule à savoir comment s'y prendre avec les notaires et les comptables. Elle aurait fait une très bonne femme d'affaires. Dieu sait si elle ne le tient pas de moi !

Paul sourit à nouveau, mais ne dit rien.

— Et les enfants ont grandi. Jimmy veut devenir médecin et...

— Et le mari ? l'interrompit-il. Ça va toujours ?

Anna hocha la tête en signe d'acquiescement. Elle aurait pu

raconter tant de choses ! Mais exprimer par des mots l'infinie complexité de toutes ces vies lui semblait un peu vain. Ils avaient si peu de temps et en outre, elle ne s'en sentait pas la force.

— Vous n'avez rien à me dire ?

Elle leva les bras au ciel.

— Evidemment, résumer des vies entières en quelques minutes...

— Je sais que vous aimeriez les voir, Paul.

— Et ce n'est pas possible, bien sûr. A moins que...

Il n'acheva pas sa phrase.

— Aimeriez-vous voir quelques photos, je viens de constituer un album avec les plus récentes ? proposa-t-elle. Je vais aller le chercher.

Il se pencha sur l'album. Son dos était gracieux ; son corps ne semblait nullement raidi par l'âge. Elle le vit soudain dans sa mémoire tel qu'il lui était apparu la première fois, encore adolescent, montant quatre à quatre les marches du perron, les bras chargés de cadeaux rapportés d'Europe.

— La fille vous ressemble, Anna. Elle est ravissante.

— Laura est adorable, une fille sensible et gaie.

— Les garçons aussi sont beaux. Quel est le plus jeune ?

— C'est notre Philip. (Le petit génie de Joseph, pensa-t-elle avec une tristesse rêveuse.) J'oubliais qu'il n'était pas encore né la dernière fois que je vous ai vu.

Elle surmonta la nostalgie qui émanait de ces mots en ajoutant aussitôt :

— Iris a une joyeuse maisonnée. Tous les enfants grandissent bien.

A quoi bon parler de la crise de Steve, des inquiétudes quant à l'admission de Jimmy à la faculté de médecine, ou des petits amis de Laura ?

— C'est fou de penser qu'ils sont mes petits-enfants.

— Oui.

Il referma l'album et le reposa.

— Voulez-vous visiter la maison ? demanda-t-elle.

Il acquiesça d'un signe de tête. A l'intérieur, régnait une agréable fraîcheur. D'abord, la salle à manger où était accroché le portrait de Joseph, puis le petit salon où il faisait clair en toute saison. C'était la pièce préférée d'Anna et elle s'y tenait la plupart du temps, comme en témoignaient des magazines ouverts sur la table et le pull-over de ski, posé sur le canapé, qu'elle était en train de tricoter pour Laura.

— Cette pièce me semble familière.

— Familière ? répéta Anna sans comprendre.

— Rappelez-vous : le salon de ma mère était dans ces mêmes tons de blancs ou de jaunes. C'était ses couleurs préférées, dit-il calmement.

Bien sûr qu'elle se souvenait de cette pièce. Et comment ! Le rouge lui envahit le visage.

— Elles sont très belles. Les avez-vous choisies vous-même ? demanda Paul en regardant les aquarelles accrochées au mur.

— Oui, il y a des années. Joseph ne s'intéressait pas beaucoup à l'art et se fiait toujours à mon choix dans ce domaine.

— Vous avez très bon goût, Anna, et vous pourriez certainement les vendre trois fois plus cher que vous ne les avez achetées. Je suppose toutefois que vous vous moquez bien de cela.

— En effet. Je les ai seulement achetées parce que je les trouvais jolies et qu'elles me faisaient plaisir.

Il s'agissait d'œuvres simples aux lignes dépouillées : des nénuphars et des plantes aquatiques ; un arbre mort tendant les bras vers un ciel d'orage ; un rocher sombre couvert de lichen.

— Vraiment charmant ! s'exclama Paul avant de se diriger vers la fenêtre.

Comme il était étrange de le voir ici, dans sa maison. Finalement, ils avaient passé si peu de temps ensemble : à peine quelques semaines, si on additionnait toutes les heures ! Elle pensa aussi à ce qu'elle avait enfoui des années au fin fond de sa mémoire durant ces nuits passées chez les parents de Paul il y a si longtemps, où elle ravalait ses larmes et mettait son poing dans sa bouche pour taire ses sanglots. Pourquoi les peines de la jeunesse semblent-elles plus aiguës que toutes celles qui surviennent ensuite, même les plus douloureuses ?

— Tout compte fait, la vie vous a apporté du bon, malgré tout le mal que je vous ai fait, n'est-ce pas, Anna ? demanda Paul, brisant le silence.

— Il n'y a pas eu que le mal.

— C'est vrai, Anna ?

— Des moments de grande, grande joie...

— Des moments ! s'exclama-t-il. Quelques rares moments dans toute une vie ! C'est tout ce que j'ai été capable de vous donner.

— Vous oubliez que vous m'avez donné une fille ?

— Comment vous entendez-vous avec elle ?

— Je ne pouvais souhaiter meilleure fille.

— Dieu soit loué.

Il s'assit face à elle. Elle se sentait tendue et, pour dissimuler son trouble, elle prit son tricot, enroulant mécaniquement la laine autour de l'aiguille.

— Je suis content d'avoir pu faire autre chose que de vous rendre la vie difficile, Anna.

— Ne dites pas ça, Paul. D'ailleurs, je viens de penser à autre chose.

— Et à quoi donc ?

— Je n'ai jamais eu l'occasion de vous le dire et de vous remercier. Après notre rencontre à l'Opéra qui avait tant contrarié Joseph, je vous avais dit que je ne voulais plus vous revoir ni entendre parler de vous, et vous n'avez jamais trahi ma confiance ni ne m'avez exposée au moindre risque. Vous auriez pu. Un autre l'aurait peut-être fait.

— Comment aurais-je pu vous trahir, Anna ? déclara-t-il en la regardant droit dans les yeux.
— Oh, mon Dieu, s'écria-t-elle.
Après quelques instants de silence, il reprit la parole :
— J'aurais tant souhaité une vie différente pour nous deux.. Vous savez, je vais partir pour l'Europe.
— En Europe ? Pour de bon ?
— Oui. Malgré mon amour de l'Amérique, j'ai toujours été amoureux des monuments et des œuvres d'art. J'ai envie de vivre dans l'un de ces vieux villages du sud de la France, entouré de ruines antiques. Ou peut-être en Italie, dans la région des lacs... Lugano, Côme... Vous connaissez ?
— Non, et je le regrette.
— Ah, vous aimeriez Lugano, Anna. C'est un endroit très calme au climat merveilleux. Oui, j'aimerais acheter une maison là-bas. Vous viendrez avec moi ? Dites ?
— Pourquoi ! Je pensais que...
— Ma question doit vous paraître un peu abrupte et bien tardive. A plus forte raison. Il est peut-être temps de sauver ce qui peut encore l'être.
— Je pourrais vous épouser, Anna.
Lugano. Ruelles pavées, arbres en fleurs. Ils déambuleraient ensemble, à l'ombre des arbres. Une table sur une terrasse ensoleillée, une bouteille de vin posée sur la table et deux verres. Une chambre dans une vieille maison avec la brise du soir ou du matin
Pourtant, il n'y avait qu'une seule réponse possible.
— Ah, si nous étions seuls au monde... commença-t-elle. Mais nous ne l'avons jamais été. Il y a toujours eu les autres.
— Que voulez-vous dire ?
Elle rencontra son regard anxieux et parla avec une grande tendresse.
— Il y a ceux qui sont partis. Il y a ceux qui sont venus. C'est tout simplement impossible. Impossible.
— Mais pourquoi ?
— Parce qu'il s'agit de la famille, celle de Joseph. Vous ne la comprenez pas, Paul ?
— Non, Anna, non, répondit-il en secouant la tête.
Elle se leva, et vint lui poser les mains sur les épaules.
— Regardez-moi et écoutez-moi, Paul, mon tendre ami. Pouvez-vous vous imaginer à la table de Theo et Iris, avec moi et leurs enfants ? Votre fille ne sait pas qu'elle est votre fille et vos petits-enfants ignorent qui vous êtes.
Il demeura sans réponse.
— Iris a toujours des doutes. Vous vous rendez compte du choc maintenant. Ce serait de la folie. Ce serait insupportable.
— Vous ne pourriez pas le supporter ? chuchota-t-il très bas.
— Et vous non plus.
Elle s'écarta et se dirigea vers l'autre extrémité de la pièce. Le dos tourné, elle put essuyer ses larmes.
— Encore la famille, dit Paul. La famille qui passe avant tout !

— Mais vous pouvez comprendre, n'est-ce pas ?

— Si je pouvais vous faire changer d'avis ! Et qu'ils aillent tous au diable.

— Vous ne pensez pas ce que vous dites.

— Bien sûr que non. Savez-vous que j'envie Joseph ? ajouta-t-il abruptement.

— Vous l'enviez ! Que voulez-vous dire ? Il est mort !

— Non, je lui envie la vie qu'il a vécue avec vous.

La petite horloge que les parents de Paul avaient offerte à Anna sonna l'heure.

Elle se tourna vers lui. C'était la dernière fois. Oh, les yeux, les beaux yeux bleus, le rire, la force, la douceur, l'admirable bouche les mains...

— C'est votre réponse définitive, Anna ?

— Paul, Paul... il le faut.

Pas de larmes, Anna. Tout au long de ta vie, tu as dit adieu à tant de gens que tu aimais. Il s'agit d'un nouvel adieu. C'est tout. Pas de larmes, Anna.

— Eh bien, je ne vous reverrai plus, alors. Je serai en Europe avant la fin de l'année.

— Je penserai à vous. Je penserai toujours à vous.

Elle lui donna sa main et il la tint longuement entre les siennes.

— Non, ne me raccompagnez pas. Adieu, Anna.

Il sortit par la porte qui ouvrait sur la terrasse, traversa la pelouse et disparut.

Le moteur tourna, le gravier crissa sous les pneus.

C'était fini.

46

On l'appelle quelquefois mer de Galilée. Les Israéliens l'appellent le Kinneret, le lac qui a la forme d'une harpe. L'hôtel est bondé de gens venus des quatre coins du monde : des Américains, des Japonais, chacun avec deux ou trois appareils photographiques en bandoulière, un groupe de religieuses françaises qu'Anna et Laura ont déjà rencontrées trois ou quatre fois depuis Eilat.

Laura est déjà endormie. De la lumière filtre à travers les fenêtres ; la lueur de la lune ou celle des étoiles ? Anna se lève pour regarder à travers les vitres vers le lac qui s'étend plus bas. Les branches des arbres retombent en gerbes sombres tels les flots d'une fontaine. Le lac phosphorescent scintille comme un diamant. Anna croit entendre un poisson sauter hors de l'eau.

Elle s'endort facilement, mais d'un sommeil si léger qu'il ne dure pas. Elle se souvient que Joseph se plaignait des insomnies ou des nuits trop courtes. Elle reste un long moment éveillée, écoutant la douce respiration de Laura qui dort dans le lit voisin. A peine s'est-elle rendormie, qu'elle rêve à nouveau.

Certains rêves troublants reviennent souvent : celui où Maury et Eric ne font qu'un, les deux faces du même personnage, ou ce cauchemar dans lequel Joseph arrive en voiture ; elle se précipite vers lui, folle de joie, mais il détourne froidement la tête. Il refuse de lui parler. Elle l'a blessé, irréparablement.

Elle rêve pour la première fois de Laura et Robby Mc Allister. Ce dernier est un beau garçon, intelligent et sympathique, avec des taches de rousseur sur la figure. Laura vit avec lui au collège. Il n'est pas de la bonne religion, et d'ailleurs il n'épousera certainement pas Laura. Les hommes ne se marient pas avec des femmes aussi faciles. A moins que cette conception soit dépassée. Les mœurs évoluent à une telle vitesse ; on ne sait plus ce qui est bien ou mal.

Elle se tourne dans son lit et s'éveille à nouveau.

Et s'il voulait l'épouser, Laura serait sûrement rejetée par les parents de Robby. Dans la première lueur du matin, elle aperçoit le chemisier et le blue-jean de Laura sur une chaise : des vêtements d'enfants portés par une enfant ! Petite fille folle et insouciante !

Iris est au courant. « Est-ce que ta mère le sait ? » a-t-elle demandé à Laura. « Oh, oui, oui. Elle craint un peu que j'aie à en souffrir un jour. Elle espère que je sais ce que je fais. » C'est tout ? Rien sur le bien et le mal, rien sur toutes ces vérités qui ont guidé notre vie depuis des milliers d'années. Pourquoi Iris ne dit-elle rien ? Quelle genre de mère est-elle donc ?

Voilà que je me mets à parler comme Joseph.

— Maman m'a dit de ne pas te le dire parce que tu serais choquée, lui avait confié Laura à Paris.

— Alors pourquoi tu me l'as dit ?

— Parce que je veux être honnête, ne rien cacher.

Ne rien cacher ! Devise de la nouvelle génération ! Peu importe ce que l'on fait, du moment qu'on l'étale au grand jour.

— Est-ce que ton père le sait ?

— Non, il serait trop contrarié. Tu sais, pour lui, c'est naturel pour les garçons, mais pas du tout pour les filles.

— Je suis tout à fait d'accord avec lui.

— Nany, je ne te comprends pas ! Et pourquoi ? Quelle est la différence entre un homme et une femme ? Je veux dire...

— Une femme se retrouve enceinte, avait soupiré Anna.

— Non, pas de nos jours.

Incroyable ! se dit Anna comme elle commençait de s'habiller.

Des voix fortes résonnent dans le couloir. Les gens n'ont plus aucun savoir-vivre : un tel tapage à sept heures du matin !

Anna a des ampoules aux pieds, à cause des chaussures neuves qu'elle a portées hier. C'est une honte au prix où sont les chaussures actuellement. Plus personne ne semble savoir ce qu'est la qualité. Tout est du « vol organisé », comme disent les enfants.

Dans deux jours, elle sera chez elle. Elle s'installera dans le jardin pour lire un livre traitant d'un siècle passé, et pas de ce siècle fou dans lequel elle vit. Oublier enfin la folie de ce monde !

Anna regrettait d'avoir attendu si longtemps pour se décider à un tel voyage. Cinq ans plus tôt, elle aurait été plus alerte. Elle s'était toujours opposée aux croisières parce qu'elle connaissait trop de vieilles veuves que leur famille expédiait à bord de luxueux bateaux pour se débarrasser. Mais le désir lui était soudain venu de retourner en France et surtout de voir Israël.

— Mais, Maman, pourquoi cet été ? avait objecté Iris. Tu sais qu'il faut que je termine ma thèse de doctorat et qu'il m'est impossible de prendre des vacances.

— Je ne te demande pas de m'accompagner. Je suis tout à fait capable de voyager toute seule.

— Maman ! Tu as soixante-dix-sept ans !

— Si je meurs, on te renverra le corps.

— Maman, tu n'as pas honte ! Tu ne peux pas attendre l'été prochain ? Je te promets que je viendrai avec toi.

— Comme tu l'as dit, j'ai soixante-dix-sept ans et je ne peux pas prendre le risque d'attendre aussi longtemps.

Il fut donc convenu qu'Iris la « mettrait dans l'avion » et que Laura qui voyageait sac au dos à travers l'Europe avec un groupe de filles la retrouverait à Paris pour l'accompagner en Israël.

La réalité avait été décevante. Ah, ce voyage vers l'Europe en 1929 avait vraiment été autre chose ! On avait le temps de rédiger un journal avec mille choses à raconter et, le soir, les gens, en tenue de soirée, dansaient au son d'un orchestre tandis que sous leurs pieds, les machines grondaient et que le bateau fendait les flots agités de l'océan.

Seul Paris avait répondu à son attente. Anna avait retrouvé avec plaisir la même chambre d'hôtel et redécouvert la même vue. La langue française était toujours aussi mélodieuse.

Laura était arrivée. Adorable Laura qui avait pensé à mettre une robe pour faire plaisir à sa grand-mère. Mais Anna avait été si heureuse de la revoir qu'elle lui aurait certainement pardonné même si elle avait porté un vieux blue-jean râpé.

Laura avait voulu prendre un bain et s'était émerveillée comme une enfant devant l'énorme baignoire de l'immense salle de bains.

— Nany, puis-je inviter quelqu'un à dîner ? avait-elle alors demandé.

— Bien sûr, et même plusieurs personnes si tu veux. Je serai très heureuse de connaître tes amies.

— C'est un ami. Nous avons voyagé ensemble en Europe pendant tout l'été.

— Ah bon ?

C'est ainsi qu'Anna avait appris l'existence de Robby Mc Allister.

— As-tu bien dormi, Nany ? demande Laura en s'éveillant. Je meurs de faim.

— Eh bien, ne passe pas trop de temps à t'empiffrer. Le chauffeur passe nous prendre à huit heures et demie.

... Le cimetière se trouve au sommet d'une colline. On les a guidées à travers le kibboutz : la crèche, la bibliothèque, le réfectoire (ici, il a marché, mangé, travaillé), puis les étables et les animaux...

— Fais attention, Nany, dit Laura, en prenant le bras de sa grand-mère.

On lui a dit de prendre garde : les vieilles dames peuvent tomber et se casser la hanche ou attraper une pneumonie. Anna a presque l'impression d'entendre les recommandations de Theo. Les jeunes doivent prendre soin des vieux.

Mais à leur insu, les vieux aussi veillent sur les jeunes. Anna protège Laura des regards effrontés et des impertinences (« impertinence » : voici un mot qu'on n'entend plus, de nos jours !). Il peut sembler absurde de vouloir protéger une fille qui a voyagé à travers toute l'Europe avec un garçon avec lequel elle n'est même pas mariée !

Arrivée devant la tombe, Anna demande à Laura :

— Que dit l'inscription ?

— Juste le nom et la date de naissance et de mort selon le calendrier hébreu.

— Vous connaissez l'hébreu ? Et pas votre grand-mère ? demande le guide en anglais.

— De mon temps, seuls les garçons apprenaient la langue sacrée, répond Anna. Vous avez connu le garçon qui est ici ?

— Non, je n'étais pas encore arrivé, mais j'ai entendu parler de lui. Notre histoire est en train de se faire et nous devons nous souvenir de ceux qui ont été courageux. Tout le monde ici sait ce que cet Américain a fait cette nuit-là, bien que cela remonte à très longtemps.

Il est presque midi. Les oiseaux qui se sont agités et ont sifflé tout le matin se taisent soudain. La chaleur s'abat sur cette terre où est couché Eric.

— C'est terrible, dit Laura au milieu du silence, vraiment terrible, cette mort survenue au moment précis où il trouvait un endroit qui le rendait heureux.

— Il ne serait pas resté. Ici aussi, il aurait fini par perdre ses illusions.

— Tu me surprends, Nany. Sa vie était dans ce pays, non ?

— Non, il cherchait quelque chose. Il aurait passé le reste de sa vie en quête d'une appartenance, un lieu parfait qu'il n'aurait jamais trouvé.

— Le trouve-t-on jamais ?

— Oh, oui ! Certaines personnes n'ont pas même besoin de chercher. Ton grand-père avait la chance d'être comme ça.

Le guide interrompt leur méditation.

— Votre chauffeur vous fait signe. Il est temps de partir si vous avez un avion à prendre.

— Attendez une minute, j'arrive.

Les autres s'avancèrent jusqu'à la grille pour la laisser seule. Grave ce paysage dans ta mémoire : les branches qui oscillent au-dessus du mur, les deux lauriers sur la droite et la rangée de géraniums le long de l'allée.

Gis en paix, Eric, fils de mon fils, où que tu sois. Shalom.

— C'est toujours triste de quitter un endroit aussi beau, fait remarquer Laura.

En fin d'après-midi, la voiture quitte les collines du kibboutz. Plus bas, s'étendent la Méditerranée et des orangeraies coupées en deux par une autoroute où des voitures roulent à vive allure en direction de l'aéroport.

— Ainsi, ce voyage aura compté pour toi.

— Oh, oui ! Je ne croyais pas que je serais émue à ce point... Nany, je voudrais que tu me dises : tu voulais que ce voyage se passe harmonieusement, mais tu étais quand même très fâchée, je me trompe ?

— Oui, j'étais fâchée, mais c'est fini.

— Pourquoi ?

— La colère est partie, voilà tout.

— Je suis contente, dit simplement Laura.

— *L'chaim*, dit-elle, parlant pour elle-même.

— Vous avez raison, madame, dit le chauffeur en souriant dans le rétroviseur. *L'chaim*. A la vie !

47

Ce n'était pas ce qu'on pouvait appeler un mariage « selon les règles ». Joseph aurait été horrifié, à plus d'un titre. Pour Anna, l'occasion était pourtant très émouvante. Laura avait voulu se marier dans le jardin de sa grand-mère, et Anna espérait que ce choix n'avait pas froissé Iris ou Theo. Mais Iris n'avait jamais beaucoup aimé s'occuper d'un jardin et celui d'Anna était vraiment ravissant, avec les poiriers en espalier chargés de fruits et les phlox couronnés de fleurs mauves et violettes. Une odeur suave de cannelle et de vanille flottait dans l'air.

Les deux jeunes gens se tenaient devant le juge, main dans la main, lui vêtu d'un pantalon de toile et d'une chemise à col ouvert, et elle d'une longue robe droite en coton blanc, avec ses nattes rousses tombant sur un châle blanc. Laura regardait Robby avec un air de totale adoration. Anna avait l'impression que c'était hier qu'elle avait vu Iris se tenir ainsi, le visage grave entouré de dentelle. Robby se mit à lire le poème qu'ils avaient choisi, tandis que Philip jouait tout doucement sur un orgue portatif.

Ô, la terre a été créée pour les amants, pour la damoiselle et l'amoureux désespéré,
Pour les soupirs, les doux chuchotements et l'harmonie de deux êtres.
Sur la terre, dans les mers ou dans l'air, toutes les créatures se courtisent,
Il n'y a que toi d'esseulé dans ce monde si beau que Dieu a créé.

— Emily Dickinson est l'un de nos écrivains préférés, Nany, lui avait dit Laura. Tu as lu ses poèmes, j'espère.

Elle avait été flattée que sa petite-fille considérât la chose comme évidente. Et en effet, elle connaissait Emily Dickinson qui était l'un des poètes préférés de Maury.

C'était au tour de Laura de répondre :

... Prends celle que tu aimes sans te soucier de l'espace ou du temps
Puis emporte-la dans la verte forêt et construits pour elle un nid de verdure
Donne-lui ce qu'elle demande, un bijou, un oiseau ou une fleur,
Apporte le fifre et la trompette et bats le tambour,
Souhaite le bonjour au monde et entre dans ta demeure radieuse.

Tous étaient immobiles. Le juge parlait. Que pensaient les invités de tout ça ? Iris avait été terriblement contrariée, Theo pas autant qu'elle, mais bien davantage qu'on n'aurait pu le prévoir de la part d'un homme qui prétendait n'avoir aucune religion.

— Que va- il rester de notre foi au train où vont les choses ? ne cessait de se plaindre Iris. Et quand je pense à Papa, l'envie de pleurer me prend.

C'était vrai. Qu'aurait pensé Joseph en voyant sa Laura chérie mariée de cette façon, sa Laura pour laquelle il avait sans aucun doute imaginé un mariage grandiose suivant l'ancienne tradition !

Robby était un jeune homme remarquable. Joseph était mort. Il était vain de vouloir lutter contre le temps. Il en avait été toujours ainsi... Flux et reflux... Certains partent, d'autres restent.

La famille de Robby — des conservateurs venus d'une petite ville — n'approuvait d'ailleurs pas davantage le sens et la forme de cette cérémonie. Mais il s'agissait d'une époque et d'une génération différentes. Les gens ne se battaient plus pour leurs convictions.

Le regard d'Anna se promena sur le cercle des invités. Les jeunes filles de New York avec leurs chaussures plates et leurs longs cheveux raides. A l'opposé de leurs élégantes mères, leur visage n'était pas du tout maquillé. Anna n'était pas maquillée non plus à leur âge. La boucle était bouclée.

Puis les Malone qui avaient fait tout le chemin depuis l'Arizona ! Il devait avoir... voyons, Joseph aurait quatre-vingt-deux ans, donc Malone avait quatre-vingt-cinq ans. Et Joseph qui s'inquiétait toujours de la santé de Malone, pensant qu'il ne ferait pas de vieux os !

C'était vraiment dommage de devoir attendre un enterrement ou un mariage pour voir des gens qu'on n'avait pas vus depuis des années ou même jamais vus ! Par exemple, Anna avait vu les jumeaux — à nouveau des jumeaux après deux générations ! — quand Joseph et elle s'étaient rendus au Mexique en 1954, mais à l'époque Rainaldo et Raimundo avaient à peine un peu plus d'un an.

Anna avait reçu une lettre un mois plus tôt, avec comme d'habitude des photographies de la famille toujours plus nombreuse, génération après génération. Dena avait l'air très vieille. La lettre était couverte de taches ; sa vue baissait. Mais elle avait voulu faire savoir à Anna que les fils jumeaux de sa petite-fille passaient par New York, en route vers l'Europe et elle demandait si elle aimerait les voir.

Aussi étaient-ils du mariage, l'un ne parlant pas du tout anglais, l'autre pouvant à peine se faire comprendre et être compris. Ils avaient appris un peu de yiddish avec leurs grands-parents. De son côté, Anna commençait à l'oublier. Anna les regardait qui se tenaient très dignement dans leur beau costume sombre avec, sur la tête, les calottes en velours noir. Elle observait, mi-amusée, mi-désolée, leur moue sceptique. Ils étaient strictement orthodoxes, pour eux il ne pouvait s'agir d'un vrai mariage.

— Au nom du pouvoir dont m'a investi l'Etat de New York, je vous...

Mari et femme. Et ils s'embrassèrent comme s'il n'y avait personne autour d'eux ! Puis vinrent les félicitations et les rires, et d'autres baisers encore. Laura chérie !

Elle avait voulu être pieds nus, alléguant que cela lui semblait tout à fait naturel dans un jardin. Cette idée avait fait toute une histoire, Theo étant le plus scandalisé de tous. « Jusqu'où vas-tu aller ? » avait gémi Iris, qui était pourtant la première à excuser les innovations des jeunes. Heureusement, une paire de sandales blanches en cuir avec une ceinture et un sac assortis, confectionnés par Steve dans la commune où il vivait et envoyés comme présent à Laura, avaient réglé la question ! Comme c'était Steve qui les avait faites, Laura avait bien voulu les porter.

Theo entra dans la maison au côté d'Anna.

— C'était finalement une très jolie cérémonie, Theo, dit Anna.

— C'était ridicule, et vous le savez bien.

— Non, j'ai trouvé ça sincère et poétique. Ce n'est pas mon style ni le vôtre, mais c'est le leur.

— Ah ces enfants ! Ces enfants !

— Au moins votre fille est mariée et, de nos jours, beaucoup de parents ne peuvent pas en dire autant.

— Steve aurait pu venir au mariage de sa sœur, fit observer Theo sur un ton sinistre.

— Il reviendra un jour, peut-être plus tôt que nous ne l'attendons.

— Je ne sais pas si je pourrai lui pardonner de ne pas être venu aujourd'hui.

— Ne comprenez-vous pas qu'il voulait venir et c'est pour cette raison qu'il a envoyé tous ces présents. Ils sont confectionnés avec tant de soin, il a dû travailler pendant des semaines ! Seulement, il ne s'est pas senti la force d'affronter tout ce monde.

— Gâcher ainsi sa vie ! grommela opiniâtrement Theo. Un irrémédiable gâchis !

Anna sentit soudain la présence de Joseph ; elle sentit en elle les paroles et le ton impératif qu'il utilisait lorsqu'il était convaincu d'avoir raison.

— Les gens se mettent parfois dans certaines situations sans l'avoir voulu et il leur est difficile d'en sortir. Vous connaissez le problème, Theo, non ?

C'était la première fois qu'elle lui rappelait ce qui était entre eux un secret et il lui en coûta de le faire. Mais le silence de Theo lui garantit que Steve n'aurait pas de problèmes avec son père quand il reviendrait à la maison.

— Regardez votre Philip ! s'écria-t-elle gaiement. Il est devenu un homme du jour au lendemain. Vous ne croyez pas qu'on lui donnerait bien plus de seize ans ? Et j'ai trouvé qu'il a merveilleusement bien joué.

Comme Laura et Robby n'avaient pas voulu que les invités forment une file pour présenter leurs félicitations, ceux-ci se pressaient autour d'eux et certains commençaient à se diriger vers la maison où l'on servait le champagne.

Anna prit un verre et en tendit un autre à Theo.

— Allez, buvez ! Tous les pères sont attristés par le mariage de leur fille. Si vous trouvez étrange de vous sentir déprimé, je peux vous assurer qu'il n'y a rien de plus normal.

— Je me posais en effet des questions.

— Vous avez des tas de raisons d'être heureux, Theo, dit-elle en lui tapotant le bras, mais sans avoir l'intention de lui faire la morale.

Elle vit qu'il comprenait. Ils avaient tous deux tourné leur regard vers Iris qui se tenait près de la cheminée, parlant avec les parents de Janet et d'autres invités.

— Pourquoi riez-vous ? demanda Theo.

— Je repensais à cette femme qui vous a demandé, un jour, pourquoi Iris ne se faisait pas refaire le nez, étant donné que vous étiez dans le « métier ».

— De toute façon, je n'aurais pas accepté.

Oui, Ruth avait vu juste : une incontestable beauté s'était épanouie en Iris avec l'âge mûr. Ses cheveux sombres, qui commençaient seulement à grisonner un peu, étaient séparés par une raie. Elle était coiffée ainsi depuis si longtemps, qu'Anna ne se souvenait plus de l'avoir vue un jour avec une coiffure différente... L'arc du nez, les sourcils, la bouche fine dessinaient un ensemble harmonieux de lignes courbes et pures. Theo était impressionné par la beauté de sa femme, Anna le remarqua avec satisfaction.

Presque tout le monde avait quitté le jardin et se regroupait dans la maison : mains à serrer, joues à embrasser, félicitations et vœux de bonheur...

Quelqu'un, un ami de Theo ?... (il semblait trop vieux), un ami de Joseph (non, il était trop jeune... ma mémoire n'est plus ce qu'elle était, songea Anna), s'arrêta pour lui parler.

— Quelle merveilleuse maison ! Et ce grand jardin ! De nos jours, on n'est plus habitué à voir un tel jardin si près de New York !

— Oh, mais les choses ont changé ! Quand nous avons emménagé ici, c'était si tranquille que le soir on pouvait entendre les sauterelles. A présent, on entend le bruit de la circulation sur l'autoroute.

— Je sais, dit l'homme en soupirant. Là où j'habite, ils sont en train de construire, de l'autre côté de la rue, un ensemble d'immeubles sur ce qui était auparavant un verger. C'est très triste, ajouta-t-il avant de s'éloigner.

Anna resta seule un moment. Quand je mourrai, pensa-t-elle, ils vont vendre cette propriété. Plus personne actuellement ne veut de ces grandes maisons. On la détruira et on construira une résidence ou même des bureaux. Il y a déjà une compagnie d'assurances au coin de la rue.

Il avait été suggéré avec tact qu'Anna pourrait peut-être vendre la maison pour prendre un appartement. C'était d'ailleurs ce qu'elle avait elle-même proposé à Joseph quand il avait eu sa première attaque. Il s'y était à l'époque aussi fermement opposé qu'elle le faisait elle-même à présent. Cette maison était son foyer et, tant qu'elle le pourrait, elle y resterait. Elle ne voulait pas quitter les arbres qu'elle avait plantés, ni abandonner tous les livres de la bibliothèque, ni déranger les affaires de Joseph dans son bureau circulaire. Et que faire de George II ? Il était impensable de faire vivre un si gros chien dans un appartement !

Iris était en pleine conversation à l'autre bout de la pièce. Elle avait dû dire quelque chose d'amusant, parce que les gens qui l'entouraient riaient. Elle riait elle aussi et battait des mains dans un geste gracieux. Quel chemin elle avait parcouru ! Certaines prières avaient réellement été exaucées, songea Anna.

Et qui aurait cru qu'Iris serait la seule personne de la famille capable de s'occuper des problèmes de propriétés foncières et d'investissements ! Ce cher Theo ne savait jamais s'il avait cinq cents ou dix dollars en poche. Elle saurait sans doute quoi faire avec cette vieille maison quand le moment viendrait.

J'espère qu'elle ne sera pas démolie, se dit Anna. Peut-être que quelqu'un d'autre y habitera et qu'on verra à nouveau une balançoire pendre à une branche du frêne...

— Nany, dit Laura, connais-tu la tante de Robby ? Voici Tante Margaret. Robby parle tout le temps d'elle et moi je parle tout le temps de toi, alors il faut que vous fassiez connaissance.

— Margaret Taylor, dit une femme forte et chaleureuse en serrant la main d'Anna. Votre petite mariée est adorable. Nous l'aimons tous déjà.

— J'en suis ravie. Il faut qu'ils se sentent aimés puisqu'il vont partir si loin.

— Oui, j'ai appris qu'ils allaient au Nouveau-Mexique. Ils vont adorer cet endroit, ses grands espaces et ses prodigieuses couleurs.

— J'en ai entendu parler, mais je ne suis jamais allée plus à l'ouest que la Pennsylvanie. C'est étrange que nous n'y soyons jamais allés pendant toutes ces années, alors que nous en avions les moyens.

— Vous avez grandi à New York, madame Friedman ?

— Je suis arrivée dans ce pays quand j'avais dix-sept ans. Depuis lors, j'ai toujours vécu à New York ou dans ses environs.

— C'est une ville passionnante ! J'aimerais que nous puissions y venir plus souvent, mais on ne trouve jamais le temps. Quand j'étais jeune, j'y venais régulièrement ; mon frère aîné, de quinze ans plus vieux que moi, avait un ami de Yale qui était d'une gentillesse merveilleuse pour nous tous. Pendant des années, quand nous venions à Noël pendant une semaine pour faire des courses et aller à l'Opéra, il insistait pour que ma mère, ma sœur et moi logions chez eux. Il s'appelait Paul Werner et ils habitaient dans un appartement des plus somptueux sur la 5e Avenue, près du Musée. Je n'ai jamais vu un tel appartement. Vous connaissez peut-être la famille ?

— Je sais de qui vous parlez, dit Anna.

— Ils possédaient de magnifiques œuvres d'art, reprit aussitôt la femme. J'étudiais l'art au collège et j'étais très impressionnée par tout ce qu'ils avaient et qui représentait, inutile de vous le dire, une fortune. Il avait beaucoup de charme, ce Paul Werner, beaucoup trop de charme pour la femme qu'il a épousée. Elle était très gentille, mais affreusement terne.

— Vous ne l'avez pas vu depuis qu'elle est morte ?

— Oh, non. Je ne l'ai pas revu depuis le temps où j'avais vingt ans. Mais ma sœur est restée en contact avec lui ; elle l'a revu il y a seulement deux ans, en Italie. Il possède une villa sur les bords du lac Majeur, une vieille demeure avec des meubles Renaissance et des œuvres d'art modernes. C'est la mode de nos jours de mélanger des choses disparates. Oh, Donald, viens faire la connaissance de la grand-mère de Laura ; je vous présente mon mari.

— Et de qui parliez-vous ? De Paul Werner, si j'ai bien compris ?

— Je ne sais plus ce qui a amené ce sujet.

— Ma femme n'a jamais pu l'oublier et elle en parle comme si elle avait approché un roi.

— Oh, Donald, tu te moques de moi, mais tu étais aussi impressionné que moi ! On ne pouvait que se sentir bien avec lui et son charme avait effectivement quelque chose de royal.

— Mais vous m'avez dit que vous le connaissiez ? ajouta-t-elle en se tournant vers Anna.

— J'étais femme de chambre dans la maison de ses parents, répondit Anna.

Quelle rude surprise, n'est-ce pas ! avait-elle envie d'ajouter.

Ils parurent effectivement choqués pendant un instant, mais retrouvèrent vite une contenance et dirent aimablement, presque en même temps :

— Eh bien, votre vie est l'exemple d'une brillante réussite en Amérique.

— Je pense qu'on peut en effet voir les choses ainsi.

Anna s'étonna de ne sentir qu'un léger pincement au cœur, au lieu de la douleur aiguë qu'elle aurait ressentie autrefois.

Sans se faire remarquer, elle monta dans sa chambre. Les lourdes boucles d'oreilles commençaient à lui faire mal. Iris lui avait fait sortir tous ses bijoux du coffre-fort pour le mariage. Il fallait bien sûr se parer pour la noce d'une petite-fille ; cependant n'était-ce pas absurde de couvrir de bijoux des mains si vieilles, un cou si ridé ? En soupirant, elle retira ses boucles d'oreilles et se pencha en avant pour se regarder dans la glace.

Mon nez n'a jamais été aussi large ; Theo dit que c'est à cause du cartilage. Mais je n'ai pas l'air trop affreuse. Je parais calme. Il en a toujours été ainsi ; les visages sont trompeurs. Même après cette conversation pénible, j'ai l'air calme ; seule ma tête me fait mal. Elle posa ses mains contre ses tempes et sentit un battement plus rapide qu'à l'accoutumée.

Elle regarda le splendide diamant offert par Joseph qui reposait sur son doigt, telle une larme ovale. Il avait l'éclat rose du soleil et de l'arc-en-ciel. C'était étrange de penser qu'il avait été arraché des sombres profondeurs de la terre ! Quand je serai sous la terre, ce diamant continuera à vivre à la lumière, chatoyant sur une autre main : mais laquelle ? Ni celle d'Iris, ni celle de Laura... Ni l'une ni l'autre ne voudraient porter un tel bijou... et je ne le voudrais pas non plus. La merveilleuse bague de Joseph !

Elle se releva lentement et descendit pour rejoindre les invités. Des gens se promenaient à travers les ravissantes pièces vêtus de robes aux vives couleurs ou de costumes d'été blancs. C'était la dernière fois que sa maison resplendissait ainsi. Philip avait seize ans. Elle pourrait donner une fête pour son mariage, mais ce serait étonnant qu'elle soit encore en vie quand il serait en âge de se marier. Et quant à Steve, qui pouvait savoir ?

Du bas de l'escalier où elle se tenait, Anna voyait devant elle son portrait accroché dans la salle de séjour. Elle était si jeune dans sa robe rose, avec cette légère moue de surprise qu'elle était seule à voir ! N'aurait-elle pas eu de bonnes raisons de paraître surprise si elle avait pu prévoir la vie qui l'attendait ! Comment aurait-elle pu présager qu'elle aurait un jour soixante-dix-huit ans ? On ne s'imagine jamais si vieux.

— Nany ! s'écria Jimmy. Janet et moi te cherchions partout. Tout le monde va commencer à manger.

— J'admirais la maison, dit Janet. Chaque fois que je viens, je découvre de nouvelles choses merveilleuses, les porcelaines, toute l'argenterie... Peut-être qu'un jour...

— Peut-être quoi ?

— Peut-être qu'en travaillant tous les deux, il nous sera possible d'avoir une jolie maison, confia-t-elle avec assurance. Bien sûr, pas aussi bien que celle-ci, mais jolie quand même, ajouta-t-elle aussitôt.

Joseph aurait apprécié cette fille : une fille brillante, les pieds sur terre, pas paresseuse et n'ayant pas honte de dire ce qu'elle désirait. Dans deux ans, elle serait médecin. Tout cela et un bébé nouveau-né endormi au premier étage. Elle aimerait certainement le diamant et le porterait avec plaisir. Ce serait donc elle qui l'aurait. Il est temps de distribuer vos biens, lui avaient suggéré les notaires, signifiant par là que vous n'en avez plus pour très longtemps à vivre et qu'il faut penser aux lourds impôts sur les héritages.

— Je vais vous laisser toute l'argenterie, déclara soudain Anna.

— Nany ! s'écria Janet en rougissant, ce n'est pas ce que je voulais...

— Voyons, Janet, je sais très bien que ce n'était pas ce que tu voulais dire ! Mais je veux que quelqu'un profite de ces choses. Iris les appelle des nids à poussière et Laura qui part faire des fouilles dans une réserve Navajo n'en voudra pas non plus. C'est pourquoi je veux que vous les ayez.

— Vous devriez en garder un peu pour Laura, au cas où ils se lasseraient de l'archéologie et de la vie dans une caravane, dit Janet avec un air espiègle. Ils pourraient alors avoir envie de ces choses dont ils se moquent à présent.

— Tu as peut-être raison, répondit Anna en souriant. De toute façon, je vais commencer à faire ma liste demain.

— Quelle conversation morbide pour un mariage ! protesta Jimmy.

— Pas du tout morbide, seulement réaliste.

— Réaliste ou pas, allons manger, dit Jimmy en lui prenant le bras.

Anna repensa soudain à ses obligations d'hôtesse : un menu spécial avait été préparé pour les jumeaux mexicains qui suivaient les mêmes observances alimentaires que leurs ancêtres. Elle demanda à Céleste d'aller vérifier que tout se passait bien dans la cuisine. Les jeunes gens avaient été assis aux côtés d'Anna, tous les autres invités étant libres de s'asseoir là où ils avaient envie, ce qui était une autre innovation décidée par Robby et Laura.

Anna fut heureuse de découvrir que de nombreux jeunes, y compris les mariés, s'étaient déjà installés à sa table. Elle contemplait ces beaux jeunes gens d'une étonnante diversité : Robby, au visage ouvert et aux joues roses, assez semblable à Jimmy ; Raimundo et Rainaldo, l'air très espagnol, issus d'une famille qui, trois générations plus tôt, vivait dans un village de Pologne ! Leur réserve les faisait paraître bien plus âgés que ces garçons américains, qui avaient pourtant le même âge.

Quelle ironie du sort ! Toute la lignée de l'ambitieux et brillant Eli avait disparu, tandis que le modeste et défaitiste Dan vivait à travers ces beaux garçons et bien d'autres encore. Il était arrivé au Mexique avec rien, dans un pays inconnu que ces arrière-petits-enfants considèrent, sans aucun doute, comme ayant toujours été le leur, exactement comme ceux qui descendent de moi considèrent les Etats-Unis, sans voir le miracle que cela représente.

Des fragments de conversations flottaient au-dessus de la table. Comme les jeunes gens d'aujourd'hui sont sérieux et comme ils aiment parler ! De mon temps, on dansait à un mariage. Eh bien, les modes changent et tout finit par passer : c'est ce que m'a appris la vieillesse et c'est l'une de ses rares consolations. Le déchaînement révolutionnaire, si virulent il y a quelques années, s'est éteint ou est en train de s'éteindre. Mais quelque chose d'autre viendra le remplacer qui nous inquiétera et nous laissera tout aussi perplexes !

Jimmy était en train de parler de Rainaldo et Raimundo et de leurs observances religieuses avec l'un des amis de Robby et expliquait :

— Janet et moi n'observons pas tout cela, mais nous pensons que certains aspects de la tradition religieuse doivent être maintenus. On ne peut pas tourner le dos à une aussi longue et noble histoire. De plus, il est important pour les enfants d'avoir un sentiment d'appartenance à une communauté.

Ces jeunes semblaient se faire un devoir d'analyser, de chercher une raison à tout. Mais peu importait leurs raisons tant que certains d'entre eux restaient fidèles à la tradition.

— Laura m'a appris beaucoup de choses sur la génération des immigrants, dit Robby. Il est fascinant de penser que lorsqu'ils sont arrivés ici au début du siècle, ils sautaient d'un coup deux ou trois siècles. Certains n'avaient par exemple jamais vu un chemin de fer et sortaient en fait tout droit du Moyen Age !

Tout à fait juste, charmant garçon aux yeux verts et brillants et à l'esprit curieux ; j'avais moi-même dix ans la première fois que j'ai vu un train. Charmant garçon ! J'aimerais seulement que vous vous décidiez un jour à acheter un costume. Vous ne pouvez pas aller demander du travail vêtu d'un blue-jean et d'une chemise. A moins que cela soit devenu possible de nos jours ?

Une très jolie fille parlait à l'autre bout de la table et déclarait :

— Des changements doivent nécessairement venir. On ne peut pas continuer à exploiter ainsi les gens et à détruire l'environnement. C'est tout simplement trop tard pour appliquer encore la devise « chacun pour soi ». Autrement, il n'y aura jamais de paix sur la terre.

Comme si un jour cette paix pouvait venir ! Je ne devrais peut-être pas dire cela. Que sais-je de l'avenir ? Ces jeunes parviendront peut-être grâce à leur imagination et à leur énergie à faire ce que nous n'avons pas fait. Nous avions déjà trop à faire à nous occuper de nous-mêmes pour nous intéresser à ces problèmes !

Rainaldo — ce devait être lui parce qu'il parlait un peu anglais — croisa le regard d'Anna, qui se rendit compte alors qu'elle négligeait ses invités mexicains et s'en voulut d'être aussi impolie. Elle lui sourit et il lui sourit à son tour et montra les chandeliers pour engager la conversation.

— Du très bel argent, Tante, très ancien. Deux cents ans, je pense.

— Tu as raison. Ils appartenaient à mon arrière-grand-mère, c'est-à-dire ton arrière-arrière... — je ne sais pas combien d'« arrière », peut-être quatre ou cinq — grand-mère.

— Fantastique ! s'écria Rainaldo en levant les bras au ciel. Cela me fait vraiment quelque chose, dit-il en montrant son cœur.

— Oui, approuva Anna, à moi aussi.

— Au Mexique, nous avons aussi de la belle argenterie. Cette peinture... ce portrait, c'est Oncle Joseph, je pense ? Mon grand-père m'a parlé de lui.

Le portrait était accroché derrière Anna. Joseph prenait toujours ses repas assis face à son portrait. Anna se retourna.

— Ce portrait lui ressemble bien, il avait vraiment cet air-là.

Pas dans sa jeunesse, car il avait alors un regard inquiet. Mais sur ce portrait, il avait un air assuré, un peu grave peut-être ; l'air d'un patriarche présidant la table familiale.

— Laura parle beaucoup de lui, dit Robby. J'aurais aimé le connaître.

— C'était un homme simple, expliqua Anna, comme si on lui avait demandé de le définir en peu de mots. La seule chose qui comptait vraiment pour lui était de maintenir la famille unie. Je pense que tout le reste représentait seulement pour lui un moyen d'y parvenir.

Un groupe se leva et s'avança vers la table d'Anna au milieu d'une confusion de voix et de rires.

— Je voudrais demander à tout le monde de boire à la santé de ma belle-mère, cria Theo. Puisse-t-elle vivre cent vingt ans !

Les verres s'entrechoquèrent et il ajouta :

— Je doute qu'il y ait beaucoup d'hommes qui puissent souhaiter longue vie à leur belle-mère en le pensant sincèrement.

Ses yeux rencontrèrent ceux d'Anna et ils se regardèrent longuement.

— Et je voudrais aussi boire à la mémoire de Papa, dit doucement Iris. En un tel jour, nous ne pouvons que penser tout spécialement à lui.

Pour on ne sait trop quelle raison, dans chaque réunion, on ne manquait jamais de jouer au jeu des ressemblances.

— Lui ressemblez-vous, Iris ? s'enquit Doris Berg. J'ai le sentiment, en vous voyant ainsi sous le portrait de votre père, que vous lui ressemblez un peu.

— Tu crois que je lui ressemble, Maman ? demanda Iris dans l'espoir d'une réponse affirmative.

— Je n'ai jamais été douée pour voir les ressemblances. J'ai toujours pensé que chacun ressemble à lui-même.

— Oh, je ne crois pas ! insista Doris Berg. Certains enfants sont la réplique de leurs parents. Jimmy ressemble tout à fait à Theo et Philip à Iris. Iris a un grand front, un peu comme son père... toutefois... toutefois, c'est dur à dire... peut-être que vous ne lui ressemblez pas, conclut-elle la tête penchée sur le côté, la moue sceptique. Vous êtes un mystère, Iris !

— Mais notre mariée est sa grand-mère tout crachée ! Les cheveux roux et les yeux : on ne peut pas s'y tromper ! Quels yeux curieux et immenses vous aviez, Anna ! Je me souviens que la première fois où je vous ai vue, vous regardiez tout avec gourmandise comme si vous aimiez l'univers entier !

C'était fini. Les mariés étaient partis en voiture pour faire du camping. Céleste était apparue à la porte d'entrée avec des boîtes de riz au moment de leur départ. Il s'agissait d'une autre tradition à laquelle Robby et Laura auraient bien voulu se soustraire, mais Céleste avait d'autres idées sur la question, et ils avaient couru dans l'allée jusqu'à leur voiture sous une pluie de riz. Theo et Iris se tenaient à côté d'Anna, attendant que la voiture soit hors de vue. Ils se tenaient par la main

Anna toucha le bras de Theo.

— Elle est partie, Theo, mais vous ne l'avez pas perdue.

— Comment le savez-vous ?

— Je le sais. Ils suivent des chemins différents, mais il y a toutefois une chaîne qui les lie à vous, expliqua-t-elle, en le croyant presque — mais pas tout à fait — elle-même.

Quand les invités et les fournisseurs furent partis et qu'il ne resta plus que la famille, Anna monta dans sa chambre.

— Il faut que j'enlève cet accoutrement, se plaignit-elle.

— Je vais t'aider, lui proposa Iris. C'était finalement un très joli mariage, tu ne crois pas ? Je craignais que ce ne soit trop hippie... Oh, encore ce maudit chien ! s'écria-t-elle, car il avait poussé la porte et faisait fête à Anna avec un museau et des moustaches sales.

— Regarde ta robe !

— Je m'en moque, elle doit être nettoyée. Je m'inquiète au sujet du chien. Il est bien capable de me survivre et tu n'aimes pas les chiens.

— Maman, comme tu es morbide !

C'était la seconde fois qu'on lui faisait cette réflexion et elle ne se sentait pas du tout morbide. Pourquoi les gens ne veulent-ils jamais voir la réalité ?

— Je crois toutefois que Laura et Robby le prendront. Ils auront beaucoup d'espace... Je vais leur écrire pour le leur demander.

— Pourrais-tu, s'il te plaît, les laisser tranquilles pendant leur voyage de noces avant de commencer à leur parler de la mort ? Laisse-moi mettre les fleurs accrochées à ton corsage dans l'eau.

Des orchidées : quelles horribles fleurs ! J'ai toujours aimé les fleurs joyeuses comme les dahlias ou les asters, presque toutes les fleurs, excepté les orchidées. Joseph m'en offrait toujours dès que nous sortions ou recevions. Il semblait si heureux de me les offrir que je n'ai jamais osé lui dire que ces fleurs me faisaient penser à des serpents.

— Donne-moi ton collier. Je vais le mettre dans cette boîte pour la nuit et j'irai le porter pour toi demain matin au coffre-fort. Qu'est-ce que c'est que ça ?

— Ce n'est pas ma boîte à bijoux, répondit Anna, embarrassée.

Il s'agissait d'une boîte en fer-blanc de fantaisie qui avait contenu autrefois des bonbons. Elle y avait caché une mèche de ses longs cheveux roux quand elle les avait fait couper.

Iris souleva une spirale scintillante qui tombait presque jusqu'à ses genoux.

— Maman, quels beaux cheveux ! J'avais oublié combien ils étaient beaux...

— Il y a bien longtemps.

— Cela ne me semble pas si loin. Je me souviens que tu portais une robe rose le jour de mon mariage. Tu portais souvent du rose, une couleur qui s'harmonisait merveilleusement avec tes cheveux. Tu étais la plus éblouissante des femmes présentes. Personne ne me regardait ; ils n'avaient d'yeux que pour toi.

— Iris, je suis désolée de te dire que tu dis parfois des choses complètement idiotes. Tu étais une mariée ravissante.

Des larmes embuèrent les yeux d'Iris. Ma fille me regarde et je peux dire ce qu'elle pense aussi clairement que si les os de son front étaient transparents. Elle se souvient de l'enfance et se sent coupable parce qu'elle a toujours aimé Joseph plus qu'elle ne m'a aimée. Je tends ma main et elle pose la sienne dessus, mais je sais qu'elle se sent mal à l'aise quand je fais un geste vers elle. Elle n'a jamais aimé que je la touche et je ne sais pas pourquoi. Mais c'est quelque chose contre quoi elle ne peut rien faire pas plus qu'elle ne peut s'empêcher d'aimer Theo.

Janet frappa à la porte qui était restée ouverte.

— Puis-je entrer ? Je vous amène le bébé.

Elle posa le bébé sur les genoux d'Anna. Anna tendit son doigt et la minuscule main s'enroula autour. Les paupières fermées du bébé ressemblaient à deux fragiles coquillages. Oh, être jeune à nouveau pour créer un tel petit être !

Elle se sentit soudain prise de panique : elle ne parvenait absolument pas à se souvenir si l'enfant de Jimmy était une fille ou un garçon. Il y avait un grand vide dans sa tête. Mon Dieu, pourquoi ne puis-je m'en souvenir ? songea-t-elle horrifiée... Je ne peux pas poser la question, je me couvrirais de honte. Ils vont penser que je suis sénile et je ne le suis pas, du moins, pas encore ; malgré mes artères qui se sclérosent, j'ai le sentiment de voir les choses de manière plus claire que jamais.

— Le bébé est-il assez gros ? demanda-t-elle, en repoussant légèrement la couverture qui le recouvrait.

Une brassière rose. Ah, bien sûr, une fille. Mon arrière-petite-fille.

Et elle s'appelle Rebecca Ruth, les prénoms de ses deux grand-mères. C'est vraiment dommage que Ruth n'ait pas vécu assez longtemps pour la voir. N'est-ce pas drôle de penser que nous serions un jour arrière-grand-mères du même enfant ? Rebecca Ruth, tu viens juste d'arriver au monde et moi je vais bientôt le quitter. Nous vivrons au plus quelques années ensemble. J'aimerais vivre assez longtemps pour que tu sois assez grande pour garder un souvenir de moi. Quelle vanité !

Mais je suis le lien, la seule dans la maison ce soir à les lier tous ensemble, Rainaldo et Raimundo, Philip et Steve... Je lève ma main. Est-ce vrai que certaines des cellules qui sont en moi sont les mêmes que celles qui se trouvent dans ce bébé ? J'aimerais connaître davantage la biologie. J'aimerais en savoir davantage sur tout. Quand je pense aux choses que Rebecca Ruth verra et apprendra et que je ne peux même pas concevoir. Et ma mère parlait de l'époque merveilleuse où toutes les femmes pourraient apprendre à lire...

Mais une chose était vraie alors, qui est toujours vraie maintenant : j'ai dit à Theo qu'il existait un lien qui nous unissait tous et je ne l'ai pas dit seulement pour le consoler mais aussi parce que je le pensais. Ce lien doit exister ou sinon plus rien n'a de valeur

Si nous pouvons nous y tenir, nous ferons alors de bons enfants et le monde sera meilleur. Je vois peut-être les choses de façon beaucoup trop simple dans cette époque confuse, mais les choses les plus vraies ne sont-elles pas toujours simples ?

Oh, j'aimerais rester un peu plus longtemps sur cette terre pour voir ce que Philip fait de son talent, pour veiller sur Iris (bien que je sois certaine qu'elle n'en a plus besoin). Comment puis-je mourir et les quitter tous ? Je me fais tant de souci ! Quelle folle je suis de penser qu'ils ne pourront pas se débrouiller sans moi ! L'indispensable Anna !

Le bébé s'agita et plissa son visage à la peau de pêche.

— Je vais la prendre, dit Janet, c'est à nouveau l'heure de la nourrir.

— J'aimerais qu'on prenne une photo de moi avec elle, dit Anna qui venait d'en avoir l'idée. Peu de personnes savent comment était leur arrière-grand-mère. Pendant toute ma vie, ma curiosité a été déçue car je n'ai jamais rien pu savoir de mes ascendants. Je n'ai jamais vu de portraits et encore moins de photos !

— Nous ferons venir un photographe demain matin, déclara Iris. Nous prendrons en photo les garçons mexicains — je ne me souviens jamais de leurs prénoms ! Nous prendrons toute la famille. Voici Philip. Tu as joué merveilleusement, mon chéri.

— Nany, dit Philip, je suis venu avec le magnétophone. J'espère que tu n'as pas oublié. Nany et moi, expliqua-t-il à Janet, allons écrire l'histoire de sa vie pour la postérité. C'était mon idée, à cause de ce que Nany raconte toujours sur les familles et parce qu'elle dit que c'est bien que les gens connaissent leurs ancêtres et tout ça.

— Je ne sais pas quoi dire ! s'écria Anna en joignant ses mains. On croirait que j'ai une vie héroïque à raconter !

— Nany ! Tu ne vas pas te dédire !

Elle se sentit soudain terriblement fatiguée, mais Philip avait l'air si déçu ! Il a les mêmes yeux pâles que mon père et la même démarche un peu lourde. Comment peut-il comprendre à quoi ressemblait la vie de son arrière-grand-père, fabricant de bottes et de harnais ? Pour lui, il s'agit d'une histoire pittoresque et émouvante. Pour lui, mon père est irrémédiablement mort, comme nous le sommes tous quand la dernière personne qui connaissait notre visage ou entendait notre voix est partie. Par le souvenir, nous pouvons préserver une part de cette vie qui était.

— Non, dit-elle, je ne me dédis pas.

— Formidable ! Alors, assieds-toi confortablement, Nany, et commence par le commencement.

Le commencement ? Pourquoi ses souvenirs semblaient-ils parfois terriblement flous et lointains pour resurgir à d'autres moments avec une telle intensité, au point qu'elle avait l'impression de sentir l'air doux, brumeux et odorant de l'Europe, si différent de l'air vif de l'Amérique. Belle Amérique, plus merveilleuse, plus douloureuse, plus généreuse, plus difficile qu'elle ne l'avait jamais rêvée lorsqu'elle était enfant et avait tellement envie d'y aller.

— Dis seulement tout ce qui te passe par la tête, d'aussi loin que tu te souviennes. Peu importe quoi, mais n'oublie rien.

Elle avait envie de rire mais ne le fit pas en voyant l'air impatient et sérieux de Philip.

— Relaxe-toi, Nany. Je te dirai quand tu pourras commencer.

Elle ferma les yeux. La lampe brillait à travers ses paupières et Anna vit se dessiner sur celles-ci un entrelacs de fines veines rouges... Se souvenir... Eric s'avançant bravement sur la pelouse vers eux. Maury à la cérémonie de remise des diplômes de Yale et Maury assis sur le sol de la cuisine, mangeant une pomme. Iris, petite fille frêle tenant la main de Joseph. Les oiseaux qui chantaient au-dessus de la tombe d'Eric. Et Joseph qui murmurait : Comme tu es ravissante !

Est-ce que je me souviens réellement du châle bleu foncé garni de fins motifs blancs que portait ma mère ? Puis-je vraiment me souvenir de sa voix — qui était grave pour celle d'une femme — quand elle priait ? « Soyez béni mon Dieu, Roi de l'univers », disait-elle dans cette maison de mon enfance, dont nous recherchons la chaleur et la sécurité pendant tout le reste de notre vie sans jamais les retrouver.

— Tu es prête, Nany ? Je vais mettre le magnétophone en marche.

— Il y avait une ville à l'autre bout du monde... — oui, c'était un bon début ; les mots coulaient, clairs et rapides —... pas tant une ville qu'une large rue boueuse qui menait à la rivière. Je crois qu'elle existe encore, mais toute ma famille est depuis longtemps partie. Il y avait une clôture en bois autour de la maison de mon père et un fourneau en fonte noire dans la cuisine. Les murs étaient couverts de papier peint à fleurs rouges et ma mère chantait...

Cet ouvrage a été composé par Facompo
et imprimé par la S.E.P.C. à Saint-Amand-Montrond (Cher)
pour le compte de France Loisirs

Achevé d'imprimer le 15 septembre 1982

Dépôt légal : septembre 1982.
N° d'Édition : 7179. N° d'Impression : 1347.
Imprimé en France